VEROORDEELD

DE BOEKEN VAN KARIN SLAUGHTER

Nachtschade
Zoenoffer
Een lichte koude huivering
Onzichtbaar
Trouweloos
Triptiek
Onaantastbaar
Onbegrepen
Versplinterd
Genesis
Verbroken
Ongezien
Gevallen
Doorn in mijn vlees
Genadeloos
Stille zonde
Veroordeeld
Mooie meisjes
Verborgen
Laatste adem
Goede dochter
Gespleten/Pieces of Her
Laatste weduwe
Schoon goud (met Lee Child)
Verzwegen
Valse getuige
Puntgaaf
Gewetenloos
Na die nacht
Waarom we logen

ALLEEN ALS E-BOOK VERSCHENEN

Kwijt
Gepakt
Koud hart
Diep

KARIN SLAUGHTER

VEROORDEELD

Vertaling Ineke Lenting

HarperCollins

Voor het papieren boek is papier gebruikt dat onafhankelijk is gecertificeerd door FSC®
om verantwoord bosbeheer te waarborgen.
Kijk voor meer informatie op www.harpercollins.co.uk/green.

HarperCollins is een imprint van Uitgeverij HarperCollins Holland, Amsterdam.

Oorspronkelijke titel: *Cop Town*

Omslagontwerp: Buro Blikgoed
Omslagbeeld: © Lynn Whitt / Arcangel Images
Foto auteur: © Alison Rosa
Zetwerk: Mat-Zet B.V., Huizen
Druk: ScandBook UAB, Lithuania, met gebruik van 100% groene stroom

ISBN 978 94 027 1426 5 (paperback)
ISBN 978 94 027 7059 9 (e-book)
NUR 305
Eerste druk bij HarperCollins Holland oktober 2023
Derde druk augustus 2024

Originele uitgave verschenen bij Delacorte Press/Random House, New York.
HarperCollins Holland is een divisie van Harlequin Enterprises ULC.

www.harpercollins.nl

Voor Géa Thuis

Al wat ik brengen kan vandaag –
Dit, en mijn hart erbij –
Dit, en mijn hart, en 't akkerland –
Het weiland wijd en zijd –
Tel zelf – als ik vergeten zou
Dat één de som benoemt –
Dit, en mijn hart, en elke Bij
Die in de Klaver woont.

– EMILY DICKINSON (vertaling Peter Verstegen, *Verzamelde gedichten*, Van Oorschot, 2011)

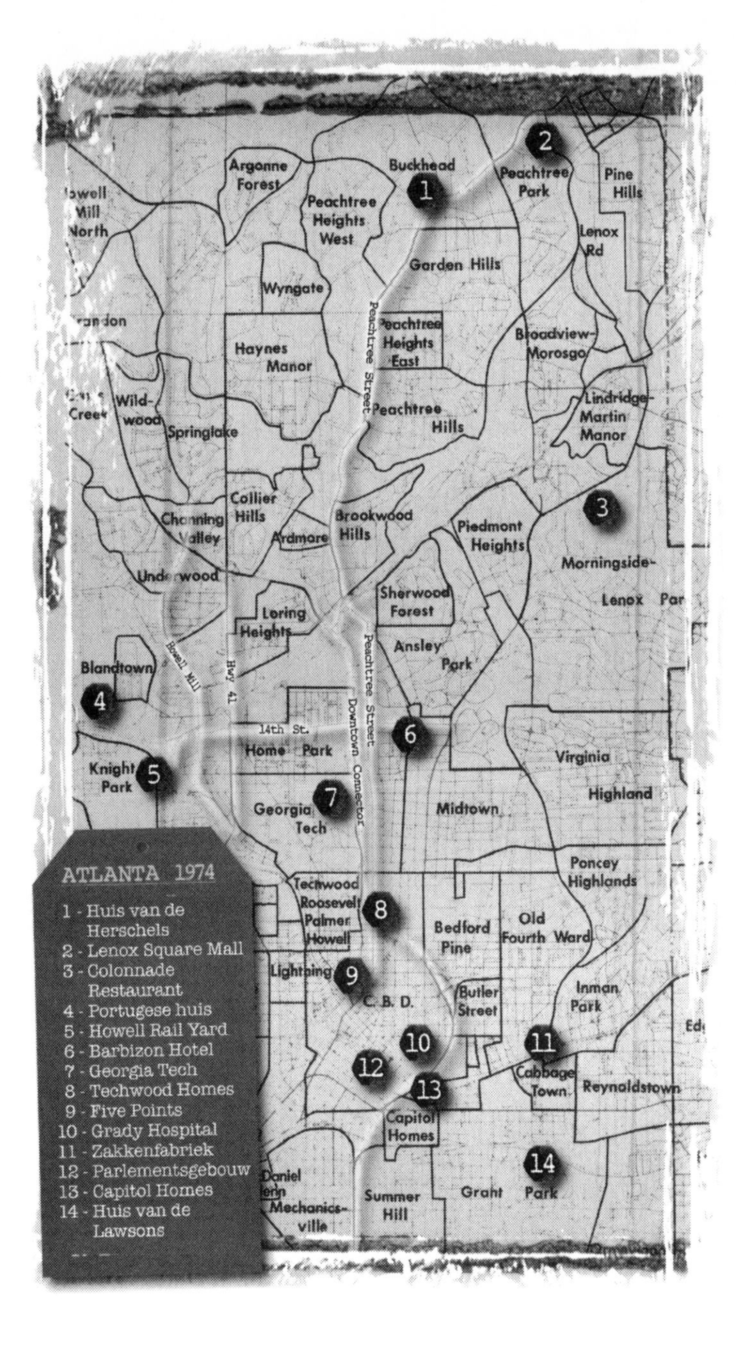
ATLANTA 1974
1 - Huis van de Herschels
2 - Lenox Square Mall
3 - Colonnade Restaurant
4 - Portugese huis
5 - Howell Rail Yard
6 - Barbizon Hotel
7 - Georgia Tech
8 - Techwood Homes
9 - Five Points
10 - Grady Hospital
11 - Zakkenfabriek
12 - Parlementsgebouw
13 - Capitol Homes
14 - Huis van de Lawsons
Argonne Forest
Buckhead
Peachtree Park
Pine Hills
Peachtree Heights West
Lenox Rd
Garden Hills
Wyngate
Peachtree Street
Peachtree Heights East
Haynes Manor
Broadview-Morosgo
Wild-wood
Springlake
Peachtree Hills
Lindridge-Martin Manor
Collier Hills
Channing Valley
Ardmore
Brookwood Hills
Piedmont Heights
Morningside-Lenox
Sherwood Forest
Loring Heights
Ansley Park
Howell Mill
Hwy 41
Blandtown
Downtown Connector
14th St.
Home Park
Knight Park
Virginia Highland
Georgia Tech
Midtown
Poncey Highlands
Techwood Roosevelt Palmer Howell
Bedford Pine
Old Fourth Ward
C. B. D.
Butler Street
Inman Park
Cabbage Town
Reynaldstown
Capitol Homes
Summer Hill
Grant Park
Mechanics-ville

November 1974

PROLOOG

Het werd dag boven Peachtree Street. De zon sneed door het centrum, scheerde langs de bouwkranen die straks weer in de aarde zouden duiken om er wolkenkrabbers, hotels en congrescentra uit omhoog te trekken. Vorst legde spinrag over de parken. Mist zweefde door de straten. Langzaam rechtten bomen hun rug. De stad stootte haar vochtige, rottende vlees het novemberlicht in.

Het enige geluid was dat van voetstappen.

Zwaar gedreun weergalmde tussen de gebouwen toen Jimmy Lawson op zijn politielaarzen over de straat denderde. Zweet gutste van hem af. Zijn linkerknie dreigde het te begeven. Zijn lijf was een symfonie van pijn. Elke spier was een aangeslagen pianosnaar. Zijn kiezen knarsten als een schuurblok. Hij had een hart als een kleine trom.

Het zwarte granieten Equitable Building wierp een vierkante schaduw toen Jimmy Pryor Street overstak. Hoeveel straten was hij al gepasseerd? Hoeveel moest hij nog?

Don Wesley hing als een zak meel over zijn schouder. De brandweergreep. Moeilijker dan het leek. Jimmy's schouder stond in lichterlaaie. Zijn ruggengraat boorde zich in zijn stuitbeen. Zijn arm trilde, zoveel moeite kostte het hem om Dons benen tegen zijn borst te klemmen. Misschien was Don al dood. Hij bewoog niet. Alleen zijn hoofd sloeg tegen de onderkant van Jimmy's rug terwijl hij over Edgewood Avenue racete, sneller dan hij ooit met de bal over het veld was gescheurd. Hij wist niet of het Dons bloed of zijn eigen zweet was dat langs de achterkant van zijn benen stroomde en plasjes in zijn laarzen vormde.

Dit overleefde hij niet. Onmogelijk dat een man dit overleefde.

Het pistool was tersluiks om de hoek verschenen. Jimmy had het langs de rand van de betonnen muur zien glijden. Vanaf de punt van de loop stak de scherpe tand van de korrel omhoog. Een Raven MP-25. Een verwijderbaar magazijn met zes patronen, herladende afsluiter, semiautomatisch. De klassieke *Saturday night special*. Vijfentwintig dollar op elke straathoek in het getto.

Zoveel was het leven van zijn collega dus waard geweest. Vijfentwintig dollar.

Jimmy struikelde toen hij langs First Atlanta Bank rende. Zijn linkerknie raakte bijna het asfalt. Alleen angst en adrenaline voorkwamen een val. Beelden flitsten als veelkleurig vuurwerk door zijn hoofd: een rode overhemdsmouw opgestroopt rond een geelgouden polshorloge. Een zwarte handschoen om de witte, parelmoeren handgreep. Door de opkomende zon baadde het donkere staal van het wapen in een blauwig licht. Het leek ongerijmd dat iets zwarts kon glanzen, maar het wapen had praktisch gegloeid.

En toen had de vinger de trekker overgehaald.

Jimmy wist hoe een wapen werkte. De slede van de 25 was al in de voorste stand en er zat een patroon in de kamer. De trekker activeerde de slagpin. De slagpin raakte het slaghoedje. Het slaghoedje ontstak het kruit. De kogel vloog uit de loop. De huls floepte uit het hulzengat.

Dons hoofd explodeerde.

Moeiteloos dook het beeld weer in Jimmy's hoofd op. Het geweld stond op zijn netvlies gegrift, vormde de achtergrond telkens als hij met zijn ogen knipperde. Jimmy keek naar Don, toen keek hij naar het pistool, en het volgende moment zag hij dat de zijkant van Dons gezicht helemaal verwrongen was en de kleur en structuur van een rot stuk fruit had aangenomen.

Klik-klik.

Het wapen blokkeerde. Anders had Jimmy nu niet over straat gerend. Dan zou hij op zijn buik naast Don in een steeg hebben gelegen, met condooms, peuken en naalden aan hun huid geplakt.

Gilmer Street. Courtland. Piedmont. Nog drie straten. Zo lang hield zijn knie het wel.

Jimmy had nooit in de loop gekeken van een wapen dat werd afgeschoten. De flits was een explosie van sterrenlicht: miljoenen speldenprikjes zon die de donkere steeg verlichtten. Zijn trommelvliezen galmden van de knal. Zijn ogen deden pijn van het cordiet. Tegelijkertijd voelde hij iets tegen zich aan spatten, net warm water, alleen wist hij – hij wíst het – dat het bloed was en bot, en stukjes huid die zijn borst, zijn hals en zijn gezicht raakten. Hij proefde het op zijn tong. Hij vermaalde het bot tussen zijn kiezen.

Het bloed van Don Wesley. Het bot van Don Wesley.

Hij werd erdoor verblind.

Toen Jimmy een jongen was moest hij van zijn moeder zijn zusje altijd meenemen naar het zwembad. Ze was nog heel klein. Met haar magere, bleke armpjes en beentjes die uit haar petieterige badpakje staken, deed ze Jimmy aan een babybidsprinkhaan denken. In het water maakte hij een kommetje van zijn handen en dan zei hij dat hij een kever had gevangen. Ook al was ze een meisje, ze vond het altijd prachtig om kevers te bekijken. Dan kwam ze eraan plonzen en op dat moment kneep Jimmy zijn handen samen zodat het water in haar gezicht spoot. Ze gilde het uit. Soms moest ze huilen, maar de volgende keer dat ze in het zwembad waren deed hij het weer. Jimmy maakte zichzelf wijs dat het niet erg was, want ze stonk er steeds weer in. Niet dat hij wreed was. Zij was stom, dat was het probleem.

Waar was ze nu? Veilig in bed, hoopte hij. Diep in slaap, bad hij. Ze werkte ook bij de politie. Zijn kleine zusje. Het was niet veilig. Het was niet ondenkbaar dat hij haar op een dag over straat zou dragen. Haar slappe lichaam zou op en neer hotsen terwijl hij de hoek om scheurde, zijn knie zou over het wegdek schrapen terwijl zijn gescheurde banden als bekkens tegen elkaar sloegen.

Verderop zag Jimmy een verlicht bord: een wit veld met een rood kruis in het midden.

Het Grady Hospital.

Hij kon wel huilen. Het liefst zou hij zich op de grond laten vallen. Maar zijn last werd niet lichter. Don werd eerder zwaarder. De laatste twintig meter waren de moeilijkste van Jimmy's leven.

Een groepje zwarte mannen had zich onder het bord verzameld. Ze droegen felpaarse en groene kleren. Hun strakke broeken waaierden uit onder de knie, en eronder blonk wat witgelakt leer. Dikke bakkebaarden. Potloodsnorretjes. Gouden ringen aan hun vingers. Een paar meter verderop stonden Cadillacs geparkeerd. Op dit vroege uur waren de pooiers altijd voor het ziekenhuis te vinden. Ze rookten dunne sigaartjes en zagen de zon opkomen terwijl ze wachtten tot hun meiden voldoende waren opgelapt voor de ochtendspits.

Geen van hen bood hulp aan toen de twee bebloede agenten de deuren naderden. Ze stonden wezenloos toe te kijken. Hun cigarillo's bleven halverwege in de lucht hangen.

Jimmy viel tegen de glazen deuren. Iemand was vergeten ze op slot te doen. Ze klapwiekten open. Zijn knie zwenkte opzij. Hij tuimelde voorover de wachtkamer van de afdeling spoed in. De schok was als een gemene tackle. Dons heupbeen sneed in zijn borstkas. Jimmy voelde zijn ribben doorbuigen tot ze zijn hart raakten.

Hij keek op. Minstens vijftig ogenparen staarden terug. Niemand zei een woord. Ergens ver weg op de behandelafdeling ging een telefoon. Het geluid weergalmde door de vergrendelde deuren.

De Grady's. Meer dan tien jaar burgerrechten hadden geen

moer uitgehaald. De wachtkamer was nog steeds in tweeën gedeeld: zwart aan de ene kant, blank aan de andere kant. Net als de pooiers onder het bord staarden ze allemaal naar Jimmy. Naar Don Wesley. Naar de rivier van bloed die onder hen wegstroomde.

Jimmy lag nog steeds boven op Don. Het tafereel had iets obsceens: de ene man boven op de andere. De ene agent boven op de andere. Niettemin legde Jimmy voorzichtig zijn hand om Dons gezicht. Niet aan de kant waar het openlag, maar aan de kant die nog steeds op zijn collega leek.

'Het komt goed,' kreeg Jimmy er met moeite uit, ook al wist hij dat het niet goed kwam. Dat het nooit meer goed zou komen. 'Rustig maar.'

Don hoestte.

Jimmy's maag draaide zich om toen hij dat geluid hoorde. Hij was ervan overtuigd geweest dat de man dood was. 'Ga hulp halen,' zei hij tegen de wachtenden, maar hij kon alleen fluisteren, met een smekend meisjesstemmetje dat uit zijn eigen mond kwam. 'Laat iemand hulp halen.'

Don kreunde. Hij probeerde iets te zeggen. Zijn hele wang was verdwenen. Jimmy zag zijn tong tussen tanden en verbrijzeld bot hangen.

'Het komt goed.' Jimmy's stem was nog steeds een hoge fluittoon. Hij keek weer op. Niemand die zijn blik beantwoordde. Verpleegsters waren er niet. Artsen ook niet. Niemand ging hulp halen. Niemand nam die stomme telefoon op.

Weer kreunde Don. Zijn tong gleed slap langs zijn kaak naar buiten.

'Het komt goed,' herhaalde Jimmy. Tranen stroomden over zijn gezicht. Hij was misselijk en duizelig. 'Alles komt goed.'

Don hapte naar adem, alsof hij verrast was. Hij hield de lucht een paar tellen lang in zijn longen en liet toen een zacht, onheilspellend gekreun horen. Jimmy voelde het geluid natrillen in zijn borst. Dons adem rook wrang: de lucht van een ziel die het lichaam verlaat. Het was niet zozeer dat de kleur uit hem wegtrok, het was eerder alsof een kan zich vulde met koude karnemelk. Zijn lippen kregen een aardse, macabere blauwtint. De tl-lampen trokken witte strepen over het dofgroen van zijn irissen.

Jimmy voelde iets duisters door zich heen gaan. Het greep hem bij zijn keel en stak toen langzaam zijn ijzige vingers in zijn borstkas. Hij moest lucht hebben en opende zijn mond, maar klemde hem meteen weer dicht uit angst dat Dons geest in hem zou varen.

Ergens ging de telefoon nog steeds over.

'Shi-it,' klonk het schorre gebrom van een oude vrouw. 'Nou krijg ik die dokter nooit meer te zien.'

DAG EEN

Maandag

EEN

Maggie Lawson was boven in haar slaapkamer toen ze de telefoon hoorde overgaan in de keuken. Ze keek op haar horloge. Een telefoontje zo vroeg in de ochtend voorspelde weinig goeds. Via de achtertrap stegen geluiden uit de keuken op: de klik waarmee de hoorn van de haak werd genomen. Het zachte gemurmel van haar moeders stem. De scherpe tik waarmee het telefoonsnoer tegen de vloer sloeg terwijl ze door de keuken heen en weer liep.

In het linoleum waren grijze zigzaglijnen uitgesleten van de ontelbare keren dat Delia Lawson door de keuken had geijsbeerd als ze weer eens slecht nieuws te horen kreeg.

Het gesprek duurde niet lang. Delia hing op. De luide klik weergalmde tot aan de dakspanten. Maggie kende elk geluid van het oude huis. Haar hele leven al had ze zijn stemmingen bestudeerd. Vanuit haar eigen kamer kon ze haar moeder volgen als ze in de keuken bezig was: de koelkast die werd geopend en weer gesloten. Een kastdeurtje dat werd dichtgeklapt. Eieren die boven een kom gebroken werden. De knip van haar duim tegen de aansteker voor de zoveelste sigaret.

Maggie wist precies hoe het zou gaan. Zolang ze zich kon herinneren speelde Delia de slechtnieuwstroef al uit. Een tijdlang zou ze zich inhouden, maar dan – vanavond, morgen of misschien over een week – zou ze het op ruzie met Maggie aansturen, en zodra Maggie haar mond opendeed om te reageren, zou haar moeder haar kaarten op tafel leggen: ze liep achter met de elektriciteitsrekening, het aantal diensten dat ze draaide in het restaurant was teruggebracht, de auto was aan een nieuwe versnellingsbak toe, en nu maakte Maggie het nog erger door een grote mond op te zetten en jezus, kon ze haar moeder niet even met rust laten?

Verslagen. De deler wint.

De strijkplank knerpte toen Maggie hem dichtklapte. Voorzichtig stapte ze om stapels gevouwen wasgoed heen. Ze was die ochtend al om vijf uur opgestaan om voor het hele gezin te strijken. Sisyphus in ochtendjas, dat was ze. Ze hadden allemaal een of ander uniform. Lilly droeg blauw-groen geruite rokken en gele overhemden naar school. Van Jimmy en Maggie waren de donkerblauwe broeken en dito overhemden met lange mouwen van het Atlanta Police Department. Delia had synthetische groene jasschorten van het restaurant. En als ze allemaal thuiskwamen, trokken ze hun gewone kleren aan, wat betekende dat Maggie elke dag voor acht in plaats van vier mensen aan het wassen en strijken was.

Ze klaagde alleen als niemand haar hoorde.

Uit Lilly's kamer klonk gekras toen ze de naald op een plaat liet vallen. Maggie klemde haar kiezen op elkaar. *Tapestry.* Lilly draaide die elpee helemaal grijs.

Nog niet zo lang geleden hielp Maggie Lilly elke ochtend met aankleden voor ze naar school ging. 's Avonds bladerden ze het tijdschrift *Brides* door en knipten foto's uit voor hun droomhuwelijk. Dat alles was vóór Lilly dertien werd en haar leven in een eeuwigdurend visioen van eeuwig wisselende tinten veranderde, net als dat van Carole King.

Ze verwachtte elk moment dat Jimmy op de muur zou bonzen en tegen Lilly zou roepen dat ze die klereherrie uit moest zetten, maar toen bedacht ze dat haar broer een extra nachtdienst draaide. Maggie keek uit het raam. Jimmy's auto stond niet op de oprit. Het bedrijfsbusje van de buurman was er ook niet, wat ongebruikelijk was. Ze vroeg zich af of hij ook nachtdienst had. En meteen berispte ze zichzelf, want het ging haar niks aan wat de buurman deed.

Tijd om naar beneden te gaan voor het ontbijt. Terwijl ze de trap af liep, trok Maggie de schuimrollers uit haar haar. Precies op het midden van de trap bleef ze even staan. De akoestische vrijhaven. *Tapestry* stierf weg. Er klonk geen enkel geluid uit de keuken. Als ze het goed timede, had Maggie soms een volle minuut stilte daar op de trap. De rest van de dag zou zich geen enkel moment meer voordoen waarop ze zo alleen was.

Voor ze doorliep, ademde ze diep in en liet de lucht weer langzaam ontsnappen.

Het oude victoriaanse huis was ooit imposant geweest, maar van zijn vroegere glorie was niets meer over. Uit de gevelbeplating waren hele happen verdwenen. Stukken verrot hout hingen als vleermuizen van de daklijsten. De ramen rammelden bij het geringste briesje. Als het regende stroomde er een beek door het souterrain. Er was geen contactdoos in huis waar geen zwart waas omheen zat getatoeëerd ten gevolge van prutswerk en slechte zekeringen.

Het was vochtig in de keuken, ook al was het winter. Ongeacht het seizoen rook het er altijd naar gebakken spek en sigaretten. De bron van beide stond bij het fornuis. Met kromme rug vulde Delia het filterapparaat. Als Maggie aan haar moeder dacht, zag ze deze keuken voor zich: de vale avocadogroene apparatuur, het gebarsten gele linoleum op de vloer, de zwarte schroeiranden op het gelamineerde aanrechtblad van de sigaretten die haar vader er altijd op legde.

Zoals gewoonlijk was Delia nog eerder opgestaan dan Maggie. Niemand wist wat Delia deed zo vroeg in de ochtend. Waarschijnlijk vervloekte ze God omdat ze weer wakker was geworden in hetzelfde huis met dezelfde problemen. Er gold een ongeschreven regel, namelijk dat je niet beneden kwam voor je het geluid hoorde van eieren die werden geklutst in een kom. Delia maakte altijd een uitgebreid ontbijt, een overblijfsel uit haar jeugd tijdens de Depressie, toen het ontbijt soms het enige maal van de dag was.

'Lilly al wakker?' Zonder zich om te draaien wist Delia dat Maggie was binnengekomen.

'Voorlopig wel, ja. Kan ik iets doen?' bood Maggie aan, zoals elke ochtend.

'Nee.' Delia prikte met een vork in het spek. 'De oprit hiernaast is leeg.'

Maggie wierp een blik uit het raam, alsof ze niet allang wist dat Lee Grants busje niet op zijn vaste plek stond.

'Straks gaan er weer meiden op alle mogelijke en onmogelijke tijden dat huis in en uit,' zei Delia.

Maggie leunde tegen het aanrecht. Delia maakte een uitgeputte indruk. Zelfs haar vlassige bruine haar wilde niet opgestoken blijven. Ze draaiden allemaal extra diensten zodat Lilly naar een particuliere school kon gaan. Ze moesten er niet aan denken dat ze met een bus naar het getto aan de andere kant van de stad werd vervoerd. Ze hadden nog vier jaar schoolgeld, studieboeken en uniformen voor de boeg tot Lilly eindexamen deed. Maggie betwijfelde of haar moeder het zo lang volhield.

Delia was er als kind bij geweest toen haar vader zich door het hoofd schoot omdat hij het familiebedrijf was kwijtgeraakt. Haar moeder had zich al vroeg met haar pachtboerderijtje het graf in gewerkt. Ze had haar twee broers aan polio verloren. Ze moest ongetwijfeld gedacht hebben dat ze de hoofdprijs had gewonnen toen ze met Hank Lawson trouwde. Hij droeg een pak, had een goede baan en een mooie auto, maar toen keerde hij zo getraumatiseerd terug uit Okinawa dat hij sindsdien om de haverklap in een psychiatrische inrichting moest worden opgenomen.

Maggie wist maar weinig over haar vader, hoewel hij duidelijk zijn best had gedaan om tussen de ziekenhuisopnamen door iets van zijn leven te maken. Na Lilly's geboorte installeerde hij de schommel in de achtertuin. Op een keer stuitte hij in de ijzerhandel op een partij grijze verf die in de uitverkoop was, waarop hij in anderhalf etmaal zonder te pauzeren alle kamers van het huis in de kleur van een vliegdekschip schilderde. In het weekend maaide hij het gazon onder het genot van een sixpack goedkoop bier, en liet de maaier staan op de plek waar hij zijn laatste slok had genomen. Toen het een keer sneeuwde terwijl Maggie keelontsteking had, bracht hij haar sneeuw in een tupperwarebak zodat ze er in de badkamer mee kon spelen.

'Jezus, Maggie.' Delia tikte met de vork tegen de koekenpan. 'Heb je niks te doen?'

Maggie pakte een stapel borden en bestek van het aanrecht en nam die mee naar de eetkamer. Lilly zat al aan tafel, wonderbaarlijk genoeg over een studieboek gebogen. Het afgelopen jaar hadden ze de dertienjarige Lilly niet zozeer tot vrouw zien ontluiken als wel eindeloos auditie zien doen voor een rol in *The Exorcist.*

Toch liet Maggie niet alle hoop voor haar zusje varen. 'Heb je lekker geslapen?'

'Fantastisch.' Lilly sloeg haar vingers om haar voorhoofd bij wijze van saluut aan het boek. Haar haar zat in een losse paardenstaart. Het was kastanjebruin, ergens tussen het vaalbruin van Delia en Maggies donkerder tint in.

'Fantastisch klinkt niet slecht.' Maggie zette een bord naast Lilly's elleboog. Ze stootte haar aan met haar heup. 'Wat ben je aan het leren?' Weer stootte ze haar aan. En toen nog een keer. Toen Lilly niet reageerde, zong ze het begin van 'I Feel the Earth Move', en liet elke pauze met een heupstoot gepaard gaan.

'Kappen!' Lilly liet haar hoofd nog verder voorover hangen. Haar neus raakte praktisch het boek.

Maggie boog zich over de tafel heen om ook de andere kant te dekken. Ze wierp weer een blik op Lilly, die al vanaf het moment dat ze de kamer was binnengekomen naar dezelfde plek op de pagina had zitten staren.

'Kijk me eens aan,' zei Maggie.

'Ik ben aan het leren.'

'Kijk me aan.'

'Ik heb een proefwerk.'

'Je hebt mijn make-up weer gepikt.'

Lilly keek op. Ze leek net Cleopatra, zo dik had ze haar ogen aangezet.

'Schatje, je bent zo al heel mooi,' zei Maggie zachtjes. 'Je hebt die troep niet nodig.'

Lilly rolde met haar ogen.

Maggie deed een nieuwe poging. 'Je snapt niet wat voor signaal je aan jongens afgeeft als je op jouw leeftijd al make-up op hebt.'

'Dat zal jij weten.'

Maggie legde haar hand op de tafel. Ze vroeg zich af wanneer haar lieve kleine zusje zich die giftige blik had aangemeten.

De keukendeur zwaaide open. Delia's handen en armen gingen schuil onder borden met pannenkoeken, eieren, spek en broodjes. 'Je krijgt twee seconden om die troep van je gezicht te wassen voor ik je vaders riem pak.' Lilly stoof de kamer uit. Delia zette de borden een voor een met een klap op tafel. 'Zie je nou wat je haar leert?'

'Waarom zou ik...'

'Geen grote mond graag.' Delia diepte een pakje sigaretten uit haar schort op. 'Je bent tweeëntwintig, Margaret. Waarom heb ik het gevoel dat ik twee pubers onder m'n dak heb?'

'Drieëntwintig,' was het enige wat Maggie hierop te zeggen had.

Delia stak een sigaret op en blies de rook sissend tussen haar tanden door. 'Drieëntwintig,' zei ze Maggie na. 'Op jouw leeftijd was ik getrouwd en had ik twee kinderen.'

Maggie bedwong de neiging haar moeder te vragen hoe dat zo gekomen was.

Delia plukte een stukje tabak van haar tong. 'Dat feministengedoe is mooi en aardig voor rijke meiden, maar jij moet het van je gezicht en je figuur hebben. Daar moet je je voordeel mee doen voor je ze allebei kwijt bent.'

Maggie wreef haar lippen over elkaar. In gedachten zag ze achter in een opslagruimte een kist met gevonden voorwerpen staan, en daarin zaten alle vermiste gezichten en figuren van dertigjarige vrouwen.

'Hoor je me?'

'Mama.' Maggie bleef kalm. 'Ik hou van mijn baan.'

'Zeker fijn, hè, om te doen waar je van houdt?' Delia bracht de sigaret naar haar lippen. Ze inhaleerde diep en hield de rook vast in haar longen. Hoofdschuddend keek ze naar het plafond.

Maggie had zo'n vermoeden dat de bui eerder ging barsten dan ze had gedacht. Haar moeder schudde de kaarten al en zou zo meteen de slechtnieuwstroef uitspelen: waarom vergooi je je leven? Ga voor verpleegster leren. Schrijf je in bij een uitzendbureau. Zoek werk waar je mannen ontmoet die je niet voor hoer aanzien.

Maar in plaats daarvan zei Delia: 'Don Wesley is vannacht vermoord.'

Maggie sloeg haar hand tegen haar borst. Haar hart was net een kolibrie die gevangen zat onder haar vingers.

'Door het hoofd geschoten,' zei Delia. 'Twee tellen nadat hij in het ziekenhuis aankwam, was hij dood.'

'Is Jimmy...'

'Wat denk je: als Jimmy gewond was, zou ik hier dan over Don Wesley staan praten?'

Maggie nam een hap lucht en hoestte die meteen weer uit. De eetkamer hing vol rook en etensgeuren. Het liefst deed ze een raam open, maar haar vader had ze allemaal dicht geverfd.

'Hoe is het...' Het kostte Maggie moeite de vraag te formuleren. 'Hoe is het gebeurd?'

'Ik ben de moeder maar. Denk je dat ze me ook maar iets vertellen?'

'Ze,' herhaalde Maggie. Haar oom Terry en zijn vrienden. Vergeleken met hen was Delia een open boek. Gelukkig was er een simpele oplossing. Maggie stak haar hand al uit naar de stereo-installatie om de radio aan te zetten.

'Niet doen.' Delia hield haar tegen. 'Op het nieuws krijg je niks te horen wat we nog niet weten.'

'Wat weten we dan?'

'Laat dat, Margaret.' Delia tikte as in het kommetje van haar hand. 'Jimmy is veilig. Dat is het enige wat telt. En je doet aardig tegen hem wanneer hij thuiskomt.'

'Natuurlijk doe ik...'

Op de oprit werd een autoportier dichtgeslagen. Het geluid deed de ruiten rammelen. Maggie hield de lucht in haar longen, want dat was gemakkelijker dan doorademen. Ergens hoopte ze dat het de buurman was die terugkwam van zijn werk. Maar toen hoorde ze schoenen door de carport sloffen en de verandatrap op komen. De keukendeur ging open, maar werd niet dichtgetrokken.

Nog voor ze hem zag, wist ze dat het haar oom Terry was. Die deed de achterdeur nooit dicht. De keuken bestond niet voor hem, dat was een van die dingen waar vrouwen niet zonder konden en waar mannen niets van wilden weten, evenmin als van maandverband en liefdesromannetjes.

Hoewel de dag nog maar nauwelijks was begonnen, stonk Terry Lawson al naar drank. Maggie rook het vanaf de andere kant van de kamer. Zwaaiend stond hij in de deuropening. Hij droeg zijn brigadiersuniform, maar zijn overhemd hing open zodat je zijn witte hemd kon zien. Plukken borsthaar staken onder de boord uit. Hij zag eruit alsof hij in zijn auto had geslapen met een fles Jack Daniels tussen zijn knieën geklemd. En waarschijnlijk had hij daar ook gezeten toen hij op de radio het nieuws over Don Wesley hoorde.

'Ga zitten,' zei Delia. 'Je ziet er afgepeigerd uit.'

Terry wreef over zijn kaak terwijl hij naar zijn nicht en schoonzus keek. 'Jimmy is onderweg. Mack en Bud houden een oogje op hem.'

'Alles goed met hem?' vroeg Maggie.

'Natuurlijk is alles goed met hem. Je gaat niet hysterisch doen, hè?'

Opeens had Maggie heel veel zin om wel hysterisch te gaan doen. 'Je had me moeten bellen.'

'Hoezo?'

Maggie wist niet wat ze hoorde. Nog afgezien van het feit dat Jimmy haar broer was, en Don Wesley zijn vriend, werkte zij ook bij de politie. Je ging naar het ziekenhuis als een van je collega's was opgenomen. Je gaf bloed. Je wachtte op nieuws. Je troostte de familie. Dat hoorde allemaal bij het werk. 'Ik had erbij moeten zijn.'

'Hoezo?' herhaalde hij. 'De zusters hebben ons koffie gebracht. Je zou alleen maar in de weg hebben gelopen.' Met een knik naar Delia voegde hij eraan toe: 'Ik kan trouwens wel een kop gebruiken.'

Ze liep de keuken weer in.

Maggie ging zitten. Ze was nog steeds niet van het nieuws bekomen. Het erge was dat ze niet om Terry heen kon als ze antwoord op haar vragen wilde hebben. 'Hoe is het gebeurd?'

'Zoals het altijd gebeurt.' Terry plofte neer op de stoel aan het hoofd van de tafel. 'Een of andere nikker heeft hem neergeschoten.'

'Was het de Shooter?'

'De Shooter.' Hij bromde wat. 'Klets toch niet uit je nek.'

'Oom Terry!' Lilly rende de kamer in. Ze sloeg haar armen om hem heen en kuste hem op zijn wang. Tegenover Terry deed ze altijd alsof ze een paar jaar jonger was.

'Met Jimmy is alles in orde,' zei Maggie, 'maar Don Wesley is vannacht vermoord.'

Terry klopte Lilly op haar arm. Hij schonk Maggie een bijtende blik. 'De jongens en ik knopen die klootzak wel op. Maak je maar geen zorgen.'

'Niemand maakt zich zorgen.' Delia was terug met Terry's koffie. Ze zette de beker op tafel en reikte hem de krant aan. 'Alles goed met Cal en de anderen?'

'Ja hoor. Niks aan de hand.' Terry sloeg de krant open. De *Atlanta Constitution* was duidelijk al ter perse gegaan voor Don Wesley werd vermoord. Het hoofdartikel ging over structurele veranderingen die de nieuwe zwarte burgemeester in het stadsbestuur doorvoerde.

'Met Don erbij zijn er nu vijf slachtoffers,' zei Maggie.

'Maggie.' Delia liep weer naar de keuken. 'Laat je oom met rust.'

Maggie deed alsof ze de waarschuwing niet hoorde. 'Het is de Shooter.'

Terry schudde zijn hoofd.

'Ze zijn in de val gelokt, dat is duidelijk. Het moet...'

'Ga nou maar eten,' zei hij. 'Als je een lift naar het werk wilt, ben je klaar als ik zover ben.'

Lilly had nog steeds haar arm om Terry's schouders geslagen. Met een onmogelijk klein stemmetje vroeg ze: 'Loopt niemand gevaar, oom Terry?'

'In deze stad maakt de politie nog steeds de dienst uit, schat. Niet de apen.' Hij gaf haar een tik op haar achterste. 'Kom. Eten.'

Lilly ging nooit tegen Terry in. Ze nam plaats en begon kieskauwend te eten.

Met veel kabaal sloeg Terry de pagina om. Maggie zag alleen de bovenkant van zijn hoofd, de vierkante crewcut die zijn wijkende haarlijn extra benadrukte. Hij was aan een bril toe. Zijn voorhoofd rimpelde zich toen hij naar de footballuitslagen tuurde.

Uit de keuken klonk luid statisch geknetter. Jimmy's oude

transistorradio. Uit de blikkerige speaker kraakte de stem van een nieuwslezer: '...maakt melding van de zoveelste politieman die onder diensttijd is gedood...' De stem stierf weg toen Delia het geluid zachter zette.

Maggie wist dat haar moeder op één punt gelijk had: ze hoefden niet op het nieuws te horen wat ze allang wisten. De afgelopen drie maanden waren vier straatagenten in de vroege ochtenduren bij Five Points, in het centrum van de stad, vermoord. Ze hadden in koppels gewerkt. In het centrum surveilleerde niemand in zijn eentje. De eerste twee werden in een steeg gevonden; ze hadden moeten knielen, waarna ze elk een kogel door het hoofd kregen. De andere twee werden achter de dienstingang van het Portman Motel gevonden. Dezelfde modus operandi. Hetzelfde gebrek aan aanwijzingen. Geen getuigen. Geen patroonhulzen. Geen vingerafdrukken. Geen verdachten.

Op het bureau werd de moordenaar al de Atlanta Shooter genoemd.

'Ik ben een pot verse koffie aan het zetten.' Delia ging aan tafel zitten, iets wat zelden lang duurde. Ze zat half omgedraaid op haar stoel en keek Terry aan – weer iets wat ze zelden deed. 'Vertel eens wat er echt gebeurd is, Terrance.'

Terrance. De naam bleef in de lucht hangen, net als de rook en het spekvet.

Terry aarzelde, en daar maakte hij een hele show van. Hij zuchtte. Met zorg vouwde hij de krant op. Hij legde hem op tafel, evenwijdig aan de rand. In plaats van Delia's vraag te beantwoorden, maakte hij een pistool van zijn hand en zette die tegen de zijkant van zijn hoofd. Niemand zei iets tot hij de trekker overhaalde.

'Jezus,' fluisterde Lilly.

Voor de verandering wees niemand haar op haar taalgebruik.

'Jimmy kon verder niks doen,' zei Terry. 'Hij heeft twintig

blokken lopen rennen met Don over zijn schouder. Hij heeft het ziekenhuis gehaald, maar toen was het al te laat.'

Maggie dacht aan haar broer die dat hele eind gerend had met zijn slechte knie. 'Jimmy was niet...'

'Met Jimmy is niks aan de hand.' Terry klonk alsof hij hen ter wille wilde zijn. 'Waar hij niet op zit te wachten is een stel kippen dat om hem heen loopt te kakelen.'

Met die woorden sloeg hij zijn krant weer open en stak zijn neus erin.

Hij had Delia's vraag niet echt beantwoord. Hij had alleen de belangrijkste punten genoemd, waarschijnlijk dezelfde bijzonderheden die je op de radio kon horen. Terry wist precies hoe hij hen moest bespelen. Tijdens de oorlog had hij bij de US Marines gezeten. Zijn eenheid was gespecialiseerd in psychologische oorlogsvoering. Hij ging dit rekken, gewoon voor de lol.

In plaats van naar de keuken terug te keren nam Delia een pakje Kools uit haar schortzak en schudde er een uit. Haar hand beefde terwijl ze met haar aansteker stond te prutsen. Zodra ze de sigaret had aangestoken, leek ze kalmer. Rook kringelde uit haar neus. Elke rimpel op het gezicht van Delia Lawson kwam van het eeuwige gelurk aan sigaretten: de crêpeachtige plooien rond haar mond, de slappe kaaklijn, de diepe groef tussen haar wenkbrauwen. Zelfs in haar haar schemerde hetzelfde rookgrijs door dat van haar Kools opsteeg. Ze was vijfenveertig, maar in het gunstigste geval leek ze een jaar of zestig. Op dit moment leek ze twee keer zo oud, alsof ze al in haar graf lag.

Net als Don Wesley zeer binnenkort.

Maggie wist dat de collega van haar broer onlangs als infanterist uit Vietnam was teruggekeerd en dat hij niet geschikt was voor werk waarvoor hij geen wapen hoefde te dragen. Zijn familie woonde in het zuiden van Alabama. Hij huurde een flat aan een zijstraat van Piedmont Avenue. Hij reed in een bordeauxrode Chevelle. Hij had een vriendin, een indiaanse hippie die het altijd over 'kapitalisten' had en nooit klaagde als Don haar sloeg, omdat hij zoveel rottigheid had gezien in de jungle.

En niets van dat alles deed er nog toe, want hij was dood.

Met een klap zette Terry zijn beker neer. Koffie spatte op het witte tafelkleed. 'Is er nog wat voor mij?'

Delia stond op. Ze pakte zijn bord en schepte het vol eten, ook al had Terry 's ochtends meestal zo'n kater dat hij geen hap door zijn keel kreeg.

Ze zette het bord voor hem neer. Haar stem kreeg iets smekends toen ze zei: 'Alsjeblieft, Terry. Vertel nou maar wat er gebeurd is, oké? Het gaat om mijn zoon. Ik moet het weten.'

Terry keek naar Maggie en toen naar zijn halflege beker.

Maggie permitteerde zich een hoorbare zucht voor ze de koffiekan van het fornuis ging halen. Zodra ze de kamer uit was, begon Terry te praten.

'Het liep tegen het eind van hun dienst, en veel gebeurde er niet. Dan komt er een melding: een code 44 in de buurt van dat kruispunt bij Whitehall in Five Points. Dat betekent een poging tot inbraak.' Hij ving Maggies blik toen ze de kamer weer binnenkwam, alsof ze niet vijf jaar achter het stuur van een patrouillewagen had doorgebracht. 'Ze komen daar aan en onderzoeken de hele boel. Voor- en achterdeuren zitten op slot. Ze geven het sein alles veilig over de portofoon. En dan...' Hij haalde zijn schouders op. 'Er komt een vent de hoek om, die schiet Don door zijn hoofd en smeert 'm. De rest van het verhaal ken je. Jimmy heeft alles gedaan wat hij kon. Het was niet genoeg.'

'Arme Jimmy,' mompelde Lilly.

'Arme niemand,' reageerde Terry. 'Jimmy Lawson kan heel goed zijn eigen boontjes doppen. Is dat duidelijk?'

Lilly begon heftig te knikken.

'Let op mijn woorden.' Terry priemde met zijn vinger in de

krant. 'Dit is een stukje rassenoorlog, zo simpel ligt het. Dat lees je niet in de krant en je hoort het niet op het nieuws. Wij zien het op straat. Tien jaar geleden heb ik het al gezegd. Je geeft ze een klein beetje macht en ze keren zich als een stel dolle honden tegen je. Nou gaat het erom dat we die macht terugpakken.'

Maggie leunde met haar schouder tegen de deurpost. Haar ogen dreigden in haar achterhoofd te verdwijnen. Ze had dit verhaal al zo vaak gehoord dat ze het samen met Terry kon opdreunen. Hij had de pest aan iedereen: aan de minderheden die het sinds kort voor het zeggen hadden in de stad en aan de verraders die hen in het zadel hadden geholpen. Als het aan Terry lag, groeven hij en zijn maten een gat helemaal tot aan China, waar ze allemaal in gepleurd zouden worden.

'Van wie kwam die 44-melding?' Heel even stond Maggie versteld van de vraag, tot ze besefte dat die uit haar eigen mond kwam. Het was een goede vraag. Ze herhaalde hem. 'Wie heeft die poging tot inbraak gemeld?'

Terry sloeg de krant weer open. Hij maakte er een scherpe vouw in.

Delia stond op. Ze raakte Maggies arm even aan voor ze terugging naar de keuken. Lilly staarde naar de eieren die stolden op haar bord. Maggie ging op de door haar moeder vrijgemaakte stoel zitten. Ze schonk zichzelf koffie in, ook al stond die haar tegen.

Na de inbraakmelding waren Jimmy en Don naar Five Points gestuurd. Het hart van de stad. De oorsprong van het straatnamensysteem. De wijk waar het eerste waterleidingbedrijf van Atlanta werd gevestigd, en met een hoerenbuurt die terugging tot voor de Burgeroorlog. Vijf straten kwamen hier samen: Peachtree, Whitehall, Decatur, Marietta en Edgewood. De kruising was niet ver van de staatsuniversiteit en vlak bij het kantoor van de sociale dienst, waar vrouwen elke dag tot om de hoek in de rij stonden om hun cheques in ontvangst te nemen. Velen van hen kwamen 's avonds terug, als alle lichten in de wolkenkrabbers uit waren en er alleen nog mannen rondliepen die wilden betalen voor gezelschap.

Maggie kon wel raden hoe de politie zou reageren op de moord op Don. De hele stad zou schoongeveegd worden. De cellen zouden elke avond vol zitten. Hoerenlopers zouden de straat niet meer op durven. Dat was slecht voor de nering. Iedereen liep altijd op te scheppen dat hij nooit met de politie praatte, maar zodra de handel werd stilgelegd, stroomden de verklikkers toe.

Zo ging het meestal tenminste. Met de Shooter-zaken lag het anders. Beide keren werd het hele korps gemobiliseerd en werd de stad op slot gegooid, en telkens ging de vaart er weer uit, kwamen de verklikkers niet langer opdagen en uiteindelijk was alles weer bij het oude en wachtte iedereen op het moment dat de volgende agent werd vermoord.

Dat waren niet zomaar wat fatalistische gedachten: voor politiemensen bleken de jaren zeventig een slecht decennium te zijn. Atlanta had meer verliezen geïncasseerd dan de meeste andere grote steden. De afgelopen twee jaar waren er vijf politiemoordenaars gepakt, van wie maar één de binnenkant van een gerechtsgebouw te zien had gekregen. De anderen hadden allemaal een ongeluk gehad: één man verzette zich tegen zijn arrestatie en raakte in coma, een ander werd wakker in de bak met een mes in zijn nier, en de overige twee werden met simpele maagklachten opgenomen in het Grady Hospital en verlieten het ziekenhuis in lijkzakken.

De vijfde was als vrij man de rechtszaal uit gelopen. Geen agent in de stad die niet op de grond spuugde voor hij dat verhaal vertelde. En als de Atlanta Shooter mogelijk weer gescoord had, zou het een buitengewoon slechte dag worden voor iedereen die zich aan de verkeerde kant van de wet bevond.

Terry kuchte. Opnieuw keek hij naar zijn lege beker.

Maggie schonk de koffie in. Ze zette de kan op tafel. Ze legde haar mes en vork recht. Ze keerde het oortje van haar beker naar links, toen naar rechts.

Terry gromde afkeurend. 'Wou je iets zeggen, prinses?'

'Nee,' zei Maggie, maar toen vroeg ze het toch. 'Hoe zat het met hun auto?' Jimmy en Don reden in een patrouillewagen. Niemand surveilleerde te voet op dat uur van de nacht. 'Waarom heeft Jimmy hem gedragen? Waarom heeft hij niet gewoon...'

'De banden waren doorgesneden.'

Er verscheen een rimpel op Maggies voorhoofd. 'Die vier andere agenten, waren hun banden ook doorgesneden?'

'Nee.'

Ze probeerde alles goed op een rijtje te krijgen. 'Iemand meldde een inbraak, sneed toen hun banden door, schoot Don neer, maar liet Jimmy gaan?'

Zonder van zijn krant op te kijken schudde Terry zijn hoofd. 'Laat dat nou maar aan de rechercheurs over, schat.'

'Maar...' Het liet Maggie niet los. 'De Shooter verandert zijn MO. Of het is de Shooter niet,' voegde ze eraan toe. 'Het is iemand die de Shooter probeert na te doen.'

Weer schudde Terry zijn hoofd, maar deze keer had het iets waarschuwends.

'Ik maak een werkstuk over de Burgeroorlog,' zei Lilly.

'Hadden ze zich opgesplitst toen Don werd neergeschoten?' vroeg Maggie.

Terry zuchtte. 'Je laat je partner niet alleen. Dat zou zelfs jij moeten weten.'

'Dus Jimmy was bij Don?'

'Wat dacht jij dan?'

'De meesten in mijn klas gaan met hun grootouders praten,' zei Lilly, 'maar ik...'

'Maar er is niet op Jimmy geschoten,' onderbrak Maggie haar. 'Hij stond pal naast Don, of in elk geval bij hem in de buurt.' Dat was het grote verschil. In de vorige gevallen moesten beide mannen neerknielen, waarna ze werden geëxecuteerd, de een meteen na de ander. 'Heeft Jimmy zijn wapen getrokken?' vroeg ze.

'Jezus!' Terry sloeg met zijn vuist op tafel. 'Hou je nou eindelijk je klep zodat ik de krant kan lezen?'

'Terry?' riep Delia vanuit de keuken. 'De afvoer zit weer eens verstopt. Zou jij misschien...'

'Dadelijk.' Hij hield zijn blik op Maggie gericht. 'Eerst wil ik weten wat onze stoere meid hier heeft bedacht. Heb je het allemaal al uitgedokterd, Columbo? Zie jij iets wat kerels hebben gemist die dit werk al deden toen jij alleen nog maar een kriebel in je vaders teelbal was?'

Als ze klappen kreeg, dacht Maggie, dan was het voor een goed doel. 'In de andere Shooter-zaken moesten de twee mannen knielen. Ze werden door het hoofd geschoten, geëxecuteerd, de een na de ander. Don werd neergeschoten. Maar waarom Jimmy niet?'

Terry boog zich over de tafel heen. Ze rook de whisky en het zweet die uit zijn poriën wasemden. 'Wat voor akkefietje jij ook met je broer hebt, nu is het afgelopen, begrepen?'

Het was alsof de vloer bewoog onder haar voeten. 'Dat is het niet,' zei ze, en ze wisten allebei wat 'dat' was.

'Wat is het dan wel?' vroeg Terry. 'Waarom stel je al die vragen?'

Omdat ze een politievrouw was, wilde ze zeggen, en omdat de politie misdaden oploste door vragen te stellen, maar ze hield zich in. 'Omdat het niet klopt,' zei ze.

'Omdat het niet klopt.' Hij snoof. 'Alsof jij daar verstand van hebt.'

'Daar is-ie!' riep Lilly opeens.

Ze schrokken op van haar kreet. Maar het was waar. Maggie hoorde Jimmy's auto de oprit op draaien. De demper van de Fairlane was er bijna afgeroest. De uitlaat stootte hetzelfde rochelende gekuch uit als Delia wanneer ze 's morgens uit bed stapte.

Maggie wilde opstaan, maar Terry sloeg zijn hand om haar arm en dwong haar terug op haar stoel.

Ze was zo verstandig zich niet te verzetten. Er zat niets anders op dan te luisteren. Ze hoorde dezelfde geluiden als toen Terry arriveerde: het autoportier werd met een klap dichtgeslagen. Schoenen sloften door de carport en over de verandatrap. De keukendeur stond al open, en daarom deed Jimmy hem dicht. Even bleef hij in de keuken treuzelen. In gedachten zag Maggie de blik die moeder en zoon wisselden. Misschien knikte Jimmy naar Delia. Misschien reikte hij haar zijn pet aan om haar een nuttig gevoel te geven.

Toen Jimmy de eetkamer binnenkwam, besefte Maggie dat hij waarschijnlijk geen idee had waar zijn pet was. Hij was niet in uniform. Hij droeg groene ziekenhuiskleren. Het hemd spande om zijn schouders. Zijn gezicht was lijkbleek. Zijn ogen waren roodomrand. Onder zijn snor zag je zijn witte lippen. Hij had iets gekwelds over zich. Maggie moest aan de blik van hun vader denken als het weer tijd was om terug te gaan naar de kliniek.

'Hebben Mack en Bud een beetje voor je gezorgd?' vroeg Terry.

Jimmy kon kennelijk alleen maar knikken. Hij wreef over zijn nek. Hij had een halfslachtige poging gedaan om zich te wassen. Op zijn hals en gezicht zaten nog opgedroogde bloedspatten. Maggie zag een klontje vuil in een van zijn bakkebaarden.

Lilly klemde haar handen voor haar borst ineen. Tranen vulden haar ogen.

'Niet...' zei Terry, maar het was al te laat. Lilly rende op Jimmy af en sloeg haar armen om zijn middel. Ze begroef haar gezicht in zijn buik en snikte het uit.

'Rustig maar.' Jimmy klonk nors. Hij wreef over Lilly's rug.

Hij kuste haar op haar hoofd. 'Opschieten. Naar boven. Zorg dat je niet te laat op school komt.'

Net zo snel als ze hem had vastgepakt, liet Lilly hem weer los en rende de kamer uit. Haar voetstappen roffelden over de kale houten trap. Even zag het ernaar uit dat Jimmy haar achterna zou gaan, maar toen liet hij zijn schouders hangen, zijn kin wees omlaag en hij staarde naar de vloer.

'Ik wil er niet over praten,' zei hij.

'En wij willen er niet over horen.' Delia stond achter hem. Ze stak haar hand uit naar Jimmy's schouder, maar raakte hem net niet aan. Over het algemeen uitte hun moeder haar genegenheid uitsluitend in de vorm van fatsoenerende handelingen. Met haar vingers streek ze de vouwen uit Lilly's trui. Ze plukte losse haren van de schouders van Maggies uniform. En nu peuterde ze het klontje vuil uit Jimmy's bakkebaard.

Delia keek naar het flintertje op haar vingertop, en aan haar gezicht kon Maggie zien dat het geen aarde was. Delia balde haar vuist en duwde die in de zak van haar schort.

'Hé, jongens,' zei ze, 'eet jullie ontbijt eens op voor het koud wordt. We gooien hier geen eten weg.'

Jimmy strompelde om de tafel heen en ging op zijn vaste plek zitten. Telkens als hij zijn linkerbeen belastte, kromp hij ineen van de pijn. Maggie wilde hem helpen. Het liefst was ze naar hem toe gerend, net als Lilly, en had ze haar armen om haar broer heen geslagen.

Maar ze wist dat ze het niet kon.

'Alsjeblieft.' Delia had al koffie voor Jimmy ingeschonken. Nu schepte ze zijn bord vol. Dat deed ze met één hand. De andere zat nog steeds samengebald in de zak van haar schort. 'Wil iemand verder nog iets?'

'Het is goed zo.' Terry gebaarde dat ze kon vertrekken.

'De eieren zijn koud,' zei Delia. 'Ik maak wel nieuwe.' Ze liep de keuken weer in.

Maggie keek naar haar broer in de wetenschap dat hij haar

blik toch niet zou beantwoorden. De verbleekte bloedspatten op zijn gezicht deden haar denken aan de tijd dat hij nog een puisterige puber was. Jimmy had gehuild, dat was duidelijk. Ze kon zich niet herinneren wanneer ze haar broer voor het laatst had zien huilen. Dat moest minstens acht jaar geleden zijn geweest.

'Je hebt *Tapestry* gemist vanmorgen,' zei ze.

Jimmy bromde wat terwijl hij een vork vol ei in zijn mond schoof.

Ze deed een nieuwe poging. 'Ik heb je uniformen in je kast gehangen.'

Jimmy slikte hoorbaar. 'Je doet altijd te veel stijfsel in de boorden.'

'Dan doe ik ze na het werk opnieuw. Oké?'

Hij propte nog meer ei in zijn mond.

'Leg ze maar in mijn kamer.' Maggie snapte niet waarom ze zo nerveus was. Ze bleef maar praten. 'Als ik terug ben van m'n werk doe ik ze opnieuw.'

Sissend snoerde Terry haar de mond.

Deze keer gaf Maggie gehoor aan zijn bevel, niet voor Terry, maar voor Jimmy. Ze was bang iets verkeerds te zeggen en het daardoor nog erger voor haar broer te maken. Dat zou niet voor het eerst zijn. Het koord dat tussen hen gespannen was, rafelde steeds verder af telkens als de één een stap in de richting van de ander zette.

In de stilte die viel luisterde ze naar Jimmy's gekauw. Het klonk vochtig en werktuiglijk. Ze betrapte zich erop dat ze het scharnier van zijn kaak bestudeerde dat bij elke beet naar buiten stak. Hij leek net een graafmachine zoals hij ei in zijn mond schepte, het wegkauwde en weer een nieuwe vracht naar binnen werkte. Zijn gezicht was uitdrukkingloos. Zijn ogen waren bijna glazig. Hij staarde de hele tijd naar een punt op de muur tegenover zijn stoel.

Ze wist wat hij zag. Grijs pleisterwerk met een bruin patina van alle sigarettenrook. Dit was de kamer waarin Hank Lawson zijn tijd doodde, de zeldzame keren dat hij bij zijn gezin woonde. Hij was nog niet thuis of hij haalde de tv uit Delia's slaapkamer en zette hem op het buffet. Vervolgens zat hij kettingrokend naar het toestel te kijken tot het volkslied klonk. Soms, als Maggie 's nachts naar beneden ging om water te drinken, trof ze haar vader aan, starend naar de Amerikaanse vlag, die wapperde tegen een lege achtergrond.

Maggie betwijfelde of Jimmy op dat moment aan hun vader dacht. Misschien ging hij in zijn herinnering terug naar zijn laatste footballwedstrijd. Football was zijn leven geweest, tot een linebacker zijn knie tot moes trapte. Maggie had op de tribune gezeten, samen met de anderen. Ze had Jimmy met zijn gebruikelijke zelfvertrouwen het veld op zien stappen. Hij hief zijn vuist. Het publiek juichte. Ze scandeerden zijn naam. Hij was hun held, de buurjongen die het gemaakt had. Zijn toekomst was verzekerd. Hij ging naar de University of Georgia en alles werd voor hem betaald. Hij zou prof worden en de volgende keer dat iemand Jimmy Lawson zag, zou hij in een nertsmantel een nachtclub uit komen, met aan elke arm een meisje, net als Broadway Joe.

In plaats daarvan zat hij aan zijn moeders eettafel met het bloed van iemand anders op zijn gezicht.

'Alsjeblieft.' Delia verruilde Jimmy's bord voor een nieuw. Ze schoof er spek op. En pannenkoeken. Daarna goot ze er siroop overheen, precies zoals hij het graag had.

'Mam.' Met zijn vork wuifde Jimmy haar weg. 'Genoeg.'

Delia ging zitten en stak weer een sigaret op. Maggie probeerde te eten. De eieren waren koud. Het vet rond het spek was gestold. Met moeite werkte Maggie haar eten weg, want als ze haar mond niet volpropte, ging ze onvermijdelijk vragen stellen.

Ze was er nog steeds niet achter hoe de schietpartij was verlopen. Zodra een man Jimmy en Don naderde, zouden ze automatisch hun wapen hebben getrokken, zeker als hij zwart was. Dat was een fundamentele overlevingstactiek. Don had lang genoeg in Vietnam gezeten om te weten dat je je niet door een ander onder schot moest laten nemen. En Jimmy zat al sinds zijn achttiende bij de politie.

Maggie wierp een blik op haar broer, aan de andere kant van de tafel. Misschien was hij in paniek geraakt. Misschien had hij daar gestaan, helemaal bedekt met Dons bloed en zo bang dat hij zich alleen nog maar op de grond kon laten vallen en bidden dat hij niet doodging.

Maggie dacht aan het klontje dat haar moeder uit Jimmy's bakkebaard had gepeuterd. Een stukje hoofd van Don Wesley, dat nu waarschijnlijk bij het keukenafval lag, boven op de kapotte eierschalen en de plastic verpakking van het spek.

'Tijd om te gaan.' Terry vouwde zijn krant op. 'Zorg jij maar dat je wat slaap krijgt, jongen,' zei hij tegen Jimmy. 'Ik bel als er iets is.'

Nog voor Terry was uitgesproken schudde Jimmy zijn hoofd al. 'Geen denken aan. Ik ga pas slapen als we die klootzak te pakken hebben.'

'En reken maar dat we hem te pakken krijgen.' Terry knipoogde naar Maggie, alsof Jimmy en hij het tegen de rest van de wereld gingen opnemen.

Misschien dat ze het daarom aan haar broer vroeg: 'Wat is er nou precies gebeurd?'

Terry greep Maggie zo hard bij haar knie dat ze naar adem hapte. Ze schreeuwde het uit en krabde over de rug van zijn hand.

Hij pakte haar nog steviger beet. 'Wat heb ik gezegd? Val je broer niet lastig!'

Pijn sneed door Maggies been. Haar lippen trilden. Ze ging niet smeken. Dat kon ze niet.

'Ze hoort het toch wel op het bureau.' Jimmy klonk eerder geërgerd dan bezorgd. 'Kom op, Terry. Laat haar los.'

Terry's greep verslapte.

'Jezus!' Maggie wreef over haar knie. Ze hijgde. Een huivering trok door haar lichaam.

'Maak er toch niet zo'n drama van.' Delia plukte een pluisje van Maggies ochtendjas. 'Wat is er gebeurd, Jimmy?'

Hij haalde zijn schouders op. 'Don werd neergeschoten. Zelf heb ik drie schoten gelost. De schutter ging ervandoor. Ik wilde achter hem aan, maar ik kon Don niet in de steek laten.' Alsof hij het nu pas bedacht, voegde hij eraan toe: 'Ik heb hem niet goed kunnen zien. Hij was zwart. Gemiddelde lengte. Gemiddeld postuur.'

Terwijl ze naar hem luisterde, bleef Maggie over haar knie wrijven. De pees klopte mee op elke hartslag.

'Van Cal Vick moet ik met een politietekenaar aan de slag.' Jimmy haalde zijn schouders op. 'Ik snap niet waar dat goed vóór is. Het was donker in de steeg. Het ging allemaal razendsnel.'

'Wat een geluk dat hij niet ook op jou heeft geschoten,' zei Delia.

'Natuurlijk heeft hij dat wel gedaan,' beet Jimmy terug. 'Zijn pistool blokkeerde. Hij wilde ook op mij schieten, maar er gebeurde niets. Lucky Lawson, hè?' Dat was zijn bijnaam op de middelbare school. 'Dat ben ik. Altijd geluk.'

Terry had merkbaar moeite met de wending die het gesprek had genomen. 'Ga je eens wassen,' zei hij tegen Jimmy. 'Ik zie je op het bureau.' Hij maakte aanstalten om te vertrekken.

Maggie voelde paniek opkomen. 'Je moet me een lift geven.'

'En waarom zou ik?'

Hij wist heel goed waarom. Maggies auto was al een week in de garage. 'Ik wil niet te laat op het appèl komen.'

'Dan zou ik maar opschieten.' Terry tikte met de opgevouwen krant tegen haar mond. 'Maar die klep onder je neus blijft dicht, begrepen?'

Maggie pakte snel de borden van tafel en hinkte naar de

keuken. Jimmy's dienstriem lag op het aanrecht. Zijn revolver zat in de holster.

Maggie kon het gesprek in de eetkamer moeiteloos volgen. Terry maakte schunnige opmerkingen over een paar vrouwelijke nieuwelingen op de politieacademie. Ze zette de borden in de spoelbak en liet er water overheen stromen zodat ze niet aan elkaar plakten voor Lilly ze kon afwassen.

En toen strompelde ze naar Jimmy's riem.

Voorzichtig trok ze het borgriempje los en haalde de revolver uit de holster. Ze controleerde de cilinder. Helemaal geladen. Geen lege hulzen. Maggie hield de loop naar beneden terwijl ze aan de slagpin, de bovenkant van het cilinderhuis en aan de cilinderkant van de loop rook.

Het rook niet naar verbrand koper en zwavel, ze ving alleen een zweempje olie en staal op.

Maggie schoof het wapen weer in de holster en drukte het riempje vast. Ze hees zich aan de trapleuning omhoog. Ze hoorde Terry en Jimmy over honkbal praten; ze vroegen zich af of de Braves het zouden redden zonder Hank Aaron. De twee mannen gingen altijd heel ontspannen met elkaar om. Ze konden overal over praten – tenminste, zolang het over onbelangrijke zaken ging.

Dus niet over het feit dat Jimmy Lawson, ongeacht wat er die nacht in dat steegje gebeurd was, zijn wapen niet had afgeschoten.

TWEE

Kate Murphy zat op haar bed in het Barbizon Hotel naar het nieuws te luisteren. Het Congres had de financiering van de oorlog daadwerkelijk stopgezet. Nixon was eindelijk weg. President Ford had een generaal pardon voor dienstplichtontduikers afgekondigd. De aanklachten tegen leden van de Nationale Garde van Ohio waren ingetrokken. William Calley was vrijgelaten nadat hij nog geen vier jaar had uitgezeten van zijn straf voor zijn aandeel in het bloedbad bij My Lai.

Kate kon zich er niet druk om maken. Ze was de woede voorbij. De oorlog was afgelopen, dat was het enige wat telde. Eindelijk waren de mannen thuisgekomen. Krijgsgevangenen werden vrijgelaten. Het zou nooit meer gebeuren. Er stierven geen jongens meer in de jungle. Er kwamen geen rouwende families meer bij.

Ze keek naar de ingelijste foto naast de radio. Patricks glimlach stond in schril contrast met de holle blik in zijn ogen. Zonlicht explodeerde op de randen van zijn dogtags. Zijn geweer hing over zijn schouder en zijn helm stond zwierig schuin op zijn hoofd. Hij droeg geen shirt. Hij had splinternieuwe spieren die ze nooit had aangeraakt. Een litteken op zijn gezicht dat ze nooit had gekust. Het was een zwart-witfoto, maar in de begeleidende brief had hij geschreven dat zijn meestal zo bleke huid inmiddels knalrood was, hij leek wel een kreeft.

Kate had Patrick Murphy nog niet ontmoet toen ze de eerste dienstplichtloting op tv zag. Ze zat in de woonkamer, met de rest van de familie. Een koude wind zwiepte tegen de ruiten. Kate had een sjaal om haar schouders geslagen. Haar grootmoeder had opgemerkt dat het hele vreselijke proces haar aan dat kermisspelletje deed denken, hoe heette het ook alweer?

'Bingo,' had Kate geantwoord, hoewel het volgens haar meer op het klassieke verhaal *The Lottery* van Shirley Jackson leek.

In plaats van genummerde balletjes waren er driehonderdzesenzestig blauwe capsules. In elke capsule zat een strookje papier. Op elk strookje stond een getal dat overeenkwam met een maand en een dag van het kalenderjaar. Alle verzegelde capsules werden in een doos gestopt en vervolgens werden ze in een grote glazen pot gekieperd die zo diep was dat de man die de trekking verrichtte zijn arm helemaal moest strekken om de capsules met zijn vingertoppen te kunnen aanraken.

Het systeem was eenvoudig: aan elke getrokken capsule werd een dienstplichtnummer toegewezen, van één tot driehonderdzesenzestig, zodat schrikkeljaren ook werden meegenomen. Alle mannen die geboren waren tussen 1944 en 1950 kwamen voor dienstplicht in aanmerking. De maand en dag van je geboorte bepaalden je nummer. Hoe lager het nummer, hoe waarschijnlijker het was dat je werd opgeroepen. Bij een tweede loting werden alle zesentwintig letters van het alfabet gebruikt om aan de hand van de achternamen de volgorde voor elke geboortedatum te bepalen.

14 september was de eerste datum die werd getrokken. Toen die werd opgelezen steeg er een vreselijke kreet op uit de keuken. Later hoorden ze dat Mary Jane, hun huishoudster, een kleinzoon had die op 14 september geboren was.

Binnen enkele uren hadden alle jongens die Kate kende een nummer toegewezen gekregen. Niemand snapte wat dat inhield: wanneer de groepen werden opgeroepen, waar ze naartoe werden gestuurd, in welk onderdeel ze moesten dienen, óf ze wel moesten dienen. Lagere nummers waren slecht, dat was duidelijk, maar hoe hoog was hoog genoeg om veilig te zijn?

Aan de andere kant van de stad vroegen Patrick Murphy en zijn familie zich hetzelfde af. Ze hadden een zwart-wit tv. Ze hadden geen idee dat de capsules blauw waren. Wel wisten ze dat aan het eind van de uitzending hun zonen een nummer toegewezen hadden gekregen. Declan had 98, Patrick 142.

Uiteraard kwam Kate dat alles pas veel later te weten. Ze ontmoette Patrick in april 1971, iets meer dan een jaar na die eerste loting. Kate zat in haar auto bij Lenox Mall op de sleepwagen te wachten en verveelde zich stierlijk. Haar accu was leeg, want ze had tijdens het winkelen de autolampen aan gelaten. Patrick bood aan haar accu op te laden. Het had iets dubbelzinnigs, daar was ze zich van bewust. Net als hij. Hij zinspeelde er voortdurend op. Kates ergernis weerhield hem er niet van met haar te flirten, wat nog ergerlijker was, maar toen kreeg het van de weeromstuit iets vleiends en vervolgens werd het op de een of andere manier bedwelmend en was het tijd om te gaan eten, dus… waarom niet?

Patrick was eenentwintig, even oud als zij. Hij had een broer die al onder de wapenen was. Zijn vader was advocaat. Hij studeerde voor ingenieur, wat klonk als een van die gewichtige beroepen waarover je altijd hoorde, zoals arts of jurist of zoon-van-een-politicus. Patrick was geen van alle. Hij was een grote, roomse Ier met kennelijk een hoog dienstplichtnummer, die zojuist het meisje van zijn dromen had ontmoet.

Ze waren iets meer dan vijftien maanden samen toen hij werd opgeroepen. Zijn vader had geen connecties, maar die van Kate wel. Patrick weigerde echter een voorkeursbehandeling. Dat vond hij niet eerlijk. En het was ook niet eerlijk, maar tegen die tijd waren ze getrouwd en Kate was woedend op haar domme, koppige echtgenoot. Ze wilde hem niet eens uitzwaaien toen hij naar basistraining ging. Toen ze elkaar in de deuropening een afscheidszoen gaven, klemde Kate hem zo stevig vast dat hij bang was dat ze een van zijn ribben zou breken.

Het liefst had ze al zijn ribben gebroken. Het liefst had ze een van zijn ogen uitgekrabd. Het liefst had ze zijn knie met een pijptang bewerkt, en zijn hoofd met een honkbalknuppel. Maar ze had hem laten gaan, want uiteindelijk zat er niets anders op.

Ze was verliefd, ze was getrouwd, en ze was alleen.

En toen werd het 14 september.

Hoe groot was de kans?

Kates ouders gaven een feestje en ze was aan het helpen toen de deurbel ging. Mary Jane was in de kelder omdat iemand om wijn had gevraagd. Kate deed open. In plaats van gasten stonden er twee militairen op de veranda. Het eerste wat ze dacht was dat het een heel raar gezicht was: blanke mannen met witte katoenen handschoenen aan. Ze waren identiek gekleed. Ze hadden allebei een even rechte rug. Ze droegen een wollen uniform met lange mouwen. Het was abnormaal warm voor de tijd van het jaar. Zweetdruppels parelden op hun gladgeschoren bovenlip en gleden langs de zijkant van hun dikke hals naar beneden.

In geoefende eendracht namen ze hun pet af. Ze moest bijna lachen, zo volmaakt synchroon ging het. Een van hen nam het woord. Hij sprak haar aan met 'mevrouw'. Kate hoorde de woorden 'tot mijn grote spijt moet ik u meedelen' en het volgende moment kwam ze bij op de bank en waren alle gasten verdwenen. Overal in de kamer hadden ze halfvolle glazen en smeulende sigaretten achtergelaten. De militairen hadden een brochure met de titel 'Overlijdensuitkering' afgegeven.

'Wat een uitdrukking,' had haar grootmoeder gezegd.

'Wat wrang,' had haar vader opgemerkt.

Haar moeder had een willekeurige sigaret uit een asbak gevist en die opgerookt.

Kate had geen idee waar de brochure nu was. Het interesseerde haar eigenlijk ook niet. Ze hoefde geen overlijdensuitkering. Ze wilde haar man terug.

Bij gebrek aan beide zat er niets anders op dan zich gereed te maken voor het werk.

Kate liep de badkamer in en trok ondertussen haar ochtendjas uit. Ze keek of haar haar goed zat opgestoken, draaide de kranen open en stapte onder de douche.

Ze hapte naar adem, zo koud was de straal. De leidingen bevonden zich onmiskenbaar in de overgang, wat grappig was als je bedacht dat ze in een hotel woonde dat uitsluitend voor vrouwen was bedoeld. Het ene moment was het water te koud, en het volgende moment was het te heet. De kracht van de straal wisselde, afhankelijk van het aantal vrouwen dat tegelijkertijd gebruikmaakte van identieke badkamers op identieke verdiepingen. Als er te veel toiletten te snel na elkaar werden doorgetrokken, hadden ze een probleem.

Onder het wassen staarde Kate met lege blik door het doorzichtige douchegordijn. Het uitzicht stelde niet veel voor: haar bed en de muur aan de andere kant van haar bed. Ze kneep eerst één oog dicht, toen het andere. Haar zicht werd vlekkerig door het groengetinte plastic gordijn. Ze probeerde zich te herinneren wat ze zo mooi aan deze kamer had gevonden toen ze hem voor het eerst zag. Dat hij anoniem was? Dat hij steriel was? Dat alles beige was?

Het had niet lang geduurd. Haar moeder was binnen komen zeilen met haar creditcard en goede smaak, en nu hing er abstracte kunst aan de muren, bedekte een hoogpolig wit kleed het afschuwelijke lichtbruine tapijt, en had Kate beddengoed dat beter op z'n plaats was geweest in een dure winkeletalage dan in een hotel voor alleenstaande vrouwen in het centrum van de stad.

Eerlijk gezegd vond Kate de kamer in zijn oorspronkelijke staat mooier.

Ze draaide de kranen dicht en droogde zich snel af. De klok op haar nachtkastje had een spelletje met haar gespeeld en was bijna een halfuur opgeschoven in de tijd dat zij onder de douche stond. Ze moest leren haar gedachten in toom te houden. Hetzelfde was haar eerder die ochtend overkomen toen ze terugkwam van het ontbijt in het restaurant verderop. Het ene moment vroeg ze aan een man op straat hoe laat het was, en het volgende moment zat ze op een bankje naar de blauwe hemel te staren, alsof ze alle tijd van de wereld had.

Dagdromen was een luxe die de oude Kate zich kon veroorloven. Tegenwoordig woonde ze op zichzelf. Ze moest huur betalen. Ze moest haar eigen eten en kleren kopen. Ze kon niet langer haar tijd verdoen met het lezen van pulpromannetjes en het drinken van haar vaders gin.

Overlijdensuitkering.

Met een ruk verwijderde Kate de plastic stomerijzak, waarna ze haar kleren op het bed uitlegde. Op de gang klonk het rumoer van meiden die naar hun werk gingen. Ze noemde hen altijd de eerste ploeg: de kantoormeisjes met hun haar in een keurige bob en hun gewaagd korte rokken. Ze waren jong en mooi en maakten zich nog druk om wat hun ouders van hen vonden, want hoe moedig het ook was om zelfstandig in de grote stad te wonen, dat deden ze wel in een gebouw waar het voorbij de lobby streng verboden was voor mannelijke gasten.

De tweede ploeg volgde altijd over ongeveer een kwartier; het waren wat oudere jonge vrouwen, zoals Kate, tussen de vijfentwintig en de dertig. Ze waren allemaal privésecretaresse of hoofdbankbediende. Carrièremeiden. Onafhankelijk. Meiden met pit. Kate observeerde ze altijd graag in de lift. Ze waren voortdurend met hun uiterlijk bezig. Ze controleerden of hun eyeliner niet was doorgelopen. Of hun lippenstift nog goed zat. Of hun blouse netjes was ingestopt. Of de zoom goed geperst was. Voor de lift de benedenverdieping had bereikt, hadden ze onbewust minstens drie keer gekeken of de naad van hun kousen wel recht zat.

En dan liepen ze met hun neus in de lucht de lobby door, alsof ze geen enkele zorg in de wereld hadden. Met hun verbijsterend goede houding en punt-bh's deden ze Kate denken aan slagschepen die ten strijde voeren.

Weer werd ze door de klok overvallen. Binnensmonds vloekend trok Kate haar ondergoed aan. Ze ging op het bed zitten en rolde haar panty langs haar benen omhoog. Ze stond op om de tailleband goed te doen. Ze ging weer zitten en trok een paar zwarte sokken aan. Daarna hees ze zich in haar stugge, marineblauwe broek. En bleef maar hijsen.

'O, nee...' kreunde ze.

De broek was gigantisch. Ze ging staan om de schade op te nemen. Zelfs als ze de riem stevig aantrok, lubberde de stof als een leeggelopen ballon om haar middel. Dit was opzet. Kate had al haar maten doorgegeven aan de magazijnbrigadier. Met haar één meter tweeënzeventig was ze bepaald niet aan de kleine kant, maar de broekspijpen waren zo lang dat ze over haar tenen vielen. Al vloekend haalde ze haar ondergoedla overhoop op zoek naar een pakje spelden, dat ze uiteindelijk vond in het medicijnkastje.

Met die spelden kortte Kate de broekspijpen in, tot de zoom net over haar wreef streek. En toen dacht ze aan de schoenen. Die waren duidelijk voor een man ontworpen, ze waren lomp en lelijk, van het soort dat een gevangenisbewaarder of een wiskundeleraar zou kunnen dragen. De hiel was te breed. Zelfs als ze de veters straktrok, konden haar voeten eruit glippen.

Kate besloot deze kwestie te negeren en zich op één probleem tegelijk te concentreren. Om blaren kon ze zich niet druk maken zolang haar broek niet goed was ingekort. Hier en daar nog een paar spelden en de zoom reikte tot net boven haar veters.

'Mooi zo.' Ze permitteerde zich een zucht van opluchting. Toen zag ze zichzelf in de spiegel en was met stomheid geslagen.

Ze leek wel een nieuw soort centaur: een vrouw die vanaf haar middel een man was. Het zou een komisch gezicht zijn geweest als het niet zo stuitend was.

Kate wendde zich van de spiegel af en trok het stugge, marineblauwe overhemd aan. Ook te groot. De boord schraapte langs haar oorlelletjes. De borstzakken hingen op haar taille. De emblemen op de mouwen zaten bij haar ellebogen. Ze liet haar armen flapperen in een poging haar vingers door de lange mouwen te krijgen. Uiteindelijk slaagde ze erin één hand erdoorheen te steken, gevolgd door de andere. Ze rolde de manchetten op tot het leek of ze twee grote donuts om haar polsen had zitten.

Kate sloot haar ogen. Deze ochtend werd er niet gehuild. Dat had ze zichzelf beloofd. Ze mocht pas weer huilen als haar dienst erop zat.

'Lach er maar om,' hield ze zichzelf voor. 'Lach maar, want het is nog grappig ook.'

Ze knoopte het overhemd dicht. Haar handen beefden niet. Misschien wás het ook grappig. Misschien zou ze over een week of een maand of een jaar over de eerste dag vertellen dat ze dit belachelijke tenue had aangetrokken en dan zouden de tranen in haar ogen springen, niet van afgrijzen, maar omdat het zo hilarisch was.

Ze pakte de S-vormige metalen clips die bedoeld waren om de dienstriem op zijn plaats te houden. De uitrusting was te zwaar voor één riem. Ze moest de eerste riem door de lussen van haar broek halen om de tweede te kunnen vastmaken. Aan elke heup haakte Kate een metalen clip. Ze probeerde niet een paar uur vooruit te denken, als de constante druk op Chinese watermarteling zou gaan lijken.

'Stommerd,' mompelde ze. 'De blaren op je voeten leiden je aandacht wel af.'

Ze pakte de dikke leren dienstriem. Die zag er in elk geval uit alsof hij paste. Ze trok de lip door de gesp en stak de stift door het laatste gaatje in de riem, waarbij ze ervoor zorgde dat de metalen S-haken de randen meepakten.

En toen probeerde ze niet aan Virginia Woolf te denken, die de rivier in was gelopen met stenen in haar zakken om haar zelfmoordpoging te doen slagen.

Lantaarn aan de haak. Handboeien in de gordeltas. Portofoon achter aan de riem. Schoudermicrofoon met snoer aan de epaulet. Sleutelbos aan de ring. Wapenstok door het metalen oog. Holster veilig aan de riem. Wapen.

Wapen.

Kate woog de zware metalen revolver op haar hand. Ze klapte de cilinder uit en liet de patronen in een koperen waas ronddraaien. Voorzichtig klikte ze de cilinder weer op zijn plaats en toen stopte ze het wapen in de holster. Ze had er vettige vingers van gekregen. Haar duim gleed weg toen ze het leren borgriempje vastmaakte.

Vreemd genoeg voelde de revolver zwaarder dan de overige voorwerpen die aan haar heupen hingen. Op de politieacademie had ze het wapen nog maar een paar keer afgevuurd, en beide keren had ze slechts aan één ding gedacht, namelijk hoe snel ze aan de handtastelijke instructeur kon ontsnappen. Kate wist niet zeker of ze het wapen goed had schoongemaakt. De handgreep leek vettiger dan hij hoorde te zijn. De instructeur was niet erg behulpzaam geweest. Hij had gezegd dat hij tegen het bewapenen van vrouwen was.

Eerlijk gezegd deelde Kate zijn terughoudendheid nu ze er twee weken met de andere vrouwen in haar klas op had zitten. Er waren een paar serieuze nieuwelingen, maar de meesten deden het voor de gein. Meer dan de helft schreef zich in voor de typekamer, waar ze hetzelfde zouden verdienen als straatagenten. Slechts vier vrouwen in Kates groep hadden zich gemeld voor de surveillancedienst.

Achteraf gezien had Kate misschien beter moeten opletten bij typeles. Of op de secretaresseopleiding. Of op de cursus voor parajuridisch medewerker. Of bij al die andere tot mislukken gedoemde baantjes die ze geprobeerd had voor ze een artikel in de *Atlanta Journal* las over vrouwelijke politieagenten die werden opgeleid voor de motordienst.

Motordienst!

Kate moest lachen om haar eigen naïviteit. De wapeninstructeurs mochten dan vol weerzin vrouwen opleiden, de motorafdeling stond ronduit vijandig tegenover het idee van vrouwen op motoren. De rijinstructeur liet ze niet eens in de garage toe.

Het klokje op het nachtkastje klikte telkens als de cijfers versprongen. Weer was de tijd vooruit geschoten. De gang vulde zich met geluiden: de carrièremeiden die naar hun werk gingen. Zachte stemmen. Af en toe gelach. Het geruis van nylons die langs strakke rokken streken.

De pet kwam het laatst. Kate had wel eens een hoedje gedragen. Op de middelbare school waren die helemaal in geweest, vooral de kleine ronde, zoals Mrs Kennedy ze droeg. Kate had er eentje met pantermotief opgedoken, net als het hoedje in Bob Dylans song 'Leopard-Skin Pill-Box Hat'. Ze had het zwierig scheef vastgespeld, waarop haar moeder haar meteen naar haar kamer had teruggestuurd.

Van deze pet zou haar moeder een hartstilstand hebben gekregen. Donkerblauw en net als al het andere dat met haar uniform te maken had, was hij veel te groot. Een brede klep. Een rond, goudkleurig insigne dat in het midden was vastgenaaid. City of Atlanta Police Department. Binnen de cirkel steeg een feniks op uit de as. *Resurgens.* Latijn voor herrijzend.

Kate zette de pet op. Ze keek in de spiegel.

Ze kon het.

Het móést.

DRIE

Fox zat in zijn auto een sigaret te roken. De raampjes waren potdicht. Rook vulde de ruimte. Hij dacht aan traangas. Niet voor het eerst. Niet voor het laatst. Dat was een plaat waarop de naald niet oversloeg. Een traanopwekkend middel, werd het genoemd, wat een deftige manier was om te zeggen dat je oogballen aan spijlen werden gespiest. Je hoefde er maar twintig seconden aan blootgesteld te worden. Door het gas werden de hoornvlieszenuwen tot het uiterste geprikkeld. Pijn, tranen, hoesten, niezen en blindheid waren het gevolg.

Trainingskamp.

Fox had samen met de mannen in zijn eenheid toegekeken terwijl het eerste team aan traangas werd blootgesteld. Het was bedoeld om ze weerbaarder te maken, om ze voor te bereiden op de oorlog in de jungle, maar ze gingen er juist finaal aan onderdoor. Volwassen mannen hadden gegild als kleine meisjes. Ze probeerden hun ogen uit te krabben. Ze smeekten om genade.

Fox had ze als wormen rond zien kronkelen, de idioten. Ze hadden allemaal dezelfde briefing gehad. Het deed pijn, dat was waar, maar je hoefde alleen maar te wachten tot het voorbij was. Een halfuur later was je weer prima in orde. Wat stelde een halfuur nou voor? Je kon alles wel een halfuur volhouden.

Toen was Fox aan de beurt.

Hete tranen verschroeiden zijn ogen. Hij zoog naalden in zijn longen. Hij raakte in paniek. Hij liet zich op de grond vallen. Hij smeekte om genade, net als al die wormen die hem waren voorgegaan.

Dat was de bron van zijn schaamte. Niet het huilen of het stikken, maar het smeken. Slechts één keer eerder in zijn leven had Fox ergens om gesmeekt. Hij was twaalf geweest, en had al snel doorgehad dat smeken geen zin had, want de enige van wie je hulp kon verwachten, was jezelf. De twaalfjarige Fox had dus gezworen dat hij nooit meer zou smeken, maar zeven jaar later, in Kamp Klotegat, lag hij naast twintig andere infanteristen als een hulpeloze, ellendige worm over de grond te kronkelen.

Fox had niet het luidst gejammerd, maar hij betwijfelde of dat iets was om trots op te zijn.

Een man uit zijn eenheid was gestorven nadat hij aan het gas was blootgesteld. Ongediagnostiseerde astma, hadden de officieren gezegd, maar wie vertrouwde de officieren? Waarschijnlijk waren ze een nieuwe formule op hun eigen mannen aan het uitproberen voor ze het brandende gas op het slagveld toepasten. Het zou niet voor het eerst zijn. En het zou ook niet voor het laatst zijn. Oorlog was één groot experiment. Achter elk zinloos drama stond een vent met een klembord.

Fox had zijn eigen klembord.

Hij wierp een blik op zijn aantekeningen.

05.46: Verliet gebouw. Met niemand gepraat.
06.00: Ontbijt in restaurant, vaste tafel, vaste serveerster: één hardgekookt ei, droge toast, zwarte koffie. Las krant. Vijfentwintig cent fooi.
06.28: Liep van het gebouw weg, over 14th Street en om het blok.
06.39: Vroeg onbekende zakenman hoe laat het was.
06.51: Zat op bankje voor bankgebouw naar de lucht te staren.
06.58: Stond op van bankje, liep hotel binnen.

Wat nu?

Fox opende het dashboardkastje. Hij zag de panty die hij de vorige avond over zijn gezicht had getrokken.

Háár panty.

De reikwijdte van de missie veranderde. Fox kon de verschuiving bijna voelen, alsof hij op een kleed stond dat langzaam onder zijn voeten werd weggetrokken. Dat was eerder gebeurd. Dan was hij met één ding bezig terwijl hij ergens in zijn achterhoofd nadacht over andere wegen. Er was alleen een soort blikseminslag voor nodig. Dan trof de schicht zijn schedel en sprong het ding in zijn achterhoofd naar voren.

En had hij opeens verschillende opties.

Fox pakte zijn verrekijker en zocht het vertrouwde raam op. Terwijl hij keek, gingen de gordijnen open. Hij glimlachte om zoveel geluk. Soms was hij te laat voor de gordijnen. Soms keek hij op en dan werd het hem wee om zijn hart, want hij wist niet hoe lang de gordijnen al open waren, en of hij iets belangrijks had gemist.

Maar vandaag zag hij haar de gordijnen opentrekken.

Fox noteerde een nieuw tijdstip: vier minuten vanaf nu, want in die tijd bereikte de lift de juiste verdieping, het korte stukje naar de lobby, en daalde de tweede lift naar de parkeergarage af, waarna ze snel naar haar auto liep en bingo! – precies vier minuten later zag Fox Kate Murphy de ondergrondse garage uit rijden.

Jezus, wat was ze mooi. Zoals de zon op haar gezicht scheen zou hij bijna haar smerige geheimpje vergeten.

Hij draaide zijn raampje naar beneden om de rook naar buiten te laten. Hij legde het klembord op de passagiersstoel.

Toen reed hij haar achterna.

VIER

Terry's woede veroorzaakte zo'n lagedrukgebied in de auto dat Maggie hetzelfde gevoel kreeg als wanneer er een tornado naderde. Haar hoofd bonkte. Haar bloed leek wel stroop. Haar nekharen stonden permanent overeind.

Eigenlijk hadden ze moeten kunnen praten over wat er met Don en Jimmy was gebeurd. Twee agenten samen in een auto: die hoorden het over de schietpartij te hebben, over wat ze gingen doen om te zorgen dat de moordenaar zijn gerechte straf niet ontliep. Maar Terry beschouwde Maggie niet als een politievrouw en Maggie zag haar oom al helemaal niet als iemand die ze in vertrouwen kon nemen, en daarom staarden ze alle twee grimmig naar buiten en hielden hun gedachten voor zich.

Bovendien was gerechtigheid wel zo ongeveer het laatste waar Terry zich mee bezighield. Hij dacht vast niet aan wat er die nacht was gebeurd. Hij dacht aan de dader die een politieman had vermoord en ermee weg was gekomen.

In januari van dat jaar was rechercheur Duke Abbott in zijn borst geschoten terwijl hij in zijn geparkeerde auto zat, achter het City Motel bij Moreland Avenue. Zijn collega was in het motel en deed wat je om twee uur 's nachts van een smeris kon verwachten als hij zich onder diensttijd in een motel bevond. Duke was een blanke politieman. Getuigen hadden een zwarte man zien wegvluchten. Tegen de tijd dat de ochtendkrant in de kiosken lag, stond de stad even strak als een wekker die aan duizend dynamietstaven was vastgesnoerd.

Binnen drie dagen na de moord hadden ze de naam van een

verdachte. Edward Spivey was een drugsdealer en pooier uit het middenkader, en hij had zijn werkterrein in de buurt van het motel. Een paar getuigen hadden Spivey herkend als de man die was weggelopen van de plaats delict. Volgens een van hen had Spivey een wapen via een rooster in het riool gedumpt. Een andere getuige zei dat Spivey bloed op zijn shirt had gehad.

Terry had de leiding over het team dat het wapen en het bebloede shirt had gevonden. Bijna een week lang keerden ze de stad binnenstebuiten in hun zoektocht naar Spivey. De verdachte bleek slimmer te zijn dan ook maar iemand had verwacht. In plaats van ervandoor te gaan, gaf Spivey zichzelf aan. Hij vroeg of een plaatselijke nieuwsploeg naar de ingang van het politiebureau wilde komen. Luidkeels betuigde hij zijn onschuld. Hij zei dat het bewijsmateriaal met opzet op die plek was neergelegd, dat de getuigen omgekocht waren. Hij nam een dure advocaat uit het noorden in de arm. Hij stond elke verslaggever te woord die bij het bureau kwam opdagen. Hij daagde de stad als het ware uit om hem naar de elektrische stoel te sturen.

Normaal zou de stad daar geen enkele moeite mee hebben gehad, maar tussen de moord op Duke Abbott en het proces tegen Edward Spivey had Atlanta een radicale verandering ondergaan. De pasgekozen zwarte burgemeester was zijn belofte nagekomen en had meer variatie aangebracht in het plaatselijke bestuur. Dat kon goed of slecht zijn, al naar gelang je het bekeek. Vóór de overgangsperiode zou een zwarte man die beschuldigd werd van het doodschieten van een blanke politieman rechtstreeks naar de dodencel zijn gegaan. Maar toen werden de stemmen geteld en de jury, die uitsluitend uit zwarten bestond, liet Edward Spivey als vrij man de rechtszaal verlaten. De daaruit voortvloeiende breuk tussen de politie en de officier van justitie was zo groot dat de Grand Canyon daarmee vergeleken niet meer dan een barst in het trottoir was.

Als Maggie moest raden, zou ze zeggen dat Terry op dat

moment maar één ding wilde, namelijk dat de moordenaar van Don Wesley nooit de binnenkant van een rechtszaal te zien zou krijgen.

De auto schokte toen Terry links afsloeg naar het parkeerterrein van het politiebureau. De Buick schoof zijn vaste plek op. Maggie kwam gelijk met haar oom in actie. Hij zette de auto in de parkeerstand. Zij pakte de kruk van het portier en stapte uit. Heel even voelde Maggie opluchting, maar toen bleek ze tegenover een muur van Terry's te staan.

Hetzelfde gemillimeterde kapsel. Dezelfde borstelige snorren. Dezelfde opflitsende woede in hun kraaloogjes. Terry's vrienden hadden namen als Bud, Mack en Red, en ze spraken over de goeie ouwe tijd zoals een dominee het over de hemel heeft. Ze hadden stuk voor stuk een hele ris ex-vrouwen, boze minnaressen en volwassen kinderen die niet meer met ze wilden praten. Erger nog, ze behoorden tot hetzelfde type politieman als Terry. Ze wisten het altijd beter dan een ander. Ze luisterden nooit naar iemand van buiten. Ze hadden wegwerpwapens in hun enkelholsters. Achter in hun kleerkast hingen nog altijd hun Klan-gewaden.

Zolang Maggie zich kon herinneren hadden Terry's vrienden bij hun huis rondgehangen, niet vanwege Terry, maar vanwege Jimmy. Ze bezochten al zijn footballwedstrijden. Ze kwamen langs als hij training had om zijn coach ongevraagd van advies te dienen. Ze schoven Jimmy geld toe zodat hij meisjes mee uit kon nemen. Ze kochten bier voor hem nog voor hij oud genoeg was om te mogen drinken. Toen Jimmy's knie er de brui aan gaf, was hij onder politie-escorte naar het ziekenhuis vervoerd.

Maggie had gedacht dat er een eind aan hun heldenverering zou komen toen het was afgelopen met Jimmy's footballcarrière, maar om de een of andere reden vonden ze het nog mooier om Jimmy als collega te hebben dan om hem op het footballveld te zien. De dag dat Jimmy afstudeerde aan de politieacademie waren de eerste twee rijen stoelen in de zaal gevuld met juichende leden van zijn brigade. Ze hielden van hem als van een zoon. Ze werkten hem in. Ze vertelden hem verhalen. Ze gaven hem advies.

En soms, als ze dronken genoeg waren, mocht Maggie erbij blijven en luisteren.

'Hé!' Jett Elliott sloeg met zijn vuist op het dak van de auto. Hij was zo lazarus dat hij nauwelijks op zijn benen kon staan. 'Deze komt er niet mee weg. Wat jullie?'

'Echt niet.' Mack McKay sloeg een arm om Jetts schouders om hem overeind te houden. 'Dit handelen we zelf af.'

Onder instemmend gebrom ging er een heupfles rond. Maggie hees haar tas om haar schouder, maar ze kon geen kant op. De muur van Terry's versperde haar niet alleen de doorgang, maar wist haar ook volledig te negeren.

Les Leslie leunde tegen de auto. 'De chef heeft al met Californië gebeld. Er is drie uur tijdsverschil, maar er gaat iemand bij hem kijken.'

Hij had het over Edward Spivey. Na het proces was de man naar de andere kant van het land verhuisd, maar niemand geloofde dat hij daar lang zou blijven.

'We zouden er zelf naartoe moeten vliegen,' zei Red Flemming. 'En dan gaan we niet alleen bij hem kijken.'

Terry sloeg het autoportier dicht. 'Zouden we een strop mee mogen nemen in het vliegtuig?'

'Ik heb er twee in m'n kofferbak.' Jett deed een greep naar de fles.

Mack duwde hem weg. 'Oprotten.'

Jett duwde terug. 'Rot zelf op.'

Tijdens het duwwedstrijdje zag Maggie haar kans schoon en liep naar de straat. Ze wilde er niet bij zijn als ze echt opgefokt raakten.

Red stak zijn arm uit om haar tegen te houden. 'Alles goed met Jimmy?' vroeg hij.

Ze knikte, met haar blik op de uitgang gericht. 'Ja hoor, prima.'

'Hij komt gewoon werken,' zei Terry. 'Die wou niet thuisblijven.'

'Tuurlijk wou hij dat niet.' Les gaf de fles door aan Terry. 'Gaan wij die zaak vandaag opknappen?'

'Zeker weten.' Terry nam een flinke slok. 'We maken die klootzak af. Mee eens?'

'Nou en of.' Jett griste de fles weer uit Terry's hand. 'Niks geen proces voor die hufter. Die krijgt een enkele reis kerkhof.'

Weer klonk er instemmend gemompel. Maggie probeerde zich langs Red te wurmen.

'Jimmy moet hierbuiten gehouden worden,' zei Red op gedempte toon. Iedereen hoorde hem. Rondom werd geknikt. Maggie ergerde zich, maar tegelijkertijd was ze jaloers. Stuk voor stuk zouden ze hun leven geven om Jimmy Lawson te beschermen.

'Moet je niet ergens wezen?' vroeg Terry.

Maggie besefte dat haar oom het tegen haar had. Deze keer kwam ze niet in de verleiding om het tegenovergestelde te doen van wat hij zei. Ze liep naar de straat, blij dat ze van hen af was.

Haar opluchting duurde niet lang. Zo kwam ze nooit van die sukkels af. Een zwarte El Dorado reed het parkeerterrein op. Het raampje schoof naar beneden. Bud Deacon klemde het stuur in zijn handen. Chip Bixby zat naast hem. Hij zag er nog erger uit dan de rest. Zijn wangen waren nog holler dan gewoonlijk. Zijn lippen waren merkwaardig blauw, waarschijnlijk van het vele roken. Toch was Chip van al Terry's vrienden het minst weerzinwekkend. Maar dat zei niet veel.

Nog voor de vraag was gesteld, zei Maggie: 'Met Jimmy is alles goed. Hij komt weer werken.'

'Beter van niet,' zei Bud. 'Je had moeten zeggen dat hij thuis moest blijven.'

Ze moest bijna lachen. 'Denk je dat hij naar mij luistert?'

'Snel die grote mond dicht voor ik het doe,' waarschuwde Bud. 'Is het te veel gevraagd om er te zijn voor je broer?'

Maggie beet op haar lip om maar niet te zeggen wat ze dacht.

'Het wordt moeilijk voor hem.' Chip klonk ernstig. Duke Abbott was zijn vaste partner geweest. Chip was in de motelkamer toen Duke werd doodgeschoten. Hij had ook achter Edward Spivey gezeten toen de jury hem vrijsprak. Twee hulpsheriffs hadden hem moeten tegenhouden. Als een van hen niet snel Chips wapen had gepakt, zou hij nu waarschijnlijk in de dodencel zitten.

'Jimmy weet dat hij er niet alleen voor staat,' zei Maggie.

'Dat maakt niet uit,' vond Chip. 'Als er zoiets gebeurt, ben je de rest van je leven alleen.'

Maggie wist niet wat ze daarop moest antwoorden. Ze kende Chip al een eeuwigheid, maar het was ook weer niet zo dat ze gezellig samen over hun gevoelens kletsten.

Chip leek dat ook te beseffen. 'Kom, rijden,' zei hij tegen Bud.

Maggie keek de auto na terwijl die het parkeerterrein op reed. Weer versnelde ze haar pas. Ze wilde niet aan de plannen denken die Terry en zijn vrienden aan het smeden waren. Als politiebeambte was het haar plicht te zorgen dat de wet gehandhaafd werd. Maar je ging geen andere agenten verlinken. Bovendien betrof het hier rechercheurs. Maggie zat in de surveillancedienst. En ze was vrouw. Niemand zou naar haar luisteren, en als ze dat wel deden, interesseerde het ze niet tenzij de *Atlanta Constitution* met het verhaal op de loop ging. Intussen zat er voor Maggie niks anders op dan af te handelen wat zich op dat moment voordeed, en dat betekende dat ze zich gereed moest maken voor haar werk.

Terwijl ze de straat overstak, doorzocht ze haar tas. De baksteen die voor haar portofoon moest doorgaan, nam de helft van de ruimte in beslag. Ze klikte het ding vast aan de achterkant van haar riem en stak toen de plug van het flexibele snoer in haar schoudermicrofoon. Ze voelde aan de knoppen op de bovenkant van het apparaat. Het waren er twee, een volumeknop en een afstelknop. Ze kon ze alle twee in haar slaap bedienen.

Geld uit haar portemonnee ging in haar voorste broekzak. Twee pennen en een notitieboekje verdwenen in haar linkerborstzak, en in de rechterborstzak stopte ze haar bonnenboekje. De pepperspray ging in haar achterzak, samen met een kleurloze lippenstift. Geen van beide hoorde bij de uitrusting, maar een meisje moest zich kunnen beschermen.

Ze inventariseerde de overgebleven spullen in haar tas: een paperback, kleingeld, een donkerder lippenstift, poeder, mascara, blusher, eyeliner. Die laatste spullen had ze niet echt nodig voor haar werk, maar ze moest ze wel bij Lilly uit de buurt houden.

Een briesje streek door Maggies haar toen ze het trottoir op stapte. De scherpe pijn in haar knie was weggetrokken. Het was eerder dat ze zich bewust was van haar knie dan dat ze bij elke stap in elkaar dreigde te zakken. Ze snapte niet hoe Jimmy elke dag weer met dat niet-aflatende ongemak kon leven. Maar er waren heel veel dingen waarvan ze niet snapte hoe haar broer ermee kon leven.

Jimmy loog over wat er tijdens de schietpartij gebeurd was of hij had de tijd genomen om zijn revolver schoon te maken voor hij het ziekenhuis verliet. Als ze bedacht hoe weinig moeite hij had gedaan om zijn eigen gezicht goed te wassen, twijfelde ze aan de tweede verklaring. Waarschijnlijker was dat hij zijn revolver helemaal niet had afgeschoten.

Als dat het geval was, waarover loog hij dan nog meer? Had het wapen van de Shooter echt geblokkeerd? Want Maggie had voldoende tijd op de schietbaan doorgebracht om te weten wat er gebeurde als een wapen blokkeerde. Het was haar zelf overkomen. Ze had het bij anderen gezien. Het ging altijd op dezelfde manier. Je haalde de trekker over. Er gebeurde niets. Je haalde de trekker weer over, misschien ook een derde of vierde keer, voor je accepteerde dat het wapen blokkeerde. Het was net zoiets als aan zure melk ruiken of iets proeven dat te sterk gekruid was. Je moest het altijd nog een keer doen. De eerste keer geloofde je niet dat iets niet goed was.

Maggie bleef staan. Ze keek op haar horloge. Toen de secondewijzer de twaalf passeerde, ging ze in gedachten de handelingen van de Shooter na.

De hoek om. Richten. Don Wesley neerschieten. Terugstoot. Richten. Trekker overhalen. Niks. Nog eens de trekker overhalen. Wegwezen.

Vijf, hooguit zes seconden. Vooropgesteld dat de Shooter niet had geaarzeld. En dat hij heel snel opnieuw had kunnen richten, ook al was Jimmy in actie gekomen zodra Don neerviel.

Maggie liep weer door. Een seconde duurde langer dan de meeste mensen dachten. Het knipperen van een oog duurt ongeveer driehonderd milliseconden. In- en uitademen neemt zo'n vijf seconden in beslag. Een gemiddelde scherpschutter trekt zijn wapen in minder dan twee seconden.

Jimmy Lawson was een van de beste schutters van het korps. Hij kon met gemak in vijf of zes seconden een man doden.

Maggie liep de hoek om en botste bijna tegen een andere agent op. Zijn huid was koffiekleurig en hij droeg een veel te strak uniform, wat hem kenmerkte als een nieuweling op zijn eerste werkdag. Zijn handen ging onmiddellijk omhoog, weer een bewijs dat hij nieuw was.

'De volgende links,' zei ze. 'Het hoofdbureau is links, halverwege de straat.'

Hij tikte zijn pet aan. 'Bedankt, mevrouw.'

Maggie vervolgde haar weg over het trottoir. De man stak

op een drafje de straat over en liep voor haar uit aan de overkant. Ze was vergeten dat de academie een nieuwe lichting afgestudeerden had uitgespuwd. Voor rekruten was dit wel een erg slechte dag om te beginnen. Niet alleen moest het overige personeel de gevolgen van de moord op Don Wesley verwerken, ze zouden ook over een hulpeloos met de armen zwaaiende verzameling groentjes moeten stappen die, als je op het verleden afging, nog voor het midden van de week waren afgetaaid.

In plaats van op Central Avenue links af te slaan, liep Maggie nog twee blokken door. De Do Right Diner was gespecialiseerd in smakeloos eten en slappe koffie, maar dankzij de locatie was de tent van trouwe clientèle verzekerd. Het was er leeg, op twee gasten na, die achterin zaten. Niemand at hier, behalve als het in de baas z'n tijd was, en het ochtendappèl begon pas over veertig minuten.

'Alles goed met Jimmy?' vroeg de serveerster.

'Ja hoor, prima.'

Maggie liep door naar de achterkant. Twee vrouwen, de een nog bloter dan de ander, hingen lui op een halfronde bank. Gescheurde kousen, superkorte rokken, zware make-up en blonde pruiken: allemaal extraatjes die hoorden bij het vak van agent in burger. De vrouwen maakten deel uit van de nieuwe hoerenlopersbrigade: een lucratief project, zoals iedereen wist, dat rijke blanke bankiers buiten de gevangenis hield.

Gail Patterson knipoogde naar Maggie tussen de rook van haar sigaret door. Haar zware stem met het nasale zweempje Zuid-Georgia paste perfect bij haar undercover-outfit. 'Op zoek naar een verzetje, schoonheid?'

Maggie moest lachen, en ze hoopte dat haar gezicht minder rood was dan het aanvoelde. Haar eerste jaar bij de politie had ze bij Gail in de surveillancewagen doorgebracht. De oudere agente was bars en chagrijnig en zonder enige twijfel de beste leermeester die Maggie ooit gehad had.

'Ik ga maar weer eens pleite.' Met een luide slok sloeg de andere vrouw haar glas sinaasappelsap achterover. Ze heette Mary Peterson. Maggie kende haar alleen van horen zeggen. Ze was een gescheiden vrouw die op politieagenten kickte. Uiteraard werd dat over alle vrouwen in het korps gezegd: dat ze erbij waren gegaan omdat ze op politieagenten kickten, dus Maggie wist niet of het waar was.

Mary's polyester rokje piepte toen ze van de bank glipte. 'Alles goed met Jimmy?'

'Ja hoor.'

'Mooi. Zeg maar tegen hem dat hij op ons kan rekenen.' Bij het weggaan gaf ze Maggie een schouderklopje.

Gail gebaarde naar de vrijgekomen plek. 'Neem het er maar even van, meid.'

'Graag.' Maggie haakte de portofoon los van de achterkant van haar riem en nam plaats. De zitting was nog warm. Ze liet zich in de zachte bekleding zakken. Opeens vielen haar ogen bijna dicht. Haar hele lichaam ontspande zich. Vanaf het moment dat Maggie haar moeders keuken was binnengestapt, had ze strak van de zenuwen gestaan.

Gail deed haar pruik af en legde die op tafel. 'Je ziet er al even moe uit als ik me voel,' zei ze.

'Klopt,' gaf Maggie toe. 'Maar aan jou is het niet te zien.'

Gail blafte lachend wat rook uit. 'Vuile leugenaar.'

Maggie loog inderdaad. Gail zag eruit als een hoer op leeftijd, wat slechts gedeeltelijk kwam door haar werkplunje. Ze was tweeënveertig. Haar huid begon te rimpelen. Haar haar was zo diepzwart dat het onmogelijk haar natuurlijke kleur kon zijn. Haar wangen en oogleden gingen al wat hangen. Ze keek altijd speurend om zich heen, waardoor er een diepe groef tussen haar wenkbrauwen was ontstaan.

God verhoede dat Gail iets zag wat haar niet aanstond. Iedereen vreesde haar afgrijselijke humeur. Toen zij in dienst trad, waren er nog geen federale subsidies die de weg moesten plaveien voor vrouwen bij de politie. Ze had keihard moeten vechten om undercoveragent te worden. Ze hoorde bij de oude garde, bij Terry's generatie, en net als iedereen was ze doodsbang haar status te verliezen.

'Hoe gaat het nou echt met Jimmy?' vroeg Gail.

'Geen idee,' antwoordde Maggie naar waarheid. 'Hij praat nooit met me.'

'Niet slecht dus.' Ze hield haar sigaret in de ene hand terwijl ze met haar vork op een stapel pannenkoeken aanviel. 'Heb je die buurman al mee uit gevraagd?'

Maggie was niet naar de eettent gekomen om het over haar waardeloze liefdesleven te hebben. 'Wat heb jij over die schietpartij gehoord?'

'Dat de moordenaar er niet mee wegkomt, zoals Edward Spivey.'

'Maar afgezien daarvan.'

Gail keek haar aandachtig aan. Ze kauwde, nam een hijs van haar sigaret, en ging verder met kauwen. 'Kende je Don?' vroeg ze ten slotte.

'Niet echt. Hij was bevriend met Jimmy.'

Loom blies Gail de rook uit. 'Ik kende hem wel.'

Maggie zweeg afwachtend.

'Ergens was hij heel aardig.' Gail staarde voor zich uit. 'Dat is het type dat je in de gaten moet houden, een klootzak die niet altijd een klootzak is.'

'Een klootzak is altijd een klootzak.'

'Nou is je jeugd aan het woord.' Ze legde haar vork neer. 'Door dit werk verander je, schat, of je het leuk vindt of niet. Als je maar lang genoeg kerels bij de kladden grijpt, wil je niet thuiskomen bij een vent die op commando op z'n rug gaat liggen.' Ze knipoogde. 'Dan wil je zelf op je rug gaan liggen.'

Het enige wat Maggie tegenwoordig wilde als ze thuiskwam was rust en schone was.

'Juist als ze aardig tegen je doen ga je voor de bijl.' Opeens kreeg Gail iets melancholieks. 'Neem nou zo'n sterk, zwijgzaam type, en dan komt er een dag – jezus, niet eens een dag, een seconde, als je geluk hebt twee seconden – dat hij zich van zijn lieve kant laat zien en...' Ze knipte met haar vingers. 'Je bent verloren.'

Het drong maar langzaam tot Maggie door. 'Je hebt Don écht gekend.'

Ze haalde haar schouders op. 'Hij was niet zo'n kwaaie als je alleen met hem was.'

Maggie peuterde aan een opgedroogde klodder siroop die aan de tafel plakte. Ze had altijd tegen Gail opgezien. Ze was goed in haar werk. Ze had een man die van haar hield. Voor Maggie was zij het ideaalbeeld van de geslaagde politievrouw.

'O, meissie, nou heb ik je toch niet teleurgesteld, hè?'

'Nee hoor,' loog Maggie.

'Je weet dat ik gek ben op Trouble.'

Maggie glimlachte om het oude grapje. De bijnaam van Gails man was Trouble.

Zuchtend blies Gail een rookpluim uit. 'Ik zie hem nooit, en als ik hem al eens zie, maken we alleen maar ruzie om geld en welke rekening het eerst betaald moet worden en wat we moeten met die niksnut met wie mijn zus is getrouwd en hoe lang we het nog kunnen uitstellen dat zijn moeder bij ons intrekt.' Mismoedig haalde ze haar schouder op. 'Soms is het een hele opluchting om bij iemand te zijn die maar één ding van je wil.'

'Dat zijn jouw zaken. Je hoeft je voor mij niet te verantwoorden.'

'Nee, stel je voor.' Ze stak haar hand in haar tas en haalde er een heupfles uit. De hogere rangen hadden altijd drank bij zich. Maggie keek toe terwijl Gail een flinke teug nam. En nog een. 'Jezus, wat haat ik het als de goeien doodgaan. Heeft-ie in die kloteoorlog gevochten en komt-ie thuis om in een steeg door een andere Amerikaan voor z'n raap te worden geschoten.'

Maggie vroeg zich af aan hoeveel ontbijttafels ze nog zou moeten zitten voor iemand haar een rechtstreeks antwoord gaf. Ze vroeg het nog eens: 'Wat heb jij gehoord over die schietpartij?'

Gail wierp een blik op de serveerster voor ze antwoordde. 'Dat hippiedingetje, die vriendin van hem. Hoe heet ze ook alweer, Pocahontas? Die trapte me toch een stennis in het ziekenhuis.'

Maggie had de vrouw één keer ontmoet. Ze had een donkere huid en gitzwart haar dat ze in een lange vlecht op haar rug droeg. 'Hoe kwam ze erachter?'

'Ze hoorde het op de scanner. Don had er eentje in zijn flat.'

'Ik wist niet dat ze samenwoonden.'

Gail lachte. 'Dat wist hij zelf ook niet.'

Maggie lachte ook, maar alleen om het niet nog pijnlijker te maken. Ze herhaalde Terry's woorden. 'Ze krijgen hem wel te pakken. Wie het ook gedaan heeft. Vijf dode politiemensen. Je kunt niet eeuwig blijven vluchten.'

'Ze krijgen in elk geval íémand te pakken.'

Maggie vroeg niet om nadere toelichting. Sommigen hadden zich afgevraagd hoe Terry precies aan dat gedumpte wapen en het bebloede shirt was gekomen die Edward Spivey verbonden met de moord op Duke Abbott. Het akelige was dat de zaak zonder dat bewijs stond als een huis. Helaas kwamen de meeste juryleden uit de getto's van Atlanta. Ze hadden te vaak gezien dat de politie met bewijsstukken rommelde om nog te geloven dat alles deze keer volgens het boekje was gegaan.

'Goed.' Gail goot haar fles leeg in haar koffiebeker. 'Alle zones zijn in staat van paraatheid gebracht. Iedereen maakt overuren. Niemand gaat naar huis voor het voorbij is.'

'Iedereen?' Maggie kon zich er geen voorstelling van maken

hoeveel dat ging kosten. 'Dat is zelfs met Duke niet gebeurd.'

'Duke was een ander verhaal.'

'Het waren allebei agenten.'

'Doe niet zo naïef. Je weet dat het niet hetzelfde is. Duke was op het verkeerde moment op de verkeerde plek. Nu gaat het om Terry Lawsons neef die tijdens zijn werk bijna twee kogels door zijn kop heeft gekregen.'

'Twee?'

'Dat wordt op het bureau gezegd.' Ze wees naar de zijkant van haar hoofd. 'Don had er een hier...' Haar vinger gleed naar haar wang. '...en hier.'

Maggie wist dat ze allebei hetzelfde dachten. 'Dat zijn geen makkelijke schoten.'

'Eén zo'n schot is al moeilijk. Twee... op die afstand en met zo'n waardeloos wegwerpwapen... Dan heb je het echt in de vingers.'

'Heel anders dus dan de methode van de Shooter,' zei Maggie. 'De andere vier kregen elk één kogel door het voorhoofd. Van vlakbij. Als bij een executie.'

Gail nam haar aandachtig op. 'Denk je dat het de Atlanta Shooter is?'

'Jij niet dan?'

'De Shooter loopt nog steeds ergens rond. De laatste twee keer zijn we er keihard tegenaan gegaan en het heeft ons geen flikker opgeleverd. En wat die moord van vannacht betreft: de jongens waren in een steeg toen Don werd neergeschoten, net als de andere vier slachtoffers.' Gail haalde haar schouders op. 'Maar wat zal ik zeggen? Het kan allemaal gewoon knettergek toeval zijn.'

'Ja hoor.' Een van de eerste lessen die Maggie van Gail had geleerd, was dat toeval niet bestond.

'Heb je dat van die autobanden gehoord?' vroeg Gail.

'Die zijn doorgesneden.'

Gail liet haar aansteker ronddraaien en tikte daarbij telkens tegen de tafel. 'Volgens een kennisje van me in de meldkamer hebben ze geen oproep van hem ontvangen.'

'Wat bedoel je?'

'Jimmy heeft geen 63 opgegeven.' Agent in nood. De melding hoorde bij de standaardprocedure als er een agent gewond was geraakt. 'De meldkamer wist niet eens dat Don gewond was,' vervolgde Gail, 'tot ze door een van de artsen in het Grady werden gebeld met het bericht dat hij dood was.'

Maggie sloeg haar blik neer. Haar portofoon lag naast haar been. Iedereen in het korps droeg een portofoon bij zich. Undercoveragenten zoals Gail bewaarden hem in hun handtas. Straatagenten droegen hem vastgeklikt aan de achterkant van hun riem. De dingen waren lomp, dikker dan een paperback, zwaarder dan een pak bakvet en de plastic buitenkant had messcherpe randen. Je deed hem af als je ging zitten of anders balanceerde je op het puntje van je stoel om te voorkomen dat hij in je ruggengraat sneed.

'Misschien zaten ze in een blinde vlek,' opperde Maggie. Overal in de stad had je dergelijke blinde vlekken, waar de portofoons het niet deden. 'Ze waren in Five Points, in een zijstraat van Whitehall Street. De ontvangst is daar nogal wisselend.'

Gails wenkbrauwen schoten omhoog. Ze werkte in dat gebied. Ze kende de blinde vlekken.

Eén ding wist ze niet, en ook Maggie besefte het nog maar pas: Jimmy's portofoon had die ochtend niet aan zijn dienstriem gezeten. In gedachten zag ze die voor zich: sleutels, wapenstok, handboeien, revolver.

Maar geen portofoon.

'Hé, meissie?' Gail tikte met haar aansteker op tafel. 'Ben je er nog?'

Maggie keek op haar horloge. Ze dacht aan haar eerdere experiment. Vijf seconden. Dat was heel lang. Nog langer als Don twee kogels had gekregen. Jimmy had misschien zeven of acht seconden gehad om te reageren. Of niet, wat ook mogelijk was.

Weer tikte Gail op tafel. 'Zit ik nou tegen mezelf te praten?'

Maggie keek op. 'Waar heb je vannacht gewerkt?'

'Niet in de Five, als je dat soms bedoelt. Ik had geen dienst. Dit is voor vandaag.' Gail wees op haar weinig verhullende tenue. 'Ik ben lokaas voor de hoerenlopers. Zones Twee en Drie hebben hun burgerauto's uitgeleend om de pooiers op te pakken. Ze willen de hele handel dichtgooien.'

'Dan komen de verklikkers wel uit hun holen.'

'Ja, maar wanneer?' Ze nam een laatste hijs en drukte haar sigaret toen uit. 'Het is alleen maar tijdverspilling. Hetzelfde met die beloning. Aan de laatste twee schietpartijen hebben we wel duizend tips overgehouden. Al die vrouwen die hun man of vriend aangeven in de hoop vijfduizend dollar te vangen.'

Maggie had voldoende valse tips nagetrokken om niet aan haar uitspraak te twijfelen. 'Maar de straten afsluiten is toch geen tijdverspilling? Toen met Edward Spivey werkte het wel.'

'O?'

Maggie haalde haar schouders op. Met behulp van dezelfde tactiek had Terry Spiveys naam uit een verklikker gekregen. Het moest toch ergens goed voor zijn.

'Ik zal het nog eens voor je uittekenen,' zei Gail. 'We zijn op zoek naar een tippelaarster die afgelopen nacht iets gezien heeft in de Five, ja? In de hoop dat zij ons een naam geeft?'

Maggie knikte.

'Dag één gaat als volgt: onze jongens pleuren alle pooiers die ze kunnen vinden in de bak. Als je de pooiers opsluit doen die meiden de hele dag niks anders dan blowen en slapen.'

Weer knikte Maggie. Zo was het de vorige keer ook gegaan.

'Dan heb je dag twee: de pooiers komen op borgtocht vrij en slaan de meiden in elkaar omdat ze niks hebben uitgevoerd; de meiden rennen de straat weer op om de gederfde inkomsten aan te vullen.' Ze stak een nieuwe sigaret op. 'Nu zijn we bij dag drie: onze jongens komen in actie en sluiten de hoeren op.' Ze liet haar aansteker rondtollen op de tafel. 'Het is een draaideur: erin en eruit, erin en eruit... dag vier, dag vijf, maakt niet uit hoe lang het duurt, ze blijven net zo lang doorgaan met hun uit de hand gelopen piswedstrijdje tot uiteindelijk iemand de zaak verlinkt en iedereen weer aan het werk kan gaan.'

'Maar dat willen we toch? We moeten iemand aan het praten zien te krijgen.'

'Ja, maar vind je dat zo'n slimme manier?' Ze boog zich over de tafel heen. 'Hoeveel dagen waren dat er? Zo'n vijf à zes? Ondertussen is degene die Don Wesley heeft omgelegd het moordwapen al aan het smelten in een vat met zuur, waarna hij er als de sodemieter vandoor gaat. Of nog erger: hij neemt een chique advocaat uit het noorden in de arm die denkt dat hij hem wel vrij krijgt.'

Weer Edward Spivey. Boven alles wat ze die dag deden zou de schaduw van deze man hangen. 'Weet jij een snellere optie?' vroeg Maggie.

'We zoeken uit welke pooier meiden aan het werk heeft in de buurt van de plaats delict, dan laten we de pooier zijn meiden bijeenroepen zodat we met ze kunnen praten. Je weet hoe het gaat. Die hoeren durven nog niet te schijten zonder toestemming van hun pooier. En in de meeste gevallen laat hij dan ook nog een of andere freak voor geld toekijken.'

Maggie moest bijna lachen. 'Is het zo gemakkelijk? Je stapt gewoon op de pooier af en hij laat ons met zijn meiden praten?'

'Het is makkelijk als wij het doen. Als de jongens het doen, hebben we hier ons bloedeigen Tet-offensief.' Ze haalde haar schouders op, alsof het een uitgemaakte zaak was. 'Vrouwen zijn nou eenmaal beter in de-escalatie. Dat weet jij ook.'

'Ja,' beaamde Maggie, hoewel dat nogal een uitspraak was uit de mond van een vrouw die ze ooit met haar zaklantaarn het hoofd van een verdachte had zien inslaan.

'Ben je ooit tussenbeide gekomen als twee mannen aan het vechten waren?' vroeg Gail.

'Tuurlijk.' Dat deed Maggie minstens vijf keer per week.

'Dat ze elkaar niet langer verrot slaan komt niet doordat ze bang voor je zijn, hè?'

'Nee.' Soms stopten ze al met vechten als ze haar patrouillewagen zagen. 'Na de eerste paar klappen willen ze dat iemand ze tegenhoudt voor het menens wordt. Ik ben alleen maar het excuus.'

'Juistem,' zei Gail. 'Dus waarom al die moeite doen en er een slepende zaak van maken met onze jongens die met hun jongens op de vuist gaan en hun jongens die de onze te grazen nemen, terwijl wij dames als min of meer redelijke mensen met ze kunnen gaan praten?'

'Over welke dames heb je het?'

'Over wij dames.' Ze gebaarde naar de lege ruimte tussen hen in.

Maggie probeerde door te denken. 'Hoe weten we dat ze niet liegen?'

'Hoe weten we dat de verklikkers de waarheid spreken?'

Dat was ook weer waar. 'Heb je je plan al aan de leiding voorgelegd?'

'Ja, Mack en Les en Terry en de hele bende hebben zich op de vloer gestort om mijn voeten te kussen omdat ik zo verdomd geniaal ben.'

Maggie moest lachen. 'Five Points. Er werken daar wel duizend meiden.'

'We hebben het niet over Five Points. We hebben het over Whitehall. En niet zomaar Whitehall, maar het gedeelte in de buurt van de C&S Bank, waar Don is neergeschoten. De hoeren die in dat gebied werken zijn oudere vrouwen. De meesten spuiten coke en heroïne vermengd met crack. Veel leven zit er niet meer in. Waardoor de tijd dringt.'

Maggie wist dat ze met oudere vrouwen meiden van haar eigen leeftijd bedoelde. 'Oké, dus we moeten de naam hebben van de pooier die op die hoek opereert. Heb je bronnen die willen praten?'

'Zeker. Maar op straat zijn ze momenteel niet zo blij met me. Misschien heb ik een paar hoeren die me in de weg liepen iets te hard aangepakt.' Gail tikte haar sigaret af in de asbak. 'Je kent me toch? Geen zee te hoog. Ik weet wie de informatie heeft. Misschien heb ik alleen wat hulp nodig om die los te peuteren.'

Maggies tenen begonnen te tintelen. Ze liep langs het randje van een wel erg steile afgrond. 'Ik ben geen rechercheur.'

'Nou en?' Gail keek haar uitdagend aan. Zo liet Maggie zich telkens weer strikken. Ze was te zeer gebeten op Gails goedkeuring. 'Kijk, je mag best eens uit de pas lopen. Ik krijg de naam van een bron. En wat dan? De pooier wil niet met me praten. Je weet hoe die hufters zijn. Maar ze willen wel met een mooi jong grietje praten dat d'r tieten nog op de goeie plek heeft zitten.'

Maggies maag kromp ineen. Gail had hier duidelijk over nagedacht. 'Denk je dat ik zomaar het hol van een of andere pooier kan binnenstappen en dat hij dan met me gaat praten?'

'Hoor eens, schat, vergeet nou maar wat ik je allemaal verteld heb toen we nog surveilleerden. Als ik één ding geleerd heb van mijn undercoverwerk dan is het dat je soms best gebruik mag maken van het feit dat je vrouw bent.'

Maggie wist het niet zo zeker.

'En daarna hoef je alleen maar rustig af te wachten.'

Maggie snapte wat ze bedoelde. Geef de naam aan Terry door en dan lossen de jongens het probleem wel op.

Gail drukte haar sigaret uit in de stapel pannenkoeken. 'Hoor eens, er zijn maar twee antwoorden: ja of nee. Als je ja zegt, zien we elkaar in het Colonnade Restaurant, rond een uur of twee. Maar stel dat je nee zegt en dat de vent weer vrijuit gaat die Don heeft vermoord en die je broer bijna heeft omgelegd?' Gail haalde haar schouders op. 'Het is aan jou.'

VIJF

Op de stoep van het hoofdbureau verzamelde zich een grote groep politiemensen. Het lompe, lelijke gebouw was bekleed met wit marmer dat afkomstig was uit de Tate-groeve in het noorden van Georgia, waar ook de onbewerkte platen voor grafstenen vandaan kwamen. Zoals gepast hadden de mannen het allemaal over de dood. Zelfs op afstand hoorde Maggie steeds de naam Don Wesley. De meesten hadden hem waarschijnlijk nooit ontmoet. Aan de nummers op hun kragen zag ze dat ze bij verschillende brigades hoorden, hoewel ze allemaal dezelfde dreigende wilskracht leken uit te stralen. Dit was de derde keer dat een moordenaar het hart van het politiekorps had geraakt. De paniekerige vastberadenheid die de laatste twee klopjachten had gekenmerkt, was uitgegroeid tot pure bloeddorst.

Er was niets wat politiemensen sneller bijeenbracht dan een gemeenschappelijke vijand.

En er waren heel veel politiemensen in Atlanta. De stad was verdeeld in zeven politiezones, inclusief het vliegveld en Perry Homes, een getto dat zo gevaarlijk was dat het over een eigen korps beschikte. Elke zone had een politiebureau. De zone in het centrum, Zone 1, gebruikte de benedenverdieping van het hoofdbureau voor het ochtendappèl. Praktisch gezien was het een ideale locatie, maar het was nooit goed om zo dicht bij de leiding te zitten. Terry en zijn vrienden klaagden altijd dat ze de commissaris vaak op het herentoilet tegen het lijf liepen. Maggie vermoedde dat ze niet goed wisten wat ze het ergst aan hem vonden: dat hij nieuw was of dat hij zwart was.

Na maanden van openlijke vijandigheid was burgemeester Maynard Jackson er eindelijk in geslaagd zich van de oude commissaris te ontdoen. Reginald Eaves had zijn taak overgenomen zo rond de tijd dat het proces tegen Edward Spivey liep, wat een toch al slechte situatie oneindig veel erger maakte. Het leek Eaves niet te deren. Hij had zich ten doel gesteld de blanke machtsstructuur te doorbreken die sinds de oprichting in het Atlanta Police Department geheerst had.

Opeens had Terry Lawson problemen met vriendjespolitiek.

Maggie begreep de woede van haar oom, ook al deelde ze die niet. Het ouwe-jongens-krentenbroodsysteem was geweldig als je zelf bij de jongens hoorde. Toen Terry's groep in dienst trad, kwamen zwarte agenten het bureau niet eens binnen. Ze hingen rond in de buurt van het YMCA aan Butler Street tot ze werden opgeroepen. Ze mochten hun uniform alleen tijdens diensturen dragen. De meesten hadden geen patrouillewagen. Ze mochten uitsluitend andere zwarten arresteren en konden geen verklaringen afnemen van blanken, laat staan dat ze die mochten verhoren.

Uiteraard was dat alles veranderd, maar mannen als Terry accepteerden verandering alleen als het hun goed uitkwam.

Het eerste wat commissaris Eaves deed, was de bezem door het korps halen. In een maand tijd waren zes adjunct-commissarissen en ruim honderd lagere leidinggevenden in rang teruggezet. Eaves selecteerde zelf de mannen die voor hen in de plaats kwamen. Vaak neemt een chef zijn eigen mensen mee, maar omdat in het oude systeem iedereen blank was en in het nieuwe iedereen zwart, ontstonden er problemen.

Er volgden processen, waarvan er nog niet één tot een goed einde was gebracht.

Toen voerde Eaves een nieuw examensysteem in om promoties te formaliseren. Voor die tijd ging het uitsluitend om wie je kende, maar volgens Eaves moest het gaan om wat je wist. Het was een prima idee, maar toen geen enkele zwarte agent door de test kwam, stelde Eaves een examencommissie in die mondelinge examens afnam. Geen enkele blanke agent slaagde voor het mondeling.

Er volgden processen. Niemand wist hoe het zou aflopen.

Afgezien van zijn huidskleur betrof de grootste klacht die Maggie over Eaves had gehoord de kleur van zijn bloed: er stroomde geen blauw door zijn aderen. De burgemeester kende hem uit de tijd dat ze alle twee rechten studeerden. Eaves was nooit een echte politieman geweest. Hij had nooit straatwerk gedaan. Buiten het hoofdbureau zag je de commissaris niet, behalve op het nieuws of als hij in zijn luxe Cadillac naar de Commerce Club reed voor de lunch.

Hij communiceerde hoofdzakelijk door middel van dagelijkse dienstmededelingen, die werden voorgelezen tijdens het ochtendappèl. Wat weer een reden was om de pest aan de nieuwe chef te hebben: Eaves was bezeten van papierwerk. Hij vaardigde regels uit over uiterlijk, hoe je het publiek moest benaderen, wanneer geweld was toegestaan en – het allerbelangrijkste – hoe de formulieren van de federale overheid moesten worden ingevuld om te zorgen dat de subsidies bleven binnenstromen.

Dat laatste was vooral belangrijk voor de vrouwelijke agenten. De enige reden waarom ze een uniform droegen was dat de federale overheid de stad met subsidies had omgekocht om hen in dienst te nemen. Niet dat de vrouwen moesten liegen over hun taken, maar aan de subsidies waren bepaalde richtlijnen gekoppeld die het Atlanta Police Department niet van plan was te volgen, en waarvan de belangrijkste luidde dat de taken door gemengde teams moesten worden uitgevoerd.

Er was geen blanke vrouw die met een zwarte man wilde surveilleren. De blanke mannen wilden maar al te graag met de zwarte vrouwen surveilleren, maar geen enkele zwarte vrouw was zo stom om bij een blanke man in de auto te stappen. En je kreeg met geen mogelijkheid een zwarte en een blanke man samen in een auto.

Misschien had het een reden dat Atlanta statistisch gezien een van de gewelddadigste, crimineelste steden van Amerika was. Voor zover Maggie wist waren de zwarte en de blanke mannelijke agenten het maar over één ding eens, namelijk dat een vrouw geen uniform hoorde te dragen.

Hier is de nieuwe chef. Verschilt geen steek van de oude.

Maggie beklom de eenentwintig treden naar het gebouw waarin het hoofdbureau was gevestigd. De koperen deuren waren groen uitgeslagen. De dunne glasstrook was vettig van alle rook en zweet. Ze nam een laatste snuifje frisse lucht voor ze de hal betrad. Net als buiten was het binnen afgeladen vol met mannen. Grapjes of praatjes waren er niet bij. De last van de moord op Don Wesley lag even tastbaar over de ruimte als de sigarettenrook die de lucht benevelde.

Zelfs in hun verdriet bleven ze trouw aan hun stijl. Niemand deed een stap opzij toen Maggie zich een weg baande door de volle briefingruimte. Ze kreeg een schouderstoot. Een hand streek over haar achterste. Met onbewogen gezicht en haar blik recht naar voren liep ze naar de achterkant van het vertrek.

'Hé, pop.' Chuck Hammond was klein voor een man. Hij reikte ongeveer tot Maggies borsten, wat hij geen bezwaar leek te vinden. 'Alles goed met Jimmy?'

Maggie liep door. 'Hij komt zo. Dan kun je het zelf zien.'

'Hoor eens, als je erover wilt praten...'

Rick Anderson redde haar. 'Hé, Maggie, heb je even?'

'Ja hoor.' Maggie voelde Chucks hand op haar arm, maar ze bleef lopen. Ze volgde Rick toen hij zich een weg baande naar de achterkant van het vertrek. Iedereen mocht Rick. Hij was grappig en vriendelijk en hij lachte altijd om ieders grapjes.

Hij keek over zijn schouder om te zien of ze er nog was. 'Hou je het een beetje vol?'

'Ja hoor,' herhaalde ze. 'Met Jimmy gaat het goed.'

'Ik vroeg niet naar Jimmy.'

Maggie voelde een onverklaarbare drang om in huilen uit te barsten. Ze kon zich niet herinneren wanneer iemand voor het laatst had gevraagd hoe het met haar ging. 'Niks aan de hand. Dank je.'

'Mevrouw.' Hij maakte een lichte buiging en wees naar de deur met het opschrift DAMES. Ze negeerden allebei de primitieve tekening van een spuitende penis die onder het bordje was geplakt.

'Bedankt.'

Voor het geval iemand zich aan het omkleden was, deed Maggie de deur net ver genoeg open om naar binnen te kunnen glippen.

Dat was maar goed ook, want Charlaine Compton had haar broek uitgetrokken. Ze depte kleurloze nagellak op de ladder die zich aan de achterkant van haar panty omhoog werkte. 'Ik heb 'm pas gekocht,' klaagde ze toen ze Maggie zag.

'Ik heb er nog een over.' Maggie wurmde zich zijwaarts langs Charlaine. De vrouwenkleedkamer hoorde niet bij de oorspronkelijke indeling van het gebouw; het was een soort smalle bowlingbaan die bedoeld was als opbergkast voor schoonmaakspullen. Een toilet of wastafel ontbrak. Als ze die nodig hadden, moesten ze een trap op, naar de openbare toiletruimte.

Maggie draaide aan het combinatieslot van haar kluis. 'Chuck probeerde me klem te zetten.'

'Heeft hij je aangeraakt?'

Maggie huiverde. 'Rick Anderson kon me nog net op tijd redden.'

'Rick is een aardige vent.' Charlaine keek haar aandachtig aan. 'Alles goed met Jimmy?'

'Hij is woest. Hij wil die vent pakken.' Ze overhandigde Charlaine het witte plastic ei uit haar kluis; er zat een nieuwe panty in. 'Don was een goede politieman. Dit heeft hij niet verdiend.'

'Wat je zegt.' Charlaine rolde de panty op voor ze hem aantrok. 'Je had mijn moeder moeten horen toen ze me vanochtend belde. "Waarom doe je dat soort werk als het je dood kan worden? Wat mankeert jou?"'

De vragen klonken Maggie maar al te bekend in de oren. 'Misschien mogen we bepaalde tips natrekken,' opperde ze.

'Misschien komt prinses Gracia mijn plee boenen.'

Maggie dacht aan Gails voorstel om samen aan de zaak te werken. Het was eerder een uitdaging. Gail wist precies hoe ze Maggie moest bespelen. Hoe akelig het ook klonk, het was een opwindend idee om te helpen bij de oplossing van de moord op Don. Maar er zat een andere kant aan, namelijk dat Maggie de naam aan Terry zou moeten doorgeven. Ze zou Terry niet alleen een naam geven. Ze zou iemands doodvonnis tekenen.

Anderzijds kon ze de naam ook aan Rick Anderson en zijn partner, Jake Coffee, doorspelen. Die waren uit ander hout gesneden dan Terry. Ze hielden zich zowaar aan de wet. Wat weer een nieuw probleem opleverde. Als Terry ontdekte dat Maggie achter zijn rug om had gehandeld, kon ze haar huidige baan wel vergeten. Terry was zijn machtige positie in het korps aan het kwijtraken, maar hij had nog steeds voldoende invloed om haar achter een bureau te zetten of nog erger: haar nachtdiensten in het cellenblok te laten draaien tot ze werd neergestoken of ontslag nam.

'Goedemorgen, dames!' Wanda Clack wrong zich door de halfopen deur. Haar brede grijns verdween zodra de deur dichtviel. 'Heeft iemand weer eens een pik getekend?' zei ze. 'Nou vraag ik je. Hebben die jongens geen moeder?'

'Hoe ging je afspraakje dit weekend?' vroeg Charlaine.

'Toen ik zei dat ik bij de politie werkte, liet hij mij met de rekening zitten.' Wanda rolde met haar ogen. 'Misschien moet ik tegen de volgende maar zeggen dat ik stewardess ben.'

'Dan denkt hij dat je losbandig bent.'

'Precies, dat moet hij ook denken. Ik heb al in twee maanden geen beurt gehad.'

De deur ging wijd open.

'Hé!' schreeuwde Charlaine, en ze klemde haar broek om haar middel.

'Jezus, mens!' Er werd gefloten en geroepen, en Wanda duwde snel de deur dicht. 'Wat krijgen we nou?'

Ze staarden allemaal naar de blondine die de kleedkamer was binnengestrompeld. Ze keek panisch. Haar borst ging op en neer. Tenminste, Maggie dacht dat haar borst op en neer ging. Haar uniform was zo wijd dat het voor een Indiase sari kon doorgaan. Je herkende de rekruten altijd aan hun uniform. Ze kregen pas een uniform als ze afgestudeerd waren aan de politieacademie, want de meesten hielden het voor gezien nog voor ze examen deden. De mannen in de voorraadkamer gaven de vrouwen een uniform dat te groot was, terwijl de zwarte mannen een uniform kregen dat obsceen krap zat.

'Nou moet je goed luisteren, blondje.' Charlaine knoopte haar broek dicht. 'Je doet de deur nooit helemaal open. Nooit.'

'Eh...' Met trillende vingers raakte de blondine haar hals aan. Ze kon elk moment in tranen uitbarsten. Maggie keek ervan op dat ze de vuurproef in de briefingruimte had doorstaan. Zo te zien blies het eerste het beste briesje haar zo weer de deur uit.

'Wie is dat?' vroeg Charlaine aan Maggie in plaats van het rechtstreeks aan de nieuweling te vragen.

Maggie haalde haar schouders op. 'Zal wel een van de rekruten zijn.'

'Shit, ik was helemaal vergeten dat ze vandaag zouden beginnen.' Charlaine ging zitten om haar dienstriem op te tuigen. 'Ze kan niet naaien, dat zie je zo.'

'Misschien is ze bang dat ze gearresteerd wordt als ze iets aan haar uniform verandert,' opperde Wanda.

Iedereen moest lachen. Als een gekooid dier staarde het nieuwe meisje hen aan.

Maggie keerde zich naar haar kluis toe en had het opeens heel druk met haar handtas. Ze controleerde alles, ook al wist ze wat erin zat. Zelf was ze ook gepest toen ze voor het eerst in uniform was. Het hoorde bij de ontgroening. Als je het in de vrouwenkleedkamer niet redde, kon je de straat wel vergeten. Alleen werd je hier slechts met woorden getreiterd. Tijdens haar eerste maand was Maggie ontelbare keren bespuugd en had ze een klap in haar gezicht gekregen van de vrouw van een man die ze inrekende wegens huiselijk geweld.

'Waar kom je vandaan?' vroeg Wanda.

Het nieuwe meisje wist kennelijk niet of de vraag voor haar bedoeld was.

'Ja, jij,' zei Wanda. 'Waar kom je vandaan?'

'Uit Atlanta.' Haar stem klonk naar geld, dus het was geen verrassing toen ze er 'Uit Buckhead' aan toevoegde.

Wanda floot zachtjes. Je ontmoette zelden een agent die uit het rijkste deel van de stad kwam. 'Een kakmadam.'

Om haar aandacht te trekken tikte Charlaine tegen Maggies been. Ze stak haar hand uit en geholpen door Maggie hees ze zich van de bank overeind. 'Jullie hebben nog vijf minuten voor de zwarte meiden de kleedkamer krijgen,' zei Charlaine.

Het rumoer van mannenstemmen vulde de ruimte toen ze de zware deur op een kier zette.

Wanda had haar armen over elkaar geslagen. 'En, Kakmadam, wat kom je hier doen tussen het gepeupel?' vroeg ze aan de nieuweling.

'Gewoon...' De jonge vrouw wrong haar handen. 'Werken.'

'Werken.' Wanda had een tong als een ijspriem. Ze bleef de vrouw aankijken en vinkte blijkbaar alle redenen af waarom ze de pest aan haar had. Lang, blond haar en een perfect modellengezicht. Grote blauwe ogen. Hoge jukbeenderen. Ook zonder lippenstift had ze kersenrode lippen. Ze was een paar jaar ouder dan de rest, maar ze oogde frisser, jonger, vrouwelijker.

'Ben je gekomen om mannen te ontmoeten?' vroeg Wanda. 'Want dan kan ik je gelijk vertellen dat ze geen van allen de moeite waard zijn.'

De vrouw zei niets, maar haar ogen spraken boekdelen. Ze woog haar opties, waarvan de deur opentrekken en er gillend vandoor gaan bovenaan stond.

'Toe dan.' Wanda knikte in de richting van de deur. 'Je zou niet de eerste griet zijn die er nog voor het ochtendappèl de brui aan geeft.'

'Ik geef er niet de brui aan.' De blondine leek het vooral tegen zichzelf te hebben. 'Ik ben hier niet voor de mannen gekomen. Ik ben gekomen om te werken. En ik geef er niet de brui aan.'

'Dat zullen we nog wel zien, Kakmadam,' bromde Wanda.

Haar stem werd krachtiger. 'Ja, dat zullen jullie inderdaad nog wel zien.'

Maggie had met de jonge vrouw te doen. 'Hoe heet je?' vroeg ze.

'Kay...' Ze leek zich te bedenken. 'Kate Murphy.'

'Kate Murphy?' zei Wanda. 'We hebben hier onze bloedeigen Irish Spring-zeep... "Een mannelijk luchtje, maar wel lekker!"'

Maggie moest om het grapje lachen. Wanda klonk precies als de vrouw uit het reclamespotje.

'Ik ben niet...' Kate verplaatste haar gewicht en verloor bijna haar evenwicht. Haar schoenen waren te groot. De spelden in haar broek schoten los. Ze verdronk in een zee van marineblauwe wol. Niettemin zei ze: 'Ik heb deze baan nodig.'

Maggie bekeek Kate Murphy eens goed. Ze was bang, dat

was duidelijk, en de wanhoop in haar stem was onweerlegbaar, maar het sierde haar dat ze zich niet liet kennen. Vooral nu Wanda haar stoeredienderpose had aangenomen, wat zelfs Maggie intimiderend vond.

Wanda had het zelf ook door. Ze temperde haar toon enigszins. 'De uniformsokken die je gekregen hebt, moet je niet aandoen. Bij Franklin Simon hebben ze wollen sokken, twee paar voor een dollar, en daarmee hou je je voeten in je schoenen. Zoek een nietapparaat voor je broek. Met die spelden red je het niet, vooral niet als je achter iemand aan moet rennen, en neem maar van mij aan dat je binnenkort achter iemand aan moet rennen, of anders moet je je iemand van het lijf houden, en met zo'n figuurtje is het waarschijnlijk een van de apen aan de andere kant van de deur.'

Kate keek naar de deur.

'Aandacht erbij graag.' Wanda was nog niet klaar. 'In Carver Street zit een kleermaker die verstelwerk doet zonder dat hij handtastelijk wordt. Het is een jood, maar wel een redelijke vent.' Ze knipoogde. 'Je moet alleen niet naar zijn hoorns kijken. Daar wordt-ie zenuwachtig van.'

Kate keek zo mogelijk nog angstiger dan eerst.

'Wat, ben je bang voor joden?' Wanda nam haar weer in de tang. 'Heb je soms iets tegen ze?'

Halfhartig haalde Kate haar schouder op. 'Zolang ze hun hoeven maar bedekken.'

Wanda lachte snuivend. Ze gaf Kate een klopje op haar schouder en liep naar de deur. 'Da's een goeie, Kakkie. Als je hier vrijdag nog bent, mag je van mij iets drinken.'

De deur kierde open, en Maggie zag allemaal mannengezichten die probeerden uit te vinden of er iets interessants te zien was.

Ze keek op haar horloge. 'Laten we maar opschieten voor de zwarte meiden komen.'

Kate wierp een blik op het gordijn dat de ruimte in tweeen verdeelde. 'Doen jullie hier aan rassenscheiding?' vroeg ze ontzet.

'Ze kleden zich daarachter om. Ze mogen hun uniform niet aan als ze naar het werk gaan.'

'Waarom niet?'

Maggie kneep haar ogen tot spleetjes. Ze wist niet of die onschuldige blik gespeeld was of niet. 'Heb je in Buckhead ooit een zwarte gesproken die niet via de achterdeur binnenkwam?'

'Eh, ik...'

'De politie is niet welkom in de wijken waar ze wonen, ook al hebben ze dezelfde huidskleur.'

Kate keek weer naar de deur. 'Waarom hebben jullie dan geen gordijn?'

Nu wist Maggie zeker dat ze een spelletje speelde. 'Omdat zij het eerst eentje hebben opgehangen.' Tijd voor een waarschuwing, vond ze. 'Maar even serieus, als ze je daarachter betrappen, dan zul je ervan lusten. Ik meen het. Ze zijn vals als de pest. Zelfs Wanda blijft bij ze uit de buurt.'

'O... Oké.'

'De toiletten zijn boven,' zei Maggie. 'Het is er krap en er zijn maar twee hokjes. Als je geen mes tussen je ribben wilt krijgen, moet je geen lak in je haar spuiten als je voor de spiegel staat. Ik heet trouwens Maggie.'

Kate zei niets. Ze stond daar maar en klemde de riem van haar handtas vast alsof ze het ding wilde wurgen. Of zichzelf ermee wilde wurgen.

'Heb je een combinatieslot?' vroeg Maggie.

Kate schudde haar hoofd.

Maggie hield haar kluisdeurtje open. 'Stop je handtas hier maar in. Zorg dat je na het werk een slot koopt. Er zit een sportzaak op Central Avenue, vlak bij de universiteit. Als je je uniform aanhebt, krijg je het slot gratis. Probeer je uniform trouwens zo veel mogelijk te dragen. Zo krijg je gratis koffie, gratis eten, gratis boodschappen.'

Kate legde haar tas boven op die van Maggie. 'Mag dat eigenlijk wel?'

'Alles mag als je ermee wegkomt.' Maggie sloeg het kluisdeurtje dicht. 'Welkom op het Atlanta Police Department.'

ZES

Kate zat aan het laatste tafeltje achter in de briefingruimte, ingeklemd tussen de vrouw die zo rot tegen haar had gedaan en de vrouw die net ietsje minder rot tegen haar had gedaan.

Maggie Lawson. Ze was ongeveer even lang als Kate, had donker haar dat was opgestoken in een knot boven op haar hoofd, bruine ogen en een mooi gezichtje dat zonder het uniform nog mooier zou zijn geweest. Dat laatste kon natuurlijk ook van Kate worden gezegd, dus ze mocht best wat milder zijn. Maggie had haar geholpen, al was het niet van harte gegaan. Kate vroeg zich af of haar portefeuille leeg zou zijn als ze haar tas weer onder ogen kreeg.

Dan had je Clack en Compton, de twee anderen. Allebei klein. De een met een flinke taille en de ander graatmager. Hun korte haar was gebleekt en ze droegen dikke lagen make-up, alsof ze met alle geweld wilden bewijzen dat ze nog steeds vrouwen waren. Ze hadden niet eens de moeite genomen om zich voor te stellen. Kate had hun achternamen op de zilverkleurige plaatjes zien staan die op het uniform waren gespeld.

In haar herinnering moest ze helemaal terug naar het begin van de middelbare school om weer te weten hoe het was om zo geminacht te worden door een stel seksegenoten. Kate was een vroegbloeier geweest. Ze had als eerste rondingen gekregen. Ze had als eerste borsten gekregen. Ze was als eerste van haar vriendinnen ongesteld geworden. En toen had ze geen vriendinnen meer, terwijl de jongens hun ogen niet van haar af konden houden.

Eigenlijk gebeurde nu hetzelfde. Ook al droeg ze de politievariant van een jutezak, toch verzon elke man in het vertrek wel een smoesje om zich te kunnen omdraaien en naar haar te gluren. Nog nooit eerder in de geschiedenis van de beschaving waren er zo vaak zoveel pennen op de grond gevallen.

Ze negeerde hen allemaal, ook al hoopte ze met heel haar hart dat ze een van hen als partner kreeg toegewezen. Hoe groter en dommer hoe beter. Kate wist hoe ze mannen moest aanpakken. Vrouwen, dat was een ander verhaal. Dit werk deed je niet voor de gein. Er was vannacht een politieman gedood. Als Kate als partner aan Lawson, Clack of Compton werd toegewezen, stond ze er alleen voor, dat was duidelijk. En dat ordinaire mens met haar wijdbeense houding en de loop van een paard dat net van stal kwam, zou nog gelijk krijgen ook: Kate zou de eerste week niet eens halen.

Ze sloeg haar handen ineen om het gewring te stoppen. Heel even werd ze weer panisch toen ze haar trouwring niet voelde. Twee maanden geleden was het tweede jaar ingegaan sinds Patricks dood. Hij was nu langer dood dan Kate hem gekend had.

Ze vroeg zich af wat Patrick van haar huidige situatie zou hebben gevonden. Waarschijnlijk waren er op die vraag twee antwoorden. De Patrick met wie ze in het huwelijk was getreden was iemand anders dan de Patrick die haar brieven uit de jungle had geschreven. Zes weken nadat hij was uitgezonden begon hij te veranderen, klonk hij als een duisterder versie van de jongen met wie ze getrouwd was. Hij was vreselijk gebrand op de nieuwe knapen die elke week aantraden om degenen te vervangen die in lijkzakken naar huis waren gestuurd. Ze werden FNG's genoemd, en het duurde even voor Kate had uitgevogeld wat dat betekende, want er was geen denken aan dat haar man ooit het woord 'fucking' zou gebruiken in een brief aan zijn vrouw. Alsof ze nog nooit naar een album van Richard Pryor had geluisterd.

Fucking New Guys.

Kate had Patricks afkeer van de FNG's nooit begrepen. Hij liet geen spaan van hen heel. Hij hekelde het feit dat ze überhaupt bestonden. Hij zag ze komen met hun frisse gezichten, vol vastberadenheid en met een foto van hun meisje in de binnenkant van hun helm. Niemand wilde weten hoe ze heetten. Waarom zou je ook als de meesten niet eens de eerste week overleefden?

Zo voelde Kate zich. Daarom stelden ze zich niet aan haar voor, aan de *fucking new girl.*

Ze legde haar pet recht en keek heimelijk naar de andere vrouwelijke agenten en hoe ze op de rand van hun stoel zaten, wijdbeens en met hun ellebogen op tafel. Kate voelde zich net een preutse schoolfrik met haar over elkaar geslagen benen en haar handen samengevouwen op schoot.

Ze was een van de acht blanke vrouwen in uniform. De overige blanke vrouwen stonden tegen de muur van de kleedkamers. Ze rookten aan één stuk door en droegen strakke minirokjes met blote topjes die niets aan de verbeelding overlieten. Eerst dacht Kate dat ze gearresteerd waren of dat ze wachtten op hun arrestatie, of misschien waren ze op zoek naar klanten, maar toen bedacht ze dat het undercoveragenten moesten zijn, want ook al was dit nog zo'n ellendig oord, ze betwijfelde of er bij het ochtendappèl prostituees werden toegelaten.

In elk geval hadden prostituees betere dingen te doen, vermoedde ze.

Ze richtte haar aandacht op de andere kant van het vertrek. Naast het gangpad zaten acht zwarte vrouwelijke straatagenten: de zwarte meiden voor wie iedereen zo bang was. Die angst leek niet ongegrond. De vrouwen hadden iets schrikwekkends zoals ze recht voor zich uit keken, met vierkante schouders en een blik waarmee niet te spotten viel. Als groep stonden ze helemaal apart. Dat verklaarde het gordijn. Ze hadden zich van de wereld afgeschermd vóór iemand anders het deed.

In het voorste gedeelte van de ruimte waren de mannen ook al naar huidskleur ingedeeld, hoewel ze met meer waren, tegen de vijftig in totaal. Straatagenten zaten naast rechercheurs in burgerkledij die tien jaar eerder iets modieuzer zou zijn geweest. Ze hadden bijna allemaal lange bakkebaarden en een borstelige snor. Ze hielden binnen hun pet op en klemden hun sigaret tussen duim en wijsvinger. De geur die ze uitwasemden was misselijkmakend. Zweet, tabak en veel te veel Old Spice.

Kate probeerde niet terug te denken aan eerder die ochtend, toen ze zich een weg tussen hen door moest banen. Ze was letterlijk onder handen genomen: haar borsten, haar achterste, zelfs haar nek was door een of andere vreemde vent aangeraakt. Nog nooit in haar leven was ze zo ruw behandeld. Op de een of andere manier was ze door het uniform aan te trekken van een braaf meisje in een slechte vrouw veranderd. Alsof de mannen wilden zeggen: als je je op ons terrein waagt, speel je het spel volgens onze regels.

Een paar tafels verderop probeerde een van de mannen Kates aandacht te trekken. Vlug sloeg ze haar blik neer en klemde haar handen nog steviger in elkaar. Ze dwong zichzelf langzaam uit te ademen, zonder te stikken in de sigarettenrook die de ruimte vulde. Geen gedagdroom meer over Patrick. Geen gemijmer meer over het verleden.

Ze moest dit volhouden.

Gedempt gemompel verspreidde zich door het vertrek. Een dikke blanke man met een knol van een rode neus nam achter de lessenaar plaats. Commandant Cal Vick. Kate had die ochtend een gesprek met hem gehad en hij had haar geadviseerd om haar borsten in te snoeren zodat niemand aan een hartverlamming bezweek.

Vick tikte met zijn knokkels op de lessenaar. 'Oké, stilte.

Stilte allemaal.' Het lawaai stierf weg als een aflopend muziekdoosje. 'Laten we allereerst bidden voor Don Wesley, dat hij ruste in vrede.' Iedereen boog het hoofd. Kate richtte haar blik op de vloer.

Don Wesley. Ze reed naar het werk toen ze op de radio over hem hoorde. De vijfde politieagent die de afgelopen drie maanden vermoord was. Volgens de verslaggever had de Atlanta Shooter weer toegeslagen. Er was een beloning van vijfduizend dollar uitgeloofd. Luisteraars werd dringend verzocht het politiebureau te bellen als ze over informatie beschikten.

Het zweet was Kate uitgebroken toen ze haar auto door de straten in het centrum manoeuvreerde. Het liefst had ze de auto bij de dichtstbijzijnde telefooncel geparkeerd om haar familie te laten weten dat ze het goed maakte. Meteen besefte ze hoe dwaas dat was. Ze zouden dezelfde bijzonderheden te horen krijgen als Kate en dan zouden ze weten dat ze veilig was. De verslaggever had de naam van het slachtoffer genoemd en daarbij vermeld dat hij ongehuwd was en zich in Vietnam had onderscheiden.

Toch had Kate de neiging moeten onderdrukken om haar moeder te bellen. Pas toen ze zich voorstelde hoe het gesprek zou verlopen, dwong ze zichzelf om door te rijden. Er was maar één reden om haar familie te bellen: om te zeggen dat ze zich bedacht had. Dat ze het niet kon. Dat ze weer thuis wilde komen wonen. Ze zouden teleurgesteld zijn. Niet dat ze dat zouden zeggen, en natuurlijk zouden ze in zeker opzicht opgelucht zijn, maar ze zouden ook teleurgesteld zijn, wat ergens nog erger was dan een uitspraak als 'Heb ik het niet gezegd?'

En daarom had Kate haar auto niet bij de dichtstbijzijnde telefooncel geparkeerd. In plaats daarvan was ze het parkeerterrein van het politiebureau op gereden. Ze was uitgestapt. Ze was drie blokken verder gelopen. En toen had ze zich bij Cal Vick gemeld, die zich hardop had afgevraagd of Kates borsten niet te groot waren om er veilig mee over straat te kunnen rennen.

'Amen,' zei Vick, en iedereen herhaalde het. 'We nemen eerst appèl af en daarna zal brigadier Lawson het een en ander met jullie doornemen.'

Kate wierp een blik op Maggie; te oordelen naar haar kale ringvinger moest brigadier Lawson een mannelijk familielid zijn.

'Voor ik begin,' vervolgde Vick, 'wil ik er zeker van zijn dat elke lulhannes hier in de zaal zijn ogen goed openhoudt op straat. Niemand gaat vandaag alleen op pad. Niemand knijpt ertussenuit om de cowboy uit te hangen. We pakken die smeerlap samen. Begrepen?'

Geen van de vrouwen reageerde, maar de mannen riepen allemaal: '*Yes, sir!*'

'Dit wordt geen herhaling van wat er een halfjaar geleden is gebeurd. Is dat duidelijk?'

'Yes, sir,' klonk het weer.

Kate keek om zich heen. Iedereen behalve zij wist kennelijk wat er een halfjaar geleden gebeurd was.

Vick begon met het appèl. 'Anderson?'

'Present,' klonk het nors, gevolgd door een andere naam en toen weer een andere.

Kate ging verzitten om te voorkomen dat haar lantaarn in haar zij prikte. Opnieuw ging ze verzitten, maar toen stootte het handvat van de wapenstok tegen haar dijbeen. Toen ze weer verschoof, draaiden verschillende mensen zich om en staarden haar aan. Haar nieuwe leren riem kraakte en verried elke beweging die ze maakte.

Ze keek naar Maggie, toen naar Clack en ten slotte naar Compton, en besefte dat ze allemaal zo wijdbeens zaten om het gewicht aan hun riem wat gelijkmatiger te verdelen. Voorzichtig haalde Kate haar benen van elkaar. Centimeter voor centimeter schoof ze haar voeten wat verder uiteen. Haar gezicht gloeide van gêne. Sinds ze zelfstandig kon zitten had ze haar knieën altijd bij elkaar gehouden of haar benen over elkaar geslagen. Misschien was er nog een andere manier. Of misschien bezaten deze vrouwen een eigenschap waaraan het Kate ontbrak.

Daar mocht ze niet aan denken. Als ze toegaf dat ze anders was, zou ze ook moeten toegeven dat ze niet geschikt was voor dit werk. Eerlijk gezegd was er niet veel waarvoor ze geschikt was. Ze had het geduld niet om voor een klas vol kinderen te staan. Ze was niet voor verpleegster opgeleid. Haar vader had wel drie secretaressebaantjes voor Kate geregeld, maar ze had nergens mogen blijven. Haar typesnelheid was om te lachen. Haar steno was om te huilen. Ze kon koffie halen en mooi zitten wezen, maar er waren genoeg jongere meiden die dat ook wel wilden doen voor beduidend minder geld dan waarvan een volwassene kon leven.

Het politiekorps moest vrouwen hetzelfde salaris betalen als mannen. Je had recht op uitkeringen en pensioen. Je kreeg een opleiding, of wat daarvoor doorging. Het belangrijkste was misschien wel dat je je werk moest kunnen doen. Kate had zich kapotgewerkt op de academie. Ze had harder gestudeerd dan ze ooit op school had gedaan. Ze had zich erin geoefend mensen recht in de ogen te kijken. Haar stem te verheffen. Niet te wijken. Ze had zich aangeleerd geen sorry te zeggen als iemand tegen haar aan liep, geen verantwoording af te leggen in restaurants als er iets mis was met haar bestelling en zich niet te verontschuldigen voordat ze op vriendelijke toon tegen de stomerijman zei dat hij haar lievelingsblouse had verpest.

'Wakker worden.' Maggie stootte Kate aan. Iedereen had zijn spiraalschriftje paraat. Dat van Kate zat in haar handtas, en die bevond zich in Maggies kluis.

'Neem jij het over, Terry?' vroeg Vick.

Kate bestudeerde de nieuwe man achter de lessenaar. Blank, net als de rest van de leiding. Hij had een dikke nek en samengeknepen ogen, waarmee hij het vertrek overzag. Brigadier Terry Lawson, vermoedde ze.

Hij vouwde een stuk papier open en begon haperend voor te lezen. 'De verdachte is een zwarte man. Afrokapsel, lange bakkebaarden en een snor. Tussen de twintig en vijfentwintig jaar. Geen kenmerkende tatoeages of moedervlekken.' Hij keek op om te zien of iedereen hem nog volgde. 'Eén meter vijfenzeventig tot één meter tachtig. Gekleed als een hippie. Spijkerbroek en rood shirt. Hij droeg handschoenen. Zwarte handschoenen. Het wapen was een Saturday night special.' Terry zweeg weer terwijl iedereen de gegevens noteerde. Zelfs de zwarten maakten aantekeningen. Opeens vormden ze een eenheid.

'Chipper?' zei Terry.

Chip Bixby. Kate herkende hem van de academie. Hij en een man genaamd Bud Deacon waren verantwoordelijk geweest voor hun schietlessen. De twee mannen hadden identieke rode stropdassen gedragen, kennelijk met als enig doel de vrouwen bij te brengen dat er maar één regel gold als je een wapen hanteerde, namelijk dat je niet mocht schieten op de mannen met de rode dassen.

'Heren.' Chip zweeg tot het stil was. 'De Shooter droeg een wapen dat identiek is aan het pistool in mijn hand.' Hij hield een handwapen omhoog dat in niets leek op de revolver die Kate had gekregen. 'Dit is een Raven MP-25, gemaakt door de oorspronkelijke Ring of Fire Company. 25 kaliber semiautomatisch met herladende afsluiter. Zes patronen in het magazijn en een in de kamer. Een prul van een wapen. Blokkeert voortdurend. En nog wel een Amerikaans product, dus wat is het excuus?'

'Geen excuus!' riep een dronken stem. Jett Elliott. Kate herkende hem van de schietbaan. Hij zat op de voorste rij en hing scheef op zijn stoel. De man naast hem hield zijn hand achter zijn rug om te voorkomen dat hij omver tuimelde.

'Oké.' Terry nam het weer over. 'Dit Raven-wapen is het type waarmee Don Wesley is neergeschoten. Dat van Chip heeft een houten handgreep. Het wapen waarmee Don is gedood was er een met nepparelmoer. Iedereen die niet bekend is met dit wapen moet het na afloop maar even bekijken. Ik wil het echte ding vandaag bij het sluiten van de markt in handen hebben. Iedereen het ermee eens?'

Overal in het vertrek werd geknikt.

'Aangezien jullie allemaal met dezelfde vragen zitten, zal ik het jullie makkelijk maken en het rechtstreeks vanuit Jimmy's verklaring voorlezen,' vervolgde Terry. 'Er wordt na afloop niet geroddeld. Er wordt niet met journalisten gekonkeld...'

Jett nam het woord weer. 'En d'r wordt ook niet met Reggie gekonkeld.'

Er klonk instemmend gemompel.

Reginald Eaves, vermoedde Kate. Op de academie had ze regelmatig horen fluisteren over gekonkel met Reggie. Ze was ervan uitgegaan dat dit sloeg op het melden van overtredingen aan de commissaris.

'Het klopt wat Jett zegt,' zei Terry. 'Alles wat ik jullie vertel blijft tussen deze vier muren. Er wordt met niemand gekonkeld.'

'En zo is het.' Dat kwam van de man die naast de dronkaard zat. Ze leken sprekend op elkaar in hun goedkope pak en met hun slechte kapsel. Kate vroeg zich af of het een tweeling was, maar bedacht toen dat ze uit dezelfde blauweboordenmachine kwamen die ook Cal Vick en Terry Lawson had uitgespuugd.

'Goed, rustig iedereen,' zei Terry. Hij boog zijn hoofd en ging verder met het voorlezen van het verslag. 'Vannacht rond een uur of drie kregen agent Don Wesley en agent Jimmy Lawson een melding over een mogelijke inbraak bij de C&S Bank in Five Points, in een zijstraat van Whitehall Road.

Ze gingen op onderzoek uit. Agent Wesley ging te voet bij de achterdeur kijken, terwijl agent Lawson, eveneens te voet, de voordeur voor zijn rekening nam.'

Kate voelde Maggie verstarren. Nog een Lawson. Het stikte hier van de Lawsons.

Terry vouwde het blaadje op. Hij liet zijn elleboog op de lessenaar rusten, als een oude man die een verhaal vertelt. 'Nadat Jimmy aan de voorkant alles veilig had bevonden, gaf hij het signaal vals alarm. Hij is zo'n drie tot vijf meter van Don verwijderd in de steeg achter de bank als uit het niets opeens die zwarte *brother* om de hoek komt. De zwarte schiet. Twee keer. Don krijgt beide kogels in zijn hoofd. Jimmy zoekt dekking. Hij vuurt drie schoten af, maar de zwarte gaat pleite. Jimmy moet bij zijn partner blijven.' Hij zweeg even. 'De veiligheid van je partner is je eerste prioriteit. Zo is het toch?'

'Zo is het,' weergalmde het stoer en mannelijk door de ruimte.

Kate zag Maggie haar pen neerleggen.

'We gooien vandaag de hele stad dicht, heren. Niemand die ook maar een kant op kan tot we een naam hebben.'

Alom klonken luide kreten.

Terry sloeg met zijn vuist op de lessenaar. 'We jagen de apen de bomen uit. We slaan een paar koppen tegen mekaar. We krijgen die klootzak wel te pakken.' Nu hamerde hij op het hout. Sommige mannen deden al even hard mee en ramden op de tafels. 'Mee eens?'

Er brak een hels kabaal los: tafelgeroffel, voetgestamp, bloeddorstige kreten. Kate vroeg zich af of je dit hoorde tijdens de rust in een footballkleedkamer.

'Oké. Oké.' Vick nam Terry's plaats achter de lessenaar weer in. Met zijn handen maande hij hen tot kalmte en dempte het rumoer. 'Jimmy is met een politietekenaar aan de slag zodat we straks iets vrij kunnen geven aan de pers en het tv-journaal.' Vick probeerde boven het van weerzin vervulde gemompel uit te komen. 'Ga eens op de gebruikelijke plekken naar de Raven zoeken en kijk of iemand hem verpand of weggegooid heeft.' Verwachtingsvol ging zijn blik naar achteren. Iedereen draaide zich om en keek naar de jonge man die achter in het vertrek stond. Hij was knap, atletisch gebouwd en had lange bakkebaarden, die zijn vierkante kaak omlijstten.

'Zijn we nog iets vergeten, Jimmy?' vroeg Vick.

Jimmy schudde zijn hoofd. Speurend tastte hij de groep af; hij liet zijn blik eerst op Kate rusten en vervolgens op Maggie. Of liever gezegd op Maggies achterhoofd. Ze was de enige die zich niet had omgedraaid om naar hem te kijken.

Blijkbaar voelde ze Kates vragende blik. Met een knik naar achteren zei ze: 'Mijn broer.' Toen knikte ze in de richting van de man achter de lessenaar. 'Mijn oom.'

'Ik vind het heel erg voor jullie,' mompelde Kate.

Maggie keek strak voor zich uit.

'Oké.' Terry hield twee stencils omhoog. 'Ik heb hier de taakverdeling. Die wordt op het prikbord gehangen.' Hij voegde de blaadjes weer samen. 'Vandaag is het menens, heren. Bokken en geiten blijven gescheiden. Behalve jij. De nieuwe.' Kates hart klopte in haar keel. Hij wees haar aan. Iedereen keek. 'Jij gaat met Jimmy mee.'

Er klonk wat gefluit en gelach. Kate voelde haar gezicht rood worden.

'Zo is het genoeg,' zei Terry. 'Aan het werk. En goed onthouden: geen cowboyacties.'

Hulp zoekend keerde Kate zich naar Maggie toe. 'Wat moet ik...'

Maggie stond op en liep weg.

Clack en Compton volgden haar voorbeeld niet, maar Kate had niet de indruk dat ze van hen hulp kon verwachten.

'Jimmy-boy,' zei Clack. 'Bof jij even.'

'Alsof ik erom gevraagd...' begon Kate.

'Doe jezelf een lol, schat. Leg even een handdoek over de achterbank als je je laat neuken in zijn patrouillewagen.'

ZEVEN

Kate voelde zich net een vleesgeworden Keystone Kop toen ze achter Jimmy Lawson aan over het parkeerterrein liep. Ze bewoog zich schuifelend voort, want anders dreigden haar voeten uit haar veel te grote schoenen te glippen. Haar wapenstok sloeg tegen haar been. De haken aan haar riem sneden in haar zij. Ze moest telkens haar pet naar achteren schuiven om iets te kunnen zien. Het was alsof elke beweging die ze maakte kritisch werd gevolgd, hoewel de mensen om haar heen alleen maar weg wilden in plaats van gretig op het onheil te wachten dat de FNG zou treffen.

Jimmy hield de vaart erin, maar hij liep duidelijk mank. Ze vroeg zich af of hij gewond was geraakt in Vietnam. Ze betwijfelde of ze zijn levensverhaal ooit te horen zou krijgen. Hij had geen woord tegen haar gezegd, maar was met een knik naar de deur vertrokken. Kate had vurig gehoopt dat ze een mannelijke agent als partner zou krijgen. Ze had wel iets specifieker mogen zijn. Jimmy was blijkbaar de enige man van de hele brigade die niets met haar te maken wilde hebben.

Hij bleef staan om met een groepje mannen te praten. Kate herkende Jett Elliott en de man die naast hem had gezeten, evenals commandant Cal Vick, Chip Bixby, Bud Deacon, Terry Lawson en een paar anderen, die moeiteloos konden doorgaan voor figuranten in een film van Sam Peckinpah. Ze behandelden Jimmy met veel respect, wat vreemd was gezien het feit dat ze allemaal minstens twintig jaar ouder waren dan hij. Misschien kwam het doordat Jimmy's partner was doodgeschoten. Of doordat het zuiplappen waren die hun best deden nuchter over te komen.

Kate wist niet wat ze van al dat gezuip moest denken en eigenlijk interesseerde het haar niet. In gedachten was ze bij alle dingen die ze in haar tas had laten zitten. En toen vroeg ze zich af hoe ze aan het eind van de dag haar tas weer terug moest krijgen. Maggie had haar niet verteld wat de combinatie van het slot was.

'Kom, we gaan.' Jimmy liet zijn sleutelring rond zijn middelvinger draaien. De sleutels rinkelden telkens als hij ze weer ving. Het geluid ging gelijk op met zijn hinkelende tred terwijl hij naar een van de laatste patrouillewagens op het parkeerterrein liep. De witte Plymouth Fury weerkaatste de vroege ochtendzon. Het rood-met-blauwe logo van het Atlanta Police Department op het portier was bijna verbleekt tot roze en babyblauw.

Jimmy wipte de kofferbak open zodat hij zijn shotgun boven de reservewielbak kon bevestigen. 'Controleer de auto,' gebood hij.

Op de academie had Kate de basisprocedures voor het surveilleren geleerd. Ze kon een achterbank demonteren, een band verwisselen en een radiateur bijvullen. Ze had zelfs leren tanken, het enige van alles wat ze op de academie geleerd had dat haar vader schokkend had gevonden.

Volgens de regels inspecteerde ze het interieur van de auto en keek of er wapens of persoonlijke bezittingen waren achtergebleven. Je moest altijd controleren of er niets op de achterbank lag dat een arrestant als wapen zou kunnen gebruiken. Tussen de voor- en achterkant van de auto zat slechts een armzalige afscheiding van harmonicagaas. Een mes of zelfs een scherp geslepen plastic vork kon moeiteloos tussen de ruitvormige openingen gestoken worden.

Terwijl Jimmy naar haar keek, trok hij een paar leren racehandschoenen aan. 'Gaat dat de hele dag duren?'

Kate duwde met haar knie de achterbank weer op zijn plaats. 'Klaar.'

Hij klikte de portofoon los van de achterkant van zijn riem en klom achter het stuur. Vanwege zijn slechte knie hield hij zijn been in een scheve hoek. Met een dreigende blik naar Kate trok hij het portier dicht, alsof ze het niet moest wagen iets over zijn blessure te zeggen.

Kate maakte haar eigen portofoon los. Ze legde hem op haar schoot, niet tussen haar benen, zoals Jimmy had gedaan. 'Ik vind het heel erg wat er met je partner is gebeurd.'

'Hoezo? Je kende hem niet eens.' Hij draaide de sleutel in het contact. 'Opschrijven, want ik zeg het niet nog eens.' Hij zette de auto in z'n achteruit, maar gaf nog geen gas. 'Waar is je notitieboekje?'

'In mijn...' Ze besloot er niet omheen te draaien. 'In de kleedkamer.'

Jimmy ramde de pook weer in de parkeerstand. 'Ga halen.'

Opnieuw voelde Kate haar wangen gloeien. 'Het ligt in het kluisje van iemand anders.'

'Kut die je bent.'

Kate kromp ineen bij het horen van dat woord. Ze wist niet waarom. Niet dat ze het nog nooit eerder had gehoord.

Gelukkig leek Jimmy haar reactie niet op te merken. Hij boog voor haar langs en maakte het dashboardkastje open. Automatisch dook Kate voor hem weg. Met een woedende blik liet hij een reserveboekje op haar schoot ploffen. 'Regel één: nooit je notitieboekje vergeten, goddorie.'

Ze sloeg het open bij de eerste bladzij, maar ze had niets om mee te schrijven.

'Jezus.' Jimmy haalde een pen uit zijn zak en wierp die in haar richting.

Kate greep mis. Natuurlijk greep ze mis. Net toen hij achteruitreed boog ze zich voorover om de pen van de vloer op te rapen. De rand van haar pet sloeg tegen het dashboard, en pijn striemde over haar voorhoofd. Het scheelde niet veel of ze was flauwgevallen. Haar zicht werd wazig. Haar maaginhoud stolde.

Jimmy reed de weg op. 'Opschrijven,' zei hij. 'Nooit je notitieboekje vergeten.'

Kate kwam overeind. Ze schoof haar pet naar achteren. Ze zag nog steeds sterretjes, maar niettemin klikte ze op de pen en begon te schrijven: *Nooit notitieboekje vergeten.* Hoe belachelijk ze zich ook voelde, ze keek hem afwachtend aan.

'Regel twee,' zei hij. 'Jij typt alle rapporten. Ik ben er niet voor het papierwerk. Daarom schrijf je ook alles op wat er gebeurt, de hele klotezooi. Hoe laat het is, wat voor weer het is, hoe mensen eruitzien, hoe ze klinken... of het blanke sloebers zijn of hillbilly's. Uit de Southside of uit de Westside.' Hij zweeg even tot Kate klaar was. Tenminste, dat dacht ze. Het ontging haar niet dat zijn blik nooit hoger kwam dan haar borst.

'Regel drie: ik ben de baas hier in de auto. Ik zeg waar we naartoe gaan, wanneer we stoppen, waar we stoppen. Als je om de tien minuten moet pissen, neem je maar een beker mee. Ik wil er niks over horen. Gesnapt?'

Kate hield haar hoofd gebogen, want als ze gewoon bleef schrijven, dacht ze, dan deden de woorden er niet toe.

'Regel drie, punt A: ik rij altijd en daar hou je verder je klep over.'

Die regel hoefde Kate niet op te schrijven.

'Vier: Vragen. Zeggen. Dwingen. Je vráágt iemand om iets te doen. Als hij het niet doet, zég je dat hij het moet doen. Als hij het dan nog steeds niet doet, dwíng je hem om het te doen.'

Ze kreeg kramp in haar hand. Ze kon het nauwelijks bijhouden.

'Regel vijf: vergeet regel vier. Die doet er niet toe. Je praat met niemand. Je kijkt niemand aan. Je blijft in de auto als ik uitstap en je zit er nog steeds als ik terugkom.'

Kate keek op. Dit druiste lijnrecht in tegen alles wat ze tijdens de opleiding geleerd had. Je week niet van je partners zij. Zelfs Jimmy's eigen oom had dat gezegd tijdens het ochtendappèl.

Het was alsof Jimmy haar gedachten kon lezen. 'Kan me niet schelen wat je geleerd hebt. Voor vrouwen gelden andere regels dan voor mannen. Als je de straat op gaat, ben ik verantwoordelijk voor je. Ik kan niet tegelijkertijd op jou en op mezelf passen.'

Ze staarde naar de punt van de pen, die in het witte papier van het notitieboekje drukte. 'Denk je dat ik niet op mezelf kan passen?'

Hij lachte, maar niet omdat hij het grappig vond. 'Moet je die drekzooi daar zien.' Hij gebaarde uit het raampje. 'Denk je dat je het in je eentje redt als je uit de auto stapt?'

Kate sperde haar ogen open. Ze was zo druk aan het schrijven geweest dat ze niet had gemerkt dat de omgeving was veranderd. Ze zaten midden in het getto. Op straathoeken schoolden jonge zwarte mannen samen. Schaars geklede meiden slenterden over de trottoirs. Ze onderdrukte een rilling van angst. Zij waren de enige blanken in de wijde omtrek.

'Capitol Homes,' verkondigde Jimmy, alsof het niet duidelijk was dat ze in een achterbuurt zaten. 'Kijk eens achter je.'

Kate draaide zich om. De wijk werd overschaduwd door de gouden koepel van het parlementsgebouw.

'Raar, hè,' zei hij, 'maar geen enkel raam daar kijkt uit op deze kant van de stad. Ze kijken allemaal uit op het centrum, waar het geld wordt verdiend. Ze zien het vuil en de troep niet die de stad achter hen uitschijt.'

Kate nam de omgeving in zich op. De wijk was bezaaid met tientallen uit baksteen opgetrokken gebouwen van twee verdiepingen. Bomen waren er niet, en de gazons bestonden uit de typische rode klei van Georgia. Kinderen die op school hoorden te zitten, speelden buiten en lieten met hun blote voeten het stof opwaaien. Het was niet warm, maar overal stonden ramen open. Ze zag oude mannen op stoepen zitten. Vrouwen hingen uit de ramen en schreeuwden tegen de kinderen. Overal lag afval. Overal was graffiti. Rond de rioolputten hadden zich condooms en naalden verzameld.

En dan de lucht. De stank was onbeschrijfelijk.

Jimmy ging op een slakkengang over. 'Heb je een snuifje genomen?'

Kate probeerde niet te kokhalzen. De lucht brandde in haar ogen en neus, sneed in haar poriën. Zweet, urine, bedorven eten. Kate kon de stank niet goed thuisbrengen, maar ze zou hem haar hele leven niet vergeten.

'Draai je raampje eens naar beneden,' zei hij.

Daar voelde Kate niet veel voor, maar toch pakte ze de hendel. Haar hand was zo bezweet dat het haar niet lukte hem rond te draaien.

Jimmy boog zich weer voor haar langs en slingerde het raampje naar beneden. 'Romeo!' riep hij. 'Hier komen.'

Een zwarte man kwam aangeslenterd, met zijn vingers in zijn broekband. Hij droeg een felgroen overhemd en een gele broek met wijde pijpen. Zijn overhemd stond zo ver open dat Kate de streep haar kon zien die vanaf zijn navel naar beneden liep. En toen zag ze alles nog beter, want hij stond nu zo dichtbij dat ze hem bijna aanraakte met haar schouder.

'Stop eens met dat gekloot, Romeo,' zei Jimmy.

Uiteindelijk boog de man zich voorover en stak zijn hoofd door het open raampje. Kate drukte zich zo hard tegen de leuning van de stoel aan dat haar handboeien haar rugwervels uiteendreven.

'Wat wou je, bleekscheet?' vroeg Romeo aan Jimmy.

'Heb je het gehoord van Don?'

'Wat zou ik gehoord moeten hebben?'

'Zit me niet te naaien,' waarschuwde Jimmy. 'Vertel eens wat je weet.'

'Wat ik weet is dat jullie een potje gaan knokken vandaag.'

'Zal ik met jou beginnen?'

Romeo knipoogde naar Kate. Net als Jimmy was hij kennelijk niet in staat hoger te kijken dan haar borst. 'Shit, man, je weet best dat ik nergens van afweet. Ik ben gewoon een zakenman die zich met z'n eigen zaken bemoeit.'

Jimmy nam wat druk van de ketel. 'Er is anders niks mis met je oren.'

Romeo knikte. 'Dacht het ook niet.'

'Als jij me een naam geeft, krijg jij een paar vrijbriefjes van me.'

'Ik moet meer dan een paar van wat dan ook. Het gaat me m'n zwarte kop kosten als ze d'r achter komen dat ik jullie bleekscheten help.'

Jimmy keek onbewogen. 'Waar dacht je aan?'

'Ik verzin wel wat.'

'Als jij me die naam geeft, moet je daar snel mee wezen. Ik doe niet aan openstaande rekeningen.'

'Begrepen, man.' Romeo richtte zijn aandacht op Kate. Ze hield haar adem in. Er kwam een smerige lucht van hem af, misselijkmakend zoet, als van verbrande toffee. Hij toonde haar een rij gouden tanden. 'Sexy dingetje heb je daar.'

Tot Kates afschuw zei Jimmy: 'Ja, vind je niet?'

'Blond haar. Mooi blank velletje. En van die lekkere volle lippen. Die zou ik wel eens willen voelen. Heb je ooit op een chocolade-roomijsje gesabbeld, baby?'

Jimmy grinnikte. 'Wedden van niet?'

'Kom, dan laat ik het je zien, baby.' Romeo bracht zijn gezicht nog dichterbij. Kate schoof zo ver weg dat ze praktisch bij Jimmy op schoot zat. 'Als je die lekkere lipjes nou eens voor me tuitte?' Romeo's schouder bewoog. Ze wist dat hij met zijn hand bij de voorkant van zijn broek zat. 'Kom op. Doe dat lieve mondje eens voor me open.'

Kate dwong zichzelf haar blik niet neer te slaan. Niet te ademen. Niet te gillen.

'Net verbrande suikerspin zoals hij ruikt, hè?' zei Jimmy, alsof Kate in de klas zat in plaats van elk moment verkracht te kunnen worden. 'Dat is heroïne. Die stoppen ze in een lepel en dan brengen ze het met een aansteker aan de kook.'

Romeo's tong schoot naar buiten. 'Goddomme, ik heb nog nooit zo'n superblanke bitch gezien.'

'Ze zuigen de vloeistof op met een naald en spuiten die dan in hun aderen,' zei Jimmy. 'Dat klopt toch, Romeo?'

Romeo liet zich niet afleiden. Onder het raampje was zijn hand met iets bezig wat Kate helemaal niet wilde weten. 'Blijf nog een minuutje zo staan, dan kom ik...'

Jimmy trapte het gaspedaal in. Romeo schoot naar achteren. Kate werd tegen de rugleuning van haar stoel geworpen. Met moeite draaide ze zich om en probeerde weer grip op zichzelf te krijgen. Jimmy moest zo hard lachen dat de tranen in zijn ogen sprongen.

'Stomme koe,' zei hij. 'Jezus, je had je gezicht eens moeten zien.'

Het lukte Kate om rechtop te gaan zitten. Ze sloeg haar handen op haar schoot ineen en klemde haar kaken zo stijf op elkaar dat haar hoofd er pijn van deed. 'Klootzak!' beet ze hem toe.

'Klootzak?' Jimmy bleef lachen. 'Je krimpt als een non in elkaar als ik "kut" zeg, en nou scheld je mij uit voor klootzak?'

'Klootzak.' Kate spuwde het woord zowat uit. Ze beefde. Haar vuisten weigerden zich te ontspannen. In haar binnenste kwam een vulkaan tot uitbarsting.

'Dus nou ben ik opeens een klootzak?' Met een ruk gooide Jimmy het stuur om. Hij trapte op de rem. Kate greep het dashboard vast voor ze er weer tegenaan knalde. 'Nou moet je eens goed luisteren, zus: wat daar zonet gebeurde, hè? Dat is nou de reden waarom jij hier niet hoort.'

Ze staarde hem aan. Hij lachte niet langer.

'Waarom liet je die pooier zo tegen je praten? Waar heb je deze voor?' Jimmy greep naar haar lantaarn, haar wapenstok en haar revolver. 'Zijn deze soms voor de show, meissie? Komen je heupen er soms mooi in uit?'

'Ophouden!' Kate probeerde hem weg te duwen. Hij leek wel een rotsblok. Er zat geen beweging in. Ze raakte in paniek. 'Alsjeblieft.'

'Shit,' mompelde Jimmy en hij schoof weer naar zijn eigen kant van de auto. 'Je kunt het beter van mij horen dan van een pooier die je in je kont neukt.' Vol walging keek hij Kate aan. 'Toe dan, ga dan huilen. Gooi het er allemaal maar uit, dan breng ik je weer terug naar het bureau.'

Kate stak nog liever haar eigen ogen uit dan dat ze ging huilen. 'Wat wil je in godsnaam?'

'Wat ik wil?' Jimmy boog zich weer opzij en drong haar tegen het portier aan. 'Ik wil dat je mijn auto uit stapt en dat klote-uniform uittrekt en dat je een vent gaat zoeken om een stel kinderen mee te maken en dat je taart gaat bakken en vadertje en moedertje gaat spelen, als een normale vrouw.'

Haar nagels sneden in haar handpalmen. Met moeite zoog ze lucht in haar longen. 'Sodemieter op!'

Jimmy boog zich nog dichter naar haar toe. 'Als ik je eens terugrij naar Romeo? Die snijdt je spleet open alsof het een vis is. En dan pompt hij je vol heroïne en smijt je de straat weer op tot je een hond nog zou pijpen om die naald weer in je arm te krijgen.' Kate wilde zich van hem afwenden, maar Jimmy greep haar gezicht vast. 'Ik heb het hoofd van mijn partner uit elkaar zien spatten. Ik heb stukjes van zijn hersens in mijn ogen en tussen mijn tanden gekregen. Ik heb z'n dood in m'n mond geproefd. Denk je dat jij zoiets aankunt? Denk je dat jij hier elke dag de straat weer op kunt terwijl je weet hoe de dood smaakt?'

Alsof ze zand in haar keel had. Hij lag praktisch boven op haar. Haar gezicht zat onder het speeksel. Zijn vingers drukten in haar wangen.

'Nou, kun je dat?' vroeg hij.

Ergens diep in haar binnenste vond ze de moed om een tegenvraag te stellen: 'En jij? Kun jij dat?'

Met een ruk trok Jimmy zijn hand weg. 'Je hebt godverdomme geen idee waarover je praat.'

Kate raakte haar gezicht aan. Ze kon de afdruk van zijn vingers nog voelen. 'Wat moet dit voorstellen?' fluisterde ze. 'Wat is er gebeurd?' Ze had het niet tegen Jimmy. Ze vroeg het aan zichzelf. 'Wat geeft je het recht zo tegen me te praten, me zo te behandelen? Alleen omdat je me hier niet wilt hebben?'

Jimmy schudde zijn hoofd, alsof ze zo ongeveer de domste mens op aarde was.

Kate duwde het portier open. Ze stapte uit.

'Waar ga jij naartoe?'

Kate begon te lopen. De stank viel mee. Daar raakte ze wel aan gewend. De koepel van het parlementsgebouw zou haar terugloodsen naar het hoofdbureau. Ze had een reservesleutel in een magneetdoosje boven het achterwiel van haar auto. Ze zou naar het hotel rijden, haar spullen pakken en dan naar het huis van haar ouders gaan. Wat haar familie ook zei, het kon niet erger zijn dan wat ze net had meegemaakt.

Jimmy stapte ook uit. 'Waar ga jij in godsnaam naartoe?'

Kate nam haar pet af. Ze knoopte het boordje van haar overhemd los. Het was amper vijf graden, maar de vlammen sloegen van haar af. Ze ademde door haar mond en zoog grote happen smerige lucht haar longen in. Jimmy had gelijk. Die rotwijven in de kleedkamer hadden gelijk. Haar moeder had gelijk.

Ze was hier niet geschikt voor.

'Hé!' Jimmy greep haar bij haar arm. Ze schudde hem af. Weer greep hij haar en met een ruk draaide hij haar naar zich toe. 'Blijf eens even staan.'

Ze stompte hem tegen zijn borst. Daar was hij niet op bedacht. Hij wankelde naar achteren op zijn slechte been. Kate wist precies wat ze moest doen. Het was even natuurlijk als ademen: ze schopte zijn been onder hem weg.

Met een verbijsterd gezicht smakte Jimmy plat op zijn rug tegen de grond. Hij blies alle lucht uit zijn lijf. Stof wolkte op.

'Klootzak!' Het liefst zou Kate zijn kop intrappen. 'Ik hád een huis. Ik hád een man. Ik had hiervoor een léven, smerig beest dat je bent.'

Hij probeerde rechtop te gaan zitten.

Ze duwde hem weer tegen de grond.

'Jezus, wat heb je...'

'Bek houden.' Kate boog zich voorover en keek hem recht in zijn gezicht, net zoals hij bij haar had gedaan. 'Als mijn man nog leefde, zou hij je vermoorden. Weet je dat? Hij zou zijn handen om je nek slaan en je wurgen tot je geen leven meer in je ellendige pens had.'

Met grote ogen van verbazing staarde Jimmy haar aan. Hier had hij niet van terug, blijkbaar ontbrak het hem aan woorden om haar van repliek te dienen, en daarom haalde hij alleen zijn schouders op, alsof hij 'Wat nou?' wilde zeggen.

Alle woede stroomde uit haar weg. Ze kwam weer bij zinnen.

Kate zag dat ze publiek hadden aangetrokken. Mannen, vrouwen en kinderen. Zo'n vertoning hadden ze vast nog nooit gezien. Zelf had ze er in elk geval nog nooit deel van uitgemaakt. Kate had nog nooit iemand geslagen. Zelfs op de academie mochten ze alleen tegen gecapitonneerde dummy's slaan.

Wat nou?

Jimmy had gelijk. Patrick kwam haar niet redden. Niemand kwam haar redden. Ging het er bij dit idiote experiment niet om dat Kate moest bewijzen zichzelf te kunnen redden?

Waarom had ze gezwegen toen Romeo zijn hoofd in de auto stak? Waarom had ze niet tegen Jimmy gezegd dat hij moest ophouden? Vrágen, zéggen, dwíngen, waarom had ze dat niet gedaan om ze te laten stoppen? Kate had een heel arsenaal tot haar beschikking; haar rug had pijn gedaan vanaf het moment dat ze haar riem had volgehangen. De zware lantaarn met zijn vier D-cellbatterijen. De metalen wapenstok met de stompe punt. De revolver met vijf patronen in de cilinder.

Met elk van die voorwerpen had ze ieder van de twee mannen kunnen tegenhouden, maar Kate had daar gezeten als een hulpeloze stumper.

Jimmy ging rechtop zitten. Hij sloeg de rode klei van zijn broek. 'Wat is er met je man gebeurd?'

Ze keek op hem neer. Hij kneedde de kramp uit zijn dijbeen. 'Dat gaat je geen donder aan.'

'Jij hebt een grote bek, dame.'

'Hou je kop.' Ze maakte rechtsomkeert en liep naar de auto.

'Waar ga je naartoe?' vroeg Jimmy.

'Weer aan het werk.'

'Dat is alles?' Weer lachte hij, deze keer van verbazing. 'Na alles wat er gebeurd is, ga je gewoon weer aan het werk?'

Ze draaide zich om. Hij zat nog steeds op de grond en wreef over zijn knie. 'Ja.'

Hij stak haar zijn hand toe. 'Help me eens overeind.'

'Doe het zelf, eikel.'

De menigte toeschouwers week uiteen toen Kate naar de auto liep.

ACHT

Fox voelde weer die kriebel in zijn keel van alle sigaretten die hij rookte. Hij nam een slok whisky uit de fles die hij in het dashboardkastje bewaarde. Net genoeg om zijn keel te smeren, zoals zijn vader altijd zei.

Hij vond het vreselijk dat hij de laatste tijd zo vaak aan zijn vader moest denken.

Maar eigenlijk was het niet zijn vader aan wie hij dacht. Het was zijn moeder. Die twee waren onverbrekelijk met elkaar verbonden, het yin en yang van Fox' leven. Zwart en wit. Donker en licht. Ze was een vriendelijke vrouw geweest. Altijd vergevensgezind. Er altijd op uit om de vrede te bewaren. Dat die eigenschappen haar tot slachtoffer hadden gemaakt, was iets wat Fox maar moeilijk kon accepteren, zelfs nu ze al zoveel jaren dood was.

Hij miste haar nog steeds. Terwijl hij opgroeide in de jeugdgevangenis, terwijl hij in het leger zat, terwijl hij vocht in de jungle, als hij ademde of over straat liep, elke dag van zijn leven miste hij haar.

Misschien dat Fox daarom te veel dronk. Te veel rookte. Te veel naar Kate Murphy keek.

Hij had nog nooit een vrouw gedood. Wel had hij af en toe klappen uitgedeeld als ze niet in het gareel liepen. Maar hij had er nog nooit een gedood. Fox wist niet waarom hij aarzelde. Het bewijs tegen Kate was zonneklaar. Fox had pagina's vol geschreven op zijn klembord. Ze was een leugenaar. Ze was een charlatan. Ze was een buitenstaander.

Waarom schoot hij haar dan niet gewoon dood?

Iets laten voortslepen was niet Fox' stijl. Snel en pijnloos, zo had hij het altijd gedaan. Hij was scherprechter, geen moordenaar.

Meestal ging het als volgt: het doel diende zich aan. Fox bestudeerde het. Hij volgde het. Hij hield een gedetailleerd logboek bij met alle redenen waarom het doel uitgeschakeld moest worden. Of juist niet. Soms besloot hij nadat hij het doel een paar weken geobserveerd had dat het juist niet uit de weg geruimd hoefde te worden. Soms waren er verschonende feiten, verzachtende omstandigheden. Uiteraard leverde de informatie soms een ondubbelzinnig ja op. In die gevallen kwam Fox snel in actie. Hij bestudeerde zijn klembord. Hij koos de juiste plaats en het juiste moment. Hij schoot het doel door het hoofd. Zonder rommel. Zonder gedoe. Dat deed je met hondsdolle beesten. Je moest ze snel afmaken voor ze anderen besmetten.

Bij Kate Murphy was er geen sprake van verzachtende omstandigheden. Ze was de belichaming van het hondsdolle beest. Ze was de kanker die weggesneden moest worden. Ergens diep in haar ziel wist ze dat waarschijnlijk. Dat was bij de meesten het geval. Tegen de tijd dat Fox op het toneel verscheen om de zaak af te ronden, hadden ze al geaccepteerd wat er ging gebeuren.

Dus waarom kwam Fox niet in actie?

Het had geen zin haar nog langer te observeren, want hij wist al wanneer Kate bij haar familie was, wanneer ze alleen was, wanneer ze het kwetsbaarst was. Eigenlijk moest hij haar koud maken, net als de anderen, en zich op een nieuw doel richten.

Maar dat kon Fox niet.

Het enige wat hij kon, was te veel drinken en te veel roken en te veel rondrijden en te veel aantekeningen op zijn klembord maken.

Gulzigheid, zo zou Fox Senior het hebben genoemd, op die

toon waarmee hij aangaf dat Fox een stuk stront was dat aan het profiel van zijn zool kleefde.

Fox hoopte dat het gulzigheid was, want de alternatieven zouden Senior al helemaal niet hebben aangestaan. Hebzucht. Luiheid. Gramschap. Jaloezie. Trots. Begeerte.

Begeerte.

Jezus ja, reken maar dat hij Kate Murphy begeerde. Elke man die haar zag begeerde haar. Weer een reden waarom ze niet op de loonlijst van de stad thuishoorde. Of op straat. Of bij de kruidenier. Of op welke plek ook waar een nietsvermoedende man van onbesproken gedrag haar zou kunnen zien.

Helaas was begeerd worden geen verzachtende omstandigheid. Zo mogelijk was Kate daardoor nog reddelozer verloren. Hoe kon Fox het met zijn geweten rijmen als hij haar liet rondlopen op aarde zodat ze nog meer onheil kon aanrichten? Alleen al de gedachte gaf blijk van een ongekend gebrek aan discipline.

En weer dook Fox' vader in zijn hoofd op.

Senior was een man die waarde hechtte aan discipline. Dat beweerde hij tenminste. Elke les die hij Fox gaf, had te maken met zelfbeheersing, met doen wat gedaan moest worden. Hij had het er nooit over hoe moeilijk het was om te voorkomen dat iemand anders iets verkeerds deed.

Les één: doe wat ik zeg, niet wat ik doe.

Senior was een marineman. Hij had het niet langer dan vier jaar volgehouden. Daarna was hij gaan studeren. Weer vier verspilde jaren. Hij was getrouwd, had een zoon verwekt en met wat geluk een baan in de fabriek gekregen, en zo begon hij aan de rest van zijn ellendige leven.

Senior beweerde altijd dat hij alles had gedaan wat een man moest doen. Kon hij het helpen dat dat niet langer goed genoeg was? Er was niks mis met Senior. Jezus, nee. Het lag aan het systeem. Het lag aan de machines. Het lag aan de brutale wijven. Het lag aan de arrogante zwarten. Het lag aan de liegende joden. Het lag aan de gladde Italianen. Het lag aan de wereld die op zijn kop stond zodat niemand zijn plaats meer wist.

Het fabrieksbaantje was beneden Seniors waardigheid. Dat liet hij Fox duidelijk merken. Hij liet het ook aan Fox' moeder merken als ze onder hem lag. Hij had beter verdiend dan dit. Dan dit alles. De muren waren dun. Fox kon ze 's nachts horen: Senior die zijn teleurstelling afreageerde. Zijn moeder die om genade smeekte.

Fox smeekte ook om genade.

Niet voor zichzelf. Voor zijn moeder. Ook voor Senior, want hoe kon het dat alle lessen die Senior Fox probeerde bij te brengen niet meer golden zodra de slaapkamerdeur dichtging?

Les twee: nooit meisjes slaan.

Fox was twaalf, een kind nog, toen hij voor het eerst besefte wat er echt in de aangrenzende kamer gebeurde. Hij voelde zich machteloos. Hij balde zijn vuisten. Hij spande zijn spieren. Hij overwoog uit bed te springen en zijn moeder te redden. Net als Superman. Net als Spiderman. Net als elke man die het zout in de pap waard was.

Les drie: een man heeft als taak om het zwakke geslacht te beschermen.

Datzelfde jaar nam zijn ouweheer hem mee naar de tandarts. Het kostte veel te veel geld, maar de tanden rotten letterlijk weg in Fox' mond. Het gebouw waar de praktijk was gevestigd, was het hoogste dat Fox ooit had gezien. Vijf verdiepingen van beton en glas. Ramen van de vloer tot aan het plafond, fonkelend als diamanten in het zonlicht.

Fox was nog nooit in een lift geweest. Hij ging achterin staan, naast Senior. Een vrouw stapte in. Ze was mooi opgemaakt, niet mooi van nature. Haar parfum rook te veel naar snoep. Ze droeg een bontachtige witte jas. Fox herinnerde zich nog dat zijn neus kriebelde bij de gedachte aan hoe zacht de jas zou voelen, want je zou je neus erin willen steken, in de jas, niet in de vrouw. Goed, misschien ook in de vrouw, maar Fox was nog op een leeftijd dat hij nerveus werd van dat soort gedachten.

De bel klonk. De liftdeuren gingen open. Fox wilde al naar buiten lopen, maar Senior greep hem bij zijn kraag. Fox kwaakte als een kikker. Senior glimlachte naar de dame in de witte jas. Fox vermoedde dat er meer achter die glimlach schuilging. Geen geflirt, zijn vader zou nooit te hoog grijpen, maar een soort van 'let maar niet op mijn domme zoon', want Fox moest nog veel leren.

Les vier: dames gaan altijd voor.

Tegen die tijd hield Fox alles al bij op zijn klembord. Geen Lessen, maar Feiten. Allereerst datum en tijd. Dan het aantal klappen dat 's avonds werd uitgedeeld. Het aantal excuses overdag. Zijn moeder die met moeite haar kreten smoorde. Zijn vader die tot het uiterste ging om ze aan haar te ontlokken. Fox die zijn gezicht tegen haar buik drukte als ze hem knuffelde, en dat hij dan wasmiddel rook op haar jurk en soms uien als ze aan het koken was.

Fox nam weer een slok uit de fles. De vertrouwde woede krabbelde aan zijn borst, smeekte om naar buiten gelaten te worden.

Zijn moeder was precies een maand voor zijn dertiende verjaardag gestorven.

Vóór haar dood was ze af en toe wel eens gelukkig geweest. Fox had geen foto's van dergelijke momenten, maar hij had wel een fotografisch geheugen. Zijn oogleden waren net een diacarrousel. Hij hoefde maar te knipperen en hij zag beelden van haar als ze de dingen deed die ze leuk vond. Koekjes bakken. Fox het deeg van de lepel laten likken als ze taart bakte. Seniors overhemden strijken.

Ze glimlachte zowaar als ze Seniors kleren streek.

En ze had hem het hoofd geboden. Fox had geen idee waar

ze de kracht vandaan had gehaald. Zoals elke pestkop hoefde Senior maar één keer op zijn nummer te worden gezet. Hij hief zijn hand al om haar terecht te wijzen, maar na een vernietigende blik van haar liet hij diezelfde hand weer langs zijn zij zakken. Vanaf die dag zou hij haar niet meer bedreigen. Weer had de wereld op zijn kop gestaan. Fox' moeder wist haar plaats niet meer. Of misschien wist ze die wel. Misschien stond de wereld voor haar eindelijk met de goede kant naar boven. Het leven had haar bij de kraag gevat en teruggetrokken, net zoals Senior in de lift bij Fox had gedaan.

Let maar niet op mijn domme vrouw. Ze moet nog veel leren.

Waarom moest Fox daar nu aan denken? Waarom zat hij in zijn auto te drinken terwijl hij nadacht over het feit dat zijn moeder uiteindelijk haar vermogen om terug te vechten had ontdekt?

Vanwege Kate Murphy.

Kate was de laatste tijd het antwoord op veel van zijn vragen. Hij keek te veel naar haar. Hij dacht te veel na. Hij stond te veel stil bij zijn opties.

Net als zijn moeder was Kate een vechtersbaas. Ze had Jimmy Lawson tegen de grond geslagen, midden in een van die godvergeten getto's. Fox had moeten lachen toen het gebeurde. Vanaf het begin had hij geweten dat Kate anders was.

Hij had niet verwacht dat hij het leuk zou vinden.

NEGEN

Maggie reed langs de Mellow Mushroom Pizza aan Spring Street. Haar maag rammelde, maar toen ze de agenten zag die binnen zaten te eten besloot ze ergens anders naartoe te gaan. Ze kon de lunch ook overslaan en bij een van de eethuisjes snel een kop koffie halen. Of ze bleef de rest van de dag stompzinnige telefoontjes beantwoorden terwijl de jongens de stad door scheurden om koppen in te slaan.

De mobilofoon had de hele ochtend al geknetterd van de fantastische tips die bij nader inzien nergens op bleken te slaan. Zelfs de zwarte agenten deden eraan mee en stuurden met spoed teams van de ene kant van de stad naar de andere, om tot de ontdekking te komen dat de man die wilde praten niet meer wilde praten of loog over wat hij in eerste instantie gezegd had.

Dat laatste veroorzaakte niet de problemen die je zou verwachten. Een van de dingen die Maggie het meest ontmoedigend vond van het werk dat ze deed was dat iedereen voortdurend liep te liegen; niet eens de boeven, maar de gewone burgers die geacht werden behulpzaam te zijn. Ze gaven valse namen op, valse banen. Ze logen over waar ze werkten, in wat voor auto ze reden, waar ze woonden. Dat ze geen enkele reden hadden om dat te doen was al even irritant als verontrustend. Het waren dezelfde ooggetuigen die zorgden dat er elke dag mensen achter de tralies verdwenen.

Ooggetuigen zoals Jimmy.

Het rapport dat Terry die ochtend tijdens het appèl had voorgelezen was lulkoek. Maggie had haar tong bijna afgebeten om maar niks te zeggen. Op vijf meter afstand. Dus agent Jimmy Lawson had op drie tot vijf meter afstand gestaan toen agent Don Wesley door zijn hoofd werd geschoten?

Maggie had het opgedroogde bloed gezien dat aan haar broer kleefde. Alleen als Don met een bazooka was neergeschoten had Jimmy zo onder de troep kunnen zitten. Jimmy loog om zijn gezicht te redden of hij loog om het liegen zelf. En hij kwam er nog mee weg ook, want niemand in het korps – en Terry al helemaal niet – wilde horen dat hun Golden Boy geblunderd had.

Golden Boy.

De sportjournalisten hadden Jimmy Lawson de Golden Boy van Atlanta genoemd. Hij zat toen nog in de eerste van de middelbare school, maar de footballwedstrijden op vrijdagavond waren het belangrijkste wat de stad aan vermaak te bieden had. Aan het begin van het seizoen zat er altijd een losse bijlage in de *Atlanta Journal* waarin al het aanstormende talent in de staat werd uitgelicht. Jimmy's foto had op de voorpagina gestaan. Maggie had het artikel nog ergens. Waarschijnlijk in het plakboek dat ze sinds zijn eerste wedstrijd had bijgehouden.

Maggie hoorde het scherpe geloei van een sirene. Ze zwaaide naar Rick Anderson en Jake Coffee, die haar op de andere rijbaan passeerden. Ze had hen vandaag al twee keer gezien, wat niet ongewoon was, want hun wijken overlapten elkaar. Wat hun aanwezigheid wel opmerkelijk maakte, was het feit dat niemand zich die dag aan zijn eigen wijk hield. De meesten hielden zich niet eens aan hun eigen zone.

Ondanks Cal Vicks waarschuwende woorden over cowboyacties hadden ze allemaal de jacht geopend op de bevolking. Maggie was gestopt met tellen toen de verzoekjes om arrestantenwagens die ze via de mobilofoon ontving boven de tien uitstegen. Waarschijnlijk was er aan het eind van de dag geen zwarte man in Atlanta te vinden die niet zijn vingerafdrukken had moeten afstaan. Als de burgemeester verstandig was, bleef hij in zijn kantoor.

'Hallo,' mompelde Maggie. Ze tikte de rem aan en minderde vaart.

Ze zag een verdacht uitziende man over straat lopen. Jong, blank, een net type. Niet wat je doorgaans in deze buurt aantrof.

Hij droeg een lange jas die gemaakt was voor een grotere man. De zoom hing tot iets boven zijn bruine loafers, en zijn dunne, sokloze enkels waren nog zichtbaar. Hij had zijn handen diep in zijn zakken gestoken. Zijn schouders hingen af. Maggie kon er niet de vinger op leggen, maar iets aan zijn manier van lopen klopte niet. Met een slakkengangetje bleef ze achter hem rijden, alsof ze de man kon besluipen in een politiewagen die ruim een ton woog.

De man draaide zich niet om. Hij rende niet weg. Hij ging niet sneller lopen. Hij hield zijn handen gebald in zijn jaszakken, maar dat kon ook door de wind komen. Of misschien had hij iets in een van zijn handen. Een wapen? Nee, niet deze jongen. Hooguit een zakje wiet of coke.

Maggie zette de sirene aan. Hij schrok niet, wat haar ergerde, want dat betekende dat hij zich van haar aanwezigheid bewust was, en in dat geval had hij zich moeten omdraaien.

En hij had al helemaal niet mogen doorlopen.

Ze drukte het gaspedaal in en zette de auto een paar meter voor hem aan de kant. Tegen de tijd dat Maggie was uitgestapt, had de man al een geërgerde trek om zijn mond, alsof hij alle reden had zich op straat op te houden in een regenjas die hij waarschijnlijk van een dakloze had gepikt.

Maggie versperde hem de doorgang. Toen ze de man van dichtbij bekeek, stelde ze haar inschatting wat bij. Minder verzorgd dan op het eerste gezicht. Minder onschuldig. Ze rukte haar holster open. Ze legde haar hand op haar revolver.

'Had je niet door dat ik achter je reed? Heb je de sirene niet gehoord?'

'Ik ging ervan uit dat u...'

'Mond dicht en luisteren.' Nu lette hij op. Zijn kaak verstrakte. Hij schonk haar een vijandige blik. 'Je keert heel langzaam met je vingertoppen je jaszakken binnenstebuiten,' zei Maggie.

Hij reageerde te snel. Ze trok haar revolver en spande de hamer.

Hij lachte flauwtjes. 'Echt, agent, dit is een misverstand.'

Alleen al toen ze zijn stem hoorde, gingen er allerlei alarmbellen rinkelen. Hij mocht dan ongeschoren zijn, zijn accent was dat van een rijke, blanke yankee. 'Inderdaad, je hebt niet begrepen wie het hier voor het zeggen heeft. Jaszakken. Langzaam.'

Met zijn vingertoppen trok hij zijn zakken binnenstebuiten. Een gebruikte tissue viel op de grond. Een muntje. Losse tabak. Zijn handen waren leeg. Maggie schatte hem iets jonger dan zijzelf. Zijn haar was tot een flink stuk boven zijn kraag afgeknipt, en hij had korte bakkebaarden. Door het dons op zijn kin leek zijn ronde gezicht nog jonger.

'Kun je je identificeren?' vroeg ze.

Hij schudde zijn hoofd. Hij had zijn blik op de grond gericht, hoewel hij niets onderdanigs uitstraalde.

'Hoe heet je?'

'Harry Angstrom.'

'Alsof ik John Updike niet gelezen heb.' Hij wilde antwoorden, maar voor hij weer begon te liegen snoerde ze hem de mond. 'Dan noemen we je Regenjas, oké?'

Hij keek op, en sloeg toen snel zijn blik weer neer. Ze dacht dat hij naar zijn voeten keek, maar hij keek naar haar wapen.

'Als je die jas nou eens openmaakt, Regenjas?'

'Ik ga niet...'

'Open die jas.'

'Mevrouw, u wilt echt niet...'

Ze zette haar politiestem op. 'Jas open. Nú.'

Hij begon met de bovenste knoop en nam er alle tijd voor. Het was een sjofele jas, niet van het soort dat een jongen als hij in zijn kast had hangen. Toen hij de derde knoop had losgemaakt, zag ze zijn haarloze, witte buik.

'Stop maar.' Ze had genoeg gezien. 'Waar zijn je kleren?'

Hij antwoordde niet, maar bleef haar wapen in de gaten houden.

Ze schoof de revolver weer in de holster. Ze liet haar hand op de greep rusten. 'Je studeert aan Georgia Tech.' Hij keek verbaasd op, maar je hoefde geen Perry Mason te heten om te zien dat de universiteit zich aan de andere kant van de snelweg bevond. 'Je bent hier voor wat ontspanning. Je had een afspraakje. Je hebt te veel gedronken, misschien iets te veel gerookt?'

Zijn gezicht bleef onbewogen.

'Wilde ze opnieuw over de prijs onderhandelen? Heeft ze je beroofd?' Weer reageerde hij niet. 'Ze heeft je kleren gepikt zodat je je te veel zou generen om aangifte te doen.' Maggie maakte een goochelaarsgebaar. 'En kijk.'

Hij richtte zijn blik weer op de grond. Ze zag zijn tong tussen zijn tanden uit schieten.

'Je mag blij zijn dat ze je niet overhoop heeft gestoken, weet je dat? Of het had nog erger kunnen aflopen als haar pooier was opgedoken.'

Hij bleef naar de grond staren.

'Kijk me aan.' Ze wachtte tot hij aan haar bevel gehoor gaf. 'Je leeft op een eiland genaamd Georgia Tech, dat omringd wordt door een zee van getto's. Hebben ze je dat tijdens de introductie niet verteld? Zie je niet waar het gras ophoudt en de klei begint?'

Er veranderde iets in de blik waarmee hij haar aankeek. Maggie voelde een vreemde tinteling onder in haar rug. Ze had duidelijk een gevoelige snaar geraakt, want nu toonde de jongen een heel andere kant van zichzelf, en dat liet ze niet zomaar passeren.

Hij keek haar woedend aan, alsof hij haar wel kon wurgen.

Ze keek al even woedend terug, alsof ze hem het liefst zou neerschieten.

De impasse werd verbroken door het geloei van een tweede sirene. In de veronderstelling dat het Rick en Jake waren, die kwamen kijken of ze back-up nodig had, gebaarde Maggie dat ze konden doorrijden.

Ze vergiste zich.

De auto stond nog niet stil of Jimmy sprong er al uit. 'Heb je hulp nodig?'

'Alles onder controle.'

Niettemin liep Jimmy op hen af.

Op gedempte toon zei Maggie tegen Regenjas: 'Ik weet hoe je eruitziet. Ik weet waar je studeert. Ik weet waar je woont. Denk maar niet dat je ergens mee wegkomt.'

Hij deed zijn mond al open om te protesteren, maar ze praatte eroverheen.

'Als ik je hier ooit weer zie, gooi ik je in de cel in precies dezelfde kleren die je nu aanhebt. Begrepen?'

'Ja.'

Jimmy stompte de jongen tegen zijn schouder. 'Ja, mevrouw, eikel.'

'Ja, mevrouw.' Hij keek hen allebei glimlachend aan. 'Nog een fijne dag, agenten.'

Zijn toon was kil. Jimmy gaf hem een harde duw. 'Opzouten, sukkel.'

De jongen protesteerde niet. Hij zette zich weer in beweging. Maggies slechte voorgevoel werd er niet beter op. Regenjas rende niet weg. Hij liep er even ontspannen bij als eerst. Zijn handen verdwenen in zijn zakken. Hij keek niet achterom.

Je kon een agent niet erger beledigen dan door te laten merken dat je niet bang voor hem was.

'Waarom laat je die eikel gaan?'

'Jij bent degene die...'

'Je hebt je wapen met de hamer gespannen in je holster zitten. Je intuïtie zegt dat je die vent moet oppakken. Waarom luister je er niet naar?'

Maggie ontspande de hamer van haar revolver. Ze klikte het borgriempje vast. 'Waar moet ik hem voor arresteren, dat hij naakt was onder zijn jas?' Ze keek naar de patrouillewagen. Het nieuwe meisje zat op de passagiersstoel. 'Is ze nog steeds niet pleite?'

Hij reageerde met een schoudergebaar en keek Maggie vragend aan. 'Zo slecht is ze nou ook weer niet.'

'Nee,' zei ze, want ze wist precies hoe Jimmy in elkaar stak. 'Ik neem haar niet over.'

'Ik moet een paar tips natrekken.'

'Dan doe je dat toch terwijl zij in de auto blijft zitten, net zoals je dat volgens mij de hele ochtend al gedaan hebt?'

'Nee,' zei hij met klem. 'Dat kan ik niet.'

'Je hebt Cal en Terry vanochtend gehoord. Niemand rijdt vandaag alleen.'

'Jij bent alleen.'

'Omdat ik er niet toe doe. Jimmy, je hebt het er vannacht nauwelijks levend vanaf gebracht,' zei ze ten overvloede.

'Ik red me wel.' Hij legde zijn hand plat op zijn been.

'Je loopt manker dan ik in jaren gezien heb.' Ze keek naar zijn hand. Hij probeerde de donkere vlek vlak onder zijn zak te verbergen. 'Is je broek nat?' Ze boog zich voorover. 'Is dat bloed?'

Jimmy duwde haar weg. 'Verdomme, Maggie. Doe nou eens één keer in je leven wat ik zeg.' Hij wenkte Kate.

'Nee, zei ik.'

'Ik wist niet dat je dat woord kende.'

Maggies neusvleugels trilden. Het was al de derde keer die

dag dat iemand haar dat voor de voeten had geworpen. 'Bek houden.'

'Want anders?'

Kate stond een paar meter verderop. Ze keek geen van beiden aan. 'Ik wacht wel in de auto.'

'In háár auto,' gebood Jimmy.

Maggie wachtte tot Kate het portier had dichtgetrokken. 'Wat ben je toch een lul,' zei ze tegen haar broer. 'Weet je dat?'

'Ja, dat schijnt.' Jimmy wreef over zijn kaak. Zijn vingertoppen streken langs zijn bakkebaarden. Ze dacht aan het stukje van Don Wesley dat hun moeder die ochtend van zijn gezicht had gepeuterd.

'Wat is er met je portofoon gebeurd?' vroeg ze.

'Die zit hier.' Hij wees naar zijn rug. Het apparaat glom bijna, zo nieuw was het.

'Ik bedoel je portofoon van gisteravond.'

Even vlamde er schrik op in Jimmy's ogen.

'Je hebt het niet gemeld toen Don werd neergeschoten.'

Hij haalde zijn linkerschouder op.

'Je hebt gelogen in je rapport. Je stond er niet meters vanaf. Je stond pal naast Don toen hij geraakt werd. Eerder centimeters dan meters.'

Alle kleur trok weg uit Jimmy's gezicht, als water uit een pot met groente.

Maggie kwam nog dichterbij, tot ze vlak voor hem stond. 'Je was helemaal bespat met zijn bloed. Ik heb het zelf gezien, Jimmy.'

'Doe toch niet zo overdreven.'

'Je zat er helemaal onder.'

'En wat dan nog?'

'Je hebt snel dekking gezocht, maar je hebt niet teruggeschoten.' Eigenlijk zou Maggie haar mond moeten houden, maar ze ging door. 'Ik heb vanochtend je wapen gecontroleerd. Je hebt het niet afgevuurd.'

'Heb je mij gecontroleerd?'

'Je hebt gelogen over wat er gebeurd is omdat je niet wilde toegeven dat je verlamd was van angst, zodat je dus een lafbek bent die een politiemoordenaar heeft laten lopen.'

Ze wachtte op Jimmy's woede-uitbarsting. Die bleef uit. In plaats van tegen haar tekeer te gaan, met zijn vinger in haar gezicht te priemen of haar tegen de grond te duwen, knikte hij alleen maar.

Bijna tenminste.

Hij maakte een lichte hoofdbeweging, een nauwelijks waarneembaar gebaar waarmee hij toegaf dat ze de waarheid sprak.

Maggie was met stomheid geslagen. De wetenschap dat Jimmy geblunderd had en het feit dat hij het toegaf vielen niet met elkaar te rijmen. Ze wist niet wat ze moest zeggen.

Jimmy's blik gleed over de snelweg. 'Maar hij is nog steeds dood.' Zijn stem schoot een paar octaven omhoog. 'Wat er ook is gebeurd, wat ik al of niet gedaan heb, hij is nog steeds dood, en de vent die hem vermoord heeft loopt nog ergens rond.'

Ze staarde haar broer aan. Voor de verandering beantwoordde hij haar blik.

Deze keer was het Maggie die zich afwendde.

'Je moet naar je intuïtie luisteren,' zei hij.

'Je hoeft me niet...' Een seconde te laat besefte ze dat hij haar raad gaf in plaats van kritiek te leveren. Maar ze bleef een Lawson, net als hij. 'Je hoeft me niet te vertellen wat ik doen moet.'

'Dat weet ik, meissie.' Jimmy tikte tegen haar kin en strompelde toen terug naar zijn auto.

TIEN

Als verdoofd reed Maggie door de stad. Ze kreeg maar geen grip op zichzelf. De hele ochtend had ze zich sappel gemaakt over Jimmy. Hij was een leugenaar. Hij was een waardeloze agent, een waardeloze partner. Hij had afgehaakt toen hij onder vuur lag. Hij had Don laten doodgaan. In gedachten had ze een scala aan de afgrijselijkste beschuldigingen doorlopen.

Nu Jimmy haar in feite gelijk had gegeven, wist Maggie niet waar ze met haar woede heen moest. Het ergste was dat ze hem echt gekwetst had. Niet dat ze daar niet op aan had gestuurd, maar Maggie en Jimmy hadden een stilzwijgende afspraak dat ze elkaar alleen maar oppervlakkige verwondingen zouden toebrengen. 'Dood door duizend sneden' was het motto onder het familiewapen van de Lawsons. Wat ze net op straat met Jimmy had gedaan, was een schending van de code. Ze was te ver gegaan, had te diep gesneden.

En Kate Murphy was getuige van dat alles geweest. Wat zij van de woordenwisseling vond, was een raadsel. De nieuweling had geen woord gezegd sinds Maggie in de auto was gestapt. Ze had alleen maar in haar notitieboekje zitten bladeren, alsof ze aan het blokken was voor een examen. Waarschijnlijk zou ze aan het eind van de dag teruggaan naar het bureau en dan aan iedereen vertellen dat Maggie haar broer midden op straat had uitgescholden. Voor de verandering had Jimmy zich gedeisd gehouden. Praktijkcode voor beginners: als iemand tegen je tekeergaat, blijf je rustig en redelijk.

Hij had haar openlijk gekleineerd.

Maggie minderde vaart voor een stoplicht. De stomerij was

om de hoek. Ze keek op haar horloge. Het was bijna twaalf uur. Voor haar botsing met Jimmy was ze in een kippenrestaurantje naar de wc geweest, maar niettemin vroeg ze aan Kate: 'Moet jij niet plassen?'

'Ja.'

Ze antwoordde zo prompt dat Maggie vermoedde dat ze al een tijdje moest. 'Jimmy wilde zeker niet stoppen?'

'Ik ben niet zo vrij geweest het hem te vragen.'

Maggie stoorde zich aan haar afgemeten toon. Ze wierp een blik opzij. Alles aan de nieuweling werkte op haar zenuwen. Er zat geen haartje verkeerd. Haar houding was volmaakt. Ze had haar benen keurig over elkaar geslagen. Haar portofoon lag op haar schoot, als een met diamanten bezet enveloptasje.

'Kun je het ophouden tot het einde van de dienst?' vroeg Maggie. 'Dat is al over vijfenhalf uur.'

'Zeker.'

'Stoer, hoor.' Maggie had het nog niet gezegd of ze zou het liefst haar mond met loog spoelen. Ze klonk al net als haar oom Terry. Als ze voor één ding bang was wat haar werk betrof, dan was het niet voor de hardheid of de slechte vooruitzichten op liefdesgebied, nee, ze was bang dat ze op een dag in de spiegel zou kijken en dan haar oom Terry zou zien.

'Sorry,' zei Maggie.

'Hoezo?'

Ze wist niet wat ze moest zeggen. Stilzwijgende kritiek was per slot van rekening stilzwijgend.

Maggie draaide het parkeerterrein bij de stomerij op. 'Dit zaakje is van een Italiaan. Het heeft het schoonste en misschien wel het enige schone toilet in de wijde omtrek. Daarna komt een tent genaamd Ollie's. Die is van een oude Pool. Het is een bar, dus daar moet je na vijven niet naar binnen gaan als je alleen bent. De andere kant op is een kippenrestaurantje. Niet al te schoon, maar in nood kan het ermee door.' Maggie zette de auto in de parkeerstand. 'Ik laat het je wel een keer zien.'

'Dank je.' Kate sprong uit de auto.

Maggie keek haar na toen ze op een drafje naar het gebouw liep. Na drie uur straatdienst was de nieuweling nog moeilijker te doorgronden. Drie uur in Jimmy's gezelschap. Maggie vroeg zich af hoe lang het zou duren voor ze iets met elkaar kregen. Kate was een aantrekkelijke vrouw. Jimmy was een knappe man. Je hoefde geen Barbara Cartland te heten om daar een verhaal van te maken.

Maggie klikte de microfoon aan haar portofoon. Ze meldde een dienstpauze en gaf hun locatie door. Nog lang nadat de meldkamer haar bericht had bevestigd zat ze in de auto aan Gails woorden van die ochtend te denken. Jimmy had de schietpartij niet gemeld. De meldkamer had het van een arts in het Grady Hospital moeten horen. Zelfs als Jimmy een razende paniekaanval had gehad, moest er een moment zijn geweest waarop hij zich eruit had losgerukt en had beseft dat hij iets moest doen. Hij had Don Wesley dat hele eind naar het ziekenhuis gedragen. Waarom had hij geen twee seconden de tijd genomen om het te melden? Iemand had hem halverwege tegemoet kunnen komen. Zelfs voor een dwarse stomkop als Jimmy sloeg het nergens op dat hij niet om hulp had gevraagd.

Tenzij je bedacht dat hij zijn portofoon was kwijtgeraakt.

Maggie duwde het portier open. Ze zat weer in cirkeltjes te denken. En de grotere vraag, namelijk of ze de afspraak met Gail in het restaurant zou nakomen, was nog steeds niet beantwoord.

Haar hoofd bewoog heen en weer als het glas van een kopieermachine toen ze om zich heen speurend naar het gebouw liep. Ze controleerde de hele voorpui van de stomerij. Het vlakglas dat van de vloer tot aan het plafond reikte, was er niet voor de show maar voor de veiligheid. Ze reed hier minstens twee keer per dag in haar patrouillewagen langs en zonder te stoppen kon ze alles zien wat er binnen gebeurde.

De bel boven de deur rinkelde. Warme, vochtige lucht sloeg haar tegemoet toen ze de zaak binnenstapte.

'Agent Lawson.' Salmeri's tanden blikkerden onder zijn borstelsnor. 'Ik neem aan dat die andere dame bij jou hoort?'

'Ja.' Maggie keek om zich heen. Kate was al naar achteren verdwenen. Waarschijnlijk had ze inmiddels urinevergiftiging. Dan moest ze nog twee minuten geduld hebben. Zelfs als geoefend agent had je die tijd nodig om je van je uitrusting te ontdoen, je riem af te leggen en je tweede riem, dan je broek, panty en – tenzij je jezelf al aan het onderplassen was – je onderbroek uit te trekken.

'Gecondoleerd met je verlies,' zei Salmeri. 'Agent Wesley was een man op wie je kon bouwen.'

'Was Don hier klant?'

'Probeer maar eens een betere politiekorting te vinden.'

'U bent echt geweldig,' zei Maggie, die wist dat Salmeri voor het halve korps het uniform stoomde. Ze wist ook dat er nooit geld aan te pas kwam.

'Ik heb nog wat spullen van agent Wesley.' Hij drukte op de knop van het rek met kleren en liet het ronddraaien. 'Hij was hier vorige week nog.'

'U hoeft niet...'

'Hebbes.' Het draairek stopte. Salmeri nam er een vracht kleren af, die allemaal nog in plastic hoezen zaten. Dons uniform. Een paar felblauwe broeken met wijde pijpen. Een felblauw buttondown overhemd, waarvan de boordpunten bijna de geborduurde borstzakken raakten.

'Nogal opzichtig.' Kate kwam er weer aan, worstelend met haar riem, die ze om haar heupen probeerde te bevestigen. 'Is dat van Jimmy?'

Maggie moest lachen om het idee. 'Jimmy's garderobe is zwart of marineblauw, behalve in de zomer, dan is alles grijs of marineblauw.' Ze keek Salmeri aan. 'Weet u zeker dat dit allemaal van Don is?'

Salmeri legde de kleren plat op de toonbank. Hij trok een hoes omhoog en controleerde het papieren strookje dat aan de binnenkant van de boord zat gespeld. 'Wesley.' Hij liet het haar zien. 'Die wist zich te kleden. Kwam altijd met allerlei interessante kleren aanzetten.'

Maggie keek naar de andere kleren die aan het draairek hingen. Niet alleen Dons spullen vielen op. 'Mr Salmeri, ik wil u niet onder druk zetten, maar u ziet hier heel veel mensen. Niet alleen agenten en zakenlieden.'

Hij knikte. 'Klopt.'

'Misschien ziet u ook mensen die hun geld op een nogal ongebruikelijke manier verdienen?'

'Ik ben Italiaan, schat,' zei hij met een glimlach. 'Tegen mij kun je het gerust over pooiers hebben.'

Maggie glimlachte terug. 'Als u iets gehoord hebt, kunt u het altijd tegen mij zeggen. Dan geef ik het wel door. Niemand hoeft te weten van wie het afkomstig is. Ik bescherm u. En er is een beloning, dus...'

Salmeri glimlachte nog steeds. Hij legde zijn handen op die van haar. 'Weet je, schat, ik zie je auto wel twee, drie keer per dag langsrijden. Als je hier binnenkomt met die lach op je mooie gezichtje begint de hele zaak te stralen. En toch denk ik altijd bij mezelf: "Waarom laat dat meisje haar kleren hier niet stomen?"' Ze wilde antwoorden, maar hij was haar voor. 'Ik denk dat het is omdat je het niet correct vindt.'

Maggie wilde geen partij kiezen. 'Ik doe thuis de complete was. Ik weet dat het een heel karwei is. En ik vind het nog rotter omdat ik weet dat u het gratis doet.'

Hij lachte, maar zei niettemin: 'Het kan geen kwaad de politie te vriend te houden.'

'Mij hoeft u niet om te kopen, Mr Salmeri. Ik doe gewoon mijn werk.' Maggie was zich ervan bewust dat Kate haar aandachtig opnam. 'We gaan weer eens aan de slag. Denk maar na over wat ik gezegd heb.'

'Wacht even.' Salmeri pakte een sigarendoos van onder de toonbank. Hij deed het deksel open. Er zaten allemaal plastic zakjes in, van het soort dat drugsdealers gebruikten. Kennelijk stopte Salmeri er voorwerpen in die hij in de zakken van klanten had aangetroffen.

'Alsjeblieft.' Hij gaf Maggie een doorzichtig zakje met de naam *Wesley* op de voorkant gekrabbeld. Er zaten twee munten in van vijfentwintig cent, een van tien cent en een zwart luciferboekje met nog vier lucifers.

'Dabbler's,' las Maggie hardop. Onder de naam stond een zwierige krul, zoals in het logo van de Atlanta Braves. Geen telefoonnummer. Geen adres. 'Hebt u wel eens van die tent gehoord?' vroeg ze aan Salmeri.

'Sorry, nog nooit van gehoord, en ik heb hier ook nog nooit eerder zo'n luciferboekje gezien.'

'Hebt u een bedrijvengids, zodat ik even kan kijken?'

Hij pakte een dik telefoonboek van de plank achter de toonbank. 'Die is van vorige maand.'

Maggie bladerde het boek door tot ze bij de D aankwam. Met haar vinger liep ze langs de namen. Er stond geen Dabbler's bij. Ze zou moeten rondvragen om te zien of iemand die bar kende. Er gingen in de stad voortdurend allerlei zaken open, en de enige manier om aan een adres te komen was door middel van een officieel verzoek aan het telefoonbedrijf of door iemand tegen te komen die er toevallig van wist.

'Sorry.' Salmeri had al die tijd naar haar gekeken. 'Misschien is het een nieuwe zaak?'

'Misschien.' Maggie sloeg het telefoonboek dicht. 'Bedankt.'

'Ik zal mijn oren openhouden,' liet hij haar weten. 'Je hebt gelijk. Ik hoor altijd van alles om me heen. Misschien dat ik wat discrete vragen kan stellen.'

'Maar dan wel heel discreet,' zei ze. 'Zorg dat u geen problemen krijgt.'

Zijn hand verdween onder de toonbank. Maggie wist dat hij daar een shotgun had liggen. 'Heb ik al gezegd dat ik Italiaan ben?'

Ze pakte het luciferboekje, maar liet de munten liggen. 'De volgende keer als ik langsrij, zwaai ik wel.'

Hij knikte plechtig.

Terwijl ze naar buiten liep bestudeerde Maggie het luciferboekje. Ze zag geen afdruk van een opgeschreven naam of telefoonnummer. Ze zou Jimmy naar de bar kunnen vragen, maar dan zou hij willen weten waarom ze het vroeg. Als ze het telefoonbedrijf via de formele kanalen benaderde, zou Terry erachter komen. Wel kende ze iemand die voor Southern Bell werkte. Of ze contact met hem kon opnemen was een ander verhaal.

'Ik dacht dat je zei dat alles gratis was?' vroeg Kate. Ze frunnikte nog steeds aan haar riem terwijl ze achter Maggie aan het gebouw verliet. Het was een puzzel waarvan ze vergeten was hoe ze hem weer in elkaar moest zetten.

'Dat kan. Het is aan jou of je er gebruik van maakt.' Maggie liet haar sleutelbos om haar middelvinger draaien, waarbij ze de sleutels telkens opving en weer losliet. Nadat ze dat drie keer gedaan had, zei ze: 'Je clips zitten ondersteboven.'

Kreunend hing Kate ze weer goed. 'Bedankt.'

'Als je naar het toilet gaat, moet je je Kel en je wapenstok in de wasbak leggen, maar nooit je wapen. Je tilt de riem van de metalen clips. Stop de clips in je zak, altijd in dezelfde zak. Trek de plug van je schoudermicrofoon uit je portofoon. Hou de plug tussen je tanden zodat hij niet in de pot valt. Doe je riem af en neem die mee in het hokje, waar je hem aan de deurhaak hangt, en als er geen haak is, leg je hem op de stortbak.'

Het enige wat Kate vroeg, was: 'Kel?'

'Kel-Lite. Wapenstok.' Maggie tikte haar lantaarn en vervolgens haar wapenstok aan. 'Heb je gecontroleerd of je revolver op veilig stond voor je je riem afdeed?'

'Op veilig?'

'Zeg me toch niet steeds na!' Maggie trok de revolver uit Kates holster. De hamer lag tegen de slagpin. Ze liet het haar zien. 'Je weet hoe dit werkt, hè?' Met haar duim trok ze de hamer naar achteren. 'Je moet hem spannen als je een kogel wilt afvuren.'

'Juist ja.' Kate klonk alsof ze het allemaal al eens gehoord had, maar het kwam nu pas weer boven. 'Tijdens de training...'

'...kreeg je te horen dat je niet op de mannen met de rode stropdassen mocht schieten.' De grap was ouder dan Maggie zelf. Chip en Duke kwamen er altijd mee aanzetten. Ze vermoedde dat Bud Deacon het stokje had overgenomen nu Duke er niet meer was. 'Goed onthouden: TSR. Trekken, spannen, richten. Klaar.'

Kate grijnsde wat besmuikt. De dubbele betekenis was Maggie altijd ontgaan.

'Het is minder grappig als de ander het eerst op jou schiet.' Maggie deed het haar voor: ze trok de revolver, spande de hamer en richtte de loop. 'Eigenlijk hoort het BTSR te zijn, maar niemand maakt ooit zijn borgriempje vast.'

'Jij wel.'

'Omdat ik mijn wapen niet wil verliezen als ik achter iemand aan ren.' Ze wees op Kates holster. 'Probeer maar, maar richt op de grond. Niet op mij.'

Kates lippen bewogen terwijl ze de handelingen een voor een doornam. Haar gebaren waren langzaam en schokkerig, als van de robot in *Lost in Space*.

Maggie probeerde de ergernis uit haar stem te bannen. 'Als je vanavond thuiskomt, haal je alle patronen eruit. Je weet hoe dat moet, hè?'

Kate knikte.

'Zorg dat de cilinder leeg is en oefen dan in het trekken van je wapen. Span de hamer met je duim terwijl je het wapen trekt. Daarom moet de cilinder leeg zijn, voor het geval het wapen afgaat. Kogels gaan dwars door muren en vloeren. Ze gaan de lucht in en komen weer recht naar beneden. Het allerbelangrijkste is dat je nooit je vinger aan de trekker legt. Leg hem erlangs. Dat heet de trekkerbeugel. Je raakt alleen de trekker aan als je wilt schieten.'

'Dat heeft de instructeur ons ook laten zien.'

'Dus je bent helemaal op de hoogte.'

Kate lachte. Het geluid kwam van diep vanbinnen. Ze wilde het wapen weer in haar holster stoppen, maar bedacht toen dat ze de hamer eerst moest ontspannen. 'Nog meer goede raad?'

Maggie had inderdaad nog veel meer goede raad, maar ze betwijfelde of ze haar tijd aan Kate Murphy moest verspillen. Wanda had het die ochtend al gezegd.

Irish Spring zou het eind van de week niet halen.

ELF

Fox zat aan de bar met zijn Southern Comfort en een halfleeg schaaltje pinda's. Hij keek in de getinte spiegel achter de drankflessen. Fox was niet ijdel. Hij keek naar de ruimte achter hem. De zaak was zo goed als leeg. Het was een verlopen bar die in niets verschilde van andere verlopen bars: donker interieur, zwarte kunststof bekleding, donkere tegels op de vloer, zwarte muren die het vage licht van de neon drankreclame absorbeerden.

Niet dat de inrichting ertoe deed. De gasten kwamen hier maar voor één ding.

Een man in pak zat aan een hoektafeltje. Hij had de ongelukkige blik van een manager in het middenkader. Voor hem stond een onaangeraakt glas Jack Daniels. Een paar tafels verderop zat een dakloze. Hij staarde somber naar de muur. Op zijn tafeltje stonden een fles bocht en een vettig whiskyglas. Zijn arm bewoog in twee richtingen: naar boven en naar beneden. Het glas naar de mond. Het glas weer op tafel. Het glas naar de mond. Het glas weer op tafel. Er werd alleen van afgeweken als het glas leeg was, maar dan gebruikte hij zijn andere hand om bij te schenken.

Net als Senior altijd deed, alleen zou Senior zijn pet hebben opgehouden; dat was zijn manier om aan te geven dat hij alleen even langskwam voor een borrel, terwijl de hele tent wist dat hij er al uren zat.

De deur ging open. Zonlicht sneed door de kier. Fox kneep zijn ogen samen, maar hij wendde zijn blik niet af.

Weer een man in pak. Het was bijna lunchtijd. Nog even en het werd hier druk.

Het nieuwe pak ging aan de bar zitten, een paar krukken van Fox verwijderd. Bij wijze van knik hief hij zijn kin.

Fox beantwoordde zijn groet niet.

In plaats daarvan schoof hij zijn glas naar de barkeeper. Die verstond zijn vak. Hij had al door dat Fox geen prater was. De drank werd ingeschonken, er werd een nieuw servetje bij geleverd en het schaaltje met pinda's werd aangevuld zonder gelul over het weer of over sport of waar die kerels ook het liefst over kletsten.

Als hij dit soort werk moest doen, dacht Fox, in een dergelijke tent, dan schoot hij zichzelf misschien wel een kogel door zijn hoofd.

Er zat een handwapen onder zijn jas. Een Raven MP-25. Zes patronen, semiautomatisch, parelmoeren handgreep. Een Saturday night special. Hij was die ochtend wel een uur aan het schoonmaken geweest om te zorgen dat het pistool niet weer blokkeerde. Misschien had hij het beter kunnen weggooien, maar hij was altijd al sentimenteel geweest. Ook tijdens de oorlog had hij zijn talismans gehad. Sokken die geluk brachten. Een hemd dat geluk bracht. Een wapen dat geluk bracht.

Zo was hij tijdens de oorlog aan zijn bijnaam gekomen. Fox, zoals in 'crazy fox', niet Fox zoals in Foxy, de bijnaam van een andere soldaat. De vrouwen vielen in zwijm als ze hem zagen, tot zijn gezicht verbrandde. Toen vielen ze in zwijm om een heel andere reden.

Weer ging de deur open. Fox knipperde tegen het zonlicht. De zoveelste man in pak. Hij ging naast het eerste pak aan de bar zitten, en schonk Fox precies hetzelfde knikje.

Fox schudde een sigaret uit zijn pakje. Hij zocht in zijn zakken naar zijn aansteker.

De barkeeper legde een luciferboekje naast Fox' glas en ondertussen was hij met Pak Twee in gesprek. 'Wat is het toch met het weer de laatste tijd?'

Pak Twee gaf antwoord, maar het weer boeide Fox niet.

Hij klemde het luciferboekje vast. Alleen al als hij die pakken zag met hun lange bakkebaarden, wijde broekspijpen en afhangende schouders, ging zijn bloed koken. Fox had zijn hele leven geprobeerd anders te zijn dan zijn vader, maar hij kon zich niet aan de gedachte onttrekken dat Senior al evenzeer de pest zou hebben gehad aan deze new-agemietjes die hun geld verdienden met hun mond in plaats van met hun handen.

Nog niet zo lang geleden was dit een stad geweest van mannen die dingen van de grond af opbouwden. Fabrieken draaiden dag en nacht. Treinen denderden over de rails op en neer. Achttienwielers raasden naar alle windrichtingen. Tegenwoordig kwam elke cent telegrafisch Atlanta binnen. Op de trottoirs bij de glanzende nieuwe kantoorgebouwen struikelde je over de buitenlanders. Goedkope autootjes verstopten de straten. Soms keek Fox op naar de wolkenkrabbers en de nieuwe hotels en dan vroeg hij zich af wat er in jezusnaam allemaal gebeurde daarbinnen. Hoe was het mogelijk dat die kerels in hun pakken van tweehonderd dollar al dat geld verdienden door de hele dag achter een bureau te zitten?

En hoe kon het dat mannen als Fox geacht werden naar hun pijpen te dansen?

De wereld stond weer op z'n kop. Niemand wist zijn plek meer.

Fox wist zijn plek. Hij had een missie, en dat was het enige wat telde. Het was zijn taak de orde weer te herstellen in de wereld. Als hij dat niet deed, vielen er onschuldige slachtoffers. De laatste keer dat Fox zijn aandacht had laten verslappen had hij naast zijn moeders graf gestaan en toegekeken terwijl haar goedkope grenen kist in de grond werd neergelaten.

Dat nooit weer.

Taak nummer één: dood Jimmy Lawson.

Twee door het hoofd, net als bij die andere. En dan kon Fox zich op het volgende doel richten.

Maar welk doel?

Fox keek naar het luciferboekje. Het krullende logo deed hem denken aan de welving van Kates nek als ze zich vooroverboog om haar notitieboekje in te zien.

Fox mocht nu niet aan Kate denken.

Maar toen dacht hij toch weer aan haar.

Kate die in de patrouillewagen zat. Kate die aantekeningen maakte. Kate die via de mobilofoon een melding doorgaf.

Kate in zijn bed.

Daar had je het al, als op een foto. Kate die op zijn witsatijnen lakens lag. Haar haar in een woeste bos. Haar armen en benen wijd uiteen. Fox zou niet weten waar haar roomblanke huid ophield en het laken begon. Hij vroeg zich af hoe ze zou ruiken. Hoe ze zou smaken. Hoe ze zou voelen.

Want wie zou het te weten komen? Ze ging toch dood. Wat kon het voor kwaad als hij nog wat genot uit haar peurde voor ze er niet meer was? Fox wist dat Kate ernaar zou smachten. Een oversekst grietje zoals zij was waarschijnlijk gewend aan allerlei vuiligheid in bed. Fox zou haar naar een rustig plekje moeten brengen zodat niemand de smerige woorden zou horen die over haar lippen kwamen.

Goed dat Fox al een kamer in zijn souterrain geluiddicht had gemaakt.

Weer een teken dat het plan vorm begon te krijgen. Het vorige weekend had Fox nog geen idee gehad waarom hij de kamer geluiddicht maakte, maar hij vertrouwde op dat ding dat in zijn achterhoofd school en allerlei opties bedacht. Terwijl Fox het isolatiemateriaal en de stenen in rijen klaarlegde, voelde hij hoe het plan zich door de vezels van zijn geest verspreidde. Natuurlijk was hij zich er in een deel van zijn brein van bewust dat hij Kate Murphy hoe dan ook ging doden, maar in een ander deel bedacht Fox dat er niks op tegen was eerst wat lol aan haar te beleven.

Het was waar dat hij nog nooit een vrouw had gedood. Misschien kon hij het op een andere manier doen. Misschien was er een optie waarbij ze allebei kregen wat ze verdienden. Zoiets als de beul omkopen zodat hij een mooie schone slag met zijn bijl zou maken.

Les vijf: een man is op alle eventualiteiten voorbereid.

Zonlicht kierde door de open deur. Twee nieuwe pakken kwamen de bar binnen. Ze namen plaats op de twee krukken tussen Fox en de andere pakken. Opnieuw werd er iets over het weer gezegd. Voor de tweede keer in evenveel minuten was men het erover eens dat het met de dag kouder werd. Toen kwam het gesprek op de footballwedstrijd van dat weekend tegen Alabama.

Fox luisterde al niet meer, ook al was hij wel in football geïnteresseerd. Als je één ding in het leger leerde, dan was het dat je altijd op je doel gericht moest blijven.

Hij wilde zijn klembord doornemen om zijn verkenningsexpeditie van de afgelopen maand weer te beleven. Maar zoiets kon je niet mee naar een bar nemen. Iedereen zou je aangapen. Zelfs in zo'n tent als deze. Bovendien had Fox het niet nodig. De gebeurtenissen van die dag zaten nog vers in zijn geheugen.

Capitol Homes. Techwood Homes. Bankhead Homes. Carver Street. Piedmont Avenue. Jimmy had Kate meegenomen naar zo ongeveer elke gribus in Atlanta.

Maar deze bar was een gribus die Kate nooit te zien zou krijgen. Fox zat nu in Jimmy's hoofd. Hij wist hoe dat soort mannen zich gedroeg. Bijna een uur geleden had Jimmy Kate geloosd. Daar had hij een reden voor gehad. Hij wilde zijn wonden likken. Of iemand anders zijn wonden laten likken.

In bepaalde opzichten was Fox er blij om. Hij wilde niet dat Kate erbij was als Jimmy's uur geslagen had. Die kant van Fox hoefde ze niet te zien.

In elk geval niet voor Fox zelf zover was.

TWAALF

Maggie keek wat doelloos voor zich uit terwijl ze de patrouillewagen over Ponce de Leon Avenue stuurde. De stad ging al op slot. Er waren geen hoeren op straat. De pooiers verdeden hun tijd waarschijnlijk in de cel of werden achter de gevangenis in elkaar getremd. Ze vreesde dat Regenjas het allerspannendste was wat haar die dag zou overkomen. Tot dusver hadden ze een waarschuwing gegeven aan een voetganger die door rood liep en een einde gemaakt aan een vechtpartij over een broodje.

Naast haar ging Kate verzitten. Stijfjes schoof ze heen en weer in een poging het zich wat gemakkelijker te maken. Maggie had haar kunnen vertellen dat het geen zin had. De makkelijke weg bestond niet. Je leerde gewoon leven met de pijn.

Tegen beter weten in diende ze haar toch van advies. 'Vanavond ben je helemaal beurs. Alsof een of andere vent je te grazen heeft genomen. Heupen, benen, rug. Dat komt van je uitrusting. Niet klagen waar anderen bij zijn.'

'Natuurlijk niet.'

Maggie kneep haar ogen tot spleetjes. 'Ik probeer je alleen maar te helpen.'

'Jeetje, alsof ik dat niet geweldig op prijs stel.'

Maggie negeerde het hooghartige Buckhead-toontje. Wat had ze verwacht: dat Kate Murphy op haar knieën zou vallen om haar te bedanken? Ze probeerde zich te herinneren hoe haar eerste dag bij Gail Patterson in de auto was verlopen. Maggie was zo slim geweest haar uniform van tevoren al in te nemen, maar net als bij Kate was haar pet te groot geweest en haar schoenen hadden zo ruim gezeten dat ze huurders had kunnen nemen. Verveling en angst hadden elkaar afgewisseld, en dankzij Gails scherpe tong was ze zelfs als ze zich verveelde toch een beetje bang geweest.

'Wil je nog iets weten?' vroeg ze aan Kate.

Kate dacht even na. 'Wat is er een halfjaar geleden gebeurd?'

'Hoezo?' vroeg Maggie, ook al wist ze waar Kate op doelde.

'Tijdens het ochtendappèl zei inspecteur Vick dat het geen herhaling ging worden van wat er een halfjaar geleden was gebeurd.'

'Het proces tegen Edward Spivey.'

'O, de man die onschuldig bleek te zijn aan de moord op die agent.'

Maggie klemde het puntje van haar tong tussen haar tanden. In gedachten beluisterde ze Kates woorden nogmaals en probeerde de betekenis te doorgronden. Ze kende niemand die over Edward Spivey sprak als over een onschuldig man. Wat de uitspraak van de jury ook was geweest, ze wisten allemaal dat hij schuldig was.

'Het scheelde niet veel of hij had de elektrische stoel gekregen,' zei Kate. 'Ik vraag me af wat er van hem geworden is.'

'Hij woont in Californië.' Met moeite ontspande Maggie haar greep op het stuur. 'En verder? Heb je nog meer vragen?'

Kate was zo verstandig het onderwerp te laten rusten. Ze haalde haar notitieboekje tevoorschijn. 'Waar moet ik mijn aantekeningen inleveren?'

'Je typt ze uit en geeft ze binnen achtenveertig uur na het einde van je dienst aan de secretaresse van de wachtcommandant. Eerder als het om iets belangrijks gaat.' Maggie had haar nog niet naar haar ochtend met Jimmy gevraagd. 'Is er iets belangrijks gebeurd?'

Kate bladerde haar boekje door. 'We zijn in Capitol Homes geweest. In Techwood Homes. In Bankhead Homes. We hebben een dronken man in Carver Street aangesproken. We zijn bij een niet met name genoemde vrouw op bezoek geweest, in een flat in een zijstraat van Piedmont Avenue.'

'Daar woont Don. Woonde.'

'O. Ze wilde weten of Jimmy de sleutels had van een Chevelle die voor het gebouw geparkeerd stond.'

'Dat noem ik klasse.' Maggie sloeg rechts af, Monroe Drive op. 'Hebben jullie nog iemand aan het praten gekregen?'

'Ik ben in de auto gebleven, maar Jimmy had volgens mij niet veel geluk.' Ze sloeg haar boekje dicht. 'Op de middelbare school had ik een onvoldoende voor typen.'

'Dat geldt voor de meeste politievrouwen, anders zouden we dit werk niet doen.'

Er viel een stilte. Ze hadden hun portofoons zacht gezet, zodat statisch geruis het enige was dat het geluid van de wind door de openstaande raampjes af en toe doorbrak.

Maggie zei: 'Carbonpapier haal je bij de magazijnbeheerders. Op de bovenste verdieping staan twee typemachines die we voor rapporten mogen gebruiken, maar er is altijd een rij en de zwarte meiden gaan voor.'

'Waarom?'

'Dat moet je de zwarte meiden vragen.' Maggie leunde met haar elleboog op het open raampje. Ze snapte niet waarom ze nog steeds met dat mens praatte, als het over een week allemaal voor niks bleek te zijn geweest. Toch ging ze door. 'Je kunt beter naar de bibliotheek gaan. Daar huur je een typemachine voor tien cent per uur. In het filiaal in het centrum is het lekker koel. Woon je nog in Buckhead?'

Kate aarzelde even. 'In het Barbizon Hotel bij Peachtree.'

Maggie voelde een steek van jaloezie. Die Irish Spring… Mary Tyler Moore was er niks bij. 'Dus niet bij je ouders?'

Ze schudde haar hoofd.

'Hoe vindt je moeder het dat je bij de politie bent gaan werken?'

'Ze maakt zich zorgen.'

Het understatement lag er zo dik bovenop dat Maggie moest lachen. 'Ze zal het je nooit vergeven. Daar hoef je niet op te hopen.'

Kate keek door het zijraampje naar buiten. Ze waren nu in de hippiewijk. De huizen waren in alle kleuren van de regenboog geschilderd.

'Wat doet je vader?' wilde Maggie weten.

'Hij is tuinier.'

Eindelijk klopte het verhaal. Kate was weliswaar in Buckhead opgegroeid, maar ze moest wel werken voor de kost, net als de rest. 'Werkt hij bij zo'n groot herenhuis?'

'Ja. We woonden boven de garage.'

'Net als Sabrina.' Maggie was altijd weg van die film geweest. 'Wat heb je hiervoor gedaan?'

'Secretaressebaantjes. Wat haatte ik dat.'

'Waarom ben je bij de politie gegaan?'

'Uit domheid?' Kate stelde een wedervraag. 'En jij? Waarom ben jij erbij gegaan?'

'Om mijn familie op de kast te jagen.' Ze besloot de hele lijst maar eens langs te gaan. 'Charlaine omdat haar man aan de drank is en ze drie kinderen te eten moet geven.' Maggie minderde vaart voor een stoplicht. 'Wanda omdat ze een artikel in de krant las over vrouwelijke motoragenten.'

'Wanda Clack,' zei Kate voor alle duidelijkheid, alsof ze de namen aan het leren was. 'Ik heb dat artikel ook gelezen.'

'Er zijn heel veel artikelen over geschreven,' zei Maggie. 'Wanda wilde op een Harley rijden. "Komt voor elkaar, dametje," kreeg ze te horen. "Teken maar op de stippellijn."'

'Ik had de indruk dat de motorinstructeurs geen vrouwen trainen.'

'Dan had je de juiste indruk,' beaamde Maggie. 'Ze handelt *chicken bones* af, net als de rest van de vrouwen. De enige keer dat zij een motor te zien krijgt, is als er een of andere eikel op springt om bij haar weg te scheuren.'

'Wat zijn chicken bones?'

'Flutmeldingen; je gaat erop af en dan zijn het twee idioten die om iets stoms vechten.'

'Zoals een broodje,' merkte Kate op. Ze had in elk geval opgelet.

Op Ansley Mall sloegen ze rechts af Piedmont Road in. Maggie zwaaide naar een paar agenten die in hun patrouillewagen een late lunch aten. Opgepropt op de achterbank zaten minstens vijf volwassen mannen. Het waren forse kerels. Ze moesten zich opzij wringen om op de bank te kunnen zitten.

'Waar gaan we naartoe?' vroeg Kate.

'Naar het Colonnade Restaurant.' Gail had tegen Maggie gezegd dat ze naar het restaurant moest komen als ze in een bepaalde tip geïnteresseerd was. Inmiddels was het zo met Maggie gesteld dat ze in alles geïnteresseerd was wat haar het gevoel gaf politievrouw te zijn in plaats van babysit.

'Het Colonnade?' herhaalde Kate. 'Is dat niet het restaurant waar moeders op Thanksgiving met hun homozoons gaan eten?'

Maggie had geen idee waar ze het over had. 'Volgens mij mogen daar geen homo's komen. Veel agenten eten daar.'

Dat besmuikte lachje verscheen weer op Kates gezicht.

'Wij gaan trouwens niet eten. Ik heb daar met iemand afgesproken.'

'Met een kennis?'

'Met een undercoveragent. Ze probeert de naam te achterhalen van een pooier met wie we kunnen praten.' Maggie gaf gas om een van die rare buitenlandse auto's te passeren. 'De plek waar Don is vermoord – Five Points – is een beruchte hoerenbuurt. Misschien heeft een van de hoeren iets gezien. Als dat zo is, hebben we toestemming van haar pooier nodig om met haar te kunnen praten, anders wil ze ons niet eens groeten.'

'Dus we moeten eerst met de pooier praten voor we met de tippelaarster die voor hem werkt kunnen babbelen.' Kate knikte bedachtzaam. 'Moeten we niet naar het wapen zoeken waarmee de moord gepleegd is? De Raven MP-25?'

'De jongens zoeken naar het wapen.' Maggie zei maar niet dat ze dik in de problemen kwamen als ze het pad kruisten van de mannen die op die kant van de zaak zaten.

'Een undercoveragent,' zei Kate, 'is dat net zoiets als een rechercheur?'

Maggie begon moe te worden van al die vragen. 'Alleen mannen kunnen rechercheur worden.'

Kate had haar toon ongetwijfeld opgemerkt. Ze keek uit het raampje en hield haar mond.

De hippieholen hadden plaatsgemaakt voor hoerenkasten. In Piedmont stikte het van de massagesalons, drugspanden en seksshops. Even kreeg Maggie de zenuwen bij het idee dat Kate straks met Gail zou kennismaken. Niet dat Kate zich beter voordeed dan een ander. Maar zo klonk ze wel. Jezus, en zo zag ze er ook uit. Haar nagels waren niet tot op het leven afgekloven. Ze had een volle bos glanzend haar. Waarschijnlijk had ze dat kaktoontje opgepikt van al die jongens en meiden uit Buckhead met wie ze op school had gezeten, maar toch, vergeleken met Kate Murphy klonk Gail alsof ze een heel moeras uit haar keel probeerde op te rochelen.

Hoewel, misschien maakte Maggie zich onnodig zorgen. Gail had een lach als een bliksemschicht, maar je mocht niet vergeten dat de donder er altijd op volgde.

'Hoor eens, bij Gail moet je niet bijdehand doen. Stel haar niet allerlei domme vragen. Stel haar maar helemaal geen vragen. Die kan uit d'r slof schieten, dat wil je niet weten.'

'Net als de zwarte meiden?'

'Dat bedoel ik dus.'

'Wat bedoel je?'

Maggie staarde haar aan.

'Oké.' Kate zuchtte geërgerd. 'Dus Gail is de undercoveragent met wie we gaan praten?'

'Dat soort undercoveragent werkt voor zedenzaken. Ze doen zich voor als prostituee.' Maggie sloeg af naar Cheshire Bridge Road. De massagesalons maakten plaats voor striptenten en pandjeshuizen met peepshowcabines. 'Gail pakt al die nette heren uit Buckhead op die hier naast de pot komen pissen.'

'Klinkt spannend.'

'Beter dan chicken bones.'

'Ongetwijfeld.'

Maggie minderde vaart voor ze afsloeg en het parkeerterrein bij het Colonnade Restaurant op reed. Achter de zaak was een hotel waar je voor een halfuur een kamer kon huren. Gail stond voor bij de receptie een sigaret te roken. Haar pruik hing scheef.

Maggie liet haar koplampen knipperen.

Na een laatste trek aan haar sigaret maakte Gail zich los van de muur. Op haar dunne naaldhakken liep ze naar hen toe. Haar eyeliner was doorgelopen. Ze had haar lippenstift grotendeels weggekauwd. Maggie had haar liever mooier gezien, verfijnder, maar het enige wat ze zag was iemand die langzaam door het leven werd vermalen.

Gail boog zich voorover en legde haar armen op Maggies open raampje. De lucht van whisky en sigaretten drong de auto binnen. 'Jezus christus, meid.' Ze keek naar Kate. 'Hoe ben jij door het ochtendappèl gekomen zonder dat die jongens je levend hebben opgevreten?'

Kate staarde de vrouw wezenloos aan. Maggie zag haar in gedachten Gails woorden herhalen en een poging doen de nasale klanken van Zuid-Georgia te ontwarren. 'Jeetje,' zei ze uiteindelijk, 'ik zal wel geluk hebben gehad.'

Gelukkig pikte Gail het sarcasme niet op. 'Shit. Als ik zo'n gezicht had was ik met Keith Richards getrouwd en scheet ik er elk jaar een blaag uit.' Ze knipoogde naar Maggie en zei toen tegen Kate: 'Zet die pet eens af, schat. Even kijken of dat blond echt is.'

Kates schouders verstijfden.

'Bekijk het, popje. Ik vroeg je niet om je broek uit te trekken.' Gail wendde zich tot Maggie. 'Ik heb een meisje te pakken dat informatie beweert te hebben als we een uitstaande boete voor een zakje wiet laten schieten.' Ze knikte in de richting van het hotel. 'Ze is een klant aan het afwerken. Nog zo'n vijf minuten.'

'Geweldig.' Maggie probeerde te praten terwijl ze tegelijkertijd haar adem inhield. Gail was niet zomaar een beetje aangeschoten. Ze was stomdronken. Ze brabbelde alles aan elkaar. Ze moest tegen de auto leunen om niet om te vallen.

Maar alle alcohol in de wereld was niet in staat Gails waarnemingsvermogen aan te tasten. Ze keek Maggie onderzoekend aan. 'Ister wat?'

Maggie schudde haar hoofd. 'Enig idee waar die meid ons naartoe stuurt?' Met hoeren kon je maar beter weten wat het mogelijke antwoord was voor je je vraag stelde.

'Een paar ideetjes heb ik wel,' zei Gail, 'maar ik gok op een nieuwe die Sir She wordt genoemd.'

Kate lachte luid.

Maggie en Gail keken haar allebei aan.

'Sorry,' zei Kate, 'maar het is ook zo grappig. Bedoel je soms Circe?'

Met moeite bedwong Maggie een grijns. Vermoedelijk had Kate de naam verkeerd verstaan. Of erger: ze ging ervan uit dat Gail te dronken of te dom was om het verschil te weten.

Maggie vond het tijd worden dat Kate op haar nummer werd gezet. 'Goed onthouden, Murphy. Zwarte pooiers gebruiken namen uit de Griekse mythologie. Blanke gebruiken Romeinse godinnen.'

Kate schaterde het bijna uit. 'Meen je dat?'

'Jezus, tuurlijk meent ze dat.' Gail knipte met haar vingers. 'Waarom schrijf je dat niet op, meid?'

Kate haalde haar notitieboekje tevoorschijn. Hoofdschuddend begon ze te schrijven.

'Jezus christus,' zei Gail. 'Die meid heeft ook niks geleerd. Heb je de lessen wel gevolgd op de academie?' Ze trok het portier open zodat Maggie kon uitstappen. Zonder haar stem te dempen vroeg ze: 'Waar heeft ze het in godsnaam over?'

Maggie was niet in staat te antwoorden zonder in de lach te schieten. Ze wenkte Gail mee, weg bij de auto. 'Ben ik ook ooit zo'n groentje geweest?'

'Jij bent met de penning op geboren, onthou dat goed.' Gail legde haar hand op Maggies arm om haar evenwicht te bewaren. 'Hoor eens, die hoer met wie we gaan praten, die is niet echt betrouwbaar.'

'Zijn ze dat ooit?'

Gail hoestte. Haar longen klonken vochtig. 'Het probleem is dat ze de klerepest aan me heeft. Ik snap het wel. Ik heb haar de laatste tijd behoorlijk bij de ballen gehad.'

Maggie wist niet of ze dat letterlijk of figuurlijk bedoelde. 'Hoezo?'

'Moet ze maar niet de hele dag kerels pijpen en speed liggen spuiten.'

'Speed?' Dat beviel Maggie niet. Speedfreaks konden behoorlijk wat schade aanrichten. 'Heeft ze vandaag al gebruikt?'

'We krijgen haar wel rustig.' Gail rommelde in haar tas, waarschijnlijk op zoek naar een sigaret. 'Ik wou alleen maar zeggen dat het wel even duurt voor je iets hebt losgepeuterd.'

Maggie wist maar al te goed hoe Gail dingen lospeuterde. Meestal kwam er een wapenstok bij kijken.

'Shit, m'n sigaretten zijn op.' Gail keek op van haar tas. 'Hoogste tijd dat jij gaat roken.'

'Het ziet er ook zo sexy uit bij jou.'

'Als ik niet zoveel om je gaf, kreeg je een knal voor je kop.' Gail greep Maggies arm. Ze ging bijna onderuit. 'Maar zelfs als we een deugdelijke naam uit die slet krijgen, moet je eerst de zwarte meiden om permissie vragen om in Coon Town te werken.'

Maggie verdrong de gedachte dat de hele zaak wel erg snel op haar schouders was neergekomen. 'Ik zal het ze vragen.'

'Goed zo. We nemen mijn auto. Je moet sowieso niet met je patrouillewagen door CT rijden.'

Daar zat wat in. CT, zo noemde iedereen Coon Town of Colored Town. Blanke agenten waren er niet bepaald welkom. Zelfs de zwarte agenten voelden zich niet op hun gemak als ze er na zonsondergang naartoe werden gestuurd.

Gail zei: 'Als ons popje er nog is, kan ze mooi een lesje leren.'

Maggie vroeg maar niet wat voor lesje Gail in gedachten had. 'Heb je wel eens van een bar genaamd Dabbler's gehoord?'

Vol afschuw deinsde Gail terug. 'Wat weet jij in godsnaam van Dabbler's af?'

'Ik werk bij de politie. Ik weet overal van af.'

Gail schudde haar hoofd toen ze haar eigen woorden herkende.

'Weet je waar dat is?'

'Jezus nee, geen idee waar dat is. En ik zou er ook maar niet naar op zoek gaan.' Ze knikte in Kates richting. 'Vooral niet met ons popje. Die trekken ze levend het vlees van de botten.'

'Heeft Don het er ooit over gehad?'

'Natuurlijk niet! Wat heb jij in godsnaam?' Alleen al de gedachte leek Gail met walging te vervullen. 'Dit duurt me te lang. Ik ga even wat sigaretten in het restaurant halen en dan klop ik gelijk op de deur.'

Maggie wilde haar volgen, maar Gail gebaarde dat ze moest blijven.

'Hou jij hier de boel maar in de gaten.'

Maggie leunde tegen de auto. Ze keek Gail na terwijl die naar het Colonnade liep. Misschien had Don het luciferboekje van een verdachte afgepakt. Gails reactie in aanmerking genomen, leek dat logisch. Agenten pakten altijd spullen van verdachten af. Maggie moest de eerste plaats delict nog zien waar niet een of andere rechercheur Moordzaken de portefeuille van het slachtoffer op geld doorzocht.

Wat haar meer zorgen baarde, was Gails drinkgedrag. Ze was altijd wel een beetje in de lorum, maar dit was anders. Ze was nooit eerder slordig geweest wat haar werk betrof. Misschien ging haar band met Don Wesley dieper dan ze liet merken.

Kates portier zwaaide open en werd weer dichtgeslagen. Ze had haar notitieboekje nog paraat. 'Wat een schoonheid.'

Maggie zei niets.

'Misschien wil ze iets van me drinken.'

Ook dat negeerde Maggie. Ze keek naar Gail, die nu in het restaurant was. Ze sloeg met haar vuist tegen de sigarettenautomaat.

'Mag ik je een serieuze vraag stellen?' vroeg Kate.

'Waarom ook niet?'

Kate liet de opmerking van zich afglijden. 'Je hebt al een naam, Circe. Waarom moet je er ook nog een prostituee mee lastigvallen?'

Maggie beet op haar onderlip. Ze kon zich niet herinneren wanneer ze voor het laatst een prostituee had lastiggevallen. 'Omdat iedereen liegt. Het gaat zo: je stelt aan verschillende mensen dezelfde vraag, en als ze allemaal hetzelfde antwoord geven, of als de meesten hetzelfde antwoord geven, zit je waarschijnlijk zo dicht mogelijk bij de waarheid. En aangezien ik vandaag in een bui ben dat ik je graag in mijn wijsheid laat delen: rustig aan met Gail.'

'Omdat ze een opvliegend karakter heeft?'

'Omdat degene die je ziet niet degene is die ze in werkelijkheid is.' Maggie draaide zich om, want ze wilde er zeker van zijn dat Kate luisterde. 'Alle onzin die je op de academie leert, alles wat je uit boeken leert – dat alles doet er hier niet toe. Je wordt politieagent door naar andere agenten te kijken. Alles wat ik van de straat weet, komt van Gail.'

'Zoals?' Kate hield haar pen en haar boekje paraat.

Even wist Maggie niets meer, maar toen kwam het terug. 'Er zijn altijd uitzonderingen, maar het zit ongeveer zo: blanken doden meestal blanken. Zwarten doden meestal zwarten. Zwarte mannen verkrachten zwarte vrouwen. Blanke mannen verkrachten blanke vrouwen.'

'Dus...?' zei Kate.

'Dús moet je niet bang zijn om naar slechte buurten te gaan. Waarschijnlijk loop je meer gevaar in je eigen buurt.'

'Een hele geruststelling.'

'Jeetje, ja hè?' Maggie kon al even sarcastisch uit de hoek komen. 'Gail Patterson is niet de minste als je rugdekking nodig hebt.'

'Ik geloof je op je woord.'

Maggie gaf het op. Ze had wel wat beters te doen dan Kate Murphy een toontje lager te laten zingen.

Gail liep nu over het parkeerterrein naar het hotel. Ze tikte met een pakje sigaretten tegen de muis van haar hand. Ze liep niet helemaal recht. Maggie vroeg zich af of ze in het restaurant nog snel een borrel had gepakt.

'En hoe zit het dan met de Shooter?' vroeg Kate.

'Wat bedoel je?'

'De man die vannacht Don Wesley heeft gedood,' zei Kate ter verduidelijking. 'Volgens je broer was hij zwart, toch? Ik ga ervan uit dat Don Wesley blank was.'

Maggie ging voor de auto staan. Gail was nu bij het hotel aangekomen. 'Zoals ik al zei: er zijn uitzonderingen.'

Kate nam duidelijk geen genoegen met dat antwoord. Toch

sloeg ze haar notitieboekje dicht en kwam naast Maggie staan. Ze leunden nu alle twee tegen de motorkap. Het duurde even voor Kate een gemakkelijke houding had aangenomen. Haar pet gleed steeds op haar neus. Het lukte haar niet om haar wapenstok en haar Kel-Lite tegelijkertijd aan de kant te schuiven.

Maggie speurde het terrein af om er zeker van te zijn dat Gail niet in een hinderlaag werd gelokt. Het hotel bestond uit twee gebouwen van elk twee verdiepingen, met vier kamers op elke verdieping. Het deelde het parkeerterrein met het restaurant. De gebouwen waren vervallen, maar dat was te verwachten. Sommige ramen waren kapot. Andere waren met plastic beplakt. Verf bladderde van de gevel. De panden vertoonden een deprimerende overeenkomst met het huis van de Lawsons.

Gail stak een sigaret op terwijl ze langs het eerste gebouw liep. Ze bleef staan bij het tweede gebouw, bij de tweede deur van de benedenverdieping. Ze was op ruim vijftig meter afstand, maar Maggie had goed zicht op wat er gebeurde. Gail hief haar vuist. Nog voor ze kon kloppen, ging de deur al open. Een verbaasde man in een pak stond voor haar. Even zwegen ze allebei, toen maakte de man zich snel uit de voeten, in de richting van het parkeerterrein.

'Volgens Jimmy moet je er altijd achteraan gaan als iemand voor je wegrent,' zei Kate.

'Hij rent niet voor ons weg. Hij rent naar huis, naar zijn vrouw.' Maggie hield haar blik op Gail gericht, die de man ook nakeek. Ze trok een geërgerd gezicht, maar toen schrok ze, want er klonk een snerpende gil.

Voor het goed en wel tot haar doordrong, stormde Maggie al met haar revolver in de aanslag op het hotel af. Al rennend probeerde ze het plaatje rond te krijgen. Iemand in die kamer krijste als een speenvarken. De hoer liet zich nu zien. Haar mond stond wijd open. Haar bovenlijf was ontbloot en ze was zo high als een kanarie. Om haar arm zat nog een tourniquet. Al gillend tackelde ze Gail. Haar armen vlogen door de lucht. Haar vuisten maaiden in het rond, recht in Gails gezicht.

'Stop!' riep Maggie, en ze snelde naar de vrouwen toe.

De hoer wist van geen ophouden. Gails gezicht zat onder het bloed. Ze verzette zich nauwelijks.

Maggie sprong over een gat in het wegdek. Ze was nog zo'n dertig meter van de vrouwen verwijderd. 'Stoppen, godverdomme!'

De hoer keek op. Ze had kleine borsten, als een tweede stel ogen. Ze leek te schrikken toen Maggie op haar af kwam denderen. Het enige waar Maggie van schrok, was dat Kate Murphy naast haar voortdraafde, met haar ellebogen op slot en haar wapen recht naar voren.

'Verspreiden!' zei Maggie, en ze wees naar rechts. 'Ze mag er niet vandoor gaan.'

Maar natuurlijk ging ze ervandoor. De hoer woog haar kansen en probeerde rechts van Maggie weg te komen, in de veronderstelling dat Kate haar toch niet te pakken kreeg. Je hoefde geen genie te zijn om tot die conclusie te komen. Kate was al een schoen kwijt. Haar broekzomen raakten weer los. Een van haar mouwen was afgerold en flapperde als een wimpel achter haar aan.

Maar Kate staakte de jacht niet, en de hoer rende met haar blote borsten een dienstgang in tussen het hotel en het restaurant.

Gail was al overeind gekrabbeld en rende nu achter hen aan. 'Da loop dood,' brabbelde ze. Het bloed stroomde over haar gezicht, maar ze rende zo hard dat Maggie moeite had haar bij te houden. 'Ik maak die kuthoer af, godverdomme.'

Ze sloegen de hoek om en renden het gangetje in. De hoer had het weer op een schreeuwen gezet. Kate joeg nog steeds achter haar aan. Ze zaten allebei gevangen in hun eigen tunnelvisie. Kates pet was op de rug van haar neus gezakt. Waarschijnlijk kon ze nog geen meter voor zich uit zien. Geen van tweeën had door dat er aan het eind van het gangetje een muur van betonblokken wachtte.

'Stoppen!' waarschuwde Maggie. 'Murphy, stoppen!'

'Christus,' siste Gail. 'Weet ze niet dat je onder het rennen je ellebogen moet buigen?'

'Er is daar een muur!' riep Maggie. 'Kate! Er is daar een...'

Te laat. Kate en de hoer zagen allebei de muur, maar tegen die tijd hadden ze te veel vaart. Ze smakten tegen het beton. Gedurende enkele bijna komische seconden stond Kate te wankelen op haar benen en toen klapte ze recht achterover.

Gail stak haar hand in haar tas. In plaats van een wapen of een stel handboeien haalde ze haar portofoon tevoorschijn. Maggie wist pas wat ze ging doen toen ze het daadwerkelijk deed.

'Stomme bitch!' Gail liet de plastic baksteen op het gezicht van de hoer neerdalen. Bloed spoot tegen de muur.

De hoer zakte op de grond.

'Denk je dat je me zomaar kan slaan?' Gail schopte de vrouw in haar maag. 'En dan ren je ook nog weg voor de politie?' Weer schopte ze haar. 'Klotehoer!'

Kate lag nog steeds op de grond. Ze durfde zich niet te verroeren. Ze hield haar handen omhoog alsof ze bang was dat zij hierna aan de beurt kwam.

Gail zag haar niet eens. Woede hield haar in zijn greep. Weer schopte ze de hoer. 'Ben je stom of zo?' Weer een schop. 'Nou?'

'Gail,' zei Maggie voorzichtig, want soms hielp dat.

'Shit.' Gail veegde haar mond af. Bloedspatten bedekten haar kin en haar hals. Haar neus zat scheef. Ze had een woeste blik in haar ogen. Dat was de adrenaline. De razernij. De pijn. Ze spanden allemaal samen om haar tot het uiterste te drijven. 'Heb ik m'n tanden nog?' Ze schonk Maggie een bloederige grijns.

Maggie wist niet wat ze moest zeggen. Ze zag alleen maar rood. 'Ja.'

'Nou, godzijdank.' Haar blik viel op Kate, die nog steeds op de grond lag, en ze hees haar aan haar arm omhoog. 'Goed werk, Schaap. Je hebt iemand tegen een bakstenen muur aan gejaagd.' Ze keek naar de muur. 'Betonblokken. Wat zou het? Lood om oud ijzer.'

Kate hijgde zo hard dat ze niet kon antwoorden.

'Alles goed?' Gail veegde het zand van Kates uniform. 'Alles goed, Schaap?'

Kate verstrakte toen Gail haar kleren schoon sloeg.

'Moet je haar zien,' zei Gail tegen Maggie. 'Je zou zeggen dat ze minstens anderhalve kilometer heeft gesprint in plaats van een gedrogeerde hoer een gangetje in te hebben gejaagd.' Gail begon weer rochelend te hoesten. 'Mag ik je goeie raad geven, schat? Altijd je armen buigen als je rent. Afgesproken?'

Kate knikte verwoed.

'Afgesproken?' herhaalde Gail. 'Je lijkt net een stom schaap als je rent.'

'Oké.' Kate klemde haar vuist tegen haar borst. Ze keek doodsbang.

'Jij daar.' Met de punt van haar schoen gaf Gail de hoer een por. Maggie snapte niet hoe ze onder het rennen haar hoge hakken had kunnen aanhouden. Gails voeten waren bebloed waar de riempjes in haar huid hadden gesneden. Ze leek het niet door te hebben toen ze met haar voet tegen de schouder van de hoer duwde. 'Kom op, bitch. Anders sla ik je weer.'

'Laat mij...' zei Maggie.

Gail hield haar met één hand tegen. 'De naam, schat. Laat horen die naam.'

De hoer draaide zich van haar weg en ging opgerold tegen de muur liggen. Ze had haar handen voor haar blote borsten geslagen. Het was triest om te zien. Haar geblondeerde haar was slap en vuil. Haar huid had de kleur van meel. Haar middel was spijldun. Haar ribben staken uit als piketten.

'Nou, heb je een naam?' drong Gail aan. Ze zag hetzelfde als Maggie, maar daar raakte ze alleen maar opgefokter van. 'De naam, lieverd? Geef me de naam.'

'Violet.'

'Ik weet hoe jíj heet, debiel. Weet je nog dat we het hierover gehad hebben? Ik moet weten welke pooier meiden heeft op Whitehall. Ik wil hem een paar vragen stellen.'

Violet schudde haar hoofd. Ze weigerde op te kijken.

'Wil je een trap in je nieren?' Gail duwde de punt van haar schoen in de rug van het meisje. 'Wil je de komende twee weken bloed pissen?'

Het meisje antwoordde niet. Gail trok haar been al naar achteren.

'Wacht!' riep Kate. Ze stak haar handen uit, met de handpalmen naar beneden. Haar ogen stonden vol paniek. 'Wachten, oké?'

'Waarop dan?' vroeg Gail.

Daar had Kate geen antwoord op.

'Weet je eigenlijk wel waar we hier mee bezig zijn?' Gail zette een stap naar voren en toen nog een, tot Kate met haar rug tegen de muur stond. 'Don Wesley is dood, dame. Iemand heeft hem vermoord, heeft hem als een stomme straathond neergeschoten, en toen heeft hij háár broer proberen te pakken.' Ze wees met haar duim naar Maggie. 'Deze hoer over wie je je zo druk maakt beschermt een politiemoordenaar. Een politiemoordenaar die op dit moment misschien nog meer van onze jongens doodt.' Ze gaf Kate een stomp tegen de zijkant van haar hoofd. 'Je doet dit werk nou een minuut of drie en denk je inmiddels al als een smeris?'

Weer wilde Gail haar een stomp geven, maar Maggie pakte haar hand vast.

Meer was er niet voor nodig. Zoals alle bullebakken bond Gail in zodra iemand een beroep op haar deed.

Ze wendde zich van Kate af. Zwarte tranen smeerden haar mascara uit. Ze had haar kaken zo stijf op elkaar geklemd dat Maggie aan Jimmy moest denken toen hij die ochtend zijn ontbijt wegkauwde.

'Oké, schat,' zei Gail. 'Ik ben al rustig.'

Maggie liet haar hand los.

Gail liep een paar keer over de breedte van het gangetje heen en weer. Het leek of ze in gedachten een gesprek voerde. Ze bleef maar knikken. En als ze niet knikte, schudde ze haar hoofd.

Toen bleef ze staan.

Steun zoekend legde ze haar hand op Maggies schouder. Ze schoof eerst de ene hooggehakte schoen van haar voet, toen de andere. Vervolgens draaide ze zich om. Ze sprong omhoog en kwam met beide voeten op het been van de hoer terecht.

Het gekraak waarmee het bot versplinterde weerklonk door het gangetje.

'Kut!' Violet greep met beide handen naar haar been. Liggend op haar zij schommelde ze heen en weer. 'O god! O jezus! O kut!'

Maggie verstijfde. Ze voelde haar eigen hart niet meer kloppen in haar borst. Kate gleed langs de muur naar beneden. Haar gezicht was asgrauw.

Gail liet zich op haar knieën zakken. Ze wreef over de rug van de hoer alsof zij niet degene was die haar al die ellende had bezorgd. Haar stem kreeg iets moederlijks. 'Geef me die naam nou maar, lieverd. Geef me die naam, dan vertrekken we.'

Violet rilde over haar hele lichaam van de pijn. 'Welke naam?'

'We maken er geen spelletje van, Vi.'

'Ik ben niet...'

Gail drukte haar hand op het gebroken been.

Ze drukte hard.

Violet jankte als een stervend beest. Gail liet niet los. Ze drukte zo mogelijk nog harder. Maggie zag de ingedeukte huid. In haar verbeelding zag ze botsplinters tegen elkaar slaan, als vorken die in een la werden geworpen. En toen deed ze haar mond net ver genoeg open om diep te kunnen inademen, zodat ze niet zou hoeven overgeven.

Het gegil stopte niet.

Weer ademde Maggie in. En toen nog een keer. Ze probeerde aan een liedje op de radio te denken. *Tapestry.* Lilly's ijle stemmetje als ze over Smackwater Jack zong en dat ze zich '*a natural woman*' voelde. Zolang het haar aandacht maar van het geschreeuw afleidde.

Langzaam verminderde Gail de druk. Ze had geduld. Ze wachtte tot het gegil was weggestorven. Weer streelde ze de hoer over haar rug. Nog steeds met vriendelijke stem vroeg ze: 'Hoor je me?' Haar hand ging weer naar de breuk, haar vingers bleven enkele centimeters boven de huid hangen. 'Hoor je me?'

'Ja!' riep Violet. 'Ja!'

Gail legde haar hand op de heup van de vrouw. 'Er is een stel hoeren dat later in de nacht in de Five werkt, hè? Oudere meiden in Whitehall?'

Ze aarzelde, heel even maar. 'Ja.'

'Voor wie werken ze?'

De hoer deed er het zwijgen toe.

'Denk je dat ik het leuk vind om je pijn te doen?' vroeg Gail.

'Hij vermoordt me. Hij vermoordt me, godverdomme.'

'Lieverd, op dit moment zou ik banger zijn voor mij dan voor iemand anders.' Gail bewoog haar hand weer over het been van de vrouw en liet hem boven de breuk hangen. Violets huid was een weerspiegeling van haar naam. Haar lichaam zat onder de blauwe plekken. Van de klanten. Van de naalden. Van al die keren dat ze zichzelf uit verveling of wrok had gesneden.

Gail legde haar hand plat op het been. 'Nog een keer?'

'She,' fluisterde het meisje.

'Zeg dat nog eens.'

'Sir She.'

Met een ruk draaide Kate haar hoofd om.

'Van waaruit werkt die Sir She?' vroeg Gail.

'Huff Road,' zei de hoer. 'Westside.'

'Goed zo.' Gail stond op. Ze veegde haar handen af aan de voorkant van haar blouse. 'Moet ik iemand voor je bellen?'

'Nee.'

'Zoals je wilt.' Gail liep het gangetje weer uit. Ze was nog steeds blootsvoets. Haar voetzolen lieten bloederige afdrukken achter, tot de rode klei het bloed uit de sneetjes had gestelpt. Ze stak haar hand in haar tas. Ze schudde een sigaret uit het pakje.

Het was alsof Maggie niet meer wist hoe ze haar benen in beweging moest zetten. Ze liep langzaam omdat ze Gail niet wilde inhalen. Kate volgde haar, en bij elke stap die ze zette, maakte haar losse broekspijp een vegend geluid.

'Wat was dat?' fluisterde Kate, en ze brabbelde de woorden nog erger aan elkaar dan Gail. 'Wawasda?'

'Vergeet het nou maar.'

'Ze sloeg dat meisje. Ze...'

'Gewoon vergeten.' Maggie maakte het microfoontje weer goed vast op haar schouder en trok haar dienstriem recht. Ze probeerde niet aan de straal bloed te denken toen Gails portofoon het hoofd van het meisje raakte. Die brul van pijn. De zwart-met-rode blaar op de arm van de hoer waar een naald was afgebroken zodat de zaak ontstoken was geraakt.

Kate was het eerst bij de patrouillewagen. In plaats van in te stappen gooide ze haar pet op de motorkap. Ze drukte haar handen op het metaal. Ze boog zich voorover. Haar hoofd knakte naar beneden.

'Als je moet overgeven ga je maar naar het restaurant,' zei Maggie.

'Ik hoef niet over te geven,' zei Kate, maar toen begon ze te kokhalzen. Er kwam niet veel. Eén enkel stroompje gal verliet haar mond. Maggie zag het over de voorkant van de auto glijden, langs de grille, en op het asfalt druipen.

'Ga naar het restaurant.'

'Ik ben niet...' Weer begon Kate te kokhalzen. Ze had vast heel licht ontbeten. Haar maag werkte als die van een kat die een haarbal uitkotst.

Maggie liep naar Kates ontbrekende schoen, die zo'n drie meter verderop lag. Ze bukte zich om hem op te rapen. Ze wierp een blik op het restaurant. Gail was aan het bellen op de publieke telefoon. De eetzaal was leeg.

Kate kokhalsde een laatste keer. Ze keek op naar de lucht. Ze ademde diep in. Ten slotte veegde ze met de rug van haar hand haar mond af. 'Hoe laat is het?'

Maggie bedwong de neiging haar de les te lezen; agenten werden geacht altijd een horloge te dragen. 'Iets na tweeën.'

Kate lachte zo hard dat Maggies trommelvliezen er pijn van deden.

'Doe ik dit nog maar zes uur?' Kate bleef lachen. 'Het kan toch nooit zes uur zijn?'

'Kop op.' Maggie legde Kates schoen naast haar pet. 'Nog maar tweeënhalf uur te gaan.'

Kate greep naar haar maag, maar ze kokhalsde niet meer. Ze draaide zich om en ging op de motorkap zitten. Ze had kots in haar haar. Een rode striem liep recht over haar voorhoofd, op de plek waar haar pet hoorde te zitten. Een vergelijkbare striem liep over de rug van haar neus, waarschijnlijk van toen ze tegen de muur knalde.

'Je weet dat je die troep van mijn auto moet wassen, hè?' zei Maggie.

'Het zou heel onbeleefd zijn om het niet te doen.'

'Dat was speed. Bij die hoer,' lichtte Maggie toe. 'Ze zal wel hebben zitten spuiten toen Gail op de deur klopte. Ze krijgen er een kick van, dat is hun manier van ontspannen.'

'Fantastisch.' Kate onderdrukte een geeuw. 'Ik kan wel slapen. Ik meen het. Ik hou mijn ogen nauwelijks open.'

'Een adrenalinedip.' Maggie had het gevoel alsof ze voor een klas stond. 'Eerst voelt het geweldig. Je gaat sneller ademen. Harder rennen. En dan word je wazig in je hoofd. Je krijgt tunnelvisie. Je vergeet om je heen te kijken, je ziet niet wat er gaat gebeuren.'

'Mijn pet zat...' Kate deed geen moeite haar zin af te maken. Ze pakte haar schoen. Ze hoefde de veters niet eens los te maken om hem aan haar voet te schuiven.

Maggie keek weer naar het restaurant. Gail was niet langer aan het bellen. Nu zat ze aan de bar. 'Laat die uitrusting maar gewoon tegen je aan slaan.'

'Wat?'

'Je riem.' Daarom had Kate haar armen recht gehouden. 'Je kunt toch niet voorkomen dat je uitrusting tegen je aan slaat. Laat het maar gewoon gebeuren.'

Kate nam haar hoofd in haar handen. 'Natuurlijk. Zo logisch als wat.'

'Het is niet altijd zo erg.'

'O, mooi. Ik maakte me al zorgen.'

'Gail was nauw bevriend met Don.' Maggie liet de details achterwege. Je zei niets tegen een andere agent waarvan je niet wilde dat alle politiemensen op aarde het te weten kwamen. 'Ze had respect voor hem. Dat hadden we allemaal.'

Kate hield haar hoofd nog steeds in haar handen. 'Hoe kan het dat ik tegelijkertijd warm en koud ben?'

'Shock.'

'Shock. Ja. Natuurlijk.' Eindelijk keek ze op. Ze kreeg weer wat kleur. Haar lippen waren iets minder blauw.

'Zin in een borrel?' vroeg Maggie.

'Ik lust er wel twintig.'

Maggie overlegde net met zichzelf of ze het restaurant zouden binnengaan of naar een drankwinkel zouden rijden toen ze het geloei van een naderende sirene hoorde. Ze zag de heldere, witte veeg van een politiewagen over de weg scheuren. Toen nog een. En nog een.

'Waar gaan die naartoe?' mompelde ze.

Er klonk een lange, lage toon, als van een ingedrukte telefoonknop.

'Dat is het noodsignaal,' zei Kate.

Maggie draaide al aan de schijf op haar portofoon om het noodkanaal op te zoeken. Ze hoorden statisch geruis. Toen een man die om hulp schreeuwde.

Maggies hart stond stil. De stem van de man had iets bekends.

'Wie was dat?' fluisterde Kate.

Maggie zette het geluid harder. Ruis hakte de stem in onverstaanbare flarden. Ze had geen ontvangst. Ze slaagde er niet in op het kanaal af te stemmen.

'Tien...' Ruis. 'Twelfth en...' Nog meer ruis, toen een vervormd 'Lawson. Herhaal...' Ruis.

'Volgens mij zei hij Lawson,' zei Kate.

Maggie liep op een drafje naar de straat. Verwoed draaide ze aan de schijf op haar portofoon in een poging betere ontvangst te krijgen. Weer zoefde er een politiewagen langs. Terwijl ze de straat op rende, probeerde ze hem al zwaaiend tot staan te brengen.

'Shit-shit-shit,' schold ze terwijl ze de portofoon zo hoog mogelijk boven haar hoofd hield. Met een ruk draaide ze zich om en zocht naar een plek met optimale ontvangst.

En toen vond ze die.

'Meldkamer?' In Terry's stem klonk paniek door. 'Meldkamer? Alle auto's. Ik herhaal, alle auto's. Jimmy is neergeschoten.'

DERTIEN

Maggie rende over de afdeling spoed van het Grady Hospital. Ze moest voortdurend mensen opzij duwen. Er liepen hier minstens tweehonderd agenten rond, en blijkbaar hadden ze niks anders te doen dan Maggie bij haar broer uit de buurt te houden. Haar zelfverachting ten spijt had ze nu haar oom Terry goed kunnen gebruiken. Met een zwaai van zijn hand zou hij al die eikels aan de kant hebben geveegd.

'Maggie?' Rick Anderson pakte haar bij haar arm. 'Hij redt het wel.'

'Waar...'

'Deze kant op.' Rick pakte haar hand en leidde haar door het gedrang. Zijn handpalm voelde klam. Het ging al net als die ochtend: mensen maakten ruimte voor hem. Ze knikten. Ze gaapten Maggie aan. Rick keek telkens even over zijn schouder om te zien of alles in orde was. Maggie wist dat hij het goed bedoelde, maar ze kreeg de zenuwen van zijn rust en bedachtzaamheid.

Eindelijk waren ze bij de gang aan de achterkant. Rick duwde de deur open. De vleugel was gesloten geweest nadat er chemische stoffen waren vrijgekomen. De meeste lampen waren uit. Geel tape liep kriskras over de afgesloten deur waarachter het incident had plaatsgevonden.

Rick voerde haar mee de gang door. 'Ze hebben hem hierachter gelegd omdat het er rustiger is.'

'Wat is er gebeurd?'

'Hij is in zijn arm geschoten. De kogel is er recht doorheen gegaan. Het valt wel mee. De arts zegt dat hij er helemaal van herstelt.'

Maggie trok haar hand uit die van Rick. Ze deed alsof ze het koud had en sloeg haar armen om haar middel. 'Waar is het gebeurd?'

'In Ashby Street, in CT.'

Ze kende het gebied. Het was twee straten verwijderd van het adres van Sir She, dat Violet hun had gegeven. 'Was hij alleen? Je moet daar niet in je eentje naartoe gaan.'

'Jimmy is een grote jongen,' zei Rick. 'Hij stond met een informant te praten. Een of andere oude vrouw ging helemaal over de rooie. Ze dacht dat Jimmy haar zoon wilde arresteren. En toen heeft ze op hem geschoten.'

Ze bleven bij de verpleegpost staan. Twee vrouwen met witte kapjes op zaten achter de balie. Bij het zien van hun uniformen zei een van hen: 'Hij ligt in de achterste kamer rechts.'

'Bedankt,' zei Maggie tegen Rick. 'Nu vind ik het alleen wel.'

Met enige aarzeling liet hij haar gaan, maar gelukkig wist hij wanneer zijn aanwezigheid niet gewenst was. Hij liep achter de verpleegpost langs en nam de deur die terugvoerde naar het centrale gedeelte van de afdeling spoed.

Langzaam stapte Maggie de donkere gang door. Opeens had ze niet zo'n haast meer om bij haar broer te komen. Ze keek naar het licht dat uit zijn kamer scheen. Ze ving allerlei chemische luchtjes op. Ze lette niet op de vuile emmers en de bordjes die waarschuwden voor gevaarlijke stoffen. Haar schoenzolen klakten over de plakkerige vloer.

Uit het niets dook een herinnering op aan de eerste keer dat Maggie haar vader had bezocht in de psychiatrische inrichting. Ze was tien of elf geweest. Ze was doodsbang. Haar benen trilden. Haar hart bonkte alsof haar bloed aan het opdrogen was. Hank zat op de gesloten afdeling. Er klonk keihard geschreeuw. Maggie had het gevoel gehad dat ze door een spiegelpaleis op de kermis liep. Bij elke kamer die ze passeerde stond de deur open, en achter elke deuropening zag ze een nieuwe verschrikking: een huilende man die vastgebonden in zijn bed lag, een andere man in een met ontlasting besmeurde rolstoel, een derde man die midden in zijn kamer stond met zijn ochtendjas wijd open, en met een nattige, ontaarde grijns op zijn opgewonden gezicht.

Al die tijd was Maggie doodsbang geweest dat ze door een of ander misverstand zelf aan de verkeerde kant van de kooideur zou belanden.

Ze legde haar hand tegen de muur om weer grip op zichzelf te krijgen. Dit was niet het geschikte moment om emotioneel te worden. Ze was niet in de psychiatrische inrichting. Ze werd niet opgesloten. Jimmy maakte het goed. Er was op hem geschoten, maar door een bange oude vrouw, niet door een meedogenloze moordenaar.

Maggie probeerde een neutraal gezicht te trekken toen ze Jimmy's kamer binnenliep. Hij zat in bed. Hij had geen shirt aan, en misschien droeg hij verder ook geen kleren, want hij trok snel het laken omhoog toen hij zijn zus zag.

'Jimmy.' Meer kreeg ze er niet uit. Om zijn linkerbovenarm zat dik verband. Rick had gezegd dat de kogel er dwars doorheen was gegaan. Dat betekende dat het bot niet beschadigd was. Een operatie was niet nodig. Toch had Maggie het gevoel alsof haar hart door een zeef werd gehaald.

'Jezus.' Jimmy vertrok zijn gezicht toen hij rechtop ging zitten. Met zijn goede hand klemde hij het laken om zijn middel. 'Heb je ma gebeld?'

Maggie schudde haar hoofd. Tot op dat moment had ze verder aan niemand gedacht.

'Ik vraag oom Terry wel of hij haar wil bellen,' zei hij.

'Wat is er gebeurd?' Maggie wilde bevestiging. De laatste tijd had ze te veel leugens gehoord. 'De waarheid graag.'

Zijn blik was ondoorgrondelijk toen hij haar aankeek. Jimmy was niet bepaald een stil water met diepe gronden. Hij was sterk en meestal niet erg mededeelzaam, maar Maggie had altijd nog geweten wat hem bezighield. Of hij boos was of geirriteerd of goed in zijn vel zat – en verder reikten zijn emoties eigenlijk niet –, Jimmy zorgde er wel voor dat iedereen het wist.

Maar nu had ze geen idee hoe haar broer zich voelde.

Ze vroeg het nog eens: 'Wat is er gebeurd?'

Uiteindelijk liet Jimmy zich vermurwen. 'Ik heb een verklikker die in wapens handelt, bij Ashby Street. Ik bedacht dat degene die Don heeft vermoord zijn wapen vast niet heeft weggegooid. Geld is geld, niet? Met een beetje geluk vinden we het wapen, en misschien zitten er nog vingerafdrukken op, en als er vingerafdrukken op zitten...' Hij haalde zijn schouders op. Zijn gezicht verwrong van pijn toen hij zijn armspieren aantrok. 'Jezus, dat doet zeer.'

'Wat is er gebeurd?'

'Blijf je dat vragen?'

Ze ging ervan uit dat het antwoord duidelijk was.

Afwezig krabde hij over zijn kaak. 'Ik heb die verklikker geloof ik iets te hard aangepakt. Die moeder van hem is oud en stekeblind. Ik wist dat ze in de kamer ernaast zat. Ik wist niet dat ze een houwitser in d'r korset had verstopt.'

'Ze trok een .375, maar je hield er alleen een schrammetje aan over?'

'Een .44,' zei hij. 'En hoezo een schrammetje? Ze heeft m'n arm er zowat afgeschoten.'

Maggie wist niet waarom ze verbaasd was dat Rick tegen haar had gelogen. 'Je had niet in je eentje moeten gaan.'

Jimmy krabde op zijn hoofd. Toen over de zijkant van zijn gezicht. Van pijnstillers kreeg hij altijd jeuk. Wat voor middel hij ook toegediend had gekregen, het begon duidelijk te werken. Hij keek slaperig voor zich uit. Zijn oogleden zaten halfdicht.

'Ik ga ma bellen,' zei Maggie. 'Terry vertelt haar toch niet hoe het zit.'

'Niet weggaan.'

Maggie wachtte. En wachtte. 'Wat is er, Jimmy? Ik moet ma bellen.'

Het duurde even voor Jimmy zijn gedachten had geordend. Afwezig krabde hij over zijn hals en over zijn hoofd. Ze wilde al vertrekken toen hij haar met een vraag tegenhield. 'Weet je nog toen je klein was en ik je van ma mee moest nemen naar het zwembad?'

De herinnering sloeg in als een bom. Maggie had het altijd heerlijk gevonden om met Jimmy naar het zwembad te gaan. Lilly was nog niet geboren. Maggie was nog steeds zijn kleine zusje. Ze had gestraald onder zijn waakzame blik.

'Je was vroeger gek op torretjes,' zei hij. 'Weet je dat nog?'

Ze knikte. Jimmy was er gek op, dus Maggie ook.

'Weet je nog dat ik dan zei dat ik een torretje had gevangen, maar dat ik dan als je kwam kijken water in je gezicht spoot?'

Ze lachte om hem voor te zijn. 'Ja, achterlijk was ik toen, hè? Er is nog niet veel veranderd.'

Maar Jimmy lachte niet. 'Ik had je niet aan het schrikken mogen maken. Sorry daarvoor.'

Maggie staarde hem aan. Ze vroeg zich af of hij te veel pillen had geslikt. Dit was haar broer niet. 'Voel je je wel goed, Jimmy?'

'Ik had je moeten beschermen, Maggie.'

Achteloos haalde ze haar schouders op. 'Het was maar water.'

'Ik heb het niet over toen.'

Ze hoefde hem niet te vragen over wanneer dan wel. Maggie keek naar het laken op het bed. Het was gekreukeld. Ze streek het glad en stopte het aan de zijkant in.

'Zeven jaar,' zei hij.

'Acht,' verbeterde ze hem. 'Het is acht jaar geleden.'

'Jij kon er niks aan doen.'

Maggie trok het laken nog strakker en stopte de hoek onder

de dunne matras. 'Ik ga maar weer eens aan het werk.'

'Maggie...'

Ze was al op weg naar de deur. 'Probeer maar te rusten, Jimmy. Je bent jezelf niet.'

VEERTIEN

Kate zag Maggie Lawson uit de kamer van haar broer komen. In plaats van naar de uitgang te lopen, stak Maggie de gang over. Tot Kates verbazing ging ze het damestoilet binnen. Ze had al aangenomen dat Maggie een katheterzak om haar been had gebonden zodat ze de auto nooit uit hoefde. Kate had haar kunnen aanraden het iets langer op te houden. Het toilet deed in smerigheid niet onder voor dat van een benzinestation.

Misschien moest ze even tot zichzelf komen. Kate had Jimmy maar een paar uur meegemaakt, maar ze was bijna even panisch geweest als Maggie toen ze de melding ontvingen. Bij Kate lag daar een iets andere reden aan ten grondslag dan bij Maggie. Het kwam te dicht bij Patrick. De mannen waren ruwweg van dezelfde leeftijd. Ze hadden hetzelfde stoïcijnse plichtsbesef. En tot ze het tegendeel te horen had gekregen, was Kate ervan overtuigd geweest dat datzelfde plichtsbesef hun allebei de dood in had gejaagd.

Ze wilde op haar horloge kijken, maar bedacht toen dat ze het was kwijtgeraakt ergens tussen de patrouillewagen en het hotel achter het Colonnade. Kate bracht haar hand naar haar rug. Het was nu officieel: haar spieren waren in een massief blok beton veranderd. Ze probeerde haar blessures in kaart te brengen, maar gaf het al snel op. Het waren er te veel. Die ochtend had ze zich niet vergist wat de metalen haken betrof die in haar zij sneden, maar de blaren op haar voeten boden in elk geval afleiding van de pijn. En de blauwe plekken op haar heupen. En de bult op haar voorhoofd. Maar uiteraard verbleekte dat alles bij het niet-aflatende gevoel dat er messen in haar ruggengraat staken. Eindelijk snapte ze waarom iedereen altijd wijdbeens stond. Alsof er halters aan de dienstriem hingen. Als Kate niet snel op de spreidstand overging, zou ze omvallen of dubbelklappen.

Tenminste, als ze niet eerst flauwviel van de smerige lucht. De stank op de afdeling spoed van het Grady Hospital deed haar denken aan de achterbuurten die ze die ochtend bezocht had. Kate snapte niet hoe mensen zo konden leven. Vermoedelijk wende je overal aan als je geen keus had. Net als de meeste inwoners van Atlanta was ze altijd vervuld van dankbaarheid als ze aan het Grady dacht: ze was al even blij dat de armen er terecht konden als opgelucht omdat ze zich er zelf nooit zou hoeven laten behandelen.

De instelling dreef op openbare middelen, maar zou meer betalende patiënten kunnen gebruiken. Het vuil van bijna een eeuw was ingesleten in de gebarsten vloertegels. Het plafond zat vol donkerbruine vlekken, en op sommige plekken ontbrak het helemaal. Deuren waren verzegeld met veiligheidstape. Elke hoek stond vol kapotte apparatuur. De verlichting was erbarmelijk. Van de flikkerende tl-lampen kreeg ze koppijn.

Of misschien deed haar hoofd pijn omdat ze ermee tegen een muur van betonblokken was gesmakt.

'Kaitlin?'

Werktuiglijk draaide ze zich om, zonder te bedenken dat het wel heel onwaarschijnlijk was dat iemand uit haar oude leventje in het Grady Hospital verzeild was geraakt. De arts die haar naam had uitgesproken was een lange man met gitzwart haar dat over zijn boord streek, felgroene ogen en de fijnste wimpers die ze ooit bij een volwassen man had gezien.

'Dat ik jou hier moet tegenkomen, Tweede Honk.'

Hij had een diepe, sonore stem, die haar totaal niet bekend voorkwam. En toen las ze de naam die op zijn witte doktersjas was genaaid. 'Tip?'

Ze moesten allebei glimlachen om de bijnaam, hoewel Philip Van Zandt de laatste keer dat hij Kate om het geringste beetje seks had gesmeekt wel dertig centimeter kleiner was geweest en van enig gezichtshaar was verstoken. Nu had hij wel wat van Burt Reynolds.

En Kate was sprekend Soupy Sales.

Dat had ze vastgesteld toen ze in de spiegel van het damestoilet keek. Haar haar was een puinhoop. Haar huid was vlekkerig. Van een verpleegster had ze een schaar geleend waarmee ze de slepende onderkant van haar broekspijpen had afgeknipt. God mocht weten waar haar adem naar rook.

Philip moest dat alles opgemerkt hebben, maar niettemin zei hij: 'Wat zie je er fantastisch uit.'

Kate lachte zo hard dat ze snel haar hand voor haar mond sloeg.

'Ik meen het,' zei hij met klem. 'Dat uniform... De blauwe plek op je voorhoofd... De kots in je haar...'

Nu schaterde ze het uit.

'Mag ik even?' Philip plukte een twijgje van haar mouw. En toen een flintertje beton. 'Ik heb gehoord dat je tegenwoordig bij de politie werkt. Ik kon het niet geloven.'

'Doe ook maar niet.' Kate probeerde haar haar glad te strijken. 'Ik weet niet hoe lang ik het volhoud.'

'Ik heb jou nog nooit iets zien opgeven.'

'In tien jaar kan er veel veranderen.'

'Negen,' zei hij, en opeens was het afgelopen met het gescherts. Philip keek haar aandachtig aan. Ze zag hoe zijn blik over haar gezicht gleed. Het beviel hem wat hij zag.

'Wat is er?' vroeg Kate niettemin.

Hij schudde zijn hoofd. 'Hoe kan het dat je nog mooier bent dan vroeger?'

Een antwoord werd Kate bespaard door een plotseling lachsalvo van een groep politieagenten aan het einde van de gang. Ze schrok, maar de mannen stonden te ver weg om

Philip gehoord te kunnen hebben. Tenminste, dat hoopte ze. Hun gezichten kwamen haar bekend voor.

Philip leek haar onbehagen te voelen. 'Kom, dan zoeken we een rustig plekje op.' Voorzichtig legde hij zijn hand om haar elleboog en voerde haar mee, achter de verpleegpost langs. Kate voelde een golf van emotie. Nadat ze dit werk een halve dag had gedaan, was ze vergeten hoe het was om door een man als vrouw te worden behandeld.

En Philip Van Zandt was onmiskenbaar tot een man uitgegroeid. Er was niets overgebleven van de onzekere jongen van vijftien die had gedacht dat hij de jackpot had gewonnen tijdens een spelletje flesje draaien in de tv-kamer bij Janice Saddler thuis. Hij was lang, beheerst en zelfverzekerd. Als ze naar zijn brede schouders keek, zou ze er het liefst haar handen omheen slaan.

Niet dat Kate zich ooit zo vrijpostig zou gedragen bij een getrouwde man.

Ze wist hoe Philips leven was verlopen sinds hij uit Atlanta was vertrokken, zoals ze dankzij de sociale kringen van haar ouders alle roddels over iedereen wist. Kate had er geen enkele moeite voor hoeven doen om tijdens etentjes en cocktailparty's allerlei ditjes en datjes op te pikken. Op zijn zestiende was Philip naar kostschool gestuurd. Hij had cum laude eindexamen gedaan. Hij had in het noorden medicijnen gestudeerd. Hij had zich gespecialiseerd in de orthopedische chirurgie. Een halfjaar geleden was hij naar Atlanta teruggekeerd en nu woonde hij in het gastenverblijf van zijn ouders. Hij was getrouwd, maar zijn vrouw verbleef in het buitenland, waar ze aan het afstuderen was. Ze wilden binnenkort aan kinderen beginnen. Uiteindelijk zou Philip partner worden in de medische praktijk van zijn vader.

Maar voor de beleefdheid stelde Kate hem toch de obligate vragen. 'Wanneer ben je teruggekomen?'

'Een halfjaar geleden.' Philip bleef bij de deur naar een

voorraadkamer staan. 'Hoe is het met je ouders?'

'Heel goed. Ben je getrouwd?'

'Met Marta. Ze is een jaar in het buitenland voor haar master.'

'Hebben jullie kinderen?'

Hij glimlachte, waarschijnlijk omdat hij ook de nodige etentjes en cocktailparty's had bijgewoond. 'Ik heb gehoord wat er met je man is gebeurd.'

Kate kreeg een brok in haar keel. Ze had staan flirten. Patrick was dood en Kate was aan het flirten.

'Hij bofte met jou,' zei Philip, 'ook al heeft hij er maar kort van kunnen genieten.'

Zijn hand lag nog steeds op haar arm. Zachtjes trok Kate die weg. 'Ik ga maar weer eens...' zei ze, en op hetzelfde moment zei Philip: 'Ben je hier vanwege...'

Ze zwegen allebei. Jimmy had Kate de hele ochtend niet aan het woord gelaten, maar nu gaf ze aan dat Philip het eerst zijn zin mocht afmaken.

'Ik vroeg me af of je hier bent vanwege die agent die is neergeschoten. James Lawson?'

'Jimmy,' zei ze. 'Ik heb vanochtend met hem samengewerkt.'

Philips wenkbrauwen schoten omhoog. 'En hoe was dat?'

Om de een of andere onverklaarbare reden merkte Kate dat ze de Lawson-clan in bescherming nam. 'Niet slecht. Ik moet nog veel leren.'

Philip had kennelijk zijn twijfels, maar het was een feit dat Jimmy Lawson zich min of meer redelijk had gedragen zodra Kate hem van repliek had gediend.

'Tja,' zei Philip met een plagerig lachje. 'Dan verschilt hij dus niet zoveel van andere mensen die je kent.'

Kate schudde haar hoofd. Ze snapte het lachje niet.

'Je moeder heeft nog steeds die galerie, hè?'

Ze had het gevoel dat hij in een code sprak die ze niet helemaal kon ontcijferen. 'Die toespelingen van jou zijn me te subtiel.'

Philip trok haar de voorraadkamer in. Hij dempte zijn stem. 'Ik ben hier nu achttien uur.' Hij liet haar de blanco plekken niet zelf invullen. 'Ik heb Jimmy Lawson behandeld nadat hij vanochtend zijn partner had binnengebracht.'

Zijn toon had iets intrigerends en Kate maakte eruit op dat er meer aan de hand was. 'En?'

Opeens leek Philip niet meer zo zeker van zichzelf. Ze ving een glimp op van de onzekere jongen van jaren geleden. 'Niks. Gewoon, ik heb hem behandeld.'

'Dat is niet alles.' Kate gaf hem een speels stompje tegen zijn schouder. 'Kom op, Tip. Vertel.'

Hij schudde zijn hoofd. 'Nee, laat maar zitten.'

'Vertel dan een klein beetje.' Ze ging op een wat hijgerige fluistertoon over, ongeveer zoals Philip had geklonken toen ze alleen waren in de badkamer van Janice Saddler. 'Een heel klein beetje? Alsjeblieft?'

Philip lachte goedmoedig. 'Ik weet het niet, Tweede Honk. Ik wil je liever geen trauma bezorgen.'

Als er één ding was dat Kate zeker wist, dan was het dat ze het traumastadium gepasseerd was. 'Een pooier heeft zich vanochtend pal voor mijn neus afgetrokken en ik heb vanmiddag een naakte prostituee nagejaagd.'

'Helemaal naakt?'

Ze schonk hem een geladen blik.

'Oké.' Philip rechtte zijn rug. Hij was weer helemaal de arts. 'Zeker weten?'

Ze knikte.

'Tegen de tijd dat we Wesley op de operatietafel hadden, was hij al duidelijk niet meer te redden.' Philip zweeg even. Van zijn eerdere luchtigheid was niets meer te bespeuren. 'Maar hij was een politieman en hij was jong. Er is nog een halfuur aan hem gewerkt voor de hoop werd opgegeven. De hele staf was aanwezig. Lawson lag op het bed ernaast. Hij was gewond, maar weigerde zich te laten behandelen. Eerst moest er voor Wesley gezorgd worden. En toen vastgesteld werd dat Wesley…' Weer zweeg Philip. 'Toen was Lawson zo ontredderd dat ik hem een kalmerend middel moest toedienen.'

Kate beet op haar lip. Jimmy was zo gesloten dat je je niet kon voorstellen dat hij ging flippen.

'Ik ben orthopeed,' zei Philip, 'dus ik moest Lawson behandelen.'

Kate herinnerde zich weer hoe mank Jimmy had gelopen. 'Wat mankeerde hem?'

'Laten we beginnen met de hoofdwond van Wesley. De moordenaar stond op zo'n drie meter afstand. De kogels gingen vlak na elkaar hier naar binnen.' Philip legde zijn vinger iets boven zijn oor. 'De baan van de kogels liep zo.' Hij beschreef een lijn dwars over zijn gezicht naar de andere wang. 'Dus het pad van de kogels liep naar beneden, waaruit we kunnen afleiden dat de loop van het wapen naar beneden was gericht, wat betekent…'

'Dat degene die hem heeft neergeschoten langer was.'

'Precies,' beaamde Philip.

Kate voelde de druk op haar borst verminderen. Ze had het de hele dag zo vaak fout gehad dat het heerlijk was om eindelijk eens gelijk te krijgen.

'Wesley was ongeveer even lang als ik,' ging Philip verder. 'Dus een mogelijke verklaring is dat de schutter nog langer was.'

Philip was minstens één meter vijfentachtig. 'Dat is aardig lang. Heb je dat tegen de politie gezegd? Ik heb er vanochtend tijdens het appèl niks over gehoord.'

'Ze hebben niet echt een hoge pet op van de medische wetenschap,' moest Philip bekennen. 'Maar waar het om gaat: of een lange vent van ruim twee meter heeft jullie Mr Wesley twee keer door het hoofd geschoten, of er is een andere, aannemelijker verklaring.'

Kate had geen geniale conclusies meer voorhanden. 'Namelijk?'

'Wesley zat op de grond, op zijn handen en knieën, toen hij werd neergeschoten.'

Alleen al bij de gedachte voelde Kate haar maag verkrampen. Het beeld kwam rechtstreeks uit *The Godfather.* Maar toen bedacht ze iets. 'Dat is niet wat Jimmy heeft gezegd.' Ze had tijdens de briefing geen aantekeningen gemaakt, maar de relevante details wist ze wel. 'Jimmy bevond zich voor het gebouw. Hij liep eromheen naar achteren. Daar zag hij Don. Jimmy heeft niet gezegd dat hij op zijn knieën zat. De schutter kwam de hoek om en schoot. Hij stond op drie meter afstand, zoals jij net ook al zei. Don werd geraakt. Jimmy dook weg. Hij schoot drie keer terug. Het wapen van de schutter blokkeerde, en toen rende hij weg. Daarna heeft Jimmy Don helemaal hiernaartoe gedragen.'

'Dat heeft Lawson gezegd?'

'Voor zover ik me herinner wel, ja.'

Met een knikje loodste Philip haar het vertrek uit. 'Kom eens mee.'

Hij ging haar voor door een deur achter de verpleegpost. Jimmy werd afgezonderd gehouden van de gewone patiënten. Kate had wel het vermoeden dat het aan de andere kant een vervallen zootje was, maar de centrale ruimte van de afdeling spoed was een regelrechte varkensstal. Daklozen lagen op de vloer. Afvalbakken waren overvol. Op alle brancards lagen zwarten met zulke asgrauwe gezichten dat ze bijna blank leken.

Philip zag hoe verbijsterd ze was. 'Je wilt niet weten hoeveel stadsbewoners hier elk jaar hun toevlucht zoeken. Steekpartijen. Schietpartijen. Zelfmoord. Moord. Het is de grootste show op aarde.'

Kate hield haar mond; ze was bang dat ze weer eens een van zijn typische grapjes niet begreep.

'Daar gaat-ie.' Philip bleef voor een lichtbak staan. Hij doorzocht een stapel dossiers die op de tafel eronder lagen en haalde er een röntgenfoto uit. 'Deze wilde ik je laten zien.'

Hij klikte de opname op de lichtbak. Ze zag de naam James Henry Lawson op het zwart gegrift. Eronder stonden zijn geboortedatum en de woorden *linkerfemur*. Het bot leek rechtstreeks uit een operatiespel te komen.

'Zie je deze?' vroeg Philip.

Kate volgde zijn vinger toen hij de zwarte vlekken aanwees waarmee het bot bezaaid was. Het waren er tientallen, waarvan sommige slechts stipjes en andere zo groot als een muntstuk.

'De meeste van deze waren oppervlakkig,' legde Philip uit, 'maar sommige gingen dieper. Ik heb hem op antibiotica gezet voor het geval er een infectie optreedt. Ik heb niet alle stukjes kunnen verwijderen.'

'Wat voor stukjes?'

'Meest bot. Wat tanden. Haar.'

Kate snapte het nog steeds niet. 'Haar op zijn been?'

'Niet het haar van Lawson.' Weer dempte Philip zijn stem. 'Dat van Wesley. Er zaten ook wat schedelsplinters in Jimmy's buik en borst.'

Kate staarde naar de röntgenfoto in een poging de informatie te verwerken. Ze snapte niet hoe stukjes van Don Wesley in Jimmy's been en onderlichaam terecht waren gekomen. 'Wat mis ik hier?'

'Wesleys hoofd lag op Lawsons schoot toen het wapen afging.'

'Dook hij weg?'

Philips verbaasde blik deed niet onder voor die van haar. 'Heb je *Deep Throat* niet gezien?'

'Natuurlijk niet.' Eindelijk was hij erin geslaagd haar te choqueren. 'Ben je gek of zo?'

Hij deed iets raars met zijn mond. 'Maar je weet wel waarover die film gaat?'

Het kostte Kate moeite zijn blik vast te houden. Haar wangen gloeiden, wat zijn vraag vermoedelijk meer dan voldoende beantwoordde.

'Dus daarom lag zijn hoofd op Jimmy's schoot,' zei Philip.

'Maar dat is een film. In het echt doen mensen dat niet.' Ze begon te fluisteren. 'Vooral twee mannen niet.'

'O, schat.' Het kostte Philip zichtbaar moeite een lach te onderdrukken. 'Wat denk je dat mannen doen?'

Kate had er nog nooit over nagedacht, maar nu deed ze het wel. 'Echt?'

'Echt.' Philip schakelde de lamp achter de röntgenfoto uit. 'Zoals ik al zei verschillen ze niet zoveel van de mannen die je in je moeders galerie hebt ontmoet.'

Kate kon die twee zaken simpelweg niet met elkaar rijmen. De homo's in de galerie waren flamboyant, geestig en charmant. Jimmy was op zijn zachtst gezegd een lomperik. 'Het klopt gewoon niet. Jimmy heeft de hele ochtend naar mijn borsten zitten loeren.'

'Hij is homo. Hij is niet dood.'

Kate nam het compliment zwijgend in ontvangst, vooral omdat ze geen gevat antwoord kon bedenken.

'Laten we blij zijn dat Wesley zijn mond niet vol had toen het gebeurde,' zei hij.

'Philip!' zei ze berispend. Hij hoorde er geen grapjes over te maken. 'Dit kon wel eens het einde van Jimmy's loopbaan betekenen.'

'Het kon wel eens het einde van zijn leven betekenen.' Hij overdreef niet. Ze wisten allebei wat er met homoseksuelen gebeurde. 'Wees maar niet bang. Van mij krijgt niemand het te horen.'

'Van mij ook niet.' Trouwens, wie zou haar geloven? Kate kon het zelf nog steeds niet geloven.

'Murphy!' Maggie stond aan het eind van de gang met haar hand te flapperen alsof ze een polaroid aan het drogen was. 'Kom! We gaan!'

‘Sorry,’ zei Kate tegen Philip, ‘ik moet...’

‘Ga jij maar aan het werk.’ Achter zijn glimlach blonken volmaakte tanden. ‘Ik ben blij voor je, Kaitlin. Dit werk past bij je.’

Weer wist Kate niet wat ze moest zeggen. Zelfs een afscheidsgroet leek overbodig na het gesprek dat ze net hadden gevoerd. Het enige wat ze kon was weglopen. Kate voelde Philips blik in haar rug. Ze was nog steeds zo verbaasd dat ze niet eens gevleid was.

‘Wie is dat?’ vroeg Maggie.

Met moeite zette Kate de knop om. Wist Maggie het van haar broer? Zoals ze eerder die dag tegen Jimmy tekeer was gegaan duidde niet op een hechte band. En Maggie kwam ook niet al te ruimdenkend over. Ze plaatste iedereen in een hokje. De zwarte meiden. De Italiaanse stomerijbaas. De Poolse bareigenaar. Irish Spring.

‘Ik ken hem nog van de middelbare school,’ zei Kate.

‘Knappe vent,’ vond Maggie. ‘Is hij joods?’

Kate hield zich van de domme. ‘Volgens mij wel. Hij is getrouwd.’

‘Jammer,’ zei Maggie, maar Kate wist niet welke van die twee voor haar een probleem vormde.

Eerlijk gezegd was ze te moe om zich er druk over te maken. Er zat niks anders op dan achter Maggie aan naar de uitgang te lopen. Daarvoor moesten ze eerst door de wachtkamer. Het was er zo vol dat sommige patiënten op de vloer zaten. Net wanneer Kate dacht dat ze gewend raakte aan een bepaalde geur dook er een nieuwe op. Peuters scharrelden halfbloot rond. Luiers zaten vol. Wanhopige gezichten staarden haar aan. Ze keek strak voor zich uit en bedacht dat ze evengoed op Mars had kunnen lopen.

Het deed haar denken aan Patricks brieven tijdens zijn eerste week in het trainingskamp. Hij was minder ontredderd door de militaire setting dan door de gewoonten van zijn medesoldaten. Zwart, Latijns-Amerikaans, indiaans, zelfs een aantal Aziaten. Net als Kate was Patrick opgegroeid tussen mensen van zijn eigen slag. Hij bezocht hun restaurants. Hij ging naar hun kerk. Hij eerde hun God. Hij had nog nooit iemand ontmoet die niet op Kennedy stemde of niet vond dat Nixon een hufter was. Zijn medesoldaten waren even vreemd voor hem geweest als de Vietnamezen.

Kate vroeg zich af wat Patrick van de brieven had gevonden die ze terugschreef. Ze probeerde ze te vullen met winkeluitstapjes en familieanekdotes en wat ze allemaal aan roddels oppikte tijdens het borreluurtje in de Coach and Six. Ze zei niets over de alles verterende eenzaamheid en angst waarvan elke minuut die hij weg was doordrongen was. Kate vroeg zich af of ze het lef zou hebben gehad om hem nu de waarheid te vertellen, of ze Patrick een eerlijke, vreselijke brief over haar dag zou kunnen schrijven. De getto's. De harde toon waarop mensen tegen haar spraken. Haar verpletterend gebrek aan zelfvertrouwen. En dat de eerste reactie die bij Kate bovenkwam toen Gail Patterson Violets hoofd met haar portofoon bewerkte niet afkeer was geweest maar bloeddorst.

Zelf had ze Violet ook wel een klap willen geven.

Ze had haar willen slaan. Schoppen. Ze had haar willen straffen voor de hel die ze over hen had afgeroepen. De doodsangst die Kate had doorstaan toen ze Maggie haar revolver zag trekken. De scherpe, stekende pijn van de uitrusting aan haar riem, die tegen haar lijf bonkte. De blinde paniek omdat ze niet verder kon kijken dan de rand van haar pet. De verbijsterende schok toen ze niet alleen tegen een muur op knalde, maar ook tegen een vuile, broodmagere hoer bij wie de kledder van haar laatste klant nog langs haar benen droop.

De drang om haar iets aan te doen was even snel weggezakt als hij was opgekomen, maar de herinnering was blijven hangen.

'Gaat het?' vroeg Maggie.

'Uitstekend,' schamperde Kate, want het werk had haar veranderd in een beest dat geen zwakte mocht tonen. 'Is Jimmy gewond geraakt tijdens die schietpartij?'

Maggie keek haar vragend aan.

'Hij liep mank.'

'O, dat is een footballblessure. Zijn knie ging naar de mallemoer toen hij nog op de middelbare school zat.' Ze duwde de deur open. 'Die zal nu wel opspelen omdat hij Don heeft gedragen. Maar over een dag of zo is hij weer de oude,' stelde ze Kate gerust.

De frisse lucht prikte in Kates ogen. Ze keek op. De straatlantaarns brandden al. De zon zakte als een steen achter de horizon.

'Waar heb je je auto geparkeerd?' vroeg Maggie.

'Wat?'

'Je auto,' herhaalde Maggie. 'Waar staat die geparkeerd?'

Kate moest diep in haar geheugen graven. 'Op dat parkeerterrein bij Central Avenue.'

'Dan zet ik je daar af en parkeer de patrouillewagen in het wagenpark.'

'Wat?'

Maggie bleef staan. 'Ik breng je naar je auto. Je dienst zit erop. Tijd om naar huis te gaan.'

Kate keek haar vol ongeloof aan.

En toen barstte ze in huilen uit.

VIJFTIEN

Kate zat op de bank met een martini op het tafeltje naast zich. Ze was in de woonkamer van haar ouders. Ze droeg een gedessineerd overhemdjurkje met prinsessennaad en de parelketting die ze op haar trouwdag van haar moeder had gekregen. Ze had zich net gedoucht. Haar pas gewassen haar viel rond haar schouders. Het licht in de kamer was gedimd. Haar voeten staken in een bak met warm water waarin epsomzout was opgelost. Ze hield een ijskompres tegen haar voorhoofd. Ze had een elektrische kruik achter in haar slip geschoven. Het snoer hing als een staart tussen haar benen. Zes aspirines en een valiumpil deden hun werk. Telkens als het vaag tot Kate doordrong dat ze dit zou overleven, bedacht ze weer wat voor leven het eigenlijk was en dan vroeg ze zich af of het de moeite waard was.

Ze ging de volgende dag niet terug. Ze kon het gewoonweg niet.

Maar waarom had ze dan al haar uniformen meegenomen zodat Mary Jane ze op maat kon maken? Waarom had Kate twee uur op haar vaders typemachine zitten zoeken en tikken om haar dagrapport te schrijven?

Het feit dat ze het dienstmeisje van haar moeder had gesmeekt om haar kleren schoon te maken en te verstellen gaf al aan waarom ze dit werk niet moest doen. Ze was Sabrina uit de film niet, die samen met haar vader boven de garage van een rijkaard woonde. Ze was in het grote huis zelf opgegroeid, als dochter van de rijkaard. Kates vader was een gerespecteerd psychiater. Haar moeder bezat een vermaarde kunstgalerie.

Haar grootmoeder had vroeger in Nederland scheikunde gedoceerd aan de universiteit.

Kate had net zo'n beschut leventje geleid als Patrick. Ze was alleen met mensen van haar eigen soort omgegaan. Ze at in hun restaurants. Ze bezocht hun clubs. Had het politiekorps eigenlijk wel een club? Kate wist het niet en het kon haar niet schelen ook. Ze hoorde niet bij die lui met hun grove taal en hun voortdurende kritiek. Dat ze hen als 'die lui' bestempelde zei al genoeg.

Maar bij wie hoorde ze wel? De meesten van haar vriendinnen waren inmiddels getrouwd en hadden kinderen. Hun leven was interessant, maar alleen voor andere getrouwde vrouwen met kinderen. De twee vrijgezelle meisjes met wie Kate ook na het eindexamen in contact was gebleven, woonden allebei in New York, tot schande van hun moeders.

Philip Van Zandt had aan Columbia University gestudeerd. Kate vroeg zich af of haar vriendinnen hem wel eens hadden ontmoet tijdens zijn artsopleiding. Dan had het zeker in een brief gestaan. Dat soort dingen deed je nou eenmaal als iemand van je oude vriendenkring in je nieuwe stad opdook. Je gaf een cocktailparty. Je vroeg of hij iets kwam drinken. Je zorgde dat hij zich welkom voelde. En met zo'n knappe vent als dokter Van Zandt deed je heel veel andere dingen die je moeder nog meer zouden choqueren.

Kate liet haar hoofd op de rugleuning vallen. Ze verplaatste het ijskompres naar haar ogen. In gedachten zag ze Philips charmante lach en zijn brede, sterke schouders weer voor zich. Hij was ook zo verdomd zelfverzekerd. Kate kon zich niet herinneren wanneer een man voor het laatst op die manier naar haar had gekeken. Jezus, ze kon zich niet eens herinneren wanneer ze voor het laatst met een man had gevreeën. Het liefst zou ze de herinnering aan de nacht voor Patricks vertrek wissen. Ze was vanuit Atlanta naar hem toe gereden. Ze hadden afgesproken in een groezelig hotel in de buurt van de legerbasis. Kate was nog steeds wanhopig en woedend geweest. Patrick was dronken. Het was een slordige, platte toestand geworden en na afloop durfden ze elkaar nauwelijks aan te kijken.

Sinds Patricks dood was Kate in totaal twee keer met iemand uit geweest. Het ene afspraakje eindigde met een handdruk, het andere met een zedige kus, en algauw ging het rond onder alle vrijgezelle jongens uit Kates kennissenkring dat ze het geld voor het etentje en de drankjes niet waard was, en niemand vroeg haar nog mee uit.

Ze durfde te wedden dat Philip Van Zandt het niet bij een handdruk zou laten. Alleen al bij de gedachte aan hem trok er een huivering door haar heen.

'Schat?' Het grote licht ging aan.

'Oma?' Kate knipperde het waas voor haar ogen weg. Heel even voelde ze zich schuldig, alsof haar grootmoeder haar wellustige gedachten kon lezen. Niet dat Oma het erg zou vinden. Ze kwam uit Nederland en was niet snel geschokt. 'Is er iets? Ik dacht dat u met papa en mama uit was.'

'Heel toevallig kregen we alle drie op precies hetzelfde moment hoofdpijn.' Met sierlijke pas liep Oma de kamer in. Haar grijsblonde haar zat in een losse wrong. Haar lichte oogmake-up accentueerde het blauw van haar irissen. Ze droeg een jurk die niet misstaan zou hebben in Kates kleerkast, maar op de een of andere manier kon haar vijfenzestigjarige grootmoeder de stijl beter hebben dan Kate zelf.

Oma ging op de stoel naast de bank zitten. 'Krijg ik nog verhalen te horen over je eerste dag?'

'U zou ze vast niet geloven.'

'Laat maar horen.'

Kate liet het ijskompres van haar voorhoofd glijden. Oma zei niets over de blauwe plek. In plaats daarvan dronk ze het laatste restje van Kates martini op.

'Kaitlin, ben jij dat?'

Het scheelde niet veel of Kate kromp ineen bij het horen van haar moeders stem. Ze had zo gehoopt dat ze weer vertrokken zou zijn voor haar ouders terugkeerden van hun etentje.

Liesbeth keek fronsend naar haar dochter. 'Doe je knieën eens bij elkaar, kind. Iedereen kan recht onder je rok kijken.'

Kate dwong zichzelf hier geen gehoor aan te geven.

'Volgens mij kan een jonge vrouw niet vaak genoeg haar benen spreiden,' merkte Oma op.

Liesbeth negeerde haar moeders woorden. Ze ging naast Kate op de bank zitten. Net als Oma was ze gekleed voor een avondje uit. Ze droeg een lichtblauwe rok. De bijpassende doorschijnende blouse had loshangende mouwen die om haar tere polsen bolden.

Kate voelde zich altijd wat klein naast haar moeder. Ze kon zich voorstellen dat Oma hetzelfde effect op Liesbeth had. Ze leken net een stel Russische poppetjes die in elkaar pasten, alleen in plaats van dikke matroesjka's waren ze tengere blonde replica's die de Nederlandse moederlijke lijn voortzetten.

Om het goede voorbeeld te geven sloeg Liesbeth haar benen zedig over elkaar. Ze nam een sigaret uit de doos op de salontafel. 'Waarom brandt het licht in het souterrain?'

'Mary Jane maakt mijn uniformen op maat.'

'Ze is vanavond vrij.'

'Ik heb aangeboden haar ervoor te betalen.'

'Nee, dan is het goed.' Als ze een sarcastische opmerking maakte, kreeg het Nederlandse accent van Liesbeth altijd de overhand. 'Ik kan me ook niet voorstellen dat een vrouw van drieënzeventig op een redelijk tijdstip naar bed wil.'

'Je hebt gelijk. Het spijt me.' Kate schudde haar hoofd toen haar moeder haar een sigaret aanbood. Na Patricks dood had ze haar keel rauw gerookt. Alleen al bij de gedachte aan de smaak werd ze misselijk. 'Ik bied haar mijn verontschuldigingen wel aan.'

'En vergeet niet haar te betalen.' Liesbeth stak haar sigaret op. Ze bekeek Kate door een sluier van rook. 'Je hebt gehuild.'

Het was geen vraag, en Kate gaf dan ook geen antwoord.

'En die blauwe plek op je hoofd? De blaren op je voeten? Ik durf nauwelijks te raden waar die elektrische kruik voor is.'

Kate wist niet waar ze moest beginnen. De getto's. De prostituee. *Deep Throat* – ze had het bange vermoeden dat haar veel wereldwijzere grootmoeder de film allang gezien had. Ze dacht aan Jimmy en hoe grof hij haar die ochtend behandeld had, aan Maggie die had gezegd dat je in je uniform alles gratis kon krijgen, maar die vervolgens geweigerd had daar zelf gebruik van te maken. En dan had je Gail Patterson. Om nog maar te zwijgen van de in elkaar geslagen prostituee. Kate kon rennen als de beste. Ze had haar armen alleen recht gehouden omdat ze niet gevild wilde worden door alle spullen die ze om haar middel had hangen.

'Heb jij ooit een schaap zien rennen?' vroeg ze aan haar grootmoeder.

Oma moest lachen bij de gedachte. 'Of ik ooit een schaap heb zien rennen?' Ook haar accent was nu zwaarder, maar dat was waarschijnlijk het gevolg van te veel martini's. 'Ik heb ooit een Vlaams meisje gekend dat schapen hield.'

Kate glimlachte. Oma's grapjes begonnen vaak met een Vlaams meisje. Ze bezat die typisch Amsterdamse arrogantie ten aanzien van Vlaanderen.

'Hou toch eens op met je Vlaamse meisjes.' Liesbeth legde haar sigaret in de asbak. Ze liep naar de bar. 'We hebben de *Journal* van vanmiddag gelezen. Heb je die vermoorde agent wel eens ontmoet?'

'Nee.'

'Blij toe.' Met de tang deed Liesbeth ijsblokjes in de martinishaker. 'Ik hoop dat de echte dader deze keer gepakt wordt. De krant had het over Edward Spivey. Zijn hele leven is kapot door dat proces. Hij moest naar de andere kant van het land verhuizen.'

'Het recht zegeviert altijd.' Oma richtte zich tot Kate. 'Dat is toch zo, schat?'

Kate knikte, hoewel ze een dubbel gevoel had. Ze had begrepen dat niemand bij de politie Edward Spivey als onschuldig beschouwde, terwijl de meeste mensen die zij kende ervan uitgingen dat de politie had geprobeerd hem voor de misdaad te laten opdraaien. 'Waar is papa?'

'In zijn kas.' Liesbeth goot een flinke scheut wodka in de shaker. 'Hij maakt zich zorgen om zijn orchideeën. Er is iets mis met de verwarming.'

In letterlijke zin had Kate niet tegen Maggie Lawson gelogen. Haar vader was een hartstochtelijk tuinier.

'Hoe zijn de mensen op het werk?' vroeg Oma. 'Heb je al vrienden gemaakt?'

Als ze er de energie voor had gehad, zou Kate in lachen zijn uitgebarsten. 'Ze zijn geweldig. Net de vrouwenbeweging, maar dan zonder de organisatie en kameraadschap.'

Oma fronste haar wenkbrauwen. 'Wat naar, kind. Deden ze vervelend?'

Kate had het gevoel dat ze weer op school zat en uithuilde bij haar grootmoeder vanwege de gemene meiden in de bus. Hoewel, Maggie en Gail en de rest waren niet echt gemeen. In elk geval niet tegen Kate.

'Ze zijn gewoon heel stoer allemaal,' zei Kate. 'Alsof ze een harnas dragen.'

'Dat zal dan wel nodig zijn,' meende Liesbeth.

'Nee, dat bedoelt ze niet.' Oma sloeg haar handen ineen op haar schoot. 'Soms zijn vrouwen met een klein beetje macht veel harder dan mannen. Vooral tegenover andere vrouwen. Ze moeten zich distantiëren van de zwakte van hun sekse. Toch?'

Kate keek haar moeder aan. Die was het meestal oneens met alles wat Oma zei.

Bij wijze van uitzondering onthield Liesbeth zich van commentaar. Ze klemde de shaker in beide handen terwijl ze de martini's mixte. IJs tinkelde tegen het roestvrij staal. Haar mouw was opgeschoven. Kate zag de tatoeage op de buitenkant van haar linkeronderarm. De letter A, gevolgd door vijf cijfers.

'Ben je het ijs aan het straffen?' vroeg Oma.

Liesbeth hield de shaker stil. Ze zette twee glazen op de salontafel en schonk ze een voor een vol. 'Kaitlin, heb jij alle olijven opgegeten?'

'Natuurlijk heeft ze dat gedaan. Ze is dol op olijven.' Oma hield Kates lege glas bij. 'Ik heb tegen Margot Kleinman gezegd dat mijn kleindochter bij de politie werkt. Naar haar blik te oordelen had ik net zo goed kunnen zeggen dat je astronaut was geworden.' Ze hief het glas op Kate. 'Fantastisch dat je een manier hebt gevonden om anderen te helpen, schat.'

Aarzelend pakte Kate haar glas. Ze keek haar grootmoeder aan, toen haar moeder en sloeg vervolgens de halve inhoud achterover.

'Heerlijk,' zei Oma. Ze bedoelde de martini. 'Het is heel belangrijk dat je zin geeft aan je leven,' zei ze tegen Kate. 'Ook al word je er soms ongelukkig van, toch heb je een doel nodig.'

Liesbeth ging op de bank zitten. Ze streek Kates haar achter haar oor en legde haar hand toen op haar schouder. 'Fijn dat je je parels draagt.'

Kate keek naar de sigaret, die lag te smeulen in de asbak. Ze was een jaar of zes, zeven geweest toen ze voor het eerst haar moeders tatoeage had gezien. Ze zat in bad en haar oren werden geboend. 'Wat is dat?' had Kate gevraagd. 'Niks, schatje. Blijf eens stil zitten.'

'Liefje?' zei Oma. 'Ben je moe? Zullen we je maar met rust laten?'

'Nee.' Kate wreef over haar moeders hand. 'Blijven jullie alsjeblieft.'

'Vertel eens over je dag.' Oma keek haar verwachtingsvol aan. 'Was het echt zo vreselijk?'

Kate glimlachte naar haar. Oma droeg een jurk met lange mouwen, zodat de tatoeage aan de binnenkant van haar linkerarm bedekt bleef. Het was dezelfde letter, met andere cijfers. Evenals Liesbeth was ze naar Auschwitz gedeporteerd, maar toen de nazi's ontdekten dat Oma wetenschapper was, stuurden ze haar naar Mauthausen, een zogenoemd knekelkamp, waar intellectuelen zich dood moesten werken.

'Je bent zo afwezig,' zei Liesbeth. 'Is er iets ergs gebeurd vandaag?'

Kate bleef haar moeders hand vasthouden. 'Nee, niks hoor,' loog ze. En nu ze toch aan het liegen was, kon ze het maar beter goed doen. 'Het werk viel wel mee. Ik heb zere voeten, maar dat heb ik ook na een avond dansen. En dit...' Ze wees naar haar voorhoofd. 'Dat kwam omdat ik blijkbaar niet goed kijk waar ik loop als ik een pet opheb.'

Oma leunde glimlachend achterover. 'Het ergste lijkt me nog dat je voor tien uur je bed uit moet. Stel je voor.'

'Moeder, je bent altijd eerder op dan ik.' Liesbeth leek nog opgeluchter dan Oma. Ze nam een laatste haal van haar sigaret en drukte die toen uit in de asbak. 'Dat weet ik omdat de koffiekan altijd halfleeg is.'

'Het is ook zulke heerlijke koffie. Daar kan ik geen weerstand aan bieden.'

Kate wist niet of het door de valium of de kruik kwam, maar eindelijk raakten haar spieren wat uit de knoop. De kamer kreeg iets lichts, wat er eerder niet was geweest. Ze probeerde nog te bedenken wat ze verder kon vertellen. 'Het allerirritantste is dat ik nooit heb geweten hoe goed ik ben in dingen die er in de echte wereld totaal niet toe doen.'

Daar had haar moeder noch haar grootmoeder van terug.

'Ik ben het gewoon niet gewend om me zo stom te voelen.' En dat, besefte Kate, was de steen die ze de hele dag tegen de heuvel op had moeten duwen. Ze was als een idioot behandeld omdat ze een idioot wás. 'Ik weet niet hoe ik met vreemden moet praten. Ik kan niet voor mezelf opkomen. Blijkbaar kan ik niet eens rennen. Ik moest me zelfs laten vertellen hoe ik het best naar het toilet kan gaan.'

Ze keken haar allebei beduusd aan.

Het lukte Kate niet er een grappige draai aan te geven, en daarom besloot ze het maar niet uit te leggen. 'Er zijn gewoon zoveel praktische dingen waar ik nooit mee te maken heb gehad. Ik heb me nog nooit zo misplaatst gevoeld.' Ze nam een slok van haar martini, en daardoor zag ze de blik niet die haar moeder en grootmoeder wisselden. 'Jullie zouden op z'n minst verbaasd kunnen zijn door wat ik allemaal vertel.'

Weer die blik.

'Je leert het nog wel,' zei Oma sussend. 'Deze baan... het is toch mooi om mensen te helpen? Om iets terug te doen?'

Kate knikte, hoewel ze niet één ding kon bedenken van alles wat ze die dag gedaan had dat bijdroeg aan het welzijn van een ander, laat staan aan dat van zichzelf. 'U hebt gelijk. Natuurlijk hebt u gelijk.'

Oma zei: 'Ik kan me die aardige korpscommandant nog herinneren die met ons kwam praten na de bomaanslag op de synagoge.' Ze zette haar glas neer. 'We waren allemaal vreselijk bang natuurlijk. We hadden hier nog nooit met een politieman gepraat, behalve om de weg te vragen. Hij was heel serieus. Verbazend genoeg was het een van onze eigen mensen. Wanneer was dat eigenlijk? In zesenvijftig?'

'In achtenvijftig.' Kate was acht geweest toen de synagoge aan Peachtree Street bijna verwoest werd. Ze woonden zo dichtbij dat ze het dynamiet hoorden exploderen.

'Die dwazen dachten dat we er op zondag zouden zijn,' zei Liesbeth. 'Maar misschien waren ze toch minder dwaas dan we dachten. Ze kwamen er wel mee weg.'

Oma bleef nooit lang bij het negatieve stilstaan. 'Wat ik wil zeggen is dat de politie heel behulpzaam was. Ze gaven ons weer een veilig gevoel.' Ze lachte zo lief dat Kates hart brak.

'En nu geef jij anderen een veilig gevoel, Kaitlin. Wat een mooi geschenk aan de wereld.'

Kate kende een prostituee bij Cheshire Bridge Road die er vast heel anders over dacht, maar uit genegenheid voor haar grootmoeder lachte ze terug.

'Het maakt het wel gemakkelijker voor je, hè?' vroeg Liesbeth.

Ze doelde op Kates leven na Patrick. Kate ging er maar van uit dat wat ze die dag gedaan had beter was dan de hele tijd in bed liggen huilen om iets wat nooit meer zou veranderen. De twee vrouwen tegenover haar getuigden allebei op grandioze wijze van de kracht die je moest bezitten om door te leven nadat je onbeschrijflijke tragedies had doorstaan.

En die tragedies bleven inderdaad onbeschreven. Haar moeder noch haar grootmoeder sprak ooit over wat hun was overkomen tijdens de oorlog. Ze weigerden zich vast te klampen aan hun verlies. Kate kende feiten, maar geen bijzonderheden. Oma had haar vader, haar moeder, een broer, haar man en een zoon verloren. Liesbeth had dezelfde mensen verloren. Ze was nog maar net een puber toen ze naar het concentratiekamp werd gedeporteerd. Ze waren er allebei van uitgegaan dat de ander dood was, tot het Rode Kruis erin slaagde hen na de bevrijding met elkaar te herenigen.

En nu probeerden ze allebei Kate te troosten, alsof haar beurse lijf en gekwetste ego er ook maar enigszins toe deden.

'Ja,' zei Kate als antwoord op haar moeders vraag, 'je had gelijk. Het is fijn om iets omhanden te hebben.'

'Iets núttigs.' Oma hief weer proostend haar glas. 'Ik ben heel trots op je, kind. Wat je doet is uiteraard ongebruikelijk, maar je mag nooit vergeten dat je familie trots op je is. Je hebt ons erg gelukkig gemaakt.'

'Precies,' beaamde Liesbeth. 'Maar we zouden net zo trots zijn geweest als je die laatste secretaressebaan had gehouden.'

De twee vrouwen gingen op hun moedertaal over.

'Hoe kom je erbij,' mompelde Oma. 'Ze was een waardeloze secretaresse.'

'Zo erg was het nou ook weer niet.'

'Ze is veel te slim voor dat soort werk.'

'Moeder.'

Kate luisterde niet langer. Ze begreep maar de helft van wat ze zeiden. Net als de meeste Amerikanen vond ze Nederlands eerder een keelaandoening dan een echte taal.

Ze boog zich voorover om haar voeten af te drogen. Er ging een steek door haar rug en even zag ze alles wazig. Opeens was ze zo moe dat ze amper kon blijven zitten. Op de klok boven de haard was het bijna elf uur. Ze moest er niet aan denken om nu nog naar het hotel te rijden. Ze kon beter in haar oude kamer gaan slapen. Mary Jane zou haar uniformen inmiddels wel klaar hebben. Ze kon haar moeders make-up gebruiken. Of met een beetje geluk maakte Maggie de volgende ochtend haar kluis open en kon Kate haar handtas pakken.

Haar handtas. Slechts door goddelijke tussenkomst had Kate die avond haar auto kunnen gebruiken. Een aantal jaren geleden had Patrick een magnetisch sleuteldoosje aan de wielkap bevestigd, anders zou ze nu nog steeds op het parkeerterrein bij Central Avenue zitten. Kate moest aan een combinatieslot zien te komen. Die betaalde ze zelf, dat was wel zo correct. Waarschijnlijk verkochten ze sloten in het winkeltje van de tennisclub. Tot ze in de gelegenheid was om daarnaartoe te gaan leende ze er wel een van haar vader.

Met een schok besefte Kate dat ze de volgende dag inderdaad weer naar haar werk ging. Ze kapte er niet mee na haar eerste dag. Hoe was dat zo gekomen? In elk geval had ze er niet bewust toe besloten. Maar ze had een grootmoeder die het nooit liet afweten. Haar moeder had nooit opgegeven. Hun bloed stroomde door Kates aderen. Vergeleken met wat zij hadden overleefd, was het Atlanta Police Department een eitje.

Ze kon het.

Het móést gewoon.

Alsof het zo was afgesproken, kwam Mary Jane de kamer binnen met Kates uniformen keurig opgevouwen in haar armen. 'Uit dat ene heb ik de vlek weg kunnen krijgen, maar je blijft wel zien waar ik de scheur in de mouw heb versteld.'

'Het spijt me verschrikkelijk dat ik...' begon Kate, maar toen zweeg ze.

Philip Van Zandt stond achter Mary Jane. Hij droeg een antracietkleurig pak van Hickey Freeman, met een lichtpaars overhemd. Zijn borsthaar stak onder zijn open boord uit. Zijn broek sloot nauw om zijn lichaam. Onder de knieën liepen de pijpen iets uit.

'Goedenavond, mevrouw Herschel, mevrouw De Vries.' Wat uitsloverig sprak hij Oma's naam uit alsof hij net over de Herengracht aan was komen fietsen. 'Ik ben bang dat ik Mary Jane aan het schrikken heb gemaakt toen ik zonet op de deur van het souterrain klopte.'

Kate wist maar al te goed waarom hij uitgerekend op die deur had geklopt. Al haar vrienden en vriendinnen wisten dat ze op haar veertiende naar beneden was verkast, want haar ouders hadden het helemaal gehad met Kates slaapfeestjes en haar giechelvriendinnen. Bovendien stond haar auto op de oprit en brandden bijna alle lampen in het huis.

'Geeft niet.' Mary Jane moest niets van gespannen toestanden hebben. Ze legde de uniformen op het dressoir. 'Dan ga ik nu maar.'

'Sorry dat ik je zo laat op heb gehouden,' zei Kate.

Mary Jane wuifde haar bezorgdheid weg, maar Kate voelde zich vreselijk opgelaten toen ze de oude vrouw naar de achtertrap zag schuifelen.

Philip maakte een lichte buiging toen het dienstmeisje hem passeerde. 'Dames, mijn excuses voor het feit dat ik onaangekondigd nog zo laat kom aanzetten, maar mijn moeder was vanavond op de club, en kennelijk heeft ze per ongeluk uw lippenstift meegenomen.'

Hij hield een tube lippenstift omhoog. Die was van het soort dat je in elke buurtwinkel kon kopen. Alle vrouwen wisten dat. Philip wist het ook. Toch deed hij alsof hij een buitengewoon ridderlijke daad verrichtte.

Oma kon een trucje wel waarderen. 'Ja, die is van mij. Bedankt, Philip. Wat attent om hem terug te brengen.'

Liesbeth liet zich minder snel vermurwen. 'Ik ben vergeten je moeder te vragen hoe het met je vrouw gaat. Ze studeert toch in Israël?' Ze wendde zich tot Kate. 'Philip is inmiddels getrouwd.'

'Ja, dat weet ik,' zei Kate, die ook wist dat ze, als ze probeerde op te staan, door de elektrische kruik weer met een ruk op de bank zou worden getrokken.

'Israël,' mijmerde Oma. 'Philip, heb je Mr Herschels postzegels van de Hapoel Spelen al gezien?'

Hij glimlachte, alsof alleen al de gedachte hem in verrukking bracht. 'Dat genoegen heb ik nog niet gesmaakt.'

'Als je zo vriendelijk wilt zijn?' Oma stak haar hand uit. Philip hielp haar overeind. Terwijl hij met zijn rug naar haar toe stond, trok Kate met een ruk de kruik onder haar jurk vandaan. Het ding maakte een rotgeluid, als van een sjerp die door een lus werd getrokken.

Philip keerde zich naar haar toe. Hij keek naar de kruik op de bank. Toen keek hij naar Kate.

Kate sloeg haar blik neer.

'Ik ga de postzegels even zoeken,' zei Oma. 'Liesbeth, als jij nou eens vers ijs uit de keuken haalt.'

Bij wijze van uitzondering koos Kate de kant van haar moeder. 'Het is al heel laat, Oma. Volgens mij moet Philip morgenochtend weer werken.'

'Ik ben de hele dag vrij,' zei hij met een breed armgebaar.

'Echt?' Ze vroeg zich af wat hem hier bracht. Een beetje onschuldig geflirt was tot daaraan toe, maar dit ging een stap te ver. 'Moet je geen brief aan je vrouw schrijven?'

'Ik heb er al twee geschreven. Ik heb haar verteld dat ik jou vandaag ontmoet heb.'

'Hebben jullie elkaar vandaag al ontmoet?' Liesbeths stem werd luid van achterdocht. 'Wanneer dan?'

'In het ziekenhuis,' zei Kate, maar omdat haar moeder niet mocht weten dat er nog een politieagent was neergeschoten, bedacht ze snel een leugentje. 'Philip gaf me informatie over een zaak.'

Philip knipoogde naar Kate. 'Wat een speurneus is die dochter van u.'

'Ze is altijd erg snel van begrip geweest.' Liesbeth had alweer een nieuwe sigaret tussen haar vingers.

Philip boog zich met zijn aansteker naar haar toe. 'Graag een gin-tonic, Kaitlin. Met extra veel ijs.'

'Lieverd?' riep Oma vanuit de gang. 'Kun je me even helpen in de studeerkamer?'

Liesbeth drukte haar sigaret weer uit in de asbak. 'Je vader komt nog even bij je kijken voor hij naar bed gaat.'

'Prima,' zei Kate, hoewel ze allebei donders goed wisten dat haar vader waarschijnlijk al sliep. 'Philip blijft niet lang.'

'Daar twijfel ik ook niet aan.'

'Welterusten, Mrs Herschel.' Philip maakte een buiginkje toen ze de kamer uit liep, net als hij bij Mary Jane had gedaan. 'Wat is het toch een prachtvrouw,' zei hij tegen Kate.

'Maar o wee als je haar dwarszit,' waarschuwde Kate.

'Die tactiek van me lijkt anders uitstekend te werken bij haar dochter.'

'Echt niet.' Kate pakte het ijsemmertje toen ze naar de keuken liep. Ze duwde de zwaaideur open en leunde even tegen het aanrecht. Haar handen beefden, maar niet vanwege Philip. Ze was uitgeput. Het was al laat. En hij was getrouwd.

'Laat me eens naar die blauwe plek kijken.' Philip was vlak

bij haar komen staan. De keukendeur zwaaide geruisloos achter hem heen en weer. Hij wist in elk geval hoe hij zijn entree moest maken. 'Hoe kom je daaraan?'

Voor de verandering vertelde ze hem de waarheid. 'Ik ben tegen een muur aan gelopen.'

Hij hoefde er niet om te lachen. 'Ben je buiten bewustzijn geweest?'

'Nee.'

'Zag je sterretjes?'

Kate sloeg haar armen over elkaar. 'Waarom moet je dat weten?'

'Ik ben arts. Dit is een medisch onderzoek. Zag je sterretjes?'

'Ja,' gaf ze toe.

'Was je duizelig?'

Ze knikte.

'Misselijk?'

Weer knikte ze.

'Moest je overgeven?'

'Een beetje.'

'Ga eens op het aanrecht zitten.'

'Philip, ik...'

'Misschien heb je een hersenschudding.' Hij sloeg zijn handen om haar middel en tilde haar op. 'Je rug is gloeiend heet.'

De kruik. 'Daar sla ik al mijn ergernis op.'

Philip lachte. Hij hield zijn handen om haar middel. 'Heb je iets geslikt?'

'Aspirine en valium.'

'Gebruik je nog andere medicijnen?'

'Nee.'

'De pil?'

Tot haar ergernis moest ze blozen. 'Ja. Maar niet om...'

Hij hield een vinger voor haar gezicht. 'Kijk daar eens naar.' Ze volgde zijn vinger terwijl hij die heen en weer bewoog.

'Laat me je ogen eens controleren.' Hij drukte op haar oogleden. 'Kijk eens omhoog.' Ze gehoorzaamde. 'Nu naar beneden.' Weer deed ze wat hij van haar verlangde. 'Zeg het maar als het gevoelig is.' Hij betastte haar gezicht en hals. 'Doe je mond eens open.' Ze deed haar mond open. 'Spreid nu je benen.'

'Waarom?'

'Zodat ik je dijbeen kan strelen.'

Ze hapte naar adem, want ze had hem blindelings gehoorzaamd en nu voegde hij de daad bij het woord.

In plaats van haar knieën samen te knijpen of hem weg te meppen, bleef Kate roerloos zitten. 'Je bent getrouwd, je bevindt je in mijn vaders huis en je zit met je hand onder mijn jurk.'

'Halverwege maar.' Met zijn vingertoppen streelde hij zachtjes de binnenkant van haar dijbeen. Alsof een vlinder tegen haar huid fladderde.

Het zweet brak Kate uit. 'Philip, stop.'

Hij staakte zijn gestreel, maar haalde zijn hand niet weg. Zijn handpalm rustte tegen de binnenkant van haar been. Zijn huid voelde warm. Hij keek naar haar mond. 'Smaak je nog steeds naar aardbeien?'

Het kostte Kate moeite haar stem te vinden. 'Dat was lipgloss.'

'Het was verrukkelijk.' Hij begon haar dijbeen weer te strelen. 'Je bent zo mooi, Kaitlin. Weet je dat wel? Je bent volmaakt.'

'Philip,' zei ze. Het was onbeschrijflijk teder zoals hij haar aanraakte. Ze voelde een huivering door haar lichaam gaan.

'Op mijn nichtje na ben je het eerste meisje dat ik gezoend heb.'

Kate gaf hem een duw tegen zijn schouder. 'Waarom maak je overal grapjes over?'

'Omdat het grappig is. Ik ben een getrouwd man, ik bevind

me in je vaders huis en ik sta hier met mijn hand onder je jurk.'

Als het niet Kates vader en Kates jurk waren geweest, zou ze de humor er misschien van hebben ingezien. 'Ik vroeg of je wilde stoppen.'

'Wil je dat echt?'

Kate wist niet meer wat ze wilde. 'En je vrouw dan?'

'Mijn vrouw is om kinderen mee te maken. Jij bent om mee te neuken.'

De steek was onverwacht. 'Zoiets zeg je toch niet?'

'Neem maar van mij aan dat het een veel leuker is dan het ander.'

'Waarom zou ik iets van jou aannemen?'

'Dat moet je ook niet doen.' Philips hand kroop langs haar been omhoog. Hij beroerde haar zachtjes met zijn vingers.

Kates adem stokte. Ze voelde hem dwars door het dunne katoen van haar slip. Hij wist precies wat hij deed. Alles smolt weg. Er was alleen nog de gestage druk van zijn hand tussen haar benen.

'Is dat lekker?' Hij keek naar haar gezicht terwijl hij op en neer streelde. 'Voel je dat?'

Kate knikte. Jezus, reken maar dat ze het voelde.

'Vind je het lekker?'

Ze greep zijn schouders. Ze voelde zijn spieren bewegen onder haar handen. Ze wilde hem zoenen. Dat stond hij niet toe. Ze probeerde hem naar zich toe te trekken. Hij kwam geen millimeter dichterbij. Hij bleef haar maar aankijken en peilde haar reactie terwijl hij haar betastte.

'Hé, die ergernis van je is hierbeneden nog heter.'

'Hou je mond,' fluisterde Kate. Ze trilde. Het werd haar bijna te veel zoals hij haar aanraakte.

Philip kuste haar hals. Kate wilde verslonden worden door zijn mond. Zijn lippen waren zo zacht. Zijn gezicht was zo ruw. Ze reikte naar zijn riem, maar hij hield haar tegen. Ze probeerde haar slip naar beneden te trekken. Weer hield hij haar tegen.

'Philip...'

'Stil maar.' Het geluid van zijn diepe stem resoneerde door haar lichaam. Ze was er bijna. 'Wil je me een plezier doen, Kaitlin?'

Ze knikte, want ze hijgde te zwaar om te kunnen antwoorden.

'Klop op mijn deur,' fluisterde hij. 'Klop je op mijn deur?'

Ze schudde haar hoofd. Hij maakte haar gek.

'Net als in dat liedje. *Knock three times*. Oké?'

'Waarvoor?'

'Zodat ik je kan neuken.'

Zijn hand schoof een klein stukje naar voren. Kates zenuwen stonden in brand. Ze bevond zich op het randje. Hij had zijn mond nog bij haar oor. Zijn tong. Zijn tanden. Elke sensatie vibreerde tussen haar benen. Ze wist niet meer wat hij aan het doen was. Ze werd verteerd door verlangen.

'Alleen als je er klaar voor bent,' zei hij. 'Maar wel gauw, oké?'

Kate kon niet antwoorden. Ze was er bijna. Haar lichaam klopte van verwachting.

Hij verminderde de druk. 'Oké?'

'Ja,' fluisterde ze, smeekte ze. 'Ja.'

Langzaam trok Philip zijn hand weg. Zijn vochtige vingers sleepten over haar huid. Vol tederheid kuste hij haar voorhoofd.

Kate opende haar ogen. 'Wat zijn...'

'Sst.' Hij trok zijn duim over haar lippen. Ze rook zichzelf op zijn vingers. 'Gauw, oké?'

Hij klopte drie keer op het aanrecht, draaide zich om en liep weg.

ZESTIEN

Fox zat voor zijn televisie. Hij was dronken en hij was kwaad. Te kwaad zelfs om Kate te observeren, wat betekende dat hij alleen zichzelf strafte.

Hij verdiende straf. Hij had gefaald.

Het was typisch iets wat Fox Senior zou zijn overkomen: dat hij in een bar zat met een stelletje flikkers terwijl een vrouw zijn werk deed. Of in elk geval een poging daartoe. Jimmy Lawson had puur geluk gehad dat hij nog boven de grond rondliep. Fox had het op de politiescanner gehoord. De oude vrouw had een .44 magnum gebruikt. De kogel was in Jimmy's arm gedrongen in plaats van in zijn hoofd.

Fox ging de schuld niet op een ander schuiven. Dit was anders dan de eerste keer, toen Fox de hoek om was gekomen en Don Wesley op zijn knieën in de steeg had aangetroffen terwijl hij met Jimmy Lawson aan het rotzooien was. Geen man die in een dergelijke situatie niet als aan de grond genageld zou zijn blijven staan. En het wapen had geblokkeerd. En Lawson was achter een vuilcontainer gedoken en Fox was ervandoor gegaan, want een goede soldaat weet wanneer hij zich moet terugtrekken.

Vandaag was anders. Fox had zich vierkant vergist. Jimmy was niet op weg naar de bar geweest, op zoek naar een of andere nicht om zijn wonden te laten likken. Hij was op zoek naar de man die zijn flikkervriendje had omgelegd.

Meer was er niet voor nodig. Het plan zat niet langer in Fox' achterhoofd, het liet hem niet langer alle opties nalopen terwijl het beelden van Kate Murphy op hem af schoot om hem alert te houden.

Het plan zou ten uitvoer worden gebracht.

Deel één: Jimmy kon niet langer simpelweg gedood worden. Hij moest gebruikt worden, want Fox moest aan zichzelf bewijzen dat hij alles weer onder controle had.

Deel twee: de pion zou worden opgeofferd voor de koningin.

Fox zette zijn glas neer. Dat was heel belangrijk. Hiervoor moest hij helder in zijn hoofd zijn. Hij kon niet langer werkeloos zitten wachten tot een bliksemflits dat ding in zijn achterhoofd naar voren schoot. Fox kende alle opties. Nu moest hij uitdokteren hoe hij deel één en deel twee zo goed mogelijk tot een uitvoerbaar plan kon samenvoegen.

Hoe eerder hoe beter. Als Fox tijdens de oorlog één ding had geleerd, dan was het dat een man die wist dat hij in de gaten werd gehouden zich slimmer ging gedragen. Hij lette op zijn omgeving. Hij nam voorzorgsmaatregelen. Hij doorbrak zijn routine.

Fox hield van routine. Hij had behoefte aan routine. Routine was hem altijd goed van pas gekomen, ongeacht het doel waarop hij jacht maakte.

Hij pakte zijn klembord en bladerde terug door zijn logboek.

Vorige week vrijdag. Vorige week woensdag. Vorige week maandag.

Hij ging verder terug. Nog een vrijdag, nog een woensdag, nog een maandag.

En de week ervoor hetzelfde patroon.

Kate bezocht haar ouders met de regelmaat van de klok. Dat maakte haar vast tot een goede dochter, dacht Fox, voor zover je ooit van goed kon spreken bij een smerige jodin. Ze kleedde zich altijd keurig voor haar bezoekjes. Nooit een broek. Meestal bleef ze 's nachts bij haar ouders slapen, wat de zaak ingewikkelder maakte, maar Fox ook meer opties bood.

Iedereen die Fox kende wist dat hij bijna evenveel van opties hield als van routine.

Optie één: het struikgewas bij Kates slaapkamerraam in het souterrain. Ze had een eenpersoonsbed, waarschijnlijk nog uit haar kindertijd. Er hingen posters aan de muur (The Beatles, en dat kon hij haar nog vergeven; Paul Newman, dat zeker niet). Zachtroze lakens. Muren in dezelfde tint. Een donkerpaarse deken die ze over het bed legde als het koud was. De deur naar de badkamer stond altijd op een kier. Dankzij een nachtlampje kon Fox haar borst op en neer zien deinen. Met de secondewijzer op zijn horloge timede hij haar ademhaling. Als hij geluk had, stond Kate 's nachts een keer op en dan kon hij in het strookje licht haar nachtpon zien. Wit katoen. Bijna doorschijnend. Bij volle maan zag Fox haar geheime plekjes donker door de dunne stof heen schemeren.

Optie twee: de bijkeuken naast de keuken. Meestal brandde er licht zodat Fox vanaf de deur zo de keuken in kon kijken. Kate bracht de vuile borden altijd naar de spoelbak. Soms bleef ze daar staan en keek naar het stromende water. Of ze ging aan de keukentafel zitten om met haar grootmoeder te praten.

De grootmoeder. Aanvankelijk had Fox haar voor de moeder aangezien en de moeder voor een oudere zus. Om erachter te komen hoe ze aan elkaar verwant waren, had hij uiteindelijk een keer aangeklopt en zich voorgedaan als enquêteur van de telefoonmaatschappij.

De moeder had hem binnengelaten. Even later had de grootmoeder zich in het gesprek gemengd. Ze hadden hem koffie en koekjes aangeboden, en Fox had gevraagd of hij van het toilet gebruik mocht maken, want door de nabijheid van een paar vrouwen die sprekend op Kate leken, had hij een paal van jewelste gekregen.

Optie drie: de omgevallen boom voor in de tuin. Die avond had Fox er nog achter gezeten en Kate over het slingerende pad naar de voordeur zien lopen. Ze bewoog zich als een kat. Loom was het woord. Sexy als de hel. Ze droeg hooggehakte schoenen waardoor haar kuiten zich spanden en een zwakkere man allang zijn hand in zijn broek zou hebben gestoken om de druk op te heffen.

Fox was weggelopen, want hij had die dag te veel dingen verkloot om er zeker van te kunnen zijn dat hij de situatie meester bleef.

Straf nummer één: nu zag hij niet dat ze zich uitkleedde.

Straf nummer twee: nu zag hij niet dat ze met de paarse deken om haar schouders in bed ging liggen.

Straf nummer drie: nu kon hij de druk in zijn broek niet opheffen terwijl hij naar het ritmische bewegen van haar borst keek.

16.38: Sprak met dokter op afdeling spoed in ziekenhuis (D)
17.18: Huilde in auto op parkeerterrein politiebureau (D)
19.01: Trok gordijnen dicht op hotelkamer (D)

Druk.

Dit was niet de eerste keer dat een jodin hem problemen had bezorgd.

Toen Fox negen was, kocht een joodse familie het huis drie deuren verderop. Het ene weekend betrokken de Feldmans hun woning, en het volgende weekend stonden er opeens allemaal TE KOOP-borden in de voortuinen. Twee huizen werden verkocht, maar toen raakte het bekend en kon niemand meer tegen een redelijke prijs verkopen.

Senior zei tegen Fox dat hij iets dergelijks eerder had gezien. Er komt ergens een jood wonen, waardoor de waarde van de huizen keldert en dan duikt de rest van de joden er als een stel gieren bovenop.

Les zes: vertrouw nooit een jood.

Zoals met veel van Seniors voorspellingen, was ook deze niet uitgekomen. Niemand kon zich aan zijn hypothecaire verplichtingen onttrekken. De joden waren er niet op gedoken. Ze bleven alleen met de Feldmans zitten en met de vijandigheid die overal in de straat de kop opstak.

Niettemin was Fox joden als gieren blijven zien. Niet figuurlijk, maar letterlijk. Ze waren allemaal donker, hadden zwart haar, bruine ogen en haakneuzen. De vrouw van Feldman was dik en had een gluiperige blik, en de kinderen uit de buurt stoven altijd alle kanten op als ze naar de brievenbus liep, want iedereen wist dat een jood je kon vervloeken.

De oudste dochter was een ander verhaal. Rebecca Feldman was ook donker, maar ze was niet dik. Ze had weelderige rondingen. Haar lippen vormden een volmaakte boog. Ze droeg altijd mooi aansluitende rokken waarin haar heupen goed uitkwamen. En dan haar truitjes. Geen man in de straat die zich niet verheugde op de herfst, als Rebecca Feldman weer haar strakke truitjes droeg. Ze deed het met opzet. Dat wisten ze allemaal. Ze plaagde hen. Ze speelde met hen. En ze konden er geen moer aan doen zonder de politie over zich heen te krijgen.

Les zeven: alle jodinnen zijn wellustige hoeren.

De eerste keer dat Fox een stijve kreeg was toen hij Rebecca Feldman in een van die truitjes zag. Hij wist niet wat hem overkwam. Hij rende naar zijn kamer. Hij verstopte zich onder de dekens. Hij lag daar te zweten als een gek, want hij was ervan overtuigd dat de jodin hem vervloekt had.

En toen had hij met zijn handen de druk opgeheven, en daarna dacht hij alleen nog maar aan wat hij met haar wilde doen. Die trui van haar afpellen. Die rok naar beneden schuiven. Fox wist niet goed hoe het verderging, maar hij voelde gewoon dat de jodin moest boeten voor wat ze hem aandeed. Want Fox was de controle kwijt. Al die keren dat hij naar zijn kamer rende en onder de dekens dook, was de Druk de baas.

En het gebeurde weer helemaal opnieuw, alleen heette de jodin deze keer Kate.

DAG TWEE

Dinsdag

ZEVENTIEN

Voor de tweede keer op rij wurmde Kate zich tussen de mannen door die op een kluitje in de briefingruimte stonden. Ze negeerde de verlekkerde blikken. Ze sloeg haar armen voor haar borst om het gegraai tot een minimum te beperken. Helaas kon ze haar oren niet dichtstoppen.

'Bèèè!' blaatten ze. 'Bèèè!'

Waarom was van alle bijnamen die de vorige dag de revue waren gepasseerd, van Irish Spring tot Popje, uitgerekend deze blijven hangen?

Iemand tikte zijn pet aan. 'Hallo, lamskoteletje.'

Haar glimlach ging over in een grimas.

'Bèèè!'

Eindelijk was ze bij de deur. Kate zorgde ervoor dat ze hem niet te ver opendeed. Van de regen in de drup. Wanda Clack zat op de bank en laadde haar dienstriem vol. 'Bèèè!' zei ze toen ze Kate zag.

Kate plakte maar weer een glimlach op haar gezicht en stak berustend haar handen omhoog. Ze wist niet hoe lang ze dit volhield. Ze ging dood vanbinnen.

'Moet je jou zien in dat uniform,' zei Wanda. 'Ik zou jou niet zo snel voor een kerel aanzien.'

'Dank je.' Kate streek haar overhemd glad, dat nog steeds bloesde. Ze had Mary Jane gevraagd wat extra ruimte over te laten.

'Heb je dat door die jood laten doen?' Wanda lachte. 'Heeft hij je niet gepord met zijn horens?'

Kate keek wel uit voor ze de waarheid over zichzelf prijsgaf.

Ze had de anderen van meer dan genoeg munitie voorzien.

De deur ging open. Maggie glipte naar binnen. Ze trok haar wenkbrauwen op, alsof ze verbaasd was Kate aan te treffen.

Kate kreeg een tik tegen haar been.

'Geef eens een pootje, Schaap.' Wanda stak haar hand uit. Kate had geen andere keus dan haar overeind te hijsen. Luid kreunend ging Wanda staan. Haar volgeladen riem kraakte. 'Nou, ik moet zeggen dat na wat er gisteren allemaal gebeurd is niemand had verwacht dat jij nog zou komen opdagen.'

Kate probeerde er een grappige draai aan te geven. 'Verrassing!'

'Je zegt het zelf.' Wanda gaf haar een knipoog en wrong zich toen krabsgewijs de deur door.

Kate glimlachte naar Maggie, maar die concentreerde zich op het combinatieslot van haar kluis. 'Goeiemorgen.'

Met een ruk trok Maggie het slot open. 'Hoe ben jij gisteravond thuisgekomen?'

'Reservesleutel.'

'Magnetisch doosje onder de wielkap?'

'Hoe wist je dat?'

Maggie wierp haar haar handtas toe. 'Dat krijg ik meestal van het slachtoffer te horen als ik proces-verbaal moet opmaken over een gestolen auto.'

Kate klemde haar tas tegen haar borst. Kon ze nog weggaan? Zou het zo gemakkelijk zijn? Hoefde ze zich alleen maar om te draaien en weg te lopen?

'Heb je een slot of moet je mijn kluis weer gebruiken?' vroeg Maggie.

Eén ding had Kate die ochtend in elk geval goed gedaan. Ze hield het slot omhoog dat ze van haar vaders koffer had verwijderd.

Met diep misprijzen bekeek Maggie het ding. Desondanks opende ze het derde kluisje vanaf het hare. Nummer acht, pal naast het gordijn dat de zwarte meiden hadden opgehangen.

'Bedankt.' Kate had niet echt iets uit haar handtas nodig, maar ze maakte hem toch open terwijl ze door het vertrek liep. Alles zat er nog in: make-up, kauwgom, een paar tampons, wat wisselgeld dat ze niet zou moeten laten rondslingeren. Ze knipte haar portefeuille open. Ze keek in het geldvak, maar niet om te zien of er nog wat in zat. Tussen de bankbiljetten zat haar trouwfoto.

Patrick droeg een donkerblauw pak met stropdas. Zijn haar was keurig gekamd. Kate had een witte, knielange jurk aan met een peplum die los om haar heupen zwierde. Ze wist nog dat haar parels steeds bleven haken aan het lichte smokwerk langs de hartvormige halslijn.

Ze waren in het stadhuis getrouwd, door een politierechter, niet door een pastoor in de kathedraal van Christ the King. Dat laatste was de reden dat Patricks ouders de plechtigheid niet hadden bijgewoond. Kate was er altijd van uitgegaan dat ze agnostisch was, net als haar ouders; desondanks waren ze nog steeds niet welkom in de niet-joodse countryclub. Als kind had ze de synagoge bezocht, omdat haar Oma dat fijn vond. Ze was naar bar mitswa's gegaan vanwege de camaraderie en de taart. Af en toe deed ze aan sjabbat, ze gaf de voorkeur aan Kerstmis boven Chanoeka, maar ze peinsde er niet over in een katholieke kerk te trouwen en daarmee te verloochenen wat er met haar familie was gebeurd.

'Zit alles er nog in?' vroeg Maggie.

Kate keek op.

'Ik heb geen geld van je gepikt.'

'Daar was ik ook niet bang voor.' Kate sloot de portefeuille en stopte hem in haar tas.

'Je bent vandaag weer bij mij ingedeeld.' Maggie liet haar hand op haar revolver rusten. 'Heb je daar problemen mee?'

'Ik vind het fantastisch.'

Maggie kneep haar ogen tot spleetjes. 'Als je wilt lunchen, moet je wat geld meenemen. Lippenstift is oké, zolang het maar geen donkere is. Heb je je notitieboekje en een pen?'

Kate tikte op haar borstzak.

'Heb je je rapporten ingeleverd?'

'Meteen vanochtend.'

'Pak je bonnenboekje. We slaan het appèl vandaag over.' Ze sloeg haar kluisdeurtje dicht. 'We zien elkaar over vijf minuten op de trap aan de achterkant.'

Kate vermoedde dat ze niet geacht werd naar bijzonderheden te vragen. 'Komt in orde.'

Maggie glipte de deur uit. Er kwam verder niemand binnen. Kate was nog niet eerder alleen in de kleedkamer geweest. Ze wierp een blik in het gedeelte achter het gordijn, gewoon uit nieuwsgierigheid. Nog meer kluisjes, zag ze. Aan het eind van de bank lag een stapel tijdschriften voor zwarten. In de hoek was een tafeltje met een glazen vaas. Er stond maar één bloem in, een margriet, maar die zag er vers uit.

Er stootte iets tegen de deur en Kate schrok zich wezenloos. Ze wist niet wat erger was: dat ze hier nog zou zijn als de zwarte meiden binnenkwamen of dat ze te laat zou komen op haar afspraak met Maggie bij de trap.

Ze nam wat geld uit haar portefeuille en stak haar lippenstift in haar zak; die was zonder meer te donker, maar wat kon Maggie doen, haar arresteren?

Kate stopte de lippenstift weer in haar tas.

Ze was er al snel achter waarom Maggie haar kofferslot had afgekeurd. De beugel paste maar net in de gleuf van het kluisje. Alleen door kracht uit te oefenen kreeg ze het dicht. Het sleuteltje was zo klein dat het gemakkelijk uit haar zak kon vallen. Maar Kate was ervan overtuigd dat ze het in dat geval zou voelen. Haar heupen waren nog bont en blauw van de Kel-Lite en de wapenstok die er de vorige dag tegenaan hadden gebeukt. Ze vond het verbijsterend dat ze die nacht had kunnen slapen.

Uiteraard waren er de vorige avond wel meer verbijsterende dingen voorgevallen, met name die sensationele halve minuut waarin ze had afgemaakt wat Philip Van Zandt was begonnen. Nooit eerder had een man haar daaronder met zijn handen aangeraakt. Patrick vond het al kinky toen ze het een keer staand in de hal hadden gedaan.

'*Lieve Patrick.*' In gedachten stelde ze een brief aan hem op. '*Bedankt voor je laatste brief. Ik ben zelf ook erg druk geweest. Gisterochtend heb ik een pooier ontmoet, een kleurrijk figuur. Ik heb gezien hoe een hoer werd gemarteld. Ik heb een ruzie over een broodje helpen sussen. Ik heb me in mijn moeders keuken door een vage bekende laten vingeren. Ik hoop dat het jou anders vergaat...*'

De deur ging open. Kate raakte in paniek. De zwarte meiden. Ze waren met hun vieren en ze keken haar woedend aan. Ze boog haar hoofd en probeerde snel weg te komen, maar dat werd haar niet gemakkelijk gemaakt. De vrouwen gingen op een kluitje bij elkaar staan zodat ze zich tussen hen door moest wringen.

'Sorry... sorry...' mompelde Kate. Ze waren nog erger dan de mannen. Ze kreeg een tik tegen haar pet. Haar schouders werden aangestoten alsof ze een auto in een wasstraat was. Iemand stak haar voet uit om haar te laten struikelen. Na veel moeite strompelde ze eindelijk de briefingruimte in.

'Bèèè!' riep een dikke smeris recht in haar gezicht.

Het was voorlopig gedaan met Kates goede humeur. Ze had geen idee waar de trap aan de achterkant was, maar ze ging ervan uit dat ze daarvoor aan de achterkant van het vertrek moest zijn. Boven een deur zag ze een bordje met UITGANG. Daar koerste Kate op af. Ze kwam nu wat gemakkelijker vooruit. De meesten zochten een zitplaats voor het ochtendappèl. Ze wist niet goed hoe dit alles zou uitpakken. Als Kate niet werd afgevinkt door de agent van dienst, betekende dat dan in theorie dat ze niet werkte?

'Waar bleef je?' Maggie stond aan de voet van een grote marmeren trap. Blijkbaar verwachtte ze geen antwoord. 'Kom.'

Er zat niets anders op dan achter haar aan de trap op te lopen. Tijdens het klimmen concentreerde Kate zich op haar voeten. Haar schoenen gleden er nog steeds af, ook al droeg ze twee paar sokken van haar vader. Haar pet schoof nog steeds voor haar ogen. Ze duwde hem omhoog. Hij gleed weer naar beneden. Ze duwde hem weer omhoog.

'Je mag je pet wel afdoen, hoor,' zei Maggie.

Maggie had haar eigen pet opgehouden en daarom hield Kate die van haar ook op. 'Is alles goed met je broer?'

'Kijk eens omhoog.'

'Hoezo?' Kate keek omhoog. Het scheelde maar één tree of ze was tegen een forse zwarte vrouw opgebotst. Ze waren met z'n tweeën en ze stonden boven aan de trap. Ze droegen identieke uniformen en hadden identieke kortgeschoren afrokapsels. Op hun naamplaatjes stond DELROY en WATSON. Ze keken Kate met onverholen nieuwsgierigheid aan.

'Ze is echt zo blank als een schaap,' zei Delroy.

'Hm-hm.' Watson knikte beamend. 'Je zou toch zeggen dat ze gisteren wel geleerd had om te kijken waar ze loopt.' Ze stak een hand uit en sloeg de pet van Kates hoofd.

Maggie greep Kate bij haar arm om te voorkomen dat ze haar pet opraapte.

'Hoor eens, Schaap.' Ter illustratie wees Delroy met haar vinger. 'Je kijkt links, je kijkt rechts, je kijkt omhoog en je kijkt omlaag.'

Watson maakte het liedje af: 'Je danst in het rond en stampt op de grond.'

Ze klapten allebei in hun handen.

'Zo simpel is het.'

Ze moesten lachen, maar Watson hield haar blik op Kate gericht. 'Dat is geen grapje, Blank Schaap. Je moet voortdurend weten wat er om je heen gebeurt. Alleen dan overleef je het. Vat je 'm?'

'Ik vat 'm,' mompelde Kate. Ze klonk als de blankste jodin die ooit een verkeerde afslag uit Buckhead had genomen.

'Ze vát 'm,' zei Delroy tegen haar partner. 'Hoor je dat?'

Watson probeerde Kates accent na te doen. 'Ik vat 'm, schat.'

Ook Delroy ging op een bekakt toontje over. 'Dank je, lieverd. Zullen we elkaar later nog even lekker vátten na een paar cocktails op de club?'

'Hier hebben we geen tijd voor.' Maggie knikte in de richting van een dichte deur. Ze liet Delroy en Watson voorgaan. Toen knikte ze naar Kate, ten teken dat ze haar pet kon oprapen.

Dat deed Kate. 'Je knikt heel wat af vanmorgen,' zei ze opgewekt.

Maggie was al in het vertrek, dat ook een voorraadkast bleek te zijn. Maar deze kast werd daadwerkelijk voor voorraad gebruikt. Op metalen schappen lagen pennen, mappen, nietjes en notitieboekjes.

Met een knik gebood Maggie dat Kate de deur moest sluiten. Weer deed Kate wat haar werd opgedragen. Ze ging ervan uit dat Maggie er een reden voor had gehad om hun afspraak met deze vrouwen te verzwijgen. Het gordijn in de kleedkamer was niet het enige wat de zwarte meiden scheidde van de blanke.

'Gaan we dit doen met het Schaap erbij?' vroeg Delroy.

'Die praat niet,' zei Maggie, wat Kate als een compliment opvatte. 'Ik wil jullie om een gunst vragen.'

Delroy trok haar mond scheef. 'Ga je gang.'

'Ik moet met een pooier praten. Een zekere Sir She.'

'Sir She,' herhaalde Delroy. 'Een travopooier die vanuit CT opereert?'

'Ken je hem?'

'Wel eens van gehoord,' zei Delroy. 'We hebben met een stel van zijn meiden te maken gehad. Die waren helemaal verrot getrapt omdat ze hun geld niet hadden afgedragen.'

'Hij heeft van die gouden laarzen, met witte puntneuzen,' voegde Watson eraan toe. 'Hij heeft een van de meiden zo toegetakeld dat ze nooit meer recht zal kunnen pissen.'

'Waar woont hij?' wilde Maggie weten.

'Hij huurt een stel kamers in een pension in een zijstraat van Huff Road.'

Voor de zoveelste keer knikte Maggie. 'Mooi. Dat hebben we gisteren ook van een getuige gehoord.' Het viel Kate op dat Maggie er niet bij vertelde hoe ze de informatie uit Violet hadden losgekregen. 'Verder nog iets?'

'Dat pension wordt gerund door een raar Portugees wijf. Zo oud als de wereld, maar je moet geen ruzie met d'r krijgen.' Ze wendde zich tot haar collega. 'Wat is het huisnummer, 815?'

'819.' Watson trok haar neus op. 'Die ouwe taart ziet eruit alsof ze spinnen in d'r haar heeft zitten.'

'Portugees?' vroeg Maggie. 'Wat doet een blanke vrouw in CT?'

'Laten jullie bleekscheten soms een buitenlander in je achtertuin wonen?'

Delroy kwam weer met haar kakaccent op de proppen. 'Vroeger woonde ze bij het winkelcentrum, maar het lawaai was afgrijselijk!'

'Dat klinkt al beter,' moest Kate haar nageven. Delroy had de intonatie nu goed te pakken.

Maggie stak haar arm uit en verwijderde Kate met kracht uit het gesprek. 'Zijn ze gewapend?'

'Sir She draagt geen wapen. Voor wie je moet uitkijken is die dikke klootzak die voor hem werkt. Zo vet als een walvis. Zo gestoord als een deur. Ze zijn allebei trouwens getikt, naar wat ik gehoord heb. Maar die grote is gewoon hartstikke klotekierewiet, snap je?'

Delroy schonk Kate een veelbetekenende blik. 'Hij heeft iets tegen blanke vrouwen. Hij moet ze niet. En dat meen ik serieus, Schaap.'

Watson keek ook naar Kate. 'Hij moet ze alleen als hij ze aan repen kan snijden. Hij heeft altijd een stiletto bij zich. Die tovert hij dan tevoorschijn en voor je het weet hangt je halve gezicht van je schedel.'

Met moeite onderdrukte Kate een huivering.

'Maar geen pistolen of zo?' vroeg Maggie.

Watson haalde haar schouders op. 'Ik zei toch dat we die brothers nooit ontmoet hebben. Ze zijn nog niet zo lang in de stad, misschien een maand of vijf, zes.'

'Nog geen tijd gehad om ze een welkomstcadeautje te brengen, snap je?' zei Delroy.

'Dit is gewoon van die shit die we over hem gehoord hebben,' zei Watson.

'Goeie shit, maar nog altijd shit,' voegde Delroy eraan toe.

'Oké.' Maggie sloeg haar armen over elkaar. Ze wachtte af.

Watson keek Delroy aan. Delroy keek Watson aan.

'Sir She heeft een stel bejaarde hoeren bij Whitehall zitten,' zei Watson.

'Dat is waar Don Wesley is neergeschoten,' zei Delroy.

'En waar Lawsons broer ook bijna neergeschoten is,' benadrukte Watson. 'Ze is vast op zoek naar een meid die iets gezien heeft, misschien wil ze die aan het praten krijgen.'

'Zo'n meid praat alleen als d'r pooier het goed vindt.'

Ze bleven elkaar zwijgend aankijken. Ten slotte knikte Delroy. Watson knikte ook.

'Geef ons tot aan de lunch,' zei Delroy tegen Maggie. 'Dan zorgen wij dat je daarna zonder problemen CT in kunt. Heen en terug naar Huff Road. Meer kunnen we niet garanderen.'

'Deal.' Maggie bedankte haar niet. 'Wat kan ik voor jullie doen?'

Watson had zich kennelijk goed voorbereid. 'Eergisternacht is er een zwart meisje verkracht in het centrum. Het ging de hele nacht door. Dertien jaar oud. Ze belandde op de spoedafdeling van het Grady en moest gehecht worden. We denken dat een blanke het gedaan heeft.'

'Ik heb een zusje van die leeftijd.' Maggie stootte Kates arm aan ten teken dat ze het moest opschrijven. 'Heb je een signalement?'

'Beter nog,' zei Watson. 'Hij heet Lewis Windall Conroy de Derde. Eenentwintig jaar. Hij studeert aan Georgia Tech. Komt oorspronkelijk uit Berwyn, Maryland, waar hij volgens mijn contacten ook al een aanklacht aan zijn broek heeft wegens aanranding van een veertienjarige. Dat heeft z'n pa toen afgehandeld.'

Kate keek op. Maggies mond stond open. Kate had haar nog niet eerder zo verbluft gezien.

'Was hij zijn kleren soms kwijt?' vroeg Maggie.

'Waarom vraag je dat?'

Maggie antwoordde niet.

Watson haalde een dikke, bruine portefeuille uit haar achterzak en gaf die aan Maggie. 'Die eikel moet hartstikke stoned zijn geweest. Zijn kleren lagen voor zijn neus op de vloer, maar hij pakte de regenjas van haar opa en ging pleite.'

Maggie doorzocht de portefeuille tot ze het rijbewijs had gevonden. Ze bestudeerde de foto. 'Shit.'

Kate keek over haar schouder mee. De man had een rond gezicht en blond piekhaar, en wat zijn leeftijd betrof kon hij inderdaad een student zijn.

'Ik wist dat hij niet helemaal spoorde,' zei Maggie tegen de twee vrouwen. 'Ik had die sukkel gisterochtend te pakken, maar zonder aanleiding kon ik hem niet vasthouden.'

'Nou, die heb je nu dan wel.'

Maggie bekeek de overige inhoud van de portefeuille. Er zat een foto in van een ouder echtpaar, waarschijnlijk zijn ouders. Ze stopte toen ze op een studentenidentiteitskaart van Georgia Tech stuitte.

'De vader van dat meisje heeft het geld ingepikt,' zei Watson.

'Daar krijgt ze haar eerbaarheid niet mee terug,' vulde Delroy aan, 'maar het was genoeg om de pijnstillers van te betalen.'

'Daar ben ik niet naar op zoek.' Maggie stak de ID-kaart en het rijbewijs bij zich. Ze deed een poging de portefeuille terug te geven. 'Er zitten nog twee creditcards in.'

Dat stond Delroy niet aan. 'De man is geen dief.'

Maggie legde de portefeuille op een van de schappen. 'We pakken die vent op. Denk je dat het meisje wil getuigen?'

De vrouwen lachten om het idee.

'Wat moet ik doen, Del?' vroeg Maggie. 'Ik kan hem niet zonder reden arresteren.'

'Verzin maar iets,' beval Delroy. Haar scherpe toon ontging Kate niet. 'Als jij dat kind in het ziekenhuis had moeten ondervragen en had moeten uitleggen waarom d'r poes niet eerder nat mag worden dan wanneer de hechtingen d'r uit zijn, dan zou je op ditzelfde moment die vuile kinderverkrachter uit z'n wiskundecollege sleuren.'

'Oké,' suste Maggie. 'Maar zijn vader heeft duidelijk connecties. Als ik hem opsluit, staat hij binnen vierentwintig uur weer op straat.'

Opnieuw keek Watson Delroy aan. Kate vroeg zich af of ze telepathisch met elkaar verbonden waren.

'Jij zorgt dat hij aan onze kant van de stad komt,' zei Delroy. 'Dan zorgen wij voor de rest.'

'Oké.' Kennelijk maakte Maggie zich niet druk om wat ze met hem zouden doen. 'Ik ga met mijn jongens praten en dan stop ik de informatie in je kluis.'

'Doe dat,' zei Delroy. 'En jij, Schaapje, voortaan goed uitkijken waar je loopt.'

De bijeenkomst was beëindigd. Er werd niet over koetjes en kalfjes gepraat of naar elkaars ouders gevraagd. Met een knik gebood Maggie dat Kate de deur moest openen. Ze stapten de voorraadkast uit, maar in plaats van naar de trap liep Maggie de gang door.

Kate botste bijna tegen haar op toen ze plotseling bleef staan.

Maggie draaide zich om en riep: 'Del, ken jij een tent genaamd Dabbler's?'

Beide vrouwen proestten het uit. 'Dabbler's?' zei Delroy. 'Mens, je bent gek.'

Nog steeds lachend liepen ze de trap af.

'Gaan we die Circe opzoeken?' vroeg Kate.

Maggie ging niet op het grapje in. 'Heb je niet gehoord wat ze zeiden? Na de lunch. We hebben nog minstens vier uur voor het sein op groen gaat.'

'Op groen voor...'

Maggie liep door. Kate ging maar weer achter haar aan. Ze liet haar hand op haar revolver rusten, net zoals Maggie dat deed. Ze probeerde haar bij te houden, maar meer dan voortschuifelen kon ze niet op die schoenen.

'Berg je notitieboekje op.' Maggie klonk weer even geïrriteerd als eerst.

Kate klikte haar pen dicht, sloot het notitieboekje en stopte beide in haar borstzak.

'Niks over die jongen in je rapport zetten.'

'Waarom niet?'

'Omdat we geen aanhoudingsbevel hebben en ook geen enkel bewijs.'

'Vind je dat geen probleem?'

'Vind jij het geen probleem dat een volwassen vent een meisje van dertien kan verkrachten en er nog mee wegkomt ook?'

Kate wist niet wat ze moest zeggen. Het was geen filosofische vraag tijdens een tafelgesprek. Er liep ergens een echte man rond die een echt meisje had verkracht.

'Maak er een gewoonte van je notitieboekje in je achterzak te stoppen. In de zomer brandt de spiraal een rode plek op je borst.'

Kate wees er maar niet op dat Maggie haar notitieboekje wel in haar borstzak bewaarde. Ze probeerde een wat luchtiger toon aan te slaan. 'Denk je dat ik er tegen de zomer nog ben?'

Maggie antwoordde niet.

'Dabbler's. Dat is toch van dat luciferboekje?'

Nog steeds antwoordde ze niet.

Kate bedacht dat ze maar het beste al haar vragen er in één keer uit kon gooien. 'Waar ken je die twee vrouwen van?'

'Van avondschool.'

'De universiteit?' Kate hoorde zelf hoe verbaasd ze klonk. 'Ik bedoel...'

'We hebben allemaal op zo'n advertentie achter op een stripboek gereageerd, waar je eerst een schildpad moet tekenen voor je wordt aangenomen.'

'Dat bedoel ik niet.'

Weer antwoordde Maggie niet. Ze waren bij een andere trap aangekomen. Ook van marmer, maar imposanter dan die aan de achterkant van het gebouw. Maggie rende met twee treden tegelijk naar beneden.

Kate hield zich aan de leuning vast toen ze haar volgde. Ze mocht zich niet nog een dag als een slecht opgevoede pup gedragen. 'Even wachten, alsjeblieft,' zei ze tegen Maggie.

Onder aan de trap bleef Maggie staan. Ze keek op haar horloge.

'Heb ik soms iets verkeerds gedaan?' Kate wist dat het een stomme vraag was. 'Ik bedoel, natuurlijk doe ik alles verkeerd, maar heb ik iets speciaals gedaan waardoor je zo pissig op me bent?'

Maggie bleef zwijgen.

'Is het vanwege die bijnaam, Schaap?' Kate besefte dat ze wellicht niet de enige was die zich daardoor vernederd voelde. 'Het spijt me. Ik had me gewoon door mijn uitrusting bont en blauw moeten laten slaan. De volgende keer beter.'

'Bijnaam,' schamperde Maggie en ze keek naar Kates voeten. 'Welke schoenmaat heb je?'

'Achtendertig,' jokte Kate, maar toen bedacht ze dat ze niet bij Saks aan het winkelen was. 'Veertig, bedoel ik.'

'Je mag wel een paar oude schoenen van Jimmy lenen. Die passen vast beter dan wat je nu aanhebt.' Ze knikte in de richting van de deur. Het begon al bijna op een tic te lijken. 'We gaan even langs mijn huis. Je mag niet mee naar binnen.'

'Langs jouw huis?'

'Langs mijn huis. Waar mijn broer en ik wonen.' Ze praatte tegen Kate alsof ze een kind was. 'We gaan langs mijn huis om schoenen te halen die je passen, en dan gaan we naar dat eettentje aan Moreland Avenue. Over een halfuur treffen we Jimmy daar. We gaan wat dossiers met hem doornemen, tot lunchtijd ongeveer. En dan gaan we naar CT, met Gail, voor het geval ik back-up nodig heb en jij nog moet uitvogelen hoe je je veters strikt.'

Kate wist niet wat ze het eerst moest vragen. 'Dossiers?'

Ze keek naar Maggies rug terwijl haar collega door de verlaten hal in de richting van de glazen deuren liep. Ze kon uit twee dingen kiezen: ze kon met Maggie meegaan, of ze kon op haar rug springen en haar in elkaar timmeren.

Heel even liet Kate zich door dat laatste fantasietje meeslepen. Het was een heerlijk fantasietje. Maar wat Philip ook gezegd had over het doel in haar leven, Kate wist dat ze ooit kinderen wilde.

En weer volgde ze Maggie naar buiten.

ACHTTIEN

Kate was nog nooit in Cabbage Town geweest, maar ze begreep dat ze het niet mocht verwarren met de buurt die kleinerend CT, oftewel Colored Town, werd genoemd. De zuidoosthoek van de stad bevond zich aan de andere kant van de spoorbaan. Er was niet veel wat voor de wijk pleitte. Het gebied werd ontsierd door lege huizen en fabrieken die op instorten stonden. Ze ging ervan uit dat de oorzaak bij de gebruikelijke factoren gezocht moest worden: de oliecrisis, grote werkloosheid en de zwaarste beursval sinds de crisis van de jaren dertig. Het leek wel of de openbare diensten het voorbij het spoor voor gezien hielden. Vuilnisbakken waren overvol. Overal zaten gaten in het wegdek. Het was een rauwe buurt, echt een plek voor de Lawsons. De bewoners van de Southside mochten het allemaal zelf uitzoeken.

Kate keek door het open autoraampje naar een groot pakhuis van rode baksteen, waarvan de afbrokkelende schoorsteenpijpen naar de hemel reikten. Op de zijmuur stonden verbleekte letters. Ze las het woord 'National' en vroeg zich af of dit de potloodfabriek was waar Leo Frank had gewerkt. Zestig jaar eerder was de joodse fabrieksdirecteur valselijk beschuldigd van de moord op een jong meisje. Frank werd door een op lynchen beluste menigte uit de gevangenis ontvoerd en aan een boom opgeknoopt. Zijn uitgerekte nek werd gefotografeerd. Kledingstukken werden als souvenir verkocht. Onder de menigte bevonden zich een voormalig gouverneur, een gepensioneerde rechter en verschillende politiefunctionarissen. Ze werden nooit berecht voor de moord en waren waarschijnlijk zeer ingenomen met wat erop volgde: grofweg drieduizend joden pakten hun biezen en ontvluchtten de staat.

Als kind had Kate over Frank gehoord. Zijn verhaal was een van de lessen uit de reeks 'Hoe ze ons probeerden uit te roeien en hoe we het hebben overleefd' die ze in de synagoge te horen kreeg. Kate kon het zich niet meer herinneren, maar waarschijnlijk zat Philip Van Zandt ook bij haar in de klas. Voor hij vertrok, had hij altijd bij haar in de klas gezeten. Tot dat spelletje flesje draaien had ze nooit aandacht aan hem geschonken. Hij was gewoon een van die onhandige puistenjongens die in hoekjes stonden te loeren.

En wat Kate betrof mocht hij blijven loeren, want ze was nog niet volslagen gek. Ze ging er maar van uit dat het incident van de vorige avond het gevolg was geweest van een kortstondige vlaag van waanzin. Ze was moe geweest. Haar ego was gekwetst. Haar verdedigingsmechanisme was uitgeschakeld. Kate was de dochter van een psychiater. Ze had haar portie Freud gelezen. Puberaal, er was geen beter woord om te beschrijven wat ze daar in de keuken had toegestaan. Ze was een volwassen vrouw. Een weduwe. Philip was getrouwd. Hij wilde kinderen bij zijn vrouw. Hij had er geen misverstand over laten bestaan dat Kate maar voor één ding goed was.

Nou, wat Kate betrof klopte Philip Van Zandt maar mooi op zijn eigen deur.

De banden van de auto zoemden over het viaduct dat de I-20 kruiste. Kate keek naar beneden, naar het schaarse verkeer op de snelweg. Grotendeels vrouwen. Op dat uur van de dag gingen ze boodschappen doen of waren ze op weg naar huis nadat ze hun kinderen naar school hadden gebracht.

Voor het eerst sinds ze het politiebureau hadden verlaten zei Maggie iets. 'Wegen die van oost naar west lopen hebben even nummers. Die van noord naar zuid hebben oneven nummers.'

Kate had geen idee waar ze het over had, maar niettemin knikte ze.

'Secundaire snelwegen krijgen drie cijfers. Het eerste cijfer is even als het om een ringweg gaat, oneven als het om een aftakking gaat. Als je het nummer door vijf kunt delen, gaat het om een hoofdweg.'

'Boeiend, hoor.'

'Je moet dat soort dingen weten, Kate. Stel dat je achter een verdachte aan zit en hij de autoweg op rijdt?'

Kate wierp een verlangende blik uit het raampje. De auto ging te snel om er veilig uit te kunnen springen.

'Ken je je mobilofooncodes?'

Kate slaakte een overdreven luide zucht. 'Code 24: hinderlijk persoon. Code 28: dronken persoon. Code 30: rijden onder invloed. Code 49: verkrachting. Code 50: schietpartij. 51: steekpartij. 63...'

'Oké.' Maggie sloeg een zijstraat in. Het viel Kate op dat de huizen hier er anders uitzagen. Ze waren statiger, of in elk geval waren ze dat ooit geweest, in een ver verleden. Een paar victoriaanse huizen, een handvol uit de achttiende eeuw, en langs de brede straten veel kleine bungalows in Craftsmanstijl.

'Hoe heet deze wijk?' vroeg ze.

'Grant Park.'

Kate was hier één keer eerder geweest. Het was tijdens een uitstapje met de klas naar de dierentuin van Atlanta, een van de deprimerendste zaken die ze ooit had gezien. De dieren leefden in hun eigen vuil. Er was een gorilla die in z'n eentje in een betonnen kooi zat en de hele dag naar soaps tuurde.

Als ze uit het raampje keek, had ze niet de indruk dat zijn buren het veel beter hadden getroffen. De vloek die Cabbage Town teisterde, strekte zich uit naar Grant Park. Ramen waren dichtgetimmerd. Tuinen waren overwoekerde oerwouden. Auto's stonden op betonblokken.

'Net Buckhead, hè?' zei Maggie.

Kate vroeg zich af of ze nog in staat was sarcasme van ernst te onderscheiden.

De auto minderde vaart. Maggie reed de andere rijbaan op en liet de wagen tot stilstand komen voor een wat grillig gebouwde victoriaanse woning. Kate glimlachte. Het oude gebouw deed haar aan een poppenhuis denken dat haar vader ooit voor haar had gekocht. De gevelplaten waren lichtblauw. De lijsten waren helderwit, met een zwarte rand rond de ramen. Alle krullen en koepeltjes hadden een wat donkerder blauw accent gekregen. Om het hele huis liep een veranda en boven een deftige inrijpoort zat een Frans balkon.

'Wat prachtig.'

'Ja,' beaamde Maggie. 'Helaas woon ik in het krot ernaast.' Ze duwde het portier open. 'Blijf maar zitten.'

Kate was blij toe. Ze keek Maggie na toen ze naar het buurhuis liep. Het aardigste wat ze kon bedenken was dat het bouwwerk een goede structuur had. Verder was het niet veel soeps. Een wat groter torentje stak als een gezwel naar voren. Voor de meeste ramen zat plastic. Er was geen stukje hout waar de verf niet afbladderde. Gebroken stenen brokkelden uit de fundering. De oprit eindigde in een lelijke metalen carport, die ooit de bovenkant van een Airstream-caravan was geweest.

Kate hoorde een hordeur opengaan en weer dichtslaan. Een slungelige man in een trainingspak kwam het mooiere huis uit. Ze schatte dat hij ongeveer van haar leeftijd was. Hij droeg een hoofdband en witte sportschoenen. Onder aan de verandatrap bleef hij staan en strekte zich naar voren en naar achteren. Ze vermoedde dat hij aan hardlopen deed. Tegenwoordig zag ze altijd hordes joggers in het park. Hij had iets aan een ketting om zijn hals hangen, maar ze kon niet zien wat het was. Hij keek telkens over zijn schouder naar het huis van de Lawsons. Het was onmogelijk te zeggen of hij nerveus was of naar iemand zocht.

'Hé, eikel!' hoorde ze Jimmy roepen. Ze ging ervan uit dat hij het tegen de buurman had. Hij kwam over de veranda aanstrompelen. Zijn gewonde arm drukte stijf tegen zijn zij. 'Bemoei je goddorie met je eigen zaken!'

De buurman hield zich doof, wat hij zeer overtuigend deed. Hij sprintte de oprit af. Daarbij hield hij zijn armen gebogen, en Kate begreep inmiddels dat dat een uitstekende renhouding was.

'Murphy!' Nu had Jimmy het tegen Kate. 'Kom Rick eens helpen.'

Kate had geen idee wie Rick was, maar ze stapte uit. Delroy en Watson zouden er hun afkeuring over hebben uitgesproken. Kate was zo in beslag genomen door wat zich voor haar afspeelde dat ze er niet aan had gedacht achterom te kijken. Op straat stond een tweede patrouillewagen van het Atlanta Police Department. Een geüniformeerde agent deed het achterportier open. Hij was lang, had een dikke snor en haar dat even zwart was als zijn leren handschoenen. In de auto zag ze minstens vijf dossierdozen liggen.

'Rick Anderson,' zei hij, en Kate besefte dat hij op Maggie na de enige agent was die de moeite nam zich aan haar voor te stellen. Nog verbazender was dat hij haar hand schudde.

'Kate Murphy. Aangenaam kennis te maken, Mr Anderson.'

Hij keek wat opgelaten. 'Iedereen noemt me Rick.'

'Pak de dozen.' Maggie was ongemerkt naar hen toe gelopen. Ze keek al even kwaad als ze klonk. 'We gaan het hier doen.'

Kate vroeg maar niet naar bijzonderheden die ze toch niet te horen zou krijgen. Ze stak haar armen uit en pakte een doos. Maggie pakte er twee en Rick nam de overige voor zijn rekening, plus twee zakken waarop BEWIJSMATERIAAL stond.

'Je ziet er goed uit vandaag, Maggie,' zei Rick.

'Is dat alles?' vroeg Maggie.

'Alles wat ik kon vinden.'

'Ik dacht dat we dit in het restaurant zouden doen,' zei Maggie tegen Jimmy.

'We zijn nu toch hier. Waarom zouden we ergens anders naartoe gaan?'

Maggie stond al op de veranda. Voor ze naar binnen ging, bleef ze even staan. Kate zag dat ze de jogger nakeek terwijl hij de straat uit rende.

'Waar sta je naar te kijken?' vroeg Jimmy.

'Naar m'n eikel van een broer.' Maggie verdween naar binnen.

Kate had geen idee waar de woordenwisseling op sloeg. Voorzichtig liep ze de verandatrap op. Het ontbrak er nog maar aan dat ze door een van de verrotte treden zakte. Rick deelde haar angst niet. Hij rende met twee treden tegelijk naar boven en bleef bij de deur staan om Kate voor te laten gaan.

Sigarettenrook zweefde het huis uit als een spookhand die hen naar binnen wenkte. Met haar blik op haar voeten gericht probeerde Kate te acclimatiseren. Haar ogen begonnen te tranen. Haar keel stond in brand. En toen keek ze op, want ze was die dag iets te vaak bijna tegen dingen op geknald.

'Deprimerend' was het woord dat Kate inviel toen ze het interieur opnam. Alles was donkergrijs geschilderd, van de muren tot de lijsten en het plafond. De houten vloeren waren er slecht aan toe. De verlichting bestond uit weinig meer dan kale peertjes. De inrichting kwam rechtstreeks uit *All in the Family.* Een bank met geeloranje bloemmotief. Lelijke ligstoelen. Een door brandplekken ontsierde salontafel.

'Asjemenou, dame.' Jimmy stond in de hal. Zijn blik ging naar Kates borst. 'Had je die prammen gisteren ook al?'

Kate hees de doos een stukje hoger. Ze bloosde, maar niet om de voor de hand liggende reden. Ze kon niet naar Jimmy kijken zonder aan de röntgenfoto te denken die Philip haar had laten zien.

'Hier moet je wezen.' Maggie zat aan de eettafel. Ondanks de grote ramen die van de vloer tot aan het plafond reikten, had de kamer de uitstraling van een grafgewelf. 'Het licht is waardeloos en de ramen zijn dicht geverfd,' zei Maggie ten overvloede.

Kate probeerde iets positiefs te bedenken. 'Dat anaglypta ziet er mooi uit.' Ze staarden haar allemaal aan. In gedachten hoorde ze zichzelf het zinnetje weer zeggen en ze vermoedde dat ze het verdiend had. 'Het behang.' Ze knikte naar het reliëfwerk op de muren.

'Dat heeft m'n pa overgeschilderd,' zei Jimmy.

'Dat hoort ook zo.' Ze keken haar zo onderzoekend aan dat Kate het er warm van kreeg. 'Ik hou mijn mond verder wel.'

'Dat hoor ik nou het liefst van een vrouw.' Jimmy hinkte om de tafel heen. Hij droeg een zwarte broek en een net wit overhemd. Zijn mouwen waren opgerold. De open boord had kortere punten dan de mode voorschreef. Kate had nog nooit een homo ontmoet die zich niet naar de laatste mode kleedde. Ze vroeg zich af of Philip de waarheid had gesproken. Hij deed niets liever dan haar choqueren. Maar waarom zou hij over zoiets liegen?

'Ga zitten.' Maggie wees naar de stoel tegenover haar. Voor haar lag een opengeslagen dossier. Naast haar elleboog lagen een geel schrijfblok en een pen.

Kate zag Maggies riem aan de rugleuning van haar stoel hangen. Ze ontkoppelde haar eigen riem en hing die ook op. Het gevoel gewichtloos te zijn was een exquise ervaring, maar die gedachte hield ze voor zich.

'Hou je microfoon aangesloten,' mompelde Maggie. Ze zat met haar hoofd over een dossier gebogen.

Kate ging zitten en legde haar portofoon op haar schoot. Rick en Maggie hadden het geluid van hun eigen portofoons zacht gezet. Het geknetter was voortdurend op de achtergrond aanwezig, maar Kate hoorde het nauwelijks meer.

Rick trok zijn handschoenen uit. 'Maggie heeft Ballard en Johnson. Jij neemt Keen en Porter.'

Kate pakte het dossier dat Maggie haar aanreikte, hoewel ze geen idee had wat er van haar verwacht werd.

'Gewoon alles opschrijven wat er raar uitziet,' zei Jimmy.

'Prima.' Kate tastte nog steeds in het duister, maar ze besloot er niet tegenin te gaan. Maggie schoof een tweede schrijfblok over de tafel. Kate haalde haar pen uit haar zak. Misschien moest ze maar gewoon poppetjes tekenen tot iemand haar vroeg waarom ze in jezusnaam niet deed wat ze moest doen.

'Wij nemen dezelfde verdeling als de meiden.' Terwijl hij dat zei wierp Rick een paar dossiers voor Jimmy neer. 'K en P, lijst met bewijsmateriaal. Surveillancerooster. Telefoontjes naar de meldkamer.' Hij veegde de rest van de mappen bijeen en pakte ze op. 'Ik heb B en J.'

Jimmy grinnikte. 'BJ. Blowjob. Daar ben ik hard aan toe.'

Maggie keek haar broer woedend aan. 'Bek houden, Jimmy.'

Kates wangen gloeiden. Er zat niets anders op dan het dossier open te slaan dat voor haar lag. Haar maag draaide zich om toen ze de foto zag: een kleurenclose-up op A4-formaat van een dode man. Tenminste, ze ging ervan uit dat hij dood was. Zijn ogen stonden open. Zijn grijzende zwarte haar lag als een opengeschoven gordijn over zijn voorhoofd. In het midden zat een bijna volmaakt rond gat.

Jimmy stootte haar arm aan. 'Heb je nog nooit een dooie gezien?'

'Natuurlijk heeft ze dat wel.' Maggie was ziedend. 'Jezus.'

'Jezus jezelf, mens.' Jimmy liet zijn stoel achterover wippen. 'Wat héb jij?'

'We zouden dit in het restaurant doen.'

'Nou en?' Terwijl hij zijn stoel naar voren liet stuiteren gooide hij een pen naar zijn zus.

Kate bekeek de volgende foto. Weer een man. Weer een kogelgat. De foto's die ze op de academie te zien hadden gekregen waren zwart-wit. Soms waren het fotokopieën. Heel anders dan de kleurenfoto's die ze nu in haar handen hield.

'Is dat Porter?' vroeg Maggie.

Kate draaide de foto om. *Porter, Marcus Paul.* De naam kwam haar bekend voor, maar ze kon hem niet plaatsen. 'Ja, Porter,' zei ze niettemin.

'Wanneer is hij precies vermoord?'

Kate moest de vraag verwerken voor ze hem kon beantwoorden. Slechte fotokopieën of niet, ze had wel eerder een politierapport gelezen. Ze bladerde langs de foto's tot ze bij het proces-verbaal was aangekomen. '12 september.' Twee dagen voor de sterfdag van Patrick. Dat was voldoende om haar geheugen op te frissen. Op 12 september waren twee politieagenten achter een warenhuis vermoord, in executiestijl.

Kate keek naar de namen op de dozen: Mark Porter. Greg Keen. Alex Ballard. Leonard Johnson. Nu wist ze het weer. Ze had over al die mannen in de krant gelezen.

Ze waren de dossiers van de dode politieagenten aan het doornemen.

Maggie klikte haar pen open. Al schrijvend zei ze: 'Ballard en Johnson zijn vermoord – even kijken – drie weken daarvoor?'

Kate pakte haar eigen pen en volgde Maggies voorbeeld door de namen en sterfdatums van de slachtoffers te noteren. Ze bladerde door naar het rapport van de lijkschouwer. 'Ze zijn allebei gestorven aan schotwonden aan het hoofd.'

'Begin maar met het proces-verbaal.' Maggie tekende een kolom en daarom deed Kate dat ook. 'Als je een misdaad wilt oplossen, kijk je altijd naar de verbanden: hoe zijn het slachtoffer en de moordenaar met elkaar verbonden?'

Kate schreef 'Porter' boven de ene kolom en 'Keen' boven de andere.

'Toeval bestaat niet.' Maggie tikte met haar vingers op tafel om haar woorden kracht bij te zetten. 'Alles wat opvalt, schrijf je op. Ook al lijkt het nog zo stom. Laat het ons weten.'

'Ja,' zei Jimmy, 'ook al vind je jezelf nog zo'n stom schaap.'

Kate wierp hem een woedende blik toe. Hij zat zo dicht bij haar dat ze de warmte van zijn lichaam kon voelen. Ze snapte niks van deze man. Nog afgezien van het geheim dat hij met zich meedroeg, was er gisteren op hem geschoten. Vierentwintig uur eerder was zijn vermoedelijke minnaar voor zijn ogen vermoord. Dezelfde moordenaar had Jimmy proberen te doden. Hoe kon hij zo luchtig grapjes zitten maken?

'Heb je een biertje?' vroeg Rick.

Jimmy stond op. Hij liet zijn hand eerst op de rugleuning van Kates stoel rusten en toen tegen de muur, en zo strompelde hij naar het andere vertrek. Volgens de klok bij de deur was het iets na negenen 's ochtends.

Maar dat ging Kate niet aan.

Ze keek de personeelsdossiers vluchtig door. Alleen de basisgegevens: datum van indiensttreding, eerdere werkervaring, burgerlijke staat. Getuigenverklaringen ontbraken, maar ze stuitte wel op een paar aantekeningen die gemaakt waren tijdens gesprekken met familieleden en vrienden.

'Bij hem moet je telkens opnieuw beginnen,' zei Maggie. Ze had het over Jimmy en ze klonk berustend. 'Maakt niet uit wat je de vorige dag gedaan hebt, hoe goed je jezelf bewezen hebt, de volgende dag ben je weer terug bij af.'

'Alsof hij aan geheugenverlies lijdt,' zei Rick.

Ze keken hem allebei aan.

'Zoals wanneer je een klap op je hoofd hebt gehad.' Rick stond op. 'Ik ga eens bij Jimmy kijken.'

Kate wachtte tot hij de kamer uit was. 'Kun je me alsjeblieft uitleggen wat we hier aan het doen zijn?'

'We zouden het niet hier doen.'

Zoals gewoonlijk duurde het even voor het tot Kate doordrong. Maggie schaamde zich voor haar huis. En niet zonder reden. In plaats van het nog erger te maken door met wat huichelachtige dooddoeners op de proppen te komen, vroeg Kate: 'Waar zoeken we naar in deze dossiers?'

Maggie leunde achterover. Terwijl ze weer met haar pen op tafel tikte, keek ze Kate onderzoekend aan. 'Volgens mij is de Atlanta Shooter dezelfde die Don Wesley heeft vermoord en die Jimmy wilde doden.' Ze staakte het getik. 'En gisteravond was Jimmy het met me eens, maar vandaag vindt hij me weer een idioot.'

Het kostte Kate enige gedachtesprongen voor ze snapte wat Maggie zei. 'De Shooter heeft die mannen vermoord? Porter en Keen en Ballard en Johnson?'

'De MO is telkens dezelfde.' Maggie zweeg even. 'Een MO is...'

'Modus operandi. Ja, dat weet ik. Ze zijn allemaal op dezelfde manier gedood.'

'Precies. We moeten dus de bijzonderheden van beide dubbelzaken bestuderen. Daarna kunnen we ze vergelijken met wat er met Jimmy en Don is gebeurd. Tenminste, wat er volgens Jimmy is gebeurd.'

Kate hoopte vurig dat haar gezicht haar niet verried. Ze wist beter dan Maggie wat er in dat steegje was voorgevallen. 'Nou, er is toch twee keer op Don geschoten? En op die andere mannen maar één keer?'

'Klopt,' beaamde Maggie. 'Maar er zijn heel veel afwijkende feiten. Porter en Keen hebben nooit samengewerkt met Johnson of Ballard. Ze werkten wel allemaal in dezelfde zone, maar ze gingen niet met elkaar om. Rechercheurs die een stuk slimmer zijn dan wij hebben deze dossiers al doorgespit, maar ze hebben niets gevonden wat de slachtoffers met elkaar verbindt.'

'Waarom moet er een verband zijn?'

'Omdat...' Ze zocht naar een verklaring. 'Stel dat alle slachtoffers Vietnamveteranen waren.'

'Die twee van mij wel.'

'Die twee van mij niet. Maar als dat wel zo was, waren ze misschien lid van een veteranengroep. Of kenden ze elkaar van het veteranenziekenhuis. Of hadden ze samen in dienst gezeten.' Maggie haalde haar schouders op. 'Als we erachter komen waar ze elkaar allemaal van kenden, dan is de kans groot dat er nog iemand was die ze allemaal kenden.'

'Bedoel je de moordenaar?' Eindelijk snapte Kate het. En nu begreep ze waarom Maggie steeds vroeg naar de bar waar Don Wesley die lucifers vandaan had. 'Of als ze allemaal wel eens naar dezelfde plek gingen, naar een bar bijvoorbeeld, dan zou dat ook een link zijn.'

'Precies. Maar als die bar van dat luciferboekje een zaak is waar veel politie komt, zouden meer mensen ervan afweten.'

'Nu heb je voor het eerst toegegeven dat ik ergens gelijk in heb.' Kate weigerde het moment weer door Maggie te laten verpesten en vroeg: 'Kun je niet gewoon het telefoonbedrijf bellen en naar het adres vragen?'

'Zo werkt het niet. Je kunt niet naar een centraal nummer bellen. Je moet een officieel verzoek indienen. En die bedrijvengids van Salmeri is een maand oud, net als de mijne. Als de bar al open was geweest toen die andere jongens werden vermoord, zou hij erin hebben gestaan.'

Kate knikte. 'Dat is zo. Dus we lopen deze dossiers door om te zien of die vier schietpartijen verbonden zijn met de dood van Don Wesley?'

'Klopt,' beaamde Maggie. 'Met twee zaken is het soms moeilijk om de samenhang te zien. Met een derde erbij wordt de kans groter. Alleen moeten we wel bewijzen dat de derde zaak ook in het rijtje thuishoort.'

'En dat doen we door de link te vinden die ze allemaal met elkaar verbindt.'

'Ja. Lees je wel eens?'

'Natuurlijk lees ik wel eens.'

'Boeken, bedoel ik. Verhalen.'

'Ja hoor.'

Ze tikte op het dossier dat voor haar lag. 'Beschouw het maar als een soort thriller. Michael Crichton. Helen MacInnes. Zoiets. Het is een verhaal en wij moeten erachter komen hoe het afloopt voor iemand anders dat doet.'

Kate had meer met Jacqueline Susann, maar ze snapte wat Maggie bedoelde. 'Oké.'

'Mooi.' Dat was kennelijk het einde van de les. Maggie boog zich over haar documenten.

Kate bladerde terug naar het proces-verbaal. Degene die het had uitgetypt had zwaar op de politiecodes geleund. Gelukkig had Kate niet zomaar een beetje zitten opscheppen tegen Maggie. Ze had alle signalen en politiecodes in haar lesboeken uit haar hoofd geleerd.

Ze sloeg een nieuwe bladzij op en vertaalde de tijdbalk.

Op 12 september rond 3.15 uur 's nachts ontving de meldkamer een 10-79 (anoniem telefoontje) over een mogelijke 44 (inbraak) bij Friedman's Department Store. De beller zei dat een gemaskerde man met een koevoet bij het warenhuis was gesignaleerd, en dat hij de deur probeerde open te breken. Het hoofdbureau had geen signaal 10 (alarm geactiveerd) ontvangen. Agenten Greg Keen en Mark Porter gaven een 10-4 (melding ontvangen). De agenten meldden een 10-23 (ter plekke gearriveerd) om 3.35 uur en na een 50 (auto verlaten) gingen ze een kijkje nemen bij het gebouw. Om 3.55 uur meldden ze een 4 (alles veilig) en verzochten om een 29 (eetpauze). Ze ontvingen een 10-4. Om 4.45 uur verzocht de meldkamer om een 10-20 (locatie). De agenten waren blijkbaar nog steeds 10-7 (buiten dienst) en men ging uit van een 29. Om 5.00 uur, 5.05 uur en 5.10 uur probeerde de meldkamer weer met hen in contact te komen. Een mogelijke 10-29 (portofoon buiten werking) werd geregistreerd. En uiteindelijk, om 5.15 uur, werden agenten Pendleton en Carson eropuit gestuurd om te kijken of Keen en Porter nog op hun laatst gemelde locatie waren. Onmiddellijk werd een 63 gemeld (collega's neer).

Kate las haar werk nog eens door. Ze sloeg een nieuwe bladzij op en noteerde *Friedman's Department Store.* Ze zette er twee strepen onder. Het warenhuis bevond zich aan Decatur Street. Jimmy Lawson en Don Wesley hadden zich in een steegje vlak bij Whitehall Avenue opgehouden, een straat bij Five Points die in zuidzuidwestelijke richting liep.

Ze had een link.

Vervolgens ging Kate met het autopsierapport aan de slag. Ze maakte nog meer aantekeningen, maar betwijfelde of die nuttig waren voor anderen. Het verslag was erg gecompliceerd. Ze was geen arts. De tekeningen hielpen niet echt. De lijkschouwer had een bibberig handschrift.

De overeenkomsten waren: beide mannen hadden zandkorrels op de knieën van hun broek gehad. Ze waren allebei van vlakbij midden door het hoofd geschoten. Ze hadden allebei nog geen uur voor hun dood een hamburger gegeten.

En dit waren de verschillen: de nagel aan de rechtermiddelvinger van Mark Porter was tot op het leven ingescheurd. Greg Keen had bloed in zijn linkeroor, maar Porter niet. De hielen van Mark Porters schoenen waren in een vreemde hoek afgesleten. Zijn linkerveter zat los. Zijn voortanden waren postuum gebroken nadat hij voorover was gevallen op de straatkeien waarmee het steegje was geplaveid.

Aandachtig las Kate de familieverklaringen door, die vooral anekdotes over de dode mannen bevatten, verhalen die ze verteld hadden over boeven die ze hadden gepakt. Eerlijk gezegd leken het nogal sterke verhalen, maar als Kate bedacht wat ze de vorige dag allemaal had gezien, mocht ze er waarschijnlijk van uitgaan dat ze waargebeurd waren. Keen was een jager. Porter was totaal geen buitenmens. Ze hadden allebei in het beginstadium van het conflict in Vietnam gediend. Keen in de marine. Porter in het leger. Over hun cv viel niet veel te zeggen. Tegen geen van beiden liep een zaak. Geen van beiden kwam voor promotie in aanmerking.

Ze vond het ontzettend deprimerend dat hun hele leven op deze miezerige velletjes papier kon worden samengevat.

Kate bekeek de foto's nog eens. Deze keer was ze beter op de beelden voorbereid. Ze wist al wat er gebeurd was. De schutter had op ongeveer vijftien centimeter van zijn slachtoffers gestaan. De mannen zaten op hun knieën.

Kate dacht eens na. Op je knieën worden gedwongen. In een wapen kijken dat op je hoofd is gericht. Zien hoe de vinger de trekker overhaalt. De explosie als de kogel de loop verlaat. De verschrikking was onvoorstelbaar.

Beide mannen waren getrouwd, hoewel Keen niet meer bij zijn vrouw woonde. Hun trouwringen stonden geregistreerd in het autopsierapport. Volgens beide vrouwen waren ze goede echtgenoten geweest, respectabele mannen. Wie was naar hun huis gegaan en had op hun deur geklopt?

Kate wist in elk geval hoe dat voelde. Zodra je ze zag, wist je waarvoor ze gekomen waren. De rest was toneel. Je vroeg: 'Waarmee kan ik u helpen?' – alsof je brein het niet allang wist. Alsof je hart niet allang in je keel klopte.

'Wat is er?' vroeg Maggie.

Kate schudde haar hoofd. Ze deed alsof ze de foto's nog aandachtiger bestudeerde. Alleen de eerste paar waren moeilijk om naar te kijken. Het waren close-ups van het achterhoofd van de mannen. Elke kogel had een volmaakt gat in hun voorhoofd achtergelaten. De uitschotwonden waren een heel ander verhaal. De schedels waren naar buiten opengebarsten. Witte botsplinters staken grimmig als tanden uit de bloederige troep van hersenen en ander weefsel. Die foto's waren bijna onwerkelijk. Kate keek in de schedel van een mens, maar om de een of andere reden maakte haar brein haar wijs dat het nep was.

Misschien dat ze daarom de schram zag op Mark Porters

nek. Kate hield de foto omhoog om hem nog beter te kunnen zien. Was het een schram van een vingernagel?

Ooit had Kate tijdens een heftige vrijpartij Patrick in zijn nek gekrabd. De volgende dag had hij erom moeten lachen, maar zij had zich doodgeschaamd.

Had Mark Porter een krab van zijn vrouw gekregen of had hij hetzelfde gedaan dat Don Wesley bij Jimmy deed toen hij werd vermoord?

Kate schudde haar hoofd. Dat zou te toevallig zijn. Het was zonneklaar dat de Shooter dat telefoontje had gepleegd over de inbreker achter Friedman's. Porter en Keen waren ernaartoe gelokt. Voor zover Kate wist stond er geen richtlijn in het handboek die je verplichtte je partner te pijpen nadat je het sein veilig had gegeven.

Achter in de map zat een schaaltekening van de plaats delict. Kate bestudeerde de schets. De lijkschouwer kon het een en ander van de tekenaar leren. De lijnen getuigden van een vaste hand en de objecten waren duidelijk aangegeven. Alles wat zich binnen een straal van vijftien meter van de lichamen bevond was op de tekening met een nummer gemarkeerd. In de hoek stond een legenda. Kate liet haar blik over de verzamelde voorwerpen gaan: sigarettenpeuken, glasscherven, injectienaalden, vierkantjes zilverfolie, een gebogen zilverkleurige lepel, de sleutels van de patrouillewagen die op straat stond geparkeerd, een stukje afgebroken vingernagel.

Kate kreeg een idee. Haar gezicht werd zo warm dat ze haar hoofd even in haar handen liet rusten om te voorkomen dat Maggie het zag. Als Keen en Porter orale seks hadden gehad, maar het eindresultaat bevond zich niet op de plaats delict, waar kon het dan zijn?

Ze bladerde terug naar de autopsierapporten. Kate vouwde de pagina's dubbel zodat Maggie niet zag dat ze zich op het stukje richtte met het kopje GENITALIËN. Bij beide mannen stond 'onopmerkelijk'.

Ze bladerde terug naar het gedeelte waarin de maaginhoud werd beschreven. Bij beide slachtoffers waren gedeeltelijk verteerde hamburgers en patat aangetroffen die volgens de lijkschouwer ongeveer een uur voor hun dood waren geconsumeerd. Verder stond er niets vermeld. Kate zou niet eens weten of iets dergelijks vermeld werd. Zag je zoiets wel als het zich in iemands maag bevond?

'Wacht eens,' zei Kate.

'Wat is er?'

'Hadden jouw mannen iets in hun maag?'

Maggie knikte. 'Hamburgers en patat.'

'Mijn mannen vroegen om een eetpauze rond de tijd van hun vermoedelijke dood, maar de lijkschouwer schat dat ze minstens een uur voor hun dood gegeten hadden.' Ze liet Maggie de twee rapporten zien. 'Hamburgers en patat.'

'De enige plek waar ze op dat uur van de nacht hamburgers konden krijgen is de Golden Lady. Dat is een striptent in een zijstraat van Peachtree Road. Daar eet iedereen die nachtdienst heeft.'

'Weer een link.' Kate zette *Golden Lady* op haar lijst. 'Waarom zouden ze om een eetpauze hebben gevraagd als ze al gegeten hadden?'

'Waarom zouden ze überhaupt om een eetpauze vragen?' zei Maggie. 'Voor de nachtdienst krijg je dubbel betaald. Je klokt niet uit voor maaltijden. Niemand die je controleert, want de hoge omes slapen dan.' Ze knikte naar Kates papieren. 'Verder nog iets?'

'Werden jouw jongens ook naar de plaats delict gelokt?'

'Ja. Er kwam een anoniem telefoontje binnen over een inbraak. Er was geen alarm afgegaan.'

'Hetzelfde met de mijne. Hebben die van jou om een 29 gevraagd?'

'Hun laatste contact met de meldkamer betrof het sein veilig en een verzoek om een eetpauze te mogen nemen.'

Kates nekharen gingen overeind staan. 'Werden ze op hun knieën gedwongen?'

'Ja.'

'Kregen ze een schot door het voorhoofd?'

'Het wapen was vijftien tot twintig centimeter van hen verwijderd, in een schuine hoek, dus de schutter stak boven hen uit en hield het wapen naar beneden gericht.'

'Dat heb ik hier ook.'

'Vijfentwintig kaliber?'

'Vijfentwintig kaliber,' bevestigde Kate. 'Staat er nog iets vreemds op de schets van de plaats delict?'

Maggie sloeg een paar blaadjes in haar schrijfblok om. 'Sigarettenpeuken, drugsattributen, een gescheurde damesslip.' Schouderophalend keek ze Kate aan. 'Die dingen kun je op ditzelfde moment op elke straat in Atlanta vinden.'

'En de autosleutels?'

Maggie bladerde door. 'Die had Ballard in zijn linkervoorzak.'

'Op mijn schets liggen de sleutels op vijf meter afstand van Mark Porters lichaam. Zou hij ze in zijn hand hebben gehad omdat hij terugliep naar de auto?' opperde Kate.

'Je hoort de sleutelring om je middelvinger te hebben.' Maggie haalde haar eigen sleutels tevoorschijn en deed het voor. 'Zo kunnen ze niet uit je hand worden geslagen.'

'Hun patrouillewagen stond om de hoek, ruim vijftien meter verderop.' Kate haalde haar schouders op. 'Ik pak mijn sleutels pas als ik dichter bij mijn auto ben, maar dat zegt niks.'

'Vertel eens wat je ziet.' Maggie legde twee foto's voor Kate neer. Ballard en Johnson, die op hun buik in een steeg lagen. Net als bij Kates slachtoffers was hun achterhoofd opengebarsten. Hun benen lagen in rare hoeken. Hun armen waren gespreid. De uitrusting die aan hun riemen had gehangen was alle kanten op gevlogen. De portofoons achter aan hun riemen zaten vol bloedspatten.

'Wat zie ik over het hoofd?' vroeg Kate.

'Kijk nog eens goed.'

Kate boog zich over de foto's heen. Ze bekeek de lichamen alsof het om zo'n puzzel ging waarbij je de verschillen moest ontdekken. Ze keek van de een naar de ander. Linkerschoen. Linkerschoen. Rechterschoen. Rechterschoen. Zo ging ze naar boven tot ze bij de portofoons was aangekomen. 'O.'

'En die van jou?'

Kate pakte de corresponderende foto's van Keen en Porter. Ze waren vanuit een andere hoek genomen, maar het waren min of meer dezelfde beelden: twee mannen die op hun buik op de grond lagen en van wie het achterhoofd ontbrak. Ze zag dezelfde afwijking die Maggie ook al had gesignaleerd. 'Bij mijn jongens is de schoudermicrofoon ook ontkoppeld van de portofoon.'

'Dat gaat niet per ongeluk.'

'Nee,' zei Kate. Het contact was bijna te klein voor de plug. Ze ging ervan uit dat het met opzet zo was ontworpen om te voorkomen dat het snoertje gemakkelijk losschoot.

Kate keek zo lang naar de foto's dat haar ogen ervan gingen branden. Er zat haar nog iets dwars. Alleen kon ze er niet de vinger op leggen.

'Moet je zien hoe hun armen gespreid zijn.' Maggie wees naar elk van de foto's. Bij ieder slachtoffer lagen de armen in dezelfde hoek. 'Als je iemand arresteert, laat je hem zijn vingers ineenslaan en zijn handen boven op zijn hoofd leggen.'

'Juist.' Kate wist precies wat ze bedoelde. Hun handen moesten uit elkaar zijn gevlogen toen de kogel door hun schedel drong. 'Denk je dat ze van de Shooter om een eetpauze moesten vragen en dat hij daarna hun microfoons heeft ontkoppeld?'

'Die hebben ze niet zelf ontkoppeld.'

'Maar het verzoek om een eetpauze is een 29. Deze mannen hadden een wapen op hun hoofd gericht. In plaats van om een

29 hadden ze toch om een 63 kunnen vragen, om assistentie? De Shooter zou het verschil vast niet weten.' Kate gaf zelf antwoord. 'Tenzij de Shooter de politiecodes kende.'

Dat lieten ze even bezinken. De Shooter kende de politiecodes. Hij kende de procedures. Hij kende de werkwijze.

Maggie verhief haar stem en riep: 'Jimmy?' Een antwoord bleef uit. 'Jimmy?' Maggie kwam van de tafel overeind. 'Jezus, waar blijft die vent?'

Kate liep achter Maggie aan de dampige keuken door en vervolgens naar buiten, naar de carport. Jimmy en Rick zaten op metalen tuinstoelen in de schaduw. Terry Lawson en Bud Deacon zaten op de motorkap van een bruine Impala. Jett Elliott zat achter het stuur, maar zo te zien was hij van de wereld. Chip Bixby leunde tegen een stapel hout. Cal Vick stond naast hem. Ze hadden allemaal een bierblikje in hun hand, ook Jett. De grond was bezaaid met lege blikjes. Het verbaasde Kate niet dat ze allemaal met elkaar bevriend waren. Het was één pot nat, het waren allemaal eikels, en daar zouden ze maar al te snel blijk van geven.

Terry keek even op, maar hij was blijkbaar net een verhaal aan het vertellen. 'Dus wat gebeurt er? Kennedy wordt doodgeschoten en dan is er maar één ding dat ons scheidt van die communistische klotebroer van hem, namelijk een Arabier met een tweeëntwintig kaliber.'

'Toch mooi dat hij ermee om kon gaan.' Chip hield zijn bierblikje schuin. Kate zag dat zijn knokkels aan de bovenkant ontveld waren. Ze werd bijna onpasselijk, maar niet vanwege het geweld. Op de schietbaan had Chip zich van achteren tegen haar aan gedrukt toen hij haar leerde hoe ze een wapen moest vasthouden. Er waren niet genoeg hete douches op de wereld om de herinnering van haar lichaam te spoelen.

'Niet beledigend bedoeld, schat.' Terry had het nu tegen Kate. Hij hield een koud blikje tegen de rug van zijn hand.

Zijn knokkels bloedden. 'Ik weet dat jouw soort die Kennedy-klootzakken even hoog heeft zitten als de paus.'

Kate zette haar stekels op. 'Ik ben niet Iers. Ik ben Nederlands.'

'Vast en zeker.' Cal Vick liet een suggestief lachje horen dat in een droge hoest overging.

'Rustig maar.' Chip gaf de man een klap op zijn rug.

Terry pakte de draad van zijn verhaal weer op. 'Ik wou alleen maar zeggen dat mensen de macht niet nemen. Die krijgen ze van anderen. Kijk eens wat hier gebeurt. Burgemeester Hartsfield heeft z'n ziel gegeven voor het vliegveld en het stadion. Dan neemt Massel, die stomme smous, het van hem over en douwt ons de metro door de strot.'

'Die stomme nikkertrein,' mompelde Chip.

Instemmend hief Terry zijn biertje. 'Nu zit die speerwerper in z'n driedelig pak achter het bureau en opeens worden wij op straat beschoten. Een halfjaar geleden was je hier nog niet, schat,' zei hij tegen Kate. 'Je hebt geen idee hoe het was.'

'Die kloot van een Spivey,' mompelde Chip.

Edward Spivey. De naam galmde door Kates hoofd.

Proostend hief Bud zijn biertje. 'Op Duke Abbott. De beste rechercheur die deze club ooit gehad heeft. Hij had beter verdiend.'

'Op Duke Abbott,' zeiden ze in koor.

Terry leunde achterover en klopte op de voorruit. 'Jett? Wakker worden, sneue zak.'

Jett bewoog, maar hij was zo ver heen dat hij alleen nog maar met zijn hoofd kon rollen.

'Laat hem zijn roes toch uitslapen.' Vick slurpte bier van de rand van zijn blikje. 'Hoor eens, jongens, ik heb een telefoontje uit Californië ontvangen. Spivey woont daar nog steeds. Een stelletje stillen heeft hem voor me opgespoord. Gisteravond was hij op een retraite van de kerk. Wel twintig mensen hebben hem gezien.'

'En geloof je ze?' vroeg Bud.

Vick haalde zijn schouders op. 'Volgens de vluchtschema's kon hij niet aan het begin van de dag in Atlanta zijn en weer in Californië tegen de tijd dat de rechercheurs bij hem aanklopten.'

'Zijn die stillen zwart of blank?' vroeg Chip.

Weer haalde Vick zijn schouders op. 'Ze klonken blank, maar dat weet je nooit met die Hollywood-gasten.'

'Flikkers en freaks,' mompelde Bud.

'Hoor eens, vergeet die Spivey nou maar.' Terry gaf Bud een klap op zijn schouder. 'Deze krijgen we te pakken. Reken maar dat we hem te grazen nemen.'

'Zo is het maar net,' beaamde Vick, die het niet leek te deren dat zijn halve rechercheteam zat te zuipen onder een carport in plaats van naar de moordenaar van een politieman te zoeken.

'En dan hebben we hem,' zei Bud. 'En wat dan? Dan komt er een advocaat die hem vrijpleit? En de volgende dag wordt er weer een agent doodgeschoten. En dan weer een.'

'Zo zijn de tijden, jongens,' zei Vick. 'Al die ellende zou niet gebeurd zijn als de goeien het nog voor het zeggen hadden.'

'Zo is het maar net,' zei Chip. 'Toen hadden we ze nog in het gareel.'

'Toen hadden we deze stad nog op orde,' voegde Terry eraan toe.

Het kostte Kate moeite om een neutraal gezicht te trekken. Ze vroeg zich af of Leo Frank ook dit soort praat had moeten aanhoren voor de lynchbende hem naar de boom had gesleurd.

'Shit.' Bud stak zijn hand in zijn broekband. 'Toen ik pas begon was er geen nikker in Atlanta die zijn blik niet neersloeg als je langsliep. Nou paraderen ze rond alsof ze hier de baas zijn.'

'Ze zíjn hier godverdomme ook de baas.' Terry wierp zijn

lege blikje in de tuin van de buren. 'Wat sta jij nou te kijken, Olijfje?'

Maggie had haar armen over elkaar geslagen. 'Ik moet Jimmy spreken.'

'Waarover?'

'Over...'

'Over niks,' onderbrak Terry haar. 'Ik heb je niet je snor laten drukken bij het appèl om je de hele ochtend lekker thuis te laten zitten met je vriendin.'

'Ik wil anders wel bij d'r zitten,' bood Bud aan.

Chip liet een boer. Alle mannen moesten er smakelijk om lachen, behalve Rick Anderson. Hij keek Kate verontschuldigend aan. Toen dronk hij zijn blikje leeg.

Jimmy wierp zijn lege blikje in de tuin naast het huis. 'Nederlands.' Hij nam Kate op. 'Dat is toch Holland, hè?'

'Nederland.' Terry was Kate voor. 'Ik was in vijfenveertig in Amsterdam gestationeerd. Die meiden daar leken allemaal op haar. Groot, blond en allejezus wat een tieten. Als ze je uniform zien, dan hoef je niet eens met je vingers te knippen. "Hoe hoog?" vragen ze dan.' Hij keek Kate schouderophalend aan. 'Niet beledigend bedoeld, pop.'

'Zo vat ik het ook niet op,' zei ze, alsof hij niet net haar moeder en grootmoeder als hoeren had neergezet.

'Hoe lang duurde het ook alweer voor jullie je overgaven toen de nazi's bommen begonnen te droppen?' vroeg Terry. 'Vijf dagen?'

Kate beet op haar wang.

'Er zaten van die Hollandse zeelui in de Pacific.' Chip kneep zijn lege blikje in elkaar en smeet het de tuin in. 'Gestoorde klootzakken. Brachten in een week meer schepen tot zinken dan alle geallieerden bij mekaar. De Britten vonden het maar lomp, maar die konden de klere krijgen.'

'Mijn broer is door een Hollands schip uit de Pacific gevist,' zei Terry. 'Jammer dat ze hem niet thuis hebben gebracht.' Nadenkend leunde hij achterover op de auto. 'Ik zat helemaal aan het eind in Amsterdam. Het was afgelopen, op wat geschreeuw na. De moffen bombardeerden die hele stad naar de sodemieter. Het geschut dat ze hadden... dat wil je niet weten. Zo godsallemachtig nauwkeurig. Dan liep je langs een gebouw en keek door het raam naar binnen en dan was daar niks meer. Geen vloeren. Geen stijlen. Geeneens dwarsbalken meer. Alleen steen vanbuiten en een lege huls vanbinnen.'

'Dat kwam niet door de bommen.' Kate was zich bewust van haar afgemeten toon, maar ze kon zich niet langer inhouden. 'De nazi's hadden de bevoorrading afgesneden. Mensen stierven de hongerdood. Het was de strengste winter sinds mensenheugenis. De gebouwen werden afgebroken om als brandhout te dienen.'

Nog voor ze was uitgesproken, stond Terry al met zijn hoofd te schudden. 'Ik ben er zelf bij geweest, schat. Ze werden echt naar de verdommenis gebombardeerd. De halve stad lag in puin.'

'Dat heet de Hongerwinter.' Kate sprak het woord met zo veel mogelijk nadruk uit. 'Meer dan twintigduizend mensen zijn toen van de honger omgekomen.'

'Daar heb ik over gelezen.' Maggie wierp een nerveuze blik op Kate. 'Audrey Hepburn had het erover in een interview. Ze is erbij geweest.'

'Audrey Hepburn is Engels, stomme trut.' Terry pakte weer een biertje. 'Als je het over honger wilt hebben, had je die kampen moeten zien.'

Bud mompelde iets wat Kate weigerde te horen.

'Je kon de botten door hun vel zien steken,' zei Terry. 'Holle ogen. Tanden vielen uit. Geen haar. Verschrompelde pikkies. Tieten die als zandzakjes naar beneden hingen.' Hij floepte het biertje open en gooide het ringetje in de tuin. 'Ze smeekten ons om eten, maar je kon ze niks geven. Ze moesten van die dingen hebben, hoe heet dat ook alweer, als de dokter een naald in je pols steekt?'

'Een infuus.' Kates stem beefde. Haar benen beefden. Ze beefde over haar hele lichaam.

'Ja, een infuus.' Terry keek naar zijn bierblikje. 'Een van m'n maten en ik, we zagen een oud mensje en dat had een stuk brood of zo te pakken. We probeerden haar tegen te houden, maar twee tellen nadat ze het had doorgeslikt, viel ze gewoon op de grond. Ze kreeg een soort aanval. Het schuim kwam uit haar mond. Ze liet d'r pis lopen. Volgens de dokter was haar maag gebarsten.'

'Jezus,' mompelde Rick. 'En ik dacht dat Vietnam erg was.'

Bud spuugde op de grond. 'Guadalcanal was erg. Vietnam was een eitje, watjes die jullie zijn.'

'Zo is het.' Instemmend hief Chip zijn biertje. 'Alles beter dan een jap.'

Rick stond op. Hij liep het huis in. De deur viel achter hem dicht.

Even werd er niets gezegd. Kate keek naar het gebarsten beton. Tranen vertroebelden haar blik. Ze zag haar grootmoeder met haar handen tegen haar buik op de grond liggen. Ze zag haar moeder om brood smeken. Terry was een botterik, maar het beeld dat hij had geschetst was te levensecht. Kate moest zo snel mogelijk weg om weer grip op zichzelf te krijgen.

'Zullen we weer aan het werk gaan?' zei ze tegen Maggie.

'Werk,' bauwde Terry haar na. 'Zijn jullie daarmee bezig daarbinnen, stoere meid?' Hij had het tegen Maggie. Zijn blik stond dreigend. Achter zijn toon ging een mes schuil. 'Zijn jullie soms die Shooter-zaken aan het uitzoeken?' Hij grijnsde toen hij Maggies verbaasde blik zag. 'Ik weet wel wat jij hebt uitgespookt, snoes. Je hebt net zo lang tegen Rick geslijmd tot hij die dossiers voor je pakte. En die Hollandse hier maar met d'r tieten zwaaien om je broer af te leiden.'

Kate proefde bloed op haar tong. Ze was niet van plan zich uit haar tent te laten lokken. Dat kreeg hij niet voor elkaar.

'Denk je dat jij iets kunt vinden wat twintig rechercheurs hebben gemist?'

'Het helpt als je nuchter bent.' Maggie dook weg voor het halflege blikje dat hij naar haar hoofd smeet. Met een harde knal sloeg het metaal tegen de muur. 'We hebben inderdaad iets gevonden.'

'O ja?' schamperde Terry. 'Vertel op, stoere. Wat hebben jullie gevonden, stelletje genieën?'

Maggie leek te aarzelen. 'Hun portofoons waren ontkoppeld.'

Met een ruk draaide Jimmy zijn hoofd om. 'Wat?'

'Bij alle vier. Hun portofoons waren ontkoppeld.'

'En wat dan nog?' zei Terry, hoewel het duidelijk nieuw voor hem was.

'In beide gevallen was de laatste melding van elk team een verzoek om een eetpauze,' legde Maggie uit. 'En toen werden hun portofoons ontkoppeld, zodat ze geen alarm konden slaan.'

'Vroegen ze om een 29?' zei Jimmy. 'Tijdens nachtdienst?'

Terry keek op zijn horloge. 'Jullie zijn vanochtend drie uur bezig geweest en dat is alles wat je hebt gevonden? Ze hebben hun portofoons ontkoppeld en zijn toen gaan eten?' Hij lachte al even hard als Bud en Chip. 'Ze moesten vast schijten. Nou?'

Vreemd genoeg ging Jimmy niet tegen hen in. 'Tegen ons heeft hij niks gezegd,' liet hij Maggie weten. 'Die vent die op ons schoot. Hij zei helemaal niks. Hij haalde alleen de trekker over.'

'En hij heeft hun banden doorgesneden,' zei Terry. 'Die anderen hadden geen doorgesneden banden, of wel soms, Columbo?'

Kate zag Maggie alle moed verliezen onder de kritiek die

ze over zich heen kreeg. Binnen was ze heel zeker van zichzelf geweest. Kate had zich al even vastberaden gevoeld. Ze deden iets nuttigs. Ze probeerden iets te bereiken.

'Ga jij maar weer parkeerbonnen schrijven.' Terry pakte een vers biertje. 'Als we nog een dag of twee, drie de straten uitkammen komt er vanzelf een of andere eikel die ons smeekt de dader te arresteren.'

'Dan zou ik maar opschieten.' Bud strekte zijn opgezwollen hand. 'M'n ondervrager begint zeer te doen.'

Er volgde wat goedaardig gegniffel.

Maggie keek naar haar voeten. Haar kaak bewoog. Ze probeerde iets anders te bedenken, maar ze wist niks.

'Er is met hem gesleept.' Ongevraagd had Kate de woorden hardop uitgesproken. Iedereen keek haar aan. 'Er is met Mark Porter gesleept.' Had ze nu haar aantekeningen maar, al was het als ruggensteuntje. Eindelijk wist ze wat haar al die tijd had dwarsgezeten. 'De hielen van Porters schoenen waren aan de achterkant afgesleten, niet aan de onderkant. Er zat ook een schram op zijn nek, waarschijnlijk omdat hij van achteren werd vastgepakt. De nagel van zijn rechtermiddelvinger was gebroken. Zijn sleutels lagen op zo'n vijf meter van zijn lichaam.'

Ze staarden haar allemaal wezenloos aan.

Maggie verwerkte het tot een verhaal. 'Porter probeerde te vluchten. Hij werd bij zijn kraag gepakt, vandaar die schram op zijn nek. Porter viel, waarschijnlijk met de Shooter boven op hem. Hij had zijn sleutels in zijn hand. Door de klap brak zijn nagel af. Hij wilde naar de auto rennen, maar de Shooter hield hem tegen. Misschien werd Porter knock-out geslagen of was hij versuft. De Shooter sleepte hem terug naar Keen, trok hem op zijn knieën overeind en schoot hen allebei door het hoofd. De Shooter past zijn methode aan,' zei ze in antwoord op Terry's vraag. 'Hij heeft de banden doorgesneden omdat er de vorige keer bijna iemand ontsnapt is.'

Jimmy leunde achterover op zijn stoel. Nadenkend krabde hij over zijn kin.

'Echt iets voor een stel meiden om op een kapotte nagel af te gaan,' mompelde Terry.

Het gelach klonk nu anders. Bijna alsof de mannen opgelucht waren.

Maggie hield vast aan haar theorie. 'In alle drie de gevallen werden ze eropuit gestuurd na een anoniem telefoontje over een mogelijke inbraak.'

Terry schudde zijn hoofd. 'Weet je hoeveel van die telefoontjes we elke maand binnenkrijgen?'

'Drie,' zei Maggie. 'Dat heb ik vanochtend bij de meldkamer gecheckt. Op dat uur van de nacht en uit dat gebied krijgen ze ongeveer drie neptelefoontjes per maand binnen.'

Jimmy herhaalde zijn eerdere uitspraak. 'Hij heeft niks tegen ons gezegd, Maggie. Hij kwam gewoon de hoek om en begon te schieten. Hij was zo snel dat ik de tijd niet had om hem goed te bekijken.'

Maggie keek haar broer doordringend aan, alsof ze hem smeekte het te begrijpen. 'Het is te toevallig. Misschien verwachtte de Shooter niet dat hij jullie daar zou aantreffen toen hij de hoek om kwam. Misschien wilde hij jullie verrassen, maar jullie verrasten hem.'

Jimmy staarde naar zijn bierblikje.

Kate wist wat hij dacht. De Shooter was inderdaad verrast geweest. Hij verwachtte twee agenten, te voet, maar niet dat hij ze op heterdaad samen op de grond zou betrappen. De moordenaar kon al zijn mooie plannen vergeten toen hij hen zag.

En niets van dat alles kon Kate aan het verzamelde publiek kwijt.

Op straat klonk een claxon.

Terry's gezicht betrok. 'Wat doet die stomme kut hier?'

'Stap maar in,' zei Maggie tegen Kate. 'Ik kom zo.'

Kate stelde geen vragen. Ze liep de carport door. De zon sneed in haar netvliezen. Ze keek strak naar de grond voor zich. Ze probeerde de sterretjes weg te knipperen en vervolgens probeerde ze de afschuwelijke beelden weg te knipperen die weer voor haar geestesoog opdoken. Haar grootmoeder die lag te kronkelen van de pijn. Haar moeder die smeekte om wat etensresten. Terry Lawson die naar dat alles keek met een blikje bier in zijn hand.

Kate voelde een knoop in haar maag. De spieren in haar keel trokken strak. De tranen sprongen weer in haar ogen. Ze moest dit van zich afschudden. Ze mocht niet elke dag instorten. Ze moest taaier worden. Haar familie rekende op haar. Voor hen moest ze sterk zijn.

Kate dwong zichzelf op te kijken.

De moed zonk haar in de schoenen.

Gail Patterson zat achter het stuur van een tweedeurs Mercury. Vanachter het open raampje lachte ze al haar tanden bloot en zei: 'Stap maar in, Schaap.'

NEGENTIEN

In plaats van door de carport te gaan liep Maggie via de voordeur het huis uit. Ze hield een volledige uitrusting in haar handen. De verandatreden kraakten onder het extra gewicht. Ze had haast, want ze wilde voorkomen dat Terry vroeg wat ze in hun schild voerden. Gail werd geacht hoerenlopers te vangen. Maggie en Kate hoorden snelheidsboetes uit te delen. De ellende zou voor alle drie niet te overzien zijn als Maggies oom erachter kwam dat ze naar Colored Town gingen om een pooier te spreken over een hoertje.

Ze zag Lee Grant op een drafje over het trottoir aan komen lopen. Hij droeg een goudkleurig trainingspak met groene strepen langs de broekspijpen. Het plastic doosje voor zijn gehoortoestel had hij in de zak van zijn jasje gestopt. Hij was net Boo Radley uit *To Kill a Mockingbird*: wat ouder dan de anderen, wat stiller ook en een beetje vreemd. Toen Maggie klein was, werd hij Dove Lee genoemd, en later werd dat Dooie Lee, wat niemand eigenlijk erg vond, want hij hoorde het toch niet als je de draak met hem stak.

Lee zwaaide, maar Maggie deed alsof ze hem niet zag. Het ontbrak er nog maar aan dat Terry op verkeerde ideeën werd gebracht. Hij was duidelijk op ruzie uit.

'Hé, lekker ding.' Gail duwde het rechterportier open. Aan haar confrontatie van de vorige dag met de hoer had ze een stel blauwe ogen overgehouden, maar niettemin grijnsde ze breeduit. Ze had haar gewone kleren aan. Haar gele rok had ze opgetrokken zodat ze haar heupfles tussen haar benen kon klemmen. Eronder droeg ze bijpassende goudlamé enkellaarzen met hoge punthakken. Een felblauwe gleufhoed stond stevig op haar hoofd. Haar dorre zwarte haar hing als stro om haar schouders.

'De Dooie heeft duidelijk een oogje op je,' zei Gail. 'Of niet, jongen?' Nu draaide ze zich naar Kate toe, die op de achterbank zat. 'Dat is Maggies geheime vriendje. Zo doof als een kwartel. Zo is het toch, Dooie?' riep ze hem na.

Maggie gloeide van schaamte. Gail kon je maar het best negeren. Ze dumpte de uitrusting op de vloer van de auto.

Gail liet het gas een paar keer opkomen. 'Hou je vast, meiden!'

Maggie sprong nog net op tijd naar binnen. Met rokende banden scheurden ze weg van het huis. Gail brulde van de pret. Ze zette de radio harder – The Rolling Stones – en stak de ene sigaret aan met de andere.

'Alsjeblieft.' Maggie reikte Kate haar dienstriem aan, plus een paar oude schoenen van Jimmy en een van zijn petten. 'Sorry voor de stank.'

Zwijgend legde Kate de spullen naast zich op de bank. Ze zag bleek en haar gezicht was betraand. Terry was duidelijk te ver gegaan. Of misschien kwam het door Bud Deacon, die zijn hand in zijn broek had gestoken. Of door de kotslucht van Jett Elliott. Of door Cal Vick, die als hij een vrouw zag zijn blik niet hoger kreeg dan haar borsten. Of door Chip Bixby, die naar Kate had staan loeren alsof hij haar het liefst het bos in had gesleurd om haar te verkrachten.

Maggie kon zich voorlopig niet druk maken om anderen. Ze moest haar eigen wonden likken. Ze geneerde zich voor haar familie. Ze schaamde zich dood voor haar huis. Ze was bang dat Terry aan de haal zou gaan met de aanwijzingen die Kate en zij bij elkaar hadden gesprokkeld en dat hij de hele zaak rond de Shooter zou laten ontploffen.

Ze zou het samen met Jimmy doen. Dat had hij de vorige avond zelf gezegd. Ze zouden alle Shooter-dossiers erbij pakken en ze samen doornemen. Ze zouden samenwerken. Na wat Jimmy in het ziekenhuis tegen haar had gezegd – hij had nota bene zijn verontschuldigingen aangeboden – was Maggie ervan uitgegaan dat alles nu anders werd. Voor het eerst in haar volwassen leven zou Jimmy haar als een collega behandelen.

En toen was hij die ochtend opgestaan met dezelfde rothouding als altijd, en Maggie had begrepen dat het allemaal een droom was geweest.

Gail joelde het uit toen de auto met een zwaai een afslag nam. Maggie klemde zich aan de zijkanten van haar stoel vast. De Mercury Cyclone was een dure auto voor een politieagent. Vermoedelijk had Gail hem van een pooier gejat, zo was ze wel. Trouble, haar man, had de motor opgevoerd en een geluidssysteem geïnstalleerd waar de raampjes van trilden. De stoelen waren bekleed met wit leer. Rood, hoogpolig tapijt zat rond het dashboard en op het plafond geplakt. Een stel dobbelstenen hing aan de achteruitkijkspiegel. Of eigenlijk spiegels. Er zaten wel zes spiegels langs de bovenkant van de voorruit, zodat de bestuurster honderdtachtig graden zicht had op alles wat zich achter haar bevond.

Gail nam een slok uit haar fles. Ze grijnsde breeduit. Ze was een rasechte smeris, vond Maggie. Wat ze ook voor de kiezen kreeg, ze deed alsof het niks voorstelde. Dat was Gails ware talent: doorzettingsvermogen. Elke dag stond ze weer op en trad ze de wereld tegemoet, ongeacht hoe gekneusd en kapot ze was van de vorige dag.

Maggie zou ook wel zo willen zijn. Ze deed haar uiterste best om dat niveau van zelfverloochening te bereiken. Helaas werd de nulknop alleen doorgegeven via de mannelijke Lawsonlijn. Bij Maggie stapelde alles zich op. Kate zat al net zo in elkaar. Ze staarde nog steeds uit het raampje. Ze hield haar hand voor haar ogen, ook al stond de zon aan de andere kant van de auto.

'Shit.' Gail zette de muziek zachter. 'Wat zitten jullie nou te pruilen, meiden?'

In gedachten stelde Maggie een lijst op. Er waren vijf agenten vermoord. Er was op haar broer geschoten. Haar oom was vastbesloten haar het korps uit te werken.

'Jezus, doodzonde toch.' Gail nam een slok whisky en flikkerde de fles op het dashboard. 'Hoogste tijd dat jullie een vent vinden voor wie je je ook boven je knieën wilt scheren.' Ze gaf Maggie een speelse por tegen haar arm. 'Kom op, joh. Als je ze eenmaal uit de kleren hebt zijn ze helemaal niet zo erg.'

Maggie stelde een tweede lijst op: Jimmy had haar vernederd. Terry was een gestoorde sadist. Jett Elliott was een walgelijke zuiplap. Cal Vick was een onbenul. Bud Deacon en Chip Bixby waren praktisch nazi's. Zelfs Rick Anderson had haar afgeblaft toen ze het huis weer in liep.

'In het goeie licht is de Dooie eigenlijk best leuk,' zei Gail. 'Heeft wel wat van Mick Jagger, alleen niet in zijn gezicht.'

'Alsjeblieft, Gail.' Zelfs als Maggie het zou willen, dan nog was het ondenkbaar dat ze ooit iets met Lee kreeg. Hun families verachtten elkaar: de Lawsons omdat de Grants zichzelf boven iedereen verheven voelden, de Grants omdat ze wisten dat ze boven iedereen verheven waren. De situatie deed eerder denken aan de Hatfields en McCoys dan aan de Capulets en Montagues.

'Ik heb een verrassing voor jullie.' Gail pakte een cassettebandje van de zonneklep. 'Heel goed is-ie niet. Troubles broer heeft het een paar weken geleden in LA opgenomen.'

Maggie rolde nog net niet met haar ogen. Trouble en zijn broer namen als bijverdienste illegaal concerten op. De kwaliteit was altijd slecht. Trouble was aan de drank. Zijn broer was aan de dope. Op de meeste bandjes hoorde je ze met hun zatte stemmen meezingen met de muzikanten.

Gails arm ging naar achteren en ze klopte Kate een paar

keer op haar been. 'Heb ik speciaal voor jou uitgezocht, Sacherijnig Schaap.'

Maggie keek niet eens meer naar Kate. Terwijl ze voor zich uit staarde, vulde de auto zich met het geluid van een juichende menigte. Troubles broer zei iets – dat hij pissen moest of zo. Keihard lachend sloeg Gail op het stuur. Ze draaide het volume op. Er stoorde zich toch niemand aan. Ze waren inmiddels weer in Cabbage Town. De wijk was jaren geleden al naar de knoppen gegaan. De steenfabrieken zagen er even verlaten uit als Maggie zich voelde.

'Kom op!' Gail begon het ritme op het dashboard mee te beuken. Ze kende de begintekst niet, maar zong het refrein luidkeels mee. '*Poor, poor pitiful me!*' Ze stootte Maggie aan. '*Poor, poor pitiful me!*'

Onwillekeurig moest Maggie lachen.

'*Poor, poor pitiful me!*' brulde Gail.

Maggie schudde haar hoofd, maar haar vingers begonnen al te roffelen op de maat. Ze gaf zich over aan Gails uitgelaten stemming. Misschien moest je het zo aanpakken: je luisterde naar een stom nummer vol zelfmedelijden en dan had je algauw geen medelijden meer met jezelf. Het alternatief was het op een zuipen zetten of in zo'n nijdige bitch veranderen bij wie iedereen uit de buurt bleef.

Kate dacht er duidelijk anders over. Ze zat ineengedoken tegen het raampje, met haar hoofd in haar hand.

Toen het refrein weer werd ingezet, begon Kate wanhopig te jammeren.

'Jezus.' Gail zette het geluid zachter. Via de spiegels keek ze naar Kate.

Maggie keek ook. Kates schouders schokten. Dit was geen huilen meer. Dit was uitzinnig gejank.

'Heeft ze dat wel vaker?' vroeg Gail.

'Nee,' zei Maggie, wat maar gedeeltelijk waar was. Kate had de vorige avond gehuild, na afloop van hun dienst. Maar dat was niets vergeleken met dit luide, snakkende gesnik.

'Arm kind,' zei Gail. 'Die draait helemaal door. Hoe komt dat zo ineens? Zat Jett weer eens van die stomme Ierse moppen te tappen?'

'Jett was buiten westen.'

'Er moet toch iets geweest zijn. Begon Terry weer met die Helter Skelter-shit over de zwarten die de wereld gaan overnemen?'

'Daar hebben we het meeste van gemist.' Maggie dacht eens diep na. 'De Kennedy's. De burgemeester. Edward Spivey. De oorlog.'

'Bingo.' Gail minderde vaart. De wielen raakten de gebarsten stoeprand toen ze de Mercury tot staan bracht voor de oude zakkenfabriek. 'Haar man is in Vietnam gesneuveld.'

'Wat?' Maggie hoorde haar stem van verbazing de hoogte in gaan. 'Is ze dan getrouwd geweest?'

'Heb je haar personeelsdossier niet gelezen?' Gail duwde het portier open. 'Hij is gedood in Bang Phuck Mi of waar het ook mag wezen.' Ze trok de rugleuning van haar stoel naar voren en klom bij Kate op de achterbank. 'Kom eens hier, schat.'

Kate liet zich zowat in haar armen vallen. 'S-s-sorry.'

'Geeft niet, meisje.' Gail streek haar haar achter haar oor. Ze legde haar laarzen op de rugleuning van de ingeklapte stoel. 'Die zeikerds hebben de halve oorlog in hoerenkasten rondgehangen en de andere helft in syfilisklinieken.'

Om de een of andere reden moest Kate nog harder huilen.

Gail wierp Maggie een geërgerde blik toe, maar ze trok Kate wel dichter tegen zich aan. 'Rustig maar, liefje. Gooi het er maar uit.' Ze knipte met haar vingers en maakte een drinkgebaar naar Maggie.

Zo te voelen was de fles halfleeg. Maggie draaide de dop eraf en gaf hem door naar achteren.

Gail nam een slok en hield toen Kate de fles voor. 'Dat zal je goed doen.'

Kate hoefde niet overgehaald te worden. Ze nam een flinke teug.

'Iets minder gretig, graag.' Gail trok de fles uit haar handen. Ze hielp Kate overeind. En toen maakte ze de rest van de whisky soldaat. 'Ben je nou uitgehuild, grietje?'

Kate veegde langs haar ogen. Haar handen trilden nog steeds, maar de tranen waren in elk geval gestopt. 'Sorry,' klonk het moeizaam. 'Ik probeerde me in te houden. Ik weet niet wat me bezielde.'

'Dat hebben we allemaal wel eens,' zei Gail. Ze knipoogde naar Maggie om aan te geven dat niemand van hen dat ooit had gehad, en al helemaal niet in het openbaar.

'Sorry,' herhaalde Kate. Ze streek haar overhemd glad en deed haar schoudermicrofoon weer goed. 'Ik zie er vast niet uit.'

Gail haalde haar schouders op, maar niettemin zei ze waarschuwend: 'Laat die klootzakken nooit merken dat ze je te pakken hebben. Als ze je zien huilen, kun je het verder schudden. Dan nemen ze je nooit meer serieus.'

Kate knikte, maar ze kreeg het duidelijk niet mee. De zwaarste gevechten vonden niet op straat plaats. Die gebeurden in de briefingruimte. Telkens als een politievrouw een stap naar voren zette, had een mannelijke collega het gevoel dat hij naar achteren werd geduwd. De mannen sloegen toe zodra je ook maar enige zwakte toonde.

'Shit, jullie meiden weten niet half hoe makkelijk jullie het hebben.' Gail wierp de lege fles weer op het dashboard. 'Mijn eerste week op het werk vond ik elke ochtend een verse drol in mijn kluis.' Walgend trok ze haar lip op. 'Terry, Mack, Red, Les, Cal, Chip, Bud... de een probeerde het nog bonter te maken dan de ander. Ze rukten zich af in mijn handtas. Ze pisten in mijn schoenen. Ze scheten in mijn kofferbak. En toen ik op een keer een bloederige tampon op het dashboard van je oom Terry had gelegd, was ík opeens de gestoorde bitch.'

Maggie dacht ze het verkeerd verstaan had. Ze keek Kate aan, die al even perplex terugkeek.

'Over stinken gesproken,' zei Gail. 'Jezus, het was midden augustus. Heet als de hel. Mocht hij nog blij zijn dat ik al bijna niet meer ongesteld was.'

Meer was er niet voor nodig.

Maggie en Kate barstten allebei in lachen uit. Maggie kon niet meer stoppen. Ze klemde de rugleuning van haar stoel vast om zichzelf in bedwang te houden. Ze had kramp in haar buik. Haar keel deed zeer. Ze kreeg het beeld maar niet uit haar hoofd: het gezicht van haar oom Terry toen hij in zijn patrouillewagen stapte en het cadeautje zag dat Gail Patterson voor hem had achtergelaten. Ze hoopte dat hij zijn whisky dampend en al had uitgekotst. Ze hoopte dat hij nog steeds moest kokhalzen als hij eraan terugdacht.

Gail veegde met de rug van haar hand haar mond af. 'Ja, die hebben daarna nooit meer met me gekloot.'

De tranen stroomden over Maggies wangen. Kate had haar hoofd weer in haar handen, maar deze keer schudde ze van het lachen.

'Oké, meiden.' Gail schoof naar het portier. 'Genoeg gegeind. De show gaat beginnen.'

Kate keek Maggie aan en weer begonnen ze te lachen.

Met een zucht nam Gail achter het stuur plaats. 'Kom op. Dimmen nou.'

Maggie haalde diep adem. Ze had nog steeds pijn in haar buik van het lachen. Ze veegde haar ogen droog. Ze schudde haar hoofd.

Gail nam haar hoed af en propte die tussen het dashboard en de voorruit. Ze stak weer een sigaret op. Toen stuurde ze de Mercury met een wijde boog de straat op.

Eindelijk proestte Maggie het niet langer uit. Zolang ze maar niet naar Kate keek. Ze veegde langs haar ogen. Ze ging recht op haar stoel zitten en tuurde uit het raampje.

Het panorama dat aan hen voorbijtrok was deprimerend monotoon. De lege fabrieken maakten plaats voor vervallen huizen, die op hun beurt weer plaatsmaakten voor lege fabrieken. Gail reed via achterafwegen terug naar West End. Jimmy was de vorige dag in CT geweest. Maggie betwijfelde of hij om toestemming had gevraagd, en dat was waarschijnlijk de reden dat er op hem geschoten was. Ze vroeg zich af wat hij in werkelijkheid aan zijn verklikker had gevraagd. Maggie had het gevoel dat er dingen speelden rond de moord op Don Wesley die niemand behalve Jimmy ooit zou weten.

'Heb je nog nieuwe informatie over die twee gasten?' vroeg Gail.

Maggie schudde haar hoofd. Vóór het ochtendappèl had ze Gail bijgepraat: een travopooier die niemand ooit had gezien en een gestoorde trawant die het liefst blanke vrouwen opensneed.

'Goed luisteren, Schaap.' Gail richtte zich via de spiegels tot Kate. 'Weet je waarom de zwarte meiden zo'n hoge dunk van zichzelf hebben?'

Kate leek gekwetst door de vraag. 'Daar heb ik nooit echt over nagedacht.'

'Vanwege de zwarte mannen,' zei Gail. 'Luister maar naar ze, op de gang, op straat, in eettentjes. Als ze een zwarte vrouw zien, ook al heeft die een gezicht als een kolenschop, dan gaat het van: "Hé, schoonheid. Ga je mee uit eten? Zal ik koffie voor je halen?" Ze maken ze wijs dat ze mooi zijn en staan de hele tijd met ze te flirten. Snap je?'

Kate keek beduusd. De meeste zwarte mannen in haar leven hadden een hark in hun handen of drukten op liftknoppen.

'Zwarte meiden luisteren er gewoon niet naar,' zei Gail. 'Ze horen die shit hun hele leven al. Als een blanke vrouw dat hoort, denkt ze van: "O jeetje, hij vindt me vast knap!"'

Kate kneep haar ogen tot spleetjes. Gail had haar bekakte toontje aardig goed geïmiteerd.

'Zo zijn pooiers nou eenmaal,' zei Gail. 'Ze smijten met complimentjes alsof het hun werk is. Want dat is het ook. Het is hun werk vrouwen de straat op te krijgen.'

'Wil je daarmee zeggen dat alle pooiers zwart zijn?' Kate sprak nog steeds op die hautaine toon en daarom gaf Maggie antwoord.

Ze kleedde het in als een soort sluitrede. 'Niet alle zwarte mannen zijn pooiers, maar alle pooiers zijn wel zwart.'

Kate trok haar wenkbrauwen op.

'Stop eens met dat spelletje, jullie tweeën, want het is geen grap.' Gail wierp een blik over haar schouder en zwenkte langs een pick-up. 'Vertel haar maar hoe ze ze erin luizen,' zei ze tegen Maggie.

Het was al heel lang geleden dat Maggie het deprimerende verhaal van Gail had gehoord. Ze hoopte dat Kate even aandachtig zou luisteren als zij had gedaan. 'De pooiers pakken de meisjes als ze een jaar of twaalf, dertien zijn. Vaak zijn ze weggelopen of verslaafd of is er thuis iets gebeurd. De pooiers verleiden ze. Ze doen alsof ze verliefd op ze zijn. Ze spuiten ze vol drugs. Al snel zijn ze verslaafd. Dan sturen ze ze de straat op, dan mogen ze tippelen.' Maggie haalde haar schouders op, want zo simpel was het nou eenmaal. 'De meiden hebben seks met zo'n twintig tot dertig onbekenden per dag. De pooiers houden al het geld.'

'En als de meiden te oud worden,' vulde Gail aan, 'zo'n jaar of twintig, vijfentwintig, dan verkoopt de pooier ze door of hij snijdt ze de keel af en dumpt ze in een greppel.'

'Zo oud is Violet ongeveer,' zei Kate.

Gail stoorde zich niet aan die opmerking. Ze knikte alleen maar. 'Wacht maar, meisje. Op een dag word je bij een 154 geroepen en kijk je recht in het dooie gezicht van Violet.' Ze schudde een sigaret uit haar pakje. 'Je weet wat we van plan zijn?'

'Maggie is ongelooflijk mededeelzaam geweest.'

Maggie accepteerde de steek, want die had ze verdiend. 'We gaan een babbeltje maken met Sir She om te kijken of hij ons met zijn meiden wil laten praten,' zei ze. 'Hij heeft oudere vrouwen aan het werk, zoals Violet, waarschijnlijk omdat hij nog maar pas in de stad is. Het gebied waar Don Wesley is doodgeschoten, in Five Points, daar werken de ouwe wijven.'

'Whitehall,' zei Kate. Ze had de Shooter-dossiers goed bestudeerd.

'De hele Five is door de pooiers opgedeeld.' Maggie probeerde het in begrijpelijke taal te formuleren. 'Zie het maar als een winkelcentrum voor seks.'

Gail schaterde het uit. 'Da's een goeie.'

'Zin in zwarte meiden?' vervolgde Maggie. 'Dan pak je Marietta Street. In Decatur zitten wat Aziatische meiden. Halfbloedjes vind je aan Peachtree. De beste plekken zijn ten noorden van Edgewood, bij Woodruff Park. Net een chic warenhuis. Het grote geld. Pooiers vechten altijd om die plek. Daar werken de jonge meiden. Die krijgen de gemakkelijke klanten: zakenlui, juristen, artsen. De freaks gaan rechtstreeks naar Whitehall. Beschouw dat maar als een goedkope supermarkt. Daar zitten de oudere meiden. Hun pooiers kijken niet naar hen om. De freaks willen de vrouwen nog wel eens slaan, want dan krijgen ze misschien korting en het maakt hun eigenlijk niet uit hoe zo'n gezicht eruitziet of hoe oud ze is.'

'Daarom willen we met ze praten,' zei Gail. 'Het is voor die vrouwen van levensbelang om te weten wie ze pijn gaat doen en met wie ze veilig mee kunnen gaan. Ze houden iedereen in de gaten, ze zien alles. Ik wil d'r ik weet niet wat om verwedden dat een van hen iets heeft gezien of een klant heeft van wie ze weet dat die iets tegen de politie heeft.'

'Veel van die freaks hebben het op de politie voorzien,' vulde Maggie aan. 'Soms zie je ze bij het bureau. Daar hangen ze dan zomaar wat rond. Of ze gaan naar een plaats delict.

Ze hebben politiescanners.' Al pratend voelde Maggie een last van haar schouders glijden. Nadat ze de Shooter-dossiers had gelezen, was ze bang geweest dat de moordenaar een politieman zou kunnen zijn. Hoe meer ze erover nadacht, hoe logischer het werd dat ze op zoek waren naar een wannabe, een freak. 'Zo iemand kent de codes en de werkwijze.'

'Of zouden ze zijn gestraald op de politieacademie of het op straat niet hebben gered?' vroeg Kate zich af.

Gail kon het niet laten. 'Wou je iets bekennen, Schaap?'

Kate lachte niet. 'Volgens Jimmy is Don neergeschoten door een zwarte man. Zou dat niet opvallen: een zwarte in burger die bij het politiebureau rondhangt? Ik bedoel, als hij er niet hoeft te zijn omdat hij toevallig een pooier is?' voegde ze eraan toe.

Gail keek bedenkelijk. 'Hangt van het bureau af. De commissaris is al zijn schaakstukken aan het verzetten. Kijk maar naar wat er met Bud Deacon is gebeurd. Die werd overgeplaatst naar een bureau met uitsluitend zwarte agenten. Rot toch op, zegt-ie. Hij wordt ontslagen; hij klaagt ze aan. Van de rechter krijgt hij zijn baan terug zolang de zaak loopt.'

'Ze hadden Jett Elliott moeten overplaatsen,' zei Maggie. 'Die weet de helft van de tijd toch niet waar hij is.'

'Ho ho,' waarschuwde Gail. Iedereen wist dat Jett zoop omdat hij een ziek kind had. 'Mack McKay heeft ook een proces aangespannen. Volgens hem was hij in rang teruggezet omdat hij geklaagd had over een vijandige werksfeer. Bind maar eens een stel tieten voor als je naar je werk gaat, Mack. Over een vijandige werksfeer gesproken.'

Maggie zag het al voor zich en ze moest lachen. 'Chip Bixby liep weg toen er een vrouw in zijn team kwam, maar hij is niet ontslagen.'

'Chipper is niet verkeerd,' zei Gail tegen Kate. 'In de tijd dat ik nog zo groen was dat ik spinazie scheet, kwam ik een keer vast te zitten achter de balie tijdens een bankoverval. Ik dacht dat mijn laatste uur geslagen had. Serieus. Ik had me er al mee verzoend. Dan komt opeens Chip Bixby uit het niets opduiken, met rokende pistolen. Ik knijp er via de achterdeur tussenuit terwijl Chip de strijd aangaat. Die sukkel kreeg hier een kogel.' Ze tikte op haar sleutelbeen. 'Die was voor mij bestemd, maar wat doe je d'r aan? Als je maar genoeg drank in die ouwe Chipper giet, laat hij je het litteken zien.'

'Dat zet ik meteen op mijn lijstje,' zei Kate, maar met haar gedachten was ze bij iets anders. 'En als het om mannen gaat? Waar gaan die heen voor de seks?'

Gail keek Maggie aan. 'Daar hebben we het nou net over. Die gaan naar Five Points voor een beurt.'

'Ik bedoel seks met andere mannen.'

'Moet je ons meisje nou eens horen.' Gail leek wel trots omdat Kate überhaupt wist dat iets dergelijks bestond. 'De flikkers gaan naar Piedmont Park. Die hoeven er niet voor te betalen. Geluksvogels.'

'Piedmont?' Kate klonk beledigd. Daar woonde ze vlakbij.

'Vraag maar aan Jimmy,' zei Gail. 'Die gaat altijd samen met de andere jongens na het werk op nichtenjacht.'

'Nichtenjacht?' Kate was weer eens aan het papegaaien. 'Wat is een nichtenjacht?'

'Dan gaan ze het park in om homo's in elkaar te slaan,' legde Maggie uit.

Kate klonk nog steeds ontzet. 'Jimmy gaat naar het park om homoseksuelen in elkaar te slaan?'

'En waarom niet?' Gail tikte haar sigaret buiten het raampje af. 'Dat doen ze allemaal. Bud, Mack, Terry, Vick. Gewoon om stoom af te blazen. Wat kan het schelen als een stelletje poten de kop ingeslagen wordt? Moeten ze maar geen smerigheid uithalen.' Ze nam een hijs van haar sigaret. 'Opletten, meiden. We hebben net *Bandstand* voor *Soul Train* verruild.'

Maggie keek uit het raampje. Zwarte gezichten staarden

haar aan. Sommige nieuwsgierig. Andere beduusd. Maar allemaal vijandig.

Ze waren zojuist Colored Town binnengereden.

Het gebied had haar sluipenderwijs overvallen. Het was Maggie niet opgevallen dat de algehele aftakeling had plaatsgemaakt voor verveloze hutten en aanbouwtjes. Lang geleden had Gail tegen Maggie gezegd dat zwarten en blanken door steen van elkaar gescheiden waren. Zwarten woonden in huizen die op modder waren gebouwd. Blanken woonden in huizen op stenen fundamenten.

Maggie begreep het verschil pas echt toen ze het met eigen ogen zag. Colored Town slingerde zich door de Westside, dat kon bogen op het laatste industriegebied van Atlanta waar nog enige bedrijvigheid was. Gieterijen en fabrieken braakten zwarte rook uit. Looierijen loosden rottend vlees en chemicaliën op de Peachtree Creek. Voortdurend klonk er gezoem uit de gigantische relaisstations die her en der langs de hoofdweg stonden.

Dit waren niet zomaar goedkope woonwijken. Hier stonden geen sociale-huurwoningen met permanent toezicht en elk uur een politiepatrouille. De mensen die in CT woonden weigerden overheidshulp of kwamen er niet voor in aanmerking. Ze waren op zichzelf aangewezen. Ze moesten zich behelpen met wat ze hadden. Kale triplexplaten rustten op de natte klei van Georgia. Kapotte ramen waren met kranten gedicht. Het sanitair was zo primitief dat in de kale achtertuinen buiten-wc's waren gebouwd. Zelfs midden in de winter stonden voordeuren open om de vieze lucht te verdrijven.

Kate begon te hoesten. Niet dat de stank zo erg was, maar het hoopte zich op. Zelf had Maggie in het eerste jaar dat ze dit werk deed allerlei walgelijke troep opgehoest. Delia was zich doodgeschrokken van wat er allemaal bovenkwam. Maggie was voortdurend ziek: dan was ze verkouden en dan had ze weer eens griep. De huisarts had haar geadviseerd met het werk te stoppen als ze niet voortijdig in haar graf wilde belanden.

Gail rekte haar hals om op te kijken naar de huizen. Ze bevonden zich in een van de woonwijken waar kamers per week werden verhuurd. 'Heb je een adres?' vroeg ze.

Kate hoestte weer voor ze antwoordde. 'Huff Road 819.'

'Shit,' bromde Gail. 'Dit is Huff, maar geen enkel huis hier heeft een nummer.'

Het waren niet alleen de huisbazen in het getto die geen nummers op hun huizen zetten. De hele stad ging onder het probleem gebukt. Meestal als Maggie eropuit werd gestuurd had ze geen idee of ze zich op de juiste plek bevond, tot ze iemand hoorde gillen.

'Daar.' Kate wees naar een huis. 'Dat moet het zijn.'

Ze had het mooiste huis van het blok uitgekozen. De ramen waren schoon. Het erf was aangeveegd. De verandatrap bestond uit opgestapelde betonblokken met de tekst EIGENDOM WATERLEIDINGBEDRIJF ATLANTA.

Net als bij de andere huizen waren de ongeverfde planken aan de buitenkant bruin verweerd. Maar dit huis onderscheidde zich door zijn voordeur. De onderkant was rood, de bovenkant groen en rond het rechthoekige raam zat een gele cirkel.

'Waar zie jij dan een huisnummer?' vroeg Gail.

'Kijk maar naar de deur,' antwoordde Kate. 'Dat zijn de kleuren van de Portugese vlag.'

'Volgens de zwarte meiden is de huisbazin een Portugese,' zei Maggie.

'Wel heb ik ooit,' zei Gail op een geaffecteerd toontje, en ze reed de auto naar de kant van de weg, waar ze hem parkeerde achter een oude pick-up die op blokken stond. 'Portugees. Waar ligt dat in jezusnaam?'

Kate richtte al haar aandacht op het aantrekken van Jimmy's schoenen. Ze begon het misschien toch te leren.

'Dit deel van CT ligt aan de rand van een gebied dat Blandtown heet,' zei Gail. 'Onderweg zijn we door Lightning en Techwood gekomen.' Ze begon om zich heen te wijzen. 'Een eind die kant op is Perry Homes, een echt stinkgat, maar dat zul je snel genoeg zelf ontdekken. Dan de treinen: je hebt de Tilford Yard en de Inman Yard tussen Marietta Street en Perry Boulevard. Wat je hoort is de Howell Rail Wye. Alle treinen komen daarlangs. Het is aan de andere kant van de ploegfabriek. Vraag me niet waar dat "Wye" op slaat. Die stank is van het vleesverpakkingsbedrijf. Je wordt meteen vegetarisch als je dat ziet. Ik heb ooit een dooie hoer gevonden in een koeienkarkas. Wat een zieke shit was dat. Had ik die foto nog maar. Volg je het nog?'

Kate knikte. 'Uiteraard. Dank je.'

Maggie stapte uit. In de verte hoorde ze het gedender van treinen die door de Howell Yard reden. Het zachte geweeklaag van een fluit sneed door de lucht. Dat geluid hoorde je hier voortdurend. Dag en nacht reden er goederentreinen door de Wye. Als je lang genoeg stilstond, voelde je de locomotieven trillen onder je voetzolen.

Het Portugese huis was halverwege de straat. Recht ertegenover was een leeg pakhuis. Het had een rode voorkant, zoals je die overal in de stad zag, want het was gebouwd van de bakstenen die tussen de katoenseizoenen door met slavenarbeid uit de klei van Georgia vervaardigd waren. Er zat geen glas meer in de ramen. Sommige bakstenen waren weggebikt, zodat het zwarte teerpapier erachter bloot kwam te liggen. Op de grond voor Maggies voeten lag een plas water. Onwillekeurig keek ze omhoog om te zien of het regende. Boven in het pakhuis zag ze een hand die op een van de raamkozijnen rustte.

'Nee, meid, luister nou eens,' zei Gail vanaf de voorbank. Ze gaf via de mobilofoon hun locatie door. Ze kende de telefoniste, dus het gesprek duurder langer dan gebruikelijk.

Met moeite maakte Maggie haar blik los van het pakhuis. Waarschijnlijk zat er een of ander joch daarboven. Of misschien een zwerver die een schuilplaats zocht. Ze haalde de metalen clips uit de voorzak van haar broek en haakte ze aan haar onderriem. Net toen ze haar dienstriem vastmaakte, stapte Kate uit. Ze hield haar riem in de ene en Jimmy's pet in de andere hand.

'Het goede nieuws is dat de schoenen passen, dus reuze bedankt,' zei Kate. 'Het slechte nieuws is...'

Maggie reikte haar de metalen clips aan die ze op de eettafel had laten liggen. 'Je moet ze altijd in...'

'...dezelfde zak stoppen. Dank je.' Kate haakte de clips vast. Ze werd al wat handiger met haar riem. Het lukte na slechts twee pogingen.

Doorgaans vroeg Maggie anderen nooit naar hun privéleven, maar ze vond dat Kate haar na haar recente uitbarsting enige uitleg verschuldigd was. 'Wanneer is je man gesneuveld?'

'Twee jaar geleden.' Kate trok haar wapenstok recht. Ze klikte haar portofoon achter aan haar riem. 'Ik wist niet dat dergelijke gegevens in mijn personeelsdossier stonden.'

'Er wordt achtergrondonderzoek verricht. Om te kijken of je geen communist bent.' Maggie vertelde Kate maar niet dat zo ongeveer iedereen je dossier kon inzien. 'Het stelt niet zoveel voor.'

'O, vast niet.' Kate trok haar boord recht. Ze leek van onderwerp te willen veranderen. 'Ik heb bedacht dat ik één keer per dag flink mag afgaan. Denk je dat ik mijn quotum voor dinsdag al bereikt heb?'

'Je had er je redenen voor.'

'Kom op, Lawson. Ik heb liever dat je me voor een idioot aanziet dan dat je medelijden met me hebt.'

Maggie glimlachte. Je moest bewondering hebben voor haar pit. 'Ik zie je nog steeds voor een idioot aan.'

'Natuurlijk.' Kate rook aan Jimmy's pet en trok een scheef gezicht.

'Geen petten vandaag.' Maggie wierp die van haar in de auto. Kate volgde haar voorbeeld. 'Controleer je wapen.'

Kate maakte het borgriempje om haar revolver los. Verbazend vlot trok ze haar wapen. Ze klapte de cilinder open en klikte hem weer op zijn plaats.

Gail kwam bij hen op het trottoir staan. Een sigaret bungelde tussen haar lippen. 'Weet ze hoe ze zo'n ding moet gebruiken?'

'Ik hoop dat we daar niet achter komen.'

Kate stak het wapen weer in haar holster. Ze grijnsde zelfingenomen. 'Ik heb vanochtend geoefend.'

'Ik vond je geloof ik aardiger toen je nog zielig was.' Gail stak haar hand in haar tas en maakte het trekkoord open rond de Crown Royal-zak waarin ze haar eigen wapen bewaarde. Haar revolver had een met parelmoer ingelegde handgreep. De afwerking rond de mond van de loop was afwijkend. Ze voegde extra kruit aan haar patronen toe om ze sneller te maken, een overtreding waaraan zo ongeveer het hele korps zich bezondigde.

'Oogjes open, mondje dicht,' zei Gail tegen Kate. 'Begrepen?'

'Begrepen.'

Gail kneep haar ogen tot spleetjes. Het probleem met Kate was dat je niet wist wanneer ze bijdehand deed en wanneer ze gewoon slim was.

'Bekijk het,' zei Gail, en ze liep het zandpad naar het huis op.

Maggie tikte op het leren borgriempje van haar revolver om aan te geven dat Kate dat van haar dicht moest maken. Ze wachtte niet om te zien of haar gebod werd opgevolgd. Als Kate dit werk wilde blijven doen – en blijkbaar was ze te koppig of te dom om het niet te willen – dan zou ze haar eigen boontjes moeten doppen.

De naaldhakken van Gails enkellaarsjes klikten over de betonblokken van de trap. De veranda was klein en compact gebouwd. De planken waren rood geverfd, in dezelfde kleur als de deur, maar daardoor kreeg je het wat verwarrende gevoel dat je midden in een plas bloed stond. Maggie tuurde door het smalle raampje in de voordeur. Ze zag een trap die naar de eerste verdieping voerde, maar dat was alles.

'Dat daar heet een methusalem.' Gail knikte naar een versierd metalen doosje dat rechts van de deur zat vastgespijkerd. Het stond schuin, met de bovenkant naar de ingang gericht. Gail klakte met haar tong en schonk Kate een dubbelzinnige blik. 'Joden gebruiken het.'

'Jeetje, wat interessant.' Kate raakte het doosje met haar vingertoppen aan.

'Politie!' Gail beukte zo hard op de deur dat het raampje ervan ratelde. 'Ik heb er eens eentje opengebroken,' zei ze tegen Kate. 'Er zit een papiertje in. Met van die rare krabbels erop.' Weer beukte ze op de deur. 'Doe open!'

In het huis klonken schuifelende voetstappen. Opeens doken er woeste strengen grijs-met-zwart haar voor het raampje op. Maggie vermoedde dat ze naar de bovenkant van iemands hoofd keken.

'Ongelooflijk.' Gail schopte tegen de deur. 'Doe open, want anders trap ik die verdommese deur in!'

Nadat vier sloten en een ketting waren losgemaakt, ging de deur een eindje open. De oude vrouw die voor hen stond leek net een victoriaanse dame in de rouw. Alles aan haar was zwart, van de hoge kanten kraag die als een waaier haar hals omsloot tot de zwarte jurk met lange mouwen die tot op de neuzen van haar zwarte schoenen viel. Ze was klein, waardoor ze niet door het raampje kon kijken. Hoog op haar linkerwang zat een moedervlek, en het leek net of ze wat scheel keek. Haar lange peper-en-zoutkleurige haar zat in een knot boven op haar hoofd. Maggie dacht aan wat Delroy en Watson hadden gezegd. Zonder enige moeite stelde ze zich voor dat er een heel nest spinnen in huisde.

'Doe eens open, opoe.'

'Wat willen jullie?' Ze had een diepe stem met een zwaar accent. Ze klonk als Ricardo Montalbán – niet de vrouwelijke versie, maar de echte van de autoreclame. 'Ik ben aan het werk.'

'Wij ook.' Gail tikte op het politie-insigne op Maggies borst. 'We willen Sir She spreken.'

De oude vrouw takelde haar wenkbrauwen op. Maggie vertrouwde haar lachje niet. Niettemin deed ze de deur helemaal open en liet hen binnen.

Voor ze het huis betrad tikte Gail haar sigaret de voortuin in. Net als Maggie nam ze het interieur in zich op. Een trap midden in de gang, die het huis in tweeën deelde. Links was een zitkamer, rechts een eetkamer. De keuken bevond zich achter in het huis. Maggie liet haar blik door elke kamer gaan. Je liep nooit zomaar een vertrek binnen zonder op gevaar bedacht te zijn. Controleer de ramen en deuren. Zorg dat je van iedereen de handen kunt zien. Gail zei altijd dat vrouwelijke agenten er nog iets aan toevoegden: beoordeel het interieur en kijk of het er schoon is, want dat zegt veel over de getuige en/of dader.

Wat dat laatste betrof, was de Portugese dame vrij van alle blaam. Haar haar was een verschrikking, maar haar huis was schoon. Borden stonden keurig te drogen in een afdruiprek bij de spoelbak. De loper in de gang lag volmaakt recht. De vloeren waren schoongeveegd. Nergens was een spinnenweb te bekennen. Maggie vermoedde dat het meubilair uit het geboorteland van de oude vrouw afkomstig was. In de zitkamer zag ze een kleurige, elegante stoel en een gebloemde canapé met een gebogen, met houtsnijwerk versierde rugleuning. Elk oppervlak was met kleedjes bedekt. Op de salontafel stond een degelijk zwart theeservies. De eettafel was gedekt met bijpassende couverts.

'Bisalhães,' zei Kate zachtjes.

Gail negeerde haar, wat gewoonlijk een goed idee was. 'Wie zijn er allemaal in het huis?'

De oude vrouw gebaarde naar boven. 'Momenteel heb ik drie pensiongasten. Een is aan het werk. De anderen...' Ze schudde haar hoofd. 'De *pasjkoedenjak* en de *fresser*. Die denken dat het hier een *sjandhoiz* is.'

Gail fronste haar wenkbrauwen bij het horen van al die vreemde woorden. 'Wat?'

'De pooier en zijn lijfwacht,' vermoedde Maggie. Ze sprak geen woord Portugees, maar moeilijk te raden was het niet. 'Zijn ze boven?'

'Ze huren twee kamers. Ze doen zaken vanuit de voorste.' Weer schudde ze haar hoofd. '*Mesjoegene*, die twee.'

Kate keek haar onderzoekend aan. 'Hoe mesjoegene precies?'

In plaats van te antwoorden riep de vrouw naar boven. 'Anthony!'

Er klonk een luide bons. Zware voetstappen dreunden over de vloer. Gruis viel uit het gipsplafond. De kroonluchter zwaaide heen en weer.

'Wat is er, ouwe?' Boven aan de trap stond een gigantische zwarte man. Hij was ruim één meter tachtig en woog minstens honderdzestig kilo. Zijn hoofd was relatief klein, als van een mislukte sneeuwman, maar dan wel een psychopaat van een sneeuwman met een mes in zijn hand. Zijn blik ging van Maggie naar Kate, toen naar Gail en ten slotte naar de Portugese dame.

'Jezus, Vetzak,' zei Gail. 'Waar hebben ze jou opgedoken? Aan een vleeshaak bij de slager?'

Hij vond het niet grappig. 'Wat wouen jullie, blanke bitches?'

Gail pakte de trapleuning en hees zich omhoog. 'Ik moet je baas spreken.'

'Sodemieter op.'

'Na jou. Zie je die uniformen?'

'Ik zie een afgelebberde ouwe slet en twee bitches op een verkleedpartijtje.'

'Tja, wat zal ik zeggen?' Gail weerlegde zijn waardeoordeel niet. Een paar treden onder de reus bleef ze staan. 'We gaan niet weg, Bolle, dus smeer 'm maar weer naar je varkenshok.'

Een zilveren flits, een klik, en het volgende moment hield Anthony een stiletto tegen Gails hals. 'Zeg dat nog eens, bitch.'

Gail slaakte een hese zucht. 'Ik weet dat je je eigen pik niet kunt zien, Speknek, maar je wilt hem vast niet kwijt.'

Hij keek naar beneden. Gail had haar revolver recht op zijn kruis gericht.

Ze spande de hamer. 'Zie je m'n hand beven? Dat komt omdat-ie zo graag de trekker wil overhalen.'

'Niet nodig, agent.' Een tweede man was boven aan de trap verschenen. Maggie zag hem niet, maar ze wist dat hij hier niet vandaan kwam. Naar zijn accent te oordelen was het een noorderling. 'Anthony,' zei hij, 'laat die vrouwen er eens langs. Hoe sneller we weten wat ze willen, hoe sneller ze weer ophoepelen.'

Anthony draaide zich opzij. Dat hielp niet echt. Gail perste zich als eerste langs hem. Maggie hield haar buik in, maar toch raakte ze hem aan toen ze de overloop op liep. Ze moest Kate aan haar arm langs de man trekken.

Sir She stond voor een deuropening. Hij was lang, heel mager, en zijn huid had de kleur van rivierwater. Een strak afrokapsel stak iets uit bij zijn oren. Om zijn hals droeg hij een rood-met-goudkleurige sjaal. Zijn paarse overhemd was van zijde, met drukknopen van wit parelmoer. Hij had een keperbroek aan met zwart-wit visgraatmotief. Die was zo strak dat je de contouren kon zien van alles wat eronder zat.

Maggie vond hem eerder een soort Jimmy Walker dan een

travopooier. Zijn gelaatstrekken hadden niets fijns. Hij had geen slap afhangend handje en droeg ook geen make-up. Wat zijn laarzen betrof, klopte het wat de zwarte meiden hadden gezegd. Die laarzen waren pas echt wreed. Puntige goudkleurige driehoeken omspanden de neuzen. De randen leken messcherp. Op het witte lakleer zaten bloedvlekken.

De pooier liet zijn blik op Kate vallen. Hij schonk haar een krokodillengrijns. 'Heremetijd. Zo'n schitterend schepsel heb ik nog nooit gezien. Een huidje als van porselein. En ik zou zo mijn handen om dat fijne middeltje kunnen slaan.'

Ze was gewaarschuwd, maar Kate straalde praktisch. 'Dank u.'

Gail keek Maggie aan en rolde met haar ogen. 'Ben jij Sir She?'

Zijn glimlach smolt weg en werd een dunne, boze streep. 'Sir Chic. Chic.'

Kate moest lachen, wat Maggie niet verbaasde.

'Spreken jullie bleekscheten niet eens je moerstaal?'

'Het gerucht gaat,' zei Gail, 'dat je een travestiet bent.'

Hij hield zijn handen als een kommetje voor zijn kruis. 'Zal ik bewijzen dat je je vergist?'

'Nee dank je, d'r is al eens een magere nikker in m'n spleet verdwaald. Doet verrekte zeer als ik moet niezen.' Gail liep zijn kamer binnen. 'Shit, wat een klerezooi is het hier.'

Maggie zag het ook. Vergeleken met beneden was de kamer van de pooier een zwijnenstal. Overal stonden dozen opgestapeld. De hoeken lagen vol troep. Vulling stak uit de gaten in de bekleding van het meubilair. Van twee houten stoelen waren de rugleuningen afgebroken. Ze stonden tegen elkaar aan geschoven, en Maggie vermoedde dat het Anthony's vaste plek was. Zijn halflege glas icetea stond op de vensterbank. Een honkbalknuppel leunde tegen de muur.

Maggie zag zich omringd door gevaar. In de juiste handen was de knuppel gevaarlijker dan haar revolver. Dat gold ook voor de gebroken stoelspijlen. Het glas met thee kon in een wapen veranderen. God mocht weten wat er in de gaten in het meubilair of in die dozen zat verstopt.

Maggie wierp een blik uit het raam. Aan de overkant van de straat was het verlaten pakhuis. Ze had daarnet geen in een handschoen gestoken hand gezien. Rond het raam was het baksteen weggebikt om de granieten sluitsteen eruit te slopen. Wat ze vanaf de straat had gezien, was een stuk zwart teerpapier dat wapperde in de wind.

Ze keerde zich weer naar de kamer toe. Het echte gevaar stond een kleine vijf meter van haar af.

Anthony bromde iets terwijl hij tegen de deurpost leunde. Met zijn blik volgde hij elke beweging die Gail maakte. Zijn kaak stond strak. Hij had zijn handen tot vuisten gebald. Maggie vermoedde dat hij niet het type was dat snel opgaf. De zwarte meiden hadden haar gewaarschuwd dat de vetzak gestoord was, maar dankzij haar vader had Maggie van dichtbij gezien hoe gestoord eruitzag, en ze nam altijd aan dat anderen gewoon geen idee hadden wat gestoord was, ook al keek het je recht in de ogen.

Ze was ervaringsdeskundige en zag dat Anthony het soort gestoorde gek was dat je niet alleen in de ogen keek, maar ook je strot afbeet.

'Oké, dames.' Chic ging op de bank zitten. Hij streek zijn broekspijpen glad. 'Blijven jullie daar staan koekeloeren of gaan jullie me nog vertellen wat jullie hier te zoeken hebben?'

'Ach, wat zou het ook.' Gail ging op een van de stoelen tegenover hem zitten. Ze zette haar tas op schoot, met de rits open.

Maggie liet Kate op de andere stoel plaatsnemen zodat zij kon blijven staan. Ze stond met haar rug in de hoek. Rechts van haar was het raam. Chic zat midden voor haar. Gail en Kate zaten schuin tegenover hem. Anthony bleef in de deuropening staan. Maggie keek niet naar hem. Ze voelde hem. Hij straalde vijandigheid uit.

Heel zachtjes maakte Maggie het riempje om haar revolver los. Ze wist dat Gail binnen een seconde haar wapen uit haar tas had, maar er was meer voor nodig om Anthony uit te schakelen.

'Goed.' Gail was geen voorstander van lange inleidingen. 'Whitehall. Daar heb je meiden aan het werk.'

'O?' Chic zweeg even en zei toen: 'Niemand heeft ook maar iets aan het werk, als je het mij vraagt. Die stormtroepen van jullie hebben zo ongeveer elke tippelaarster in de stad opgesloten.'

'Er is een agent vermoord,' benadrukte Gail nog maar eens. 'Je kunt er iets aan doen.'

'Denk je echt dat zo'n dooie smeris me ook maar een moer interesseert?' schamperde Chic.

Gail plaatste haar handen op haar knieën. 'Hoor eens, Sambo. Ik heb geen tijd om achter mijn eigen staart aan te jagen.'

Kate ging rechtop zitten, alsof er een stok in haar kont werd geduwd.

Nu richtte Chic zijn aandacht op haar. 'Wat zit je te kijken, stomme gleuf?' Opeens had hij een accent, en het kwam recht van de straat. 'Nou, krijg ik nog antwoord?'

Bij wijze van uitzondering had Kate haar woordje niet klaar.

Chic had geen vat op Gail, en daarom probeerde hij Kate onderuit te halen. 'Je komt míjn huis binnen en dan zit je me aan te gapen alsof ik een of andere tor onder een glasplaat ben? Wat verbeeld je je wel, bitch? Dat je me zo aan zit te gapen?'

Gail verroerde zich niet. Maggie evenmin. Als Kate zichzelf in de nesten bleef werken, moest ze maar leren hoe ze er weer uit kwam.

'Nou?' drong Chic aan. 'Wat heb je daarop te zeggen, bitch? Moet ik het er soms uit trekken?'

Anthony, die nog steeds in de deuropening stond, verplaatste zijn gewicht. De vloer kraakte.

'Je sjaal,' zei Kate opeens.

Chic was al even verbaasd als de anderen. Hij bracht zijn hand naar zijn sjaal. 'Wat is daarmee?'

'Ik vroeg me gewoon af...' Kates stem beefde. 'Ik vroeg me af of die van Chanel is.'

Chic staarde haar aan. Het duurde even, maar toen begon hij te lachen. 'Natuurlijk is die van Chanel.'

Kate slikte hoorbaar. Haar stem beefde nog steeds, maar minder hevig. 'Hij is heel elegant. Ik had hem bijna zelf gekocht.'

Een paar tellen lang keek hij haar aandachtig aan. 'Met jouw teint moet je uit de buurt van rood blijven. Je bent een wintertype, hè?'

'Herfst, maar ik heb altijd het gevoel gehad dat ik er ergens tussenin zit.'

Het scheelde niet veel of Maggie had met haar hoofd tegen de muur gebeukt. Als iemand haar de vorige week had verteld dat ze in het getto naar een yankee pooier moest luisteren terwijl hij het over de kleurenanalyse van zijn garderobe had, zou ze hem recht in zijn gezicht hebben uitgelachen.

'Jezus,' mompelde Gail. 'Kunnen we weer ter zake komen?'

Chic trok een wenkbrauw op. 'En over wat voor zaken heb je het?'

'Ik wil wedden dat een van je meiden iets gezien heeft die nacht dat de agent is vermoord.'

Chic leunde achterover op de bank. 'O, minstens een van hen heeft iets gezien.'

Gail leunde ook achterover, voor zover de stoel dat toeliet. Ze probeerde zo achteloos mogelijk te doen, maar ze wisten allemaal hoe belangrijk dit was. 'Wat heeft ze gezien?'

Ook nu gaf hij niet onmiddellijk antwoord. Hij streek zijn broek weer glad. Hij raakte de knoop in zijn das aan. Chic had nu alle troeven in handen, en hij was van plan er zo lang mogelijk van te genieten.

Gail keek op haar horloge. Ze keek Maggie weer aan. Ze keek weer op haar horloge.

Ten slotte zei Chic: 'Iemand die zulke waardevolle informatie heeft mag daar ook wel iets voor terugkrijgen, lijkt me.'

'Best hoor.' Gail klonk geërgerd, maar Maggie wist dat ze niets liever deed dan een deal rondbreien. 'Waar had je aan gedacht?'

Chic richtte zijn aandacht weer op Kate. Op flirterige toon zei hij: 'Wat zal ik eens vragen, Herfst?'

Kate zat nog geen twee dagen in de straatdienst, maar ze had blijkbaar goed opgelet. 'We kunnen je ten noorden van Edgewood laten werken.'

Gail deed alsof ze ziedend was. 'Wel ja, nou je toch bezig bent kun je hem net zo goed de sleutels van de stad geven.'

Chic stonk er meteen in. 'Dat klinkt niet slecht. Ten noorden van Edgewood.' Hij keek Anthony aan. 'Wat vind je ervan, brother?'

'Mij lijkt het wel wat.' Anthony knikte een paar keer.

'Moet je wel betere meiden zien te krijgen,' waarschuwde Gail, alsof het haar ook maar een ruk interesseerde. 'Met die tandeloze ouwe hoeren van jou trek je geen klanten.'

'Ik vind er wel wat.'

'Twee,' zei Gail. 'Je zet ze in de buurt van het park, niet erin. Als je ook maar ergens anders naartoe gaat, zou je wel eens een mes in je pens kunnen krijgen, en dat zou zomaar van een smeris kunnen zijn.' Ze boog zich weer naar voren. 'En nou is het afgelopen met dat gebullshit, Chic. We willen informatie, goeie informatie. Van het soort dat we kunnen natrekken.'

Chic tikte met zijn vingers op zijn knie. Hij zat weer na te denken. En toen kwam hij tot een besluit. Hij stak zijn hand in een gat achter in de bank.

Maggie en Gail trokken allebei hun wapen.

'Lieve help, bitches,' zei Chic. 'Een beetje krediet kan geen kwaad.' Hij wachtte tot ze hun wapens zouden laten zakken, maar zag toen dat ze dat niet van plan waren. Hij ging heel langzaam te werk en haalde zijn hand centimeter voor centimeter tevoorschijn, als in een stop-motion tekenfilm.

Eerst zag Maggie niet wat hij vasthield. Het was alsof je een aanwijzing las in een kruiswoordpuzzel en het ding in gedachten voor je zag zonder dat je in staat was het beeld in een woord om te zetten dat in de hokjes paste.

Maar toen wist ze het: het was Jimmy's portofoon.

Chic hield het plastic voorwerp als een trofee omhoog. 'Bedoel je van dit soort?'

Maggie schoof haar revolver weer in haar holster. Ze leunde met haar hele gewicht tegen de muur.

'Oké.' Gail pakte de portofoon niet aan. Ze liet haar revolver zakken, maar legde het wapen op haar schoot in plaats van het weer in haar tas op te bergen. 'Hoe kom je daaraan?'

'Een van mijn meiden heeft hem in de steeg gevonden waar die agent is vermoord. In Whitehall, bij de C&S Bank.'

'Lag hij daar gewoon in de steeg?' Gail geloofde hem niet. 'Waar is die vrouw?'

'Ik heb haar ergens ondergebracht. Ze is zich doodgeschrokken van wat ze gezien heeft.' Chic keek eerst Kate aan, toen Maggie, en ten slotte Gail. 'Jullie zouden je ook dood zijn geschrokken.'

'Wat heeft ze dan gezien?' vroeg Gail.

'Geen wat, maar wíé. En de dude die dat vrouwtje van mij heeft gezien líjkt niet op de brother die jullie op het nieuws hebben gezet.' Chic grijnsde. 'Ik zit jullie nou wel erg goeie shit te verkopen. We moeten nog maar eens over die deal gaan praten.'

Gail ramde de pooier haar wapen in het gezicht. 'Waar is ze?'

'Gaan jullie een Edward Spivey-trucje met me uithalen? Nepbewijs in mijn kamer achterlaten en me dan voor de rechter slepen?'

'Zou zomaar kunnen.'

Chic keek in de loop van de revolver. 'Nou moet je eens goed naar me luisteren, bitch. Of je haalt die revolver voor m'n neus weg of die opgedroogde ouwe poes van je vliegt het raam uit.'

Anthony zette een stap naar voren.

Maggie deed hetzelfde.

Weer zette hij een stap.

Opnieuw trok ze haar revolver. De handgreep voelde warm aan.

En toen gebeurden er twee dingen, vlak na elkaar.

Kate zakte op de vloer ineen.

De zijkant van Chics hoofd loste op.

Zo zag het er tenminste uit in Maggies ogen. Het ene moment was de rechterkant van Chics gezicht er nog – oog, jukbeen, kaak – en het volgende moment verdween alles in een wolk van bloed.

Iemand gilde. Het raam barstte uit elkaar. Of misschien hoorde Maggie het nu pas, net als de knal van een geweer in de verte, die nagalmde in haar oren.

Eén schot. Een hoofdschot.

De Shooter.

Maggie liet zich op de vloer vallen. Kate lag er al. Haar ogen waren gesloten. Ze verroerde zich niet. Een stroompje bloed liep van haar oor over haar wang naar beneden. Overal lagen glasscherven. Maggies hand was leeg.

Haar revolver was weg.

Gails stoel brak in stukken uiteen. Het klonk als een tweede geweerschot. Anthony was boven op haar gesprongen. Hij was ervan uitgegaan dat de kogel uit Gails wapen afkomstig was. Hij ging schrijlings op haar zitten en drukte haar tegen de vloer. Hij had zijn stiletto in zijn hand. Gail greep met beide handen zijn pols vast. Haar armen trilden toen het mes steeds dichterbij kwam, tot het lemmet zich op enkele centimeters van haar oog bevond.

'Nee!' Maggie schoot op Kate af. De revolver zat verdraaid in haar holster. De sluiting van het borgriempje was verbogen.

Gail slaakte een bloedstollende kreet. En terwijl Maggie hulpeloos toekeek, werd het lange scherpe mes recht in Gails oogbol gestoten.

Eindelijk schoot de sluiting los. Het riempje vloog open.

Anthony leunde achterover op zijn knieën.

En dat was het laatste wat hij ooit nog zou doen.

Maggie richtte de revolver op zijn hoofd en haalde de trekker over.

Al haar zintuigen sloegen op hol. Ze voelde haar vinger de trekker overhalen, maar ze hoorde het wapen niet afgaan. Ze zag niet dat Anthony achterover tuimelde, maar aan het schudden van de vloer merkte ze dat hij was uitgeschakeld. Rook kringelde uit de mond van de loop, maar ze rook het cordiet niet.

Ze hoorde geklik.

Klik-klik-klik.

Als van een opwindgebit.

De revolver was leeg, maar Maggie bleef de trekker overhalen. Toen liet ze het wapen op de vloer vallen. De bons klonk gedempt toen hij uiteindelijk haar oren bereikte. Geluid kwam als een naderende sirene op haar af: eerst was het zo ver weg dat ze het nauwelijks hoorde, en vervolgens was het zo luid dat haar hart ervan stilstond.

'Jezus... o, jezus...' hijgde Gail. Met zwoegende borst probeerde ze lucht in haar longen te zuigen. Het mes stak nog uit haar oog. Het heft zwaaide als een tentstok heen en weer.

'Gail?' Maggie kroop naar haar toe. 'Gail?'

'Wa...' Gail reikte naar haar oog.

'Niet doen!' Maggie greep Gails hand. Dit was niet echt. Het was een oefening. Niets van dit alles gebeurde echt. Maggie had niet echt iemand gedood. Ze keek niet echt naar een mes dat uit het oog van Gail Patterson stak.

Wat nu? Wat nu?

Met haar vrije hand greep Maggie haar microfoon. 'Meldkamer, dit is team vijf. 63 keer 2, dat is mijn locatie. Herhaal, 63 keer 2 – dringend – mijn 10-20.'

De meldkamer reageerde onmiddellijk. '10-4, team vijf. Hulp is onderweg.'

Maggie liet haar microfoon los. Ze keek de kamer rond. De slachting was onwerkelijk. Zoveel bloed. De bank lag bezaaid met stukjes bot en kraakbeen. Splinters van Chics tanden staken uit de muur.

Niets van dit alles was echt gebeurd. Deze mensen waren niet echt dood. Met Gail was niets aan de hand. Met Kate was niets aan de hand. Maggie had niet zojuist een man gedood. Ze had haar revolver niet op het hoofd van een man gericht en de hele lading in zijn schedel leeggeschoten.

'Maggie,' fluisterde Gail. 'Is het erg?'

'Nee.'

'Echt niet?'

Maggie dwong zichzelf naar de stiletto te kijken die uit Gails gezicht stak. Gail zat onder het bloed, Anthony's bloed. Helder vocht sijpelde uit haar oog en trok een spoor over de bleke huid van haar wang.

Het was wel gebeurd. Het was allemaal echt gebeurd.

'Het valt wel mee,' loog Maggie. Het lemmet was minstens vijftien centimeter lang. Een derde ervan was door Gails oog gedrongen, en nog een derde stak in haar hersenen.

'Oma?' mompelde Kate. Ze kwam weer bij. Ze bracht haar hand naar haar hoofd. De bovenkant van haar oor was bebloed door de kogel die haar had geschampt.

'Kate.' Maggie probeerde een zeker gezag in haar stem te leggen, ook al voelde ze het niet. 'Kate, opstaan. Nu.'

In paniek schoot Kate overeind. Ze keek naar Sir She. Ze keek naar Anthony. Ze keek naar Gail. Haar mond ging open, maar het enige wat eruit kwam, was een soort piepje.

'Het is minder erg dan het lijkt,' zei Maggie.

Kate bleef maar naar het mes kijken. Ze wist dat het wel erg was. Dat ze dat niet hardop zei, was een klein wonder.

'Tering,' fluisterde Gail, en nu kreeg paniek de overhand. Haar halsspieren stonden strak als touwen terwijl ze haar uiterste best deed haar hoofd niet te bewegen. 'Het is wel erg. Ik weet dat het erg is.'

'Het komt weer...' Maggies stem stokte. Het kwam niet goed. Niets van dit alles kwam nog goed.

'Niet doen,' zei Gail met zwakke stem. 'Niet janken, godverdomme, Lawson.'

'Ik jank niet,' loog Maggie. 'Echt niet.'

'Jullie allebei. Ik trek dit mes eruit en steek jullie eigenhandig overhoop. Begrepen?'

'Oké.' Kate had geen idee waarmee ze instemde. Ze leek wel stoned, zo groot waren haar pupillen.

Maggie klemde Gails hand nog steviger vast. Ze dwong haar tranen terug. Ze moest zich aan haar belofte houden. Het ambulanceteam, de opgeroepen agenten en wie er verder nog onderweg waren, mochten haar niet zien huilen. Ze waren stoere meiden. Ze moesten sterker zijn dan alle anderen.

Maggie keek op naar het plafond. Ze ademde diep in en liet de lucht langzaam ontsnappen. Ze kon geen rustpunt voor haar ogen vinden. Ze wilde Gail of Kate niet zien. Ze wilde de twee dode mannen niet zien die al de metalige lucht van stollend bloed begonnen af te geven.

Ze keek door het kapotte raam naar het verlaten pakhuis aan de overkant van de straat.

Het flapperende stuk teerpapier was weg.

TWINTIG

Toen Fox zich van het toneel verwijderde, kwam hij langs de opgepimpte Mercury. Hij plukte Kates pet van de achterbank, maar liet die van Jimmy Lawson liggen voor de rest van haar dienst.

Bloemen.

Hij wist dat Kates haar naar bloemen rook. Niet zo'n parfumluchtje, maar de echte, die buiten groeiden.

Fox mijmerde even weg bij de gedachte aan haar huid en hoe die zou voelen. Hij zou haar bijten. Hij zou haar de grond in neuken. Hij zou haar bloemblaadjes een voor een weg plukken. Hij zou zich prikken aan haar doorns.

Zo voelde hij zich altijd nadat hij iemand gedood had, niet bevredigd maar snakkend naar meer.

Hij was Kate Murphy iets verplicht. Zij had hem hiernaartoe geleid. Niet dat Fox zelf niet alles in de gaten hield. De politiescanner had geknetterd van het geklets sinds Don Wesley was uitgeschakeld. Het kon niemand een moer schelen dat Fox drugsdealers en straatschuim vermoordde. Maar als je een paar agenten koud maakte, kreeg je alle aandacht, ook al ging het om het soort agent dat de dood verdiende.

Fox had genoeg van verrassingen.

En hij had er genoeg van steeds weer zijn eigen fouten uit het verleden te moeten herstellen.

Fox was al halverwege zijn huis geweest toen hij bedacht dat hij eigenlijk even door het steegje moest lopen waar Jimmy en Don Wesley aan het rotzooien waren geweest. Het was gewoon lui om de plek van een moord zo achter te laten, en Fox was niet lui.

Les acht: volg altijd het plan.

Het ging zo: je stak je wapen in hun gezicht. Je liet ze de meldkamer bellen om zich af te melden. Je ontkoppelde hun portofoon zodat ze geen hulp konden inroepen. Je liet ze neerknielen. Je liet ze hun vingers verstrengelen en hun handen op hun hoofd leggen. Dan haalde je de trekker over.

Beng.

Beng.

Twee mannen. Twee lijken. Weer twee namen die konden worden afgestreept.

En dan controleerde je altijd de omgeving om er zeker van te zijn dat je niks had achtergelaten wat de wetsdienaars konden vinden.

Tegen de tijd dat Fox weer in het steegje aankwam, lagen het geil en het bloed al te drogen op de grond. Rastergewijs speuren, net als vroeger, toen ze naar landmijnen zochten. Fox was een aantal keren op en neer gelopen, maar het enige wat hij vond was de troep die je op elke straat in de stad tegenkwam.

Hij legde zich er nu bij neer dat iemand hem voor was geweest. De pooier, dat was duidelijk. Hij had een politieportofoon in zijn hand gehad. Jimmy Lawsons portofoon. Een dergelijke onderhandelingstroef zou geen hoer hebben afgestaan. Het enige waar zo'n gleuf om gaf was kerels afzuigen en een of andere arme sloeber van zijn geld beroven.

De pooier was niet zomaar lastig. Hij was een getuige.

Gelukkig had Fox zijn geweer bij zich gehad.

De kogel had Kates oor geschampt omdat Fox dat zo wilde. Hij proefde het bloed in zijn mond toen het gebeurde.

Kates bloed.

Fox likte zijn lippen af. Ze droogden snel in de koude wind. Hij had niks met wind; bliksem moest hij hebben. Het plan liep niet zoals hij graag wilde. Het ding in zijn achterhoofd had geen contact met de voorkant. En het ding tussen zijn benen schreeuwde dat het lang genoeg had gewacht. Fox was geduldig, maar hij was geen heilige. Morgen moest de hele puzzel samenvallen, want anders dreigde er iets vreselijks te gebeuren.

Hij hoorde een politiesirene door de straat loeien. Ze kwamen sneller dan Fox had verwacht. Er zat niks anders op dan een steeg in te duiken. In deze buurt was Fox niet bang voor getuigen. Hij was een blanke met een politiepet in zijn hand en een *sniper rifle* over zijn schouder.

Nee hoor, m'neer agent, ik heb niks gezien.

De politiewagen scheurde langs de steeg. Fox had zijn auto achter de volgende rij huizen geparkeerd. Hij wist een sluipweg. Fox wist altijd een sluipweg.

Onwillekeurig glimlachte hij even. De grond trilde onder zijn voeten. De treinen denderden door de Howell Wye.

Treinen.

Eindelijk sloeg de bliksem in Fox' schedel. Het plan schoot van achteren naar voren. Nu zag hij het, een levend, ademend plan dat hij kon vastpakken en vanuit alle invalshoeken kon bestuderen. Het was ingewikkeld, maar geniaal.

En zoals al het andere dat die week gebeurd was, begon het allemaal met Jimmy Lawson.

EENENTWINTIG

'Je kapt ermee.' Terry had één hand aan het stuur en in de andere hield hij een sigaret. 'En dat is geen geintje, dametje. Morgen. Nog voor het ochtendappèl ligt je ontslagbrief op Vicks bureau.'

Maggie zweeg. Ze hield haar ogen dicht. Ze klemde haar kiezen zo stijf op elkaar dat ze de zilveren vullingen kon proeven.

'Die kut van een Patterson,' mompelde Terry. 'Waarom ben je trouwens met die gestoorde gleuf meegegaan? Je bent verdomme geen rechercheur. Dat zijn jullie geen van allen.'

De bloedsmaak vermengde zich met die van metaal. Ze had haar wang kapotgebeten in het huis van de Portugese. Maggie wist niet meer wanneer. De rand van haar kiezen had het vel als een mes opengesneden.

Een mes.

'Hoor je me?' Terry mepte haar in haar gezicht. 'Doe godverdorie je ogen eens open.'

Maggie opende haar ogen. Ze staarde recht voor zich uit. Het licht van de koplampen ploegde door de duisternis.

'Jezus, niet te geloven.' Terry bleef maar tegen haar tekeergaan. En ze bleef hem negeren.

Maggie had niet in het ziekenhuis mogen blijven. Trouble had gevraagd of ze dat wilde. Maggie had gezegd dat ze zou blijven. Terry had haar echter bij haar boord gepakt en weggesleurd waar het hele korps bij stond.

Gail zou niet eens weten dat ze er geweest was. Ze lag nog steeds op de operatietafel. Met haar ene oog zou ze nooit meer kunnen zien. Dat hadden de artsen gezegd. Ze hadden ook gezegd dat ze er misschien een hersenbeschadiging aan zou overhouden, maar wat wisten zij er nou van? Nog voor ze morfine kreeg toegediend, had Gail al grappen liggen maken. De ambulancebroeders hadden dubbel gelegen. Ze hadden haar een sigaret gegeven en toen had ze iets gezegd over rook die uit haar oogbol kwam.

Maggie glimlachte. Toen ze nog samen patrouilleerden hadden ze de hele tijd zitten geinen. Dan vertelde Gail over vroegere arrestaties, zoals van de bankovervaller die op de balie was gesprongen, zijn hoofd had gestoten en zichzelf knock-out had geslagen. Of over de idioot die een drankwinkel wilde beroven en uiteindelijk zijn eigen hand eraf schoot. Tijdens haar ritten met Gail had Maggie niet alleen het politievak geleerd. Ze had ook geleerd om het voortouw te nemen. Voor het eerst in haar leven had ze macht. Mensen moesten stoppen als zij het beval. Ze moesten naar haar luisteren. Ze kregen de kans niet tegen haar in te gaan of over haar heen te praten of te zeggen dat ze het mis had. Als ze dat wel deden, schreef Maggie alles woordelijk op in haar arrestatierapport zodat de aanklager er zijn voordeel mee kon doen.

En dan zei Gail: 'Praat maar lekker door, klootzak. We hebben pennen zat.'

Dat zou nooit meer gebeuren. Gail was politievrouw af. Met één oog kwam ze niet door de keuring. Ze kon geen straatwerk meer doen of boeven oppakken. Anthony had haar met dat mes niet alleen van haar zicht beroofd. Hij had haar van haar macht beroofd.

Misschien dat Maggie daarom geen wroeging van haar daden had. Ze had een man vermoord. Ze had een leven genomen.

Oog om oog.

'Hé, idioot!' Terry knipte met zijn vingers voor haar gezicht. 'Ik vroeg je iets.'

Alsof dat Maggie iets kon schelen. Ze had alle vragen ter plekke beantwoord. Voor zover haar geheugen het toeliet, had ze Cal Vick alles verteld wat er gebeurd was. Niet dat ze veel vertrouwen had in haar geheugen. Wat er in het Portugese huis gebeurd was, had zo ver van haar af gestaan dat Maggie maar moeilijk kon geloven dat ze er zelf bij was geweest. Alsof ze naar verhalen luisterde over wat ze als kind had gedaan. Maggie kon zich dat soort gebeurtenissen niet meer uit de eerste hand herinneren. Ze herinnerde zich de verhalen omdat ze die talloze keren had gehoord. Dat ze op haar derde Jimmy's kerstcadeautjes had opengemaakt. Dat ze op haar vijfde haar been had opengehaald aan een roestige spijker.

Maggie legde haar vlakke hand op haar been. De ribbels van het litteken waren even vertrouwd als haar spiegelbeeld. Ze kende het verhaal achter het letsel, maar de pijn en de paniek en de angst die er waarschijnlijk mee gepaard waren gegaan waren helemaal verdwenen.

Terry gaf zo'n harde ruk aan het stuur dat Maggie zich schrap moest zetten om niet om te vallen. Hij scheurde de oprit op en kwam met gierende banden onder de carport tot stilstand. 'Waar is je broer?'

Maggie opende het portier. Ze wist niet waar Jimmy was. Zijn auto stond niet op straat. Toen ze nog in het Portugese huis was, had ze hem elk moment verwacht. Haar hart sloeg over telkens als er weer iemand de kamer binnenkwam. En als ze dan besefte dat het Jimmy niet was, spoelde de teleurstelling als een koude golf over haar heen.

Maggie liep het trapje naar de keuken op. Delia stond met haar rug naar haar toe. De asbak zat vol peuken die tot op het filter waren opgerookt.

Maggie legde haar dienstriem op het aanrecht. 'Mama.'

Delia draaide zich niet om. 'Morgen neem je ontslag.'

Maggie was verbaasd, en vervolgens verbaasde ze zich erover dat ze verbaasd was.

'Ik meen het, Margaret.' Nu draaide Delia zich om. Haar ogen waren rood. Ze leek wel honderd. 'Je komt bij mij in het restaurant werken. Of zoek maar een kantoorbaan. Voor mijn part ga je op een sleeptruck rijden. Mij maakt het niet uit. Zolang je maar stopt met dit werk.'

'Precies wat ik tegen haar gezegd heb,' zei Terry. Hij was niet groot, maar zijn aanwezigheid zoog alle resterende zuurstof uit de keuken. 'Waar is Jimmy?'

'Is hij niet bij jullie? Jimmy?' riep Delia naar boven. Ze wachtte even. 'Jimmy!' riep ze toen op luidere toon.

'Hij heeft zich in zijn kamer opgesloten!' riep Lilly terug.

'Heeft-ie zich in z'n kamer opgesloten?' bromde Terry. 'Wat mankeert die vent?'

'Hoe moet ik dat weten?' beet Delia terug. 'Geen van m'n kinderen geeft om me.'

Terry liep de trap op. Zijn rothumeur bleef hangen.

'Ik meen het, Margaret.' Delia's stem was vol stille dreiging. 'Er wordt geen politieagentje meer gespeeld.'

Zelfs als Maggie had willen antwoorden, kreeg ze haar kaken niet van elkaar.

'Je hebt een man gedood. Vermoord.'

Maggies adem stokte.

'Je kleren zitten onder het bloed. Net als je gezicht. Gail is gewond. Ze is je vriendin. Ik weet dat jullie vriendinnen zijn. En moet je zien wat er met haar gebeurd is. Ze is voor de rest van haar leven gehandicapt.' Haar stem sloeg over. 'Haar léven, Margaret. Dat is voorbij.'

Maggie dwong zichzelf om haar blik niet neer te slaan.

'Hoe moet het nou verder met haar?' Delia gaf zelf antwoord. 'Ze raakt haar baan kwijt. Ze kan geen nieuw werk meer vinden. Haar man loopt bij d'r weg. Welke man blijft er nou bij zo'n vrouw? Om de rest van haar leven voor haar te zorgen?'

Maggie slikte hoorbaar.

'Voor hetzelfde geld was het jou overkomen. Heb je daar al bij stilgestaan? Dat ik tot aan m'n dood voor jou zou moeten zorgen? En dan? Dan moet je broer Jimmy voor je zorgen? Of Lilly, god sta haar bij.' Ze klemde zich met één hand aan het aanrecht vast. 'Blijf je daar de hele tijd als een imbeciel staan kijken?'

Maggie kreeg haar stem terug. 'Maar het is me niet overkomen.'

'Moet je zien wat je wel is overkomen!' Delia's woede kwam nu pas echt tot ontlading. 'Je bent een moordenaar. Wil je dat graag wezen? Een moordenaar? Met bloed aan je handen?' Ze greep Maggies arm. 'Geef eens antwoord!'

Maggie keek naar haar moeders hand. De vingertoppen waren geel van de nicotine. 'Het enige wat me spijt,' zei ze, 'is dat ik hem niet eerder heb vermoord.'

Delia wankelde naar achteren. Ze keek haar dochter aan alsof ze een vreemde voor haar was.

Maggie opende het aanrechtkastje. Ze pakte een papieren zak van de stapel.

'Wat ga je doen?'

'Terry en Jimmy's troep opruimen.' Ze klemde de zak in haar handen. 'Dat wil je toch, mam? Dat ik hier de rest van mijn leven blijf om iedereen z'n klotezooi op te ruimen?'

Maggie liep naar buiten, de koude avondlucht in. Ze nam niet de moeite de lampen onder de carport aan te doen. Haar vader had de verlichting geïnstalleerd toen hij de laatste keer op verlof uit de inrichting was. Meestal flikkerden de gloeilampen als een spiegelbal. Uit de keuken kwam maar weinig licht. Om de een of andere reden wilde Maggie schaduw om zich heen.

Zeven uur geleden had Terry een blikje bier naar haar hoofd geslingerd. Nu raapte Maggie het op. Lauw vocht klotste over haar hand. Ze stopte het blikje in de zak. Ze raapte nog een blikje op en toen nog een. Ze was niet van plan geweest ze te tellen, maar toen ze bij het stuk tuin aan de zijkant van het huis aankwam, had ze er al vijftien.

Maggie zag niet waar ze liep. Ze trapte op een blikje. Het aluminium boog zich om het midden van haar schoen. Met haar andere voet trapte ze het los. Toen hurkte ze neer en ging verder met blikjes rapen.

Zestien. Zeventien. Achttien.

De zak zat overvol. In plaats van terug te gaan naar de keuken, liep Maggie naar de andere kant van de tuin.

Het busje van Lee Grant stond op de oprit. Op de zijkant zag ze de gouden, gele en blauwe strepen van het Southern Bell-logo. Maggie legde haar hand op de motorkap. De motor was koud.

Ze liep de twee treden naar de zijdeur op en klopte aan. Toen drukte ze op de bel, want ze wist niet wat Lee kon horen. De afgelopen acht jaar had ze hooguit vijf woorden met hem gewisseld. Als Jimmy in de buurt was, voelde hij zich niet op zijn gemak en hij was doodsbang voor Terry, wat betekende dat hij een stuk slimmer was dan de mensen dachten.

Lee deed open. Hij zette grote ogen op toen hij het bloed op haar uniform zag.

'Rustig maar,' zei ze, maar ze voelde zich meteen opgelaten, want ze was vergeten dat hij naar je mond keek als hij met je praatte. 'Dat is niet van mij.'

'Alles in orde?' Hij sprak de 'r' bijna niet uit. *Alles in ow-de?*

Maggie keek even naar haar huis om er zeker van te zijn dat niemand buiten was. 'Heeft de telefoonmaatschappij een centrale plek waar alle nummers en adressen van bedrijven worden opgeslagen?'

Het pleitte voor Lee dat hij haar niet vroeg of ze de bedrijvengids had geraadpleegd. 'De financiële administratie.'

'Ik moet het adres hebben van een bar genaamd Dabbler's.' Ze spelde de naam, waarbij ze elke letter heel duidelijk uitsprak. 'Zou je dat voor me willen opzoeken?'

'Ja hoor.'

Voor het eerst in dagen haalde Maggie weer eens adem.

'Alles in orde?' vroeg hij weer.

Maggie wist nog dat Lee haar acht jaar geleden dezelfde vraag had gesteld. Toen lag ze op de bank in de keuken van zijn moeder. Het was er warm en klam. Zijn moeder was niet zo'n goede kok. Ze was verpleegster en draaide nachtdiensten. Ze aten uitsluitend diepvriesmaaltijden en fastfood, een luxe die verder niemand in de straat zich kon veroorloven.

'Zou je het adres bij mij in de brievenbus willen stoppen?' vroeg Maggie. 'Ik ben de enige die er ooit in kijkt.'

'Dat weet ik.' Opeens leek Lee te beseffen wat hij zojuist had onthuld. Hij keek de straat op.

Maggie zag het hoortoestel dat boven zijn oor zat weggestopt. Hij droeg zijn oude als hij ging joggen, waarschijnlijk omdat de nieuwe soort duurder was. Ze schatte dat het een jaar of vijftien geleden was dat Jimmy en Lee voor het laatst met elkaar op de vuist waren gegaan. Jimmy had toen Lee's hoortoestel kapotgemaakt. Lee's vader was naar hen toe gekomen en had het apparaat aan Delia laten zien. Hij werkte ook voor de telefoonmaatschappij en had zijn lijnwerkersriem nog om. Zijn ogen waren bloeddoorlopen, wat vreemd was, want hij dronk niet. Delia moest drie maanden lang extra diensten draaien om een nieuw toestel te kunnen betalen. Ze had Jimmy huisarrest gegeven, maar Terry nam hem in het weekend toch mee.

'Sorry,' zei Maggie, maar Lee keek haar niet aan en ze wist niet zeker of hij haar gehoord had.

'Maggie!' brulde Terry.

Ze schrok op. Zelfs Lee had Terry gehoord en hij deed de deur al dicht. Maggie rende het trapje af en liep de tuin weer door.

'Maggie!'

'Wat is er, Terry? Wat wil je?'

Terry stond in de deuropening. Zijn ogen vlamden van woede. Hij snoof als een stier, met trillende neusvleugels en open mond.

Maggie bleef staan. Ze had aan den lijve ondervonden hoe erg Terry was als hij tekeerging, maar hij was pas echt erg als hij stil was.

'Naar binnen. Nu,' zei hij met opeengeklemde kaken.

Maggie liep de verandatrap op. Ze greep de wiebelige leuning vast. Haar benen begaven het bijna. De laatste keer dat Terry zo was geweest, had hij haar tegen de grond geslagen.

Het was alsof er een donker floers over de keuken lag dat er eerder niet was geweest. Delia stond midden in het vertrek. In haar bevende handen hield ze een vel schrijfpapier. Ze stond te zwaaien op haar benen. Maggie dacht aan het mes in Gails oog, aan het heft dat heen en weer had bewogen terwijl Gail haar uiterste best deed niet te knipperen.

Delia staarde naar de woorden op het papier. Alles aan haar trilde. 'Het is niet waar. Zeg dat het niet waar is.'

Maggie kon de blauwe inkt dwars door het witte papier heen zien. Het handschrift was van Jimmy. Ze nam het blaadje uit haar moeders handen. De eerste regel was zo onbegrijpelijk dat hij net zo goed in een andere taal geschreven had kunnen zijn.

Ik ben de Atlanta Shooter.

Maggies hele lichaam werd door kou overmand.

Ik heb die mannen gedood omdat ik als een smerige flikker met ze gerotzooid heb en ik niet wilde dat iemand erachter kwam.

Maggie zocht steun bij het aanrecht om niet op de vloer te vallen.

Probeer me niet te zoeken, want dan dood ik nog meer mensen. Maggie...

Maggie las haar naam twee keer. Ze kon zich niet herinneren dat ze haar naam ooit eerder in het handschrift van haar broer had gezien.

Maggie, sorry dat ik je nooit mijn verontschuldigingen heb aangeboden. Ik had moeten zeggen dat het jouw schuld niet was wat er gebeurd is.

Ze bestudeerde de handtekening. Onderaan had hij zijn volledige naam geschreven: James Lawson. De enige letters die ze kon onderscheiden waren de J en de L. Maggie wist dat ze door haar broer waren geschreven. Ze typte al zijn rapporten. Elke ochtend voor het appèl zag ze Jimmy zijn handtekening zetten op de stippellijn.

'Dit blijft onder ons,' zei Terry.

Zijn woorden zweefden ergens boven haar hoofd. Maggie had het gevoel dat ze maar omhoog hoefde te reiken om ze te kunnen aanraken.

'Maar de jongens,' zei Delia. 'Ze kunnen...'

'Ik meen het,' onderbrak Terry haar. 'Niemand krijgt dit te horen.'

Maggie begon haar hoofd te schudden. 'Het is een bekentenis. We moeten...'

Terry sloeg zijn hand om haar hals. Haar voeten raakten los van de vloer. Ze klauwde naar zijn vingers.

'Ik zei dat niemand dit te horen krijgt.'

Maggie schopte tegen de muur. Haar longen schreeuwden het uit in haar borstkas.

'Als dit bekend wordt...' Hij kneep haar keel nog verder dicht. 'Als die jongens erachter komen dat ze bij een flikker in de auto hebben gezeten...'

'Terry,' smeekte Delia. 'Terry, ze wordt helemaal blauw. Laat haar los. Alsjeblieft. Alsjeblieft.'

Terry ontspande zijn greep.

Maggie viel op de vloer. Ze hapte naar lucht. Haar keel voelde rauw.

'Het is niet waar,' zei Delia. 'Mijn zoon is geen homo. Iemand heeft hem gedwongen dat op te schrijven.'

'Bullshit,' zei Terry. 'Ook al hield je een pistool tegen mijn hoofd, geen denken aan dat ik zou zeggen dat ik een flikker was. Dan zou je me eerst dood moeten maken.'

Delia gaf niet op. 'Jimmy gaat elk weekend met een ander meisje uit. Hij moet ze altijd met een stok van zich af slaan.'

Maggie hoestte de glassplinters uit haar keel. Ze raapte de brief van de vloer op. 'Waar hebben jullie dit gevonden?' Ze keek eerst Delia en toen Terry aan. 'Nou, waar?'

'Terry heeft het op zijn bed gevonden,' zei Delia.

Maggie was al halverwege de trap toen ze besefte dat ze zich in beweging had gezet. Ze dwong zichzelf door te lopen, de overloop op. Ze passeerde Delia's kamer, toen die van Lilly met de deur die altijd dicht was, haar eigen kamer, en ten slotte stond ze voor Jimmy's kamer.

Terry moest de deur hebben ingetrapt. De stijl was versplinterd. Stukken hout staken er als dolken uit. Maggie streek met haar vingertoppen over de scherpe uiteinden. Ze trokken witte strepen over haar huid.

Jimmy's kamer was in hetzelfde donkergrijs geverfd als de rest van het huis. Door de gloeilamp van honderd watt aan het plafond leek het net een plaats delict. Hij had een tweepersoonsbed, dat Delia voor hem gekocht had toen hij zestien werd. Verder stond er een ladekast die ze van het trottoir hadden opgepikt toen een gezin dat verderop in de straat woonde het huis uit werd gezet. Zijn toilettas stond er geopend bovenop. Ze zag zijn scheerapparaat, zijn kam en borstel. Hij had zijn aftershaves keurig op een rij gezet. Dat was het enige waarin Jimmy graag wat variatie zag. Pierre Cardin. English Leather. Brut. Prince Matchabelli. Maggie gaf hem elk jaar met kerst een flesje van een nieuw merk.

Ze liep naar Jimmy's kleerkast. Er zat geen deur voor, alleen een gordijn dat opzij moest worden getrokken. Aan de linkerkant hing Maggie altijd zijn uniformen. In het midden hingen zijn broeken, dan kwamen de overhemden, en de jasjes hingen helemaal rechts. Jimmy was nogal kieskeurig wat zijn kast betrof. Hij had alles op kleur ingedeeld. Marineblauw. Zwart. Grijs. Wit.

Maggie keek naar de brief in haar hand.

Ik ben de Atlanta Shooter.

Achter zich hoorde ze Terry. Hij haalde nog steeds zwoegend adem, waarschijnlijk omdat hij de trap had beklommen. 'Waar was Jimmy vanmiddag?' vroeg ze. 'Nadat we waren vertrokken?'

Terry antwoordde niet.

Maggie begon de zakken van Jimmy's kleren te doorzoeken.

Ik heb die mannen gedood omdat ik als een smerige flikker met ze gerotzooid heb...

'Waar zoek je naar?' vroeg Delia.

Maggie ging door met het nakijken van de zakken. Niets. Geen luciferdoosjes. Geen verdere bekentenissen. Zij deed altijd Jimmy's was. Ze vond voortdurend telefoonnummers die hij op servetjes en afgescheurde stukjes papier had gekrabbeld.

Waren dat allemaal nummers van mannen geweest?

'Stoppen, Maggie,' zei Delia. 'Je weet dat je van Jimmy niet aan zijn spullen mag zitten.'

Maggie kon niet stoppen. Wat moest ze geloven? Dat haar broer haar vandaag gevolgd was naar het Portugese huis? Dat hij Kate bijna gedood had? Dat hij de pooier had neergeschoten? En die andere mannen dan: Keen en Porter, Ballard en Johnson? Moest ze gewoon maar geloven dat haar broer al die mannen had vermoord en de volgende ochtend aan de ontbijttafel was verschenen om zich samen met zijn familie tegoed te doen aan koffie, eieren en spek?

En Don Wesley. Don was Jimmy's vriend. Ze werkten samen.

Maggie draaide zich om. Terry en Delia stonden achter haar. Ze moest de woorden hardop uitspreken voor ze explodeerden in haar hoofd. 'Het klopt gewoon niet. Waarom zou hij zoiets doen?'

'Omdat hij een flikker is,' antwoordde Terry. 'Kun je geeneens lezen? Jij bent hier het studentje. Het gebeurde allemaal pal voor je neus, maar je was zo met jezelf bezig dat je d'r niks van gezien hebt.'

'Jij hebt het anders ook niet gezien.'

Terry gaf haar zo'n harde klap met de rug van zijn hand dat Maggie tegen de muur smakte. Ze bracht haar hand naar haar wang. Die lag open.

'Klotezooi,' mompelde Terry terwijl hij door de kamer ijsbeerde. Het was een krappe ruimte. Na drie stappen moest hij zich alweer omdraaien. 'Jezus, wat dacht-ie wel?'

Niemand antwoordde, want geen enkel antwoord was zinnig. Het enige geluid dat de stilte verbrak was het vertrouwde gekras van een naald op een elpee. *Tapestry.* Lilly had het geluid hard staan. Ze wilde niet horen wat er om haar heen gebeurde.

'Dit mag niet naar buiten komen,' zei Terry. 'Begrepen? Niks van dit alles mag naar buiten komen.'

Maggie keek naar hem terwijl hij van de ene kant van de kamer naar de andere liep. Hij was razend omdat Jimmy homo was; dat vond hij erger dan dat Jimmy een moordenaar was.

Delia deed een nieuwe poging. 'Misschien kunnen Bud en Cal...'

'Nee.' Terry snoerde haar de mond. 'Niemand komt dit te weten, Dee. Dit knappen we zelf op.'

'Wat ga je doen?' Delia klonk doodsbang. 'Alsjeblieft, Terry. Zeg wat je gaat doen.'

Hij bleef maar ijsberen. In gedachten ging hij alles na op zoek naar een oplossing. Ten slotte nam hij een besluit. 'Ik ga hem zoeken en dan maak ik hem eigenhandig af, dat ga ik doen.'

'Terry!' gilde Delia. 'In godsnaam...'

'Godverdomme!' Terry sloeg zo hard tegen de muur dat het gips meegaf.

Niemand zei iets. *Tapestry* speelde maar door. 'So Far Away'.

Terry staarde naar zijn hand. De knokkels waren al bont en blauw van het werk. Verse schrammen hadden zijn huid opengereten. Hij balde zijn vingers tot een vuist en strekte ze weer.

'Ik moet hem doden, Dee,' zei hij. 'Hij is een Lawson. Dat is mijn verantwoordelijkheid.'

'Terry.' Delia maakte van zijn naam een soort mantra. 'Nee, Terry. Dat mag je niet doen.'

'Wil je soms een proces? Wil je dat soms?' Alleen al het idee vervulde hem met walging. 'Die pikkenzuiger van een zoon van je die zijn hart uitstort voor de rechter? Die vertelt hoe hij alle smerissen afzoog die hij vermoord heeft?'

Delia trok wit weg.

'Als je dit aan Cal Vick vertelt, schiet hij hem zelf dood. Hetzelfde met Jett, Mack, Red... met de hele hap. Ze maken hem af en niemand die het ze kwalijk neemt.'

'Zo gaat het niet,' zei Delia. 'Er klopt iets niet. Hij was gewoon niet goed in zijn hoofd toen hij dit opschreef.'

'Denk je dat een jury daar instinkt, dat het een vlaag van tijdelijke waanzin was?' Weer boog en strekte Terry zijn vingers. 'Wil je erop gokken dat hij niet rechtstreeks naar de stoel wordt gestuurd?'

Delia klemde de deurknop vast om niet te vallen.

'Ga jij straks naar de gevangenis om te kijken hoe ze onze jongen aan de elektrische stoel vastsnoeren?' Terry veegde zijn bebloede hand af aan Jimmy's lakens. 'Ze krijgen een luier om, want ze schijten zichzelf helemaal onder. Als ze zo'n jongen niet mogen, maken ze de spons niet nat genoeg, en als ze dan de knop omzetten vliegt hij in de fik en verbrandt levend.' Terry greep Delia bij haar arm. 'Is dat wat je voor hem wilt, Dee? Wil je hem zien verbranden?'

'O, god, Terry. Zeg dat soort dingen niet. Alsjeblieft! Ik kan het niet aanhoren.'

'Je zult het moeten aanhoren.' Hij keek Maggie aan. 'En jij ook, stoere meid. Hij mag dan een smerige nicht wezen, maar hij is nog altijd je broer.'

Maggie wist niet wat ze moest zeggen. Het was allemaal te veel. Haar keel deed pijn. Haar hoofd bonkte. Dit was krankzinnig. Ze kon het niet geloven, niets van dit alles. Jimmy was geen homo, en hij was al helemaal geen moordenaar.

'Mam.' Maggie moest haar moeder tot rede brengen. Ze pakte Delia's hand. 'Hij heeft het niet gedaan. Hij kan het gewoonweg niet...'

'Nee!' Delia rukte zich los alsof ze zich gebrand had. 'Niet tegen me praten! Niks meer zeggen! Je had die baan nooit moeten nemen! Dat gaf te veel stress voor Jimmy!'

De haat in haar ogen sneed door Maggies ziel.

'Het is allemaal jouw schuld, Margaret.' Met elk woord groeide Delia's stem aan kracht. 'Als jij was getrouwd, zou Jimmy dat ook hebben gedaan.' Ze leek bijna opgelucht. 'Zo zit het,' zei ze tegen Terry. 'Hij kon geen meisje zoeken en trouwen. Hij kon ons niet in de steek laten, want er was verder niemand om voor ons te zorgen.'

'Alsof ik niet verdomd goed voor jullie zorg,' zei Terry.

'Dat weet ik.' Delia legde haar hand op zijn borst. De paniek ebde weg nu ze had uitgevogeld wie de ware schuldige was. 'Ik weet dat je er altijd bent voor ons. Maar Jimmy, hij is nog zo jong. Hij leeft onder grote druk. Hij wist gewoon niet wat hij deed. Ik weet zeker dat het zo gegaan is, Terry. Ik weet zeker dat hij kan vertellen hoe het zit.'

Terry legde zijn hand op die van Delia. Maggies maag draaide zich om toen ze de blik zag waarmee hij haar aankeek. 'Ik handel dit af, Dee.'

Maggie keek naar Jimmy's briefje. Zijn bekentenis. Zijn verontschuldiging.

Sorry dat ik je nooit mijn verontschuldigingen heb aangeboden.

Wat bedoelde hij? De vorige dag in het ziekenhuis had hij zijn verontschuldigingen nog aan haar aangeboden. Het moment stond in Maggies geheugen gegrift. Jimmy had haar nog nooit zijn verontschuldigingen aangeboden, nergens voor. Was er nog iets wat hem speet? Had hij iets anders gedaan wat Maggie niet wist?

Geen moord. Ze geloofde nog eerder dat haar grote, sterke broer homo was dan dat hij in koelen bloede vijf mannen kon vermoorden.

'Je moet hiermee ophouden,' zei Maggie tegen Terry. 'Jimmy heeft deze brief met een reden geschreven.'

'Hij heeft hem geschreven omdat hij wil dat we hem tegenhouden. Heb je dat al bedacht?'

Daar had Maggie geen antwoord op. Daar had ze niet bij stilgestaan. Ze keek naar de laatste twee zinnen. Die verontschuldiging, alsof hij de verontschuldiging van de vorige dag vergeten was.

Zou ze zich in haar broer vergist hebben? Acht jaar was een lange tijd. De Jimmy die Maggie toen kende, was nu een volwassen man. Hij kwam op plekken waarvan zij het bestaan niet wist. Hij had vrienden die zij nooit ontmoet had. Soms bleef hij de hele nacht weg zonder dat er de volgende ochtend vragen over gesteld werden.

'Ik zorg dat hij een van de slachtoffers wordt,' zei Terry. 'De Shooter heeft hem gepakt. Ik zorg dat het daarop lijkt, ik ontkoppel zijn portofoon, en als het moet breek ik z'n nagel af. Hij krijgt een politiebegrafenis. Hij wordt begraven met een erewacht.' Tegen Delia zei hij: 'En jij krijgt een uitkering. Dan draagt hij nog steeds zijn steentje bij. Zo wil Jimmy het. Hij wist wat hij deed toen hij die brief op zijn bed achterliet, waar iedereen hem kon vinden.'

Maggie weigerde Terry's woorden te accepteren. Ze probeerde met Delia te redeneren. 'Mama, je had gelijk. We moeten die brief aan anderen laten zien. Dit is onze Jimmy niet. Er is iets met hem aan de hand.'

Opeens werd het papier uit Maggies handen gerukt.

Delia scheurde Jimmy's bekentenis aan flarden.

TWEEËNTWINTIG

Fox lag achter de omgevallen boomstam en keek op naar het grote huis aan het eind van de slingerde oprit. In de keuken brandde licht. Kates auto stond op de parkeerplaats voor de garage. Hij had optimaal zicht op de veranda aan de voorkant van het huis. De grond onder hem was koud. Hij voelde de kou tegen zijn dijen drukken, zich om zijn ballen krullen.

Fox ging verliggen. De druk werd erger.

De druk die Kate hem bezorgde.

Had hij maar een nachtkijker. De infraroodzoeker wierp groen licht over het landschap waardoor je de vijand kon zien terwijl de vijand alleen duisternis zag. Tijdens de oorlog had Fox een met een telescoop uitgeruste nachtkijker gebruikt om zijn prooi te kunnen volgen. De vijand was slim, maar van technologie had hij geen kaas gegeten. Soms volgde Fox een man urenlang door de donkere jungle. Het groene licht pikte elke beweging op. Fox keek toe terwijl het doel pauzeerde, zijn omgeving verkende, halt hield om iets te eten, tegen een boom piste, en dat alles zonder te weten dat Fox hem in de gaten hield.

Fox deed nu hetzelfde, een paar minuten maar. Hij kon niet op zijn horloge kijken, maar te oordelen naar de stand van de maan vermoedde hij dat de ene dag overging in de andere.

Hij moest rusten. Hij moest kijken of Jimmy nog steeds op de plek was waar hij hoorde te zijn. En dan moest hij nog één keer het plan doornemen.

Vanavond zou Kate zonder hem naar bed moeten.

DAG DRIE

Woensdag

DRIEËNTWINTIG

Kate zat op de verandatrap voor het huis van haar ouders. Een auto reed langs en de zachte gloed van koplampen streek tussen de bomen door. De toppen van doorgeschoten dennen kusten de middernachtsmaan. Er hing een tintelende frisheid die zich als ijspegeltjes in haar longen afzette. De pijn was bijna kalmerend. Ze wilde dingen voelen. Ze wilde weten dat ze nog leefde.

Kate had niet kunnen slapen. Ze had haar hoofd op het kussen gelegd, maar voor ze het wist liep ze aangekleed en wel door de parkeergarage. De afgelopen paar uur had ze doelloos door de stad gereden, straat in en straat uit. Ze had willen teruggaan naar haar kamer, maar nadat ze een keer of drie, vier langs het hotel was gereden had ze uiteindelijk koers gezet naar Buckhead.

De enige keer dat ze gestopt was, was bij een Texaco-tankstation, aan Ponce de Leon, niet voor benzine, maar omdat ze tegen beter weten in op verlossing hoopte.

De Lawsons stonden in het telefoonboek. Kate had een munt in het toestel geworpen. Ze had de eerste drie cijfers van het nummer gedraaid. En toen verstarde haar hand terwijl de woorden door haar hoofd spookten:

Het spijt me dat ik niet voor je klaar heb gestaan.

Het spijt me dat ik niet kon voorkomen dat Gail gewond raakte.

Het spijt me dat je iemand moest doden.

Het spijt me... het spijt me... het spijt me zo vreselijk.

Kate stond versteld van de verontschuldigingen die zich

aan haar opdrongen, niet omdat ze het erg vond om vergeving te vragen, maar omdat ze zich nog nooit zo verschrikkelijk verantwoordelijk had gevoeld voor dingen die fout waren gegaan.

Als Kate had kunnen helpen, had Gail nu misschien niet in het ziekenhuis gelegen.

Als Kate had kunnen helpen, had Maggie misschien niemand hoeven doden.

Op dat moment besefte Kate dat anderen haar nooit eerder zo nodig hadden gehad. Ze bood weliswaar altijd aan vrienden te helpen met verhuizen. Ze deed mee als er geverfd moest worden. Ze was altijd bereid vriendinnen te vergezellen op eerste afspraakjes. Ze betaalde haar deel als er rondjes werden gegeven op de club. Haar familie hield van haar. Kates vrienden waardeerden haar gezelschap. Patrick had haar aanbeden. Ze had ze allemaal op zeker moment nodig gehad, maar geen van hen had Kate ooit echt nodig gehad.

Het drong plotseling tot haar door, als een galmende klok in haar hoofd. Kate had wezenloos naar de graffiti boven de telefoon gestaard. Had ze maar een tijdmachine, maar niet voor Patrick. Dan ging ze terug naar het Portugese huis en in de fractie van de seconde voor de kogel langs zoefde, zou ze haar hoofd iets hebben afgewend.

Dat was het enige wat Kate zou terugdraaien.

Ze had er geen spijt van dat ze naar het Portugese huis was gegaan. Ze hoefde niet terug in de tijd naar maandagochtend om het moment uit te wissen dat ze het uniform had aangetrokken en naar het werk was gegaan; ze hoefde niet nog verder terug om zichzelf ervan te weerhouden dat krantenartikel over vrouwelijke motoragenten te lezen, of om te voorkomen dat ze naar de stad ging om het aanvraagformulier voor het politiekorps in te vullen, of om te zorgen dat ze die eerste dag niet op de academie was verschenen met haar schrift al vol aantekeningen die ze uit haar studieboek had overgeschreven.

Nee, Kate wilde niets van dat alles terugdraaien. Het enige waarvan ze spijt had, was dat ze haar collega's niet had geholpen.

Tegen Maggie Lawson zou ze willen zeggen: *het spijt me dat ik je niet heb kunnen helpen om die man te doden. Het spijt me dat we die informatie niet uit Chic hebben kunnen loskrijgen voor hij werd vermoord. Het spijt me dat ik niet heb kunnen voorkomen dat Gail gewond raakte.*

Het spijt me, het spijt me, het spijt me zo vreselijk.

Uiteindelijk had Kate de hoorn weer op de haak gelegd zonder de rest van het nummer te draaien. Het geluid van het muntje op weg naar het geldbakje had haar aan een flipperkast doen denken.

Ze had het beter moeten aanpakken. Ze had beter moeten zíjn. De enige reden waarom Gail mee naar dat huis was gegaan, was omdat Maggie back-up nodig had en ze Kate die taak niet toevertrouwde. Ze had gelijk dat ze haar leven niet in Kates handen durfde te leggen. Alles klopte wat ze over de FNG hadden gezegd. Het Popje. Het Schaap. Het waardeloze prinsesje uit Buckhead dat zich op de vloer had laten vallen toen de hel losbrak.

Met haar verstand wist Kate dat ze niet rationeel bezig was. Ze had zich niet voor dood laten neervallen. De val was veroorzaakt door een schot. Ze had zich zo hard gestoten dat ze er een lichte hersenschudding aan had overgehouden. Het was niet zo dat Kate keus had gehad, maar niet had gehandeld. Haar moed was niet op de proef gesteld. Er viel geen beslissing te nemen. Ze had Chic niet zien sterven. Ze had niet gezien dat Anthony Gail aanviel. Ze had niet gezien dat Maggie hem tegenhield. Ze kon zich niet herinneren dat de kogel haar oor had geschampt. Ze kon zich niet herinneren dat ze was gevallen. Het ene moment had Kate naar Gail geluisterd die Sir Chic onder druk zette, en het volgende moment had ze de kamer rondgekeken met het gevoel alsof ze in de voorlaatste scène van *Straw Dogs* was beland.

Kates eerste gedachte toen ze weer was bijgekomen, was dat ze gewond was. Haar hoofd deed pijn. Haar oor deed pijn. Haar been deed pijn op de plek die het eerst de grond had geraakt. Ze was haar revolver kwijt. Toen ze voor het huis hadden gestaan, had ze het borgriempje vastgeklikt, precies zoals Maggie gezegd had. Ze had al hun waarschuwingen over de pooier ter harte genomen. Ze had zelfs met Chic onderhandeld, had hem zover gekregen dat hij toegaf iets over de schietpartij te weten. Of in elk geval dat een van zijn meiden er iets van wist. Iets had gezien.

En waarvoor?

Nu vonden ze de vrouw nooit meer. Chic had het geheim van haar verblijfplaats meegenomen in de dood. Maggie had letterlijk Anthony's hoofd van zijn romp geschoten. Het enige wat ervan over was, was een scherp, wit bot dat als de vin van een grote witte haai uit zijn nek stak.

Voor niets.

Weer reed er een auto langs. Kate zag een sigaret opgloeien. Op straat, voor het huis, liep iemand voorbij. Een kille huivering trok door haar heen. Meteen vond ze zichzelf belachelijk, want waarom zou iemand het boeiend vinden dat ze op de verandatrap van haar ouderlijk huis zat?

Toch kon ze het gevoel niet van zich afzetten dat ze werd geobserveerd. Eerlijk gezegd had ze de laatste tijd vaker dat gevoel gehad, alsof een stel ogen elke beweging die ze maakte volgde. Zelfs als ze alleen op haar kamer of in haar ouderlijk huis was kon ze het beklemmende gevoel niet onderdrukken dat al haar gangen werden nagegaan. Misschien hoorde het gewoon bij het werk. Paranoia was waarschijnlijk een heel gezond trekje voor een politieagent. En ze was een makkelijk doel zoals ze daar op de verandatrap zat.

Kate stond op. Ze streek de achterkant van haar rok glad. Ze raakte de mezoeza naast de voordeur even aan.

Methusalem, zo had Gail hem genoemd, en toen had ze naar Kate geknipoogd, want ze had haar personeelsdossier gelezen en ze wist hoe Patrick was gestorven, zoals ze ook wist welk vakje was aangekruist onder 'religie'.

Kate fluisterde de woorden die ze van haar Oma had geleerd. 'De Heer zal uw uitgang en uw ingang bewaren, van nu aan tot in der eeuwigheid.'

De deur zat niet op slot; niemand in Buckhead deed zijn deuren op slot. Ze wisten niet eens waar alle deuren in hun huis zaten. Het was donker in de voorkamer, op de gloeiende sintels in de haard na. In de keuken brandde licht. Kate hoorde haar grootmoeder lachen, gevolgd door het diepe gebrom van haar vaders stem.

'Pap?' riep ze, maar het woord bleef ergens in haar borst steken. Kate had geen idee waarom ze hiernaartoe was gekomen. Toen ze klein was, kroop ze wel eens naast Oma in bed en telde dan haar rustige hartslagen. Na Patricks dood had Kate weer ruim een maand bij haar geslapen.

Daar was ze nu te oud voor. Te gehard.

Eigenlijk kon ze wel een stevige borrel gebruiken.

'Hé, schat!' Oma begon te stralen toen Kate de keuken binnenliep. Ze zat met Kates vader te kaarten. Jacob Herschel was arts en had twee doctorstitels, maar hij zou zijn hele kapitaal aan Oma hebben verloren als Liesbeth er niet op had gestaan dat ze voor stuivers speelden.

Jacob nam zijn bril af en keek Kate aandachtig aan. Als kind had hij zijn zomers in het zuiden van Georgia doorgebracht. Hij had het zachte, lijzige accent dat haar altijd aan Gregory Peck deed denken in *To Kill a Mockingbird*.

'Alles goed?' vroeg hij.

Kate sloeg haar arm om zijn schouders. Ze kuste hem op zijn hoofd. 'Ik kon niet slapen,' zei ze naar waarheid. 'Ik was een beetje aan het rondrijden en toen zag ik hier licht branden.'

'Wat een gelukkig toeval.' Oma schonk haar sherryglas weer vol. 'En wat een mooie jurk. Is die nieuw?'

'Nee. Ja.' Kate ging aan tafel zitten. Ze had het eerste het beste kledingstuk aangetrokken dat ze in haar kast had zien hangen: een jurkje met gele, blauwe en wijnrode strepen en een te laag decolleté voor alles waar geen nachtclub bij kwam kijken.

'Hij is beeldig.' Oma raakte de stof aan. Haar vingers streken over Kates arm en toen pakte ze haar hand. 'Pas op,' zei ze tegen Jacob, 'ik ga je nog meer geld afhandig maken.'

Jacob zette zijn bril weer op. 'Daar was ik al bang voor.'

Kate bestudeerde haar vaders gezicht terwijl hij de kaarten schudde. Hij leek oud, maar dat kwam doordat Kate hem als de jonge man bleef zien die haar in de lucht had gegooid en weer had opgevangen. Ze kon zich voorstellen dat haar vader zich ook altijd over haar gezicht verbaasde. Hij zag haar vast nog steeds als het kind dat hij in zijn armen kon dragen.

Wat zou Jacob vinden van Kates eerste twee dagen als politieagent? Niets, als het aan Kate lag. Ze kon niet tegen haar vader zeggen dat ze die dag bijna omgekomen was, dat het maar een centimeter had gescheeld of ze had het niet kunnen navertellen. Minder dan een centimeter. Een millimeter, had de ambulancebroeder gezegd.

Kate had niet naar het ziekenhuis willen gaan. Iedereen vond haar flink, maar in werkelijkheid was ze doodsbang. Soms was Jacob Herschel in het Grady Hospital, als hij zijn armlastige patiënten bezocht. Je zou net zien dat ze de afdeling spoed werd binnengebracht op het moment dat haar vader daar arriveerde voor een consult.

Hij zou niet tegen haar tekeergaan. Hij zou niet razend zijn. Hij zou Kate simpelweg aanraden ontslag te nemen en iets te zoeken wat haar meer voldoening schonk. In dat opzicht was haar vader heel slim. Hij hoedde zich ervoor de vrouwen in zijn leven te commanderen. Hij stelde nooit een ultimatum en trad nooit streng op. Wel gaf hij advies. Hij bracht naar voren wat hij zelf zou doen in een bepaalde situatie. Heel subtiel wist hij de ander van zijn standpunt te overtuigen.

Het was een briljante techniek, hoewel die voorbijging aan het feit dat de vrouwen in zijn leven al evenzeer experts waren op het gebied van het menselijk gedrag. Oma complimenteerde hem altijd met zijn ideeën en veranderde dan van onderwerp. Liesbeth placht hem helemaal gelijk te geven en ging vervolgens haar eigen gang.

En Kate... die loog.

'Vertel eens.' Jacob schudde de kaarten opnieuw. 'Wat is er met je oor gebeurd?'

Kate raakte het ronde pleistertje aan dat een van de ambulancebroeders op haar oor had geplakt. 'Mijn vel lag helemaal open van die stomme pet die ik moet dragen.'

'Tss,' zei Oma. 'Eerst blaren op je voeten en nu dit. Ze hadden je moeten waarschuwen dat het zo gevaarlijk was.'

'Ja, inderdaad.' Jacob keek Kate onderzoekend aan terwijl hij de kaarten tot een waaier vormde. Het maakte een kletsend geluid dat weerkaatste tegen de marmeren werkbladen.

Kate vroeg zich af of haar vader wist wat er gebeurd was. Al vrij snel had de radio het bericht uitgezonden dat Gail gewond was geraakt, maar Kate en Maggie bleven naamloze agenten die ook ter plekke waren geweest. 's Avonds op tv werd hun geslacht verzwegen. Tegen tien uur die avond noemden de verslaggevers Maggie een onbekende mannelijke agent die het leven had gered van een doorgewinterde rechercheur en zijn partner.

'En, dames.' Jacob begon voor drie spelers te delen. 'Ik heb gehoord dat Philip Van Zandt ons gisteravond met een bezoekje heeft vereerd.'

Kate nam haar kaarten van de tafel. Ze had geen idee welk spel er gespeeld werd, maar ze was ervan overtuigd dat haar vader haar een waardeloze hand had gedeeld.

'Weet je hoe hij in het ziekenhuis wordt genoemd?' Jacob wierp Kate nog wat kaarten toe. 'Dokter Van Ritsloos.'

Oma schaterde het uit. 'Wat prachtig! Die vind ik goed.'

Kates wangen gloeiden. *Het ritsloze nummer.* Erica Jongs veelgeprezen, niet aan voorwaarden gebonden seksuele krachtmeting. Kate wist niet wat erger was: dat haar vader een woord als 'ritsloos' in de mond nam of dat hij het boek had gelezen.

'Ik zeg nooit wat je moet doen, Kaitlin,' zei Jacob, 'maar ik zou je aanraden bij die man uit de buurt te blijven.'

Kate keek op van haar kaarten.

Oma schoof Kate wat munten toe. 'Alsjeblieft, schat. Zonder risico is het spel niet leuk.'

'Meestal zijn je toespelingen wat bedekter,' merkte Jacob op.

'O, mijn Engels, Jacob. Ik heb geen idee wat je bedoelt.' Oma sprak zijn naam op zijn Nederlands uit, met een duidelijke 'J' aan het begin. Ze duwde haar sherryglas in Kates richting. 'Neem jij mijn drankje maar.'

Kate sloeg het spul achterover als een cowboy in een western.

Oma stond op. 'Ik vond die dokter Van Zandt alleraardigst, veel leuker dan zijn saaie vader. Ik ben er trouwens niet aan toegekomen hem je postzegelverzameling te laten zien, Jacob.'

Kates vader concentreerde zich op zijn kaarten. 'Ik ga er maar van uit dat er niks dubbelzinnigs in schuilt als je hem een postzegelverzameling laat zien, Judith?'

'O jee. Was ik maar een paar jaar jonger.' Ze liep de provisiekast in en keerde terug met een fles whisky. 'Jonge mannen zijn altijd zo belust op wijze lessen.'

Kate zocht wanhopig naar een ander gespreksonderwerp. 'Oma, Audrey Hepburn is toch in Brussel geboren?'

'Volgens mij is ze geboren in Elsene.' Oma schonk het sherryglas vol whisky. Ze pakte een nieuw glas voor zichzelf. 'Een leuk Vlaams meisje.'

Kate moest lachen om de overbekende woorden. En toen

dronk ze het whiskyglas nog net niet tot op de bodem leeg.

Jacob legde weer een kaart op tafel. 'Ik heb de Vlamingen altijd graag gemogen.'

'Bah.' Oma pakte zijn kaart en verving die door een van zichzelf. 'Boeren.'

Jacob fronste zijn wenkbrauwen. Hij schudde zijn kaarten. Ze waren nog maar twee minuten aan het spelen en hij was al aan de verliezende hand.

Kate dronk met kleine slokjes de rest van haar glas leeg. Haar vader had tijdens de oorlog voor het ministerie van Buitenlandse Zaken gewerkt. Na de bevrijding was hij naar Amsterdam gestuurd voor psychiatrische triage bij de overlevenden. Tijdens zijn dienstverband had hij Liesbeth ontmoet, maar Kate had geen idee in welke hoedanigheid. Het verhaal ging dat ze verliefd op elkaar waren geworden op de bloemenmarkt. Was Liesbeth een patiënte geweest? Had hij haar zomaar op straat ontmoet?

Opeens schoten de woorden van Terry haar weer te binnen toen ze onder de carport hadden gestaan, over de vrouwen die zich aan de soldaten hadden opgedrongen.

'Ach ja.' Oma schonk Kate opnieuw in en vulde haar eigen glas ook bij. 'Zo erg zijn de Vlamingen ook weer niet. Aardappelboeren die met hun neven of nichten trouwen.'

Kate moest lachen. Ze was aangeschoten, maar kon niet stoppen met drinken. Misschien ging het zo als je bij de politie werkte. Volgende week rond deze tijd zat ze vast laveloos achter het stuur van een Impala.

'Ik heb ooit met een Vlaamse psychiater samengewerkt, een briljante man,' zei Jacob. Hij legde weer een kaart op tafel. Kate besefte dat ze zonder haar het spel hadden voortgezet. 'Hij heette Walthère Deliège.'

Oma fronste theatraal haar wenkbrauwen. 'Dat is Waals, geen Vlaams.'

'O, neem me niet kwalijk. Ik ben ook maar een domme

Amerikaan.' Jacob gaf Kate een knipoog. Toen fronste hij, want Oma pakte zijn kaart.

'Hoe is het mogelijk...' Kate liet haar stem wegsterven. Ze had eigenlijk niets willen zeggen, maar nu was het eruit. 'Hoe is het mogelijk dat vreselijke mensen ook goed kunnen zijn?'

Ze keken haar allebei aan.

'Die vrouw met wie ik samenwerk...' Weer stopte ze. Werkte ze wel samen met Gail? Zou ze ooit weer met haar samenwerken?

'Die vrouw?' drong Oma aan.

'Die vrouw,' herhaalde Kate, en toen zweeg ze voor de derde keer, want ze wist niet of ze verder moest gaan. Maar net als eerst merkte ze dat ze evenmin kon stoppen. 'Ze is ordinair, racistisch, hatelijk, kritisch, gewelddadig, vals.' Zonder schuldgevoel somde Kate het rijtje op, want ze was ervan overtuigd dat Gail het als een compliment zou opvatten. 'Ik heb geloof ik nog nooit zo iemand ontmoet. Ze is gewoon...'

Weer stierf haar stem weg. Kate vroeg zich af waarom ze bleef praten. Meestal kon ze beter tegen drank. Misschien kwam het door de spanningen van die dag, door de shock, de pijnstillers – door dat alles bij elkaar werd haar gebruikelijke verdedigingsmechanisme uitgeschakeld.

Ze keek op. Oma en Jacob waren een en al aandacht.

'Die vrouw is...?' drong Oma weer aan.

'Ze is vreselijk,' moest Kate toegeven. 'En ze is ook een van de aardigste mensen die ik ooit heb ontmoet.' Dat dat waar was, kwam als een verrassing voor Kate. 'Ik was vandaag overstuur, en toen deed ze zo lief. Doet er niet toe waarom ik overstuur was. Maar ze ving me op en ze was heel vriendelijk.' Kate was zich ervan bewust dat ze haar woorden al bijna net zo erg inslikte als Gail had gedaan. 'Maar serieus, ze is helemaal niet vriendelijk. Ze zegt de hele tijd van die dingen tegen me – gemene, harde dingen – maar als ik er dan later over nadenk, besef ik dat ze me iets geleerd heeft. Niet zomaar iets, maar iets nuttigs. Iets wat ik moet weten om mijn werk te kunnen doen. Iets waardoor ik geen gevaar loop.' Weer pakte Kate het sherryglas. 'En dan vraag ik me af hoe het kan dat ze me helpt terwijl ze toch zo vreselijk is. Hoe kan het dat ik dat afgrijselijke mens als mijn vriendin begin te beschouwen?'

Jacob en Oma zeiden niets.

Kate dronk haar glas leeg. Nu kon ze er maar het best helemaal induiken.

'En dan is er ook nog een vreselijke man,' zei ze. '"Grof" is nog zacht uitgedrukt. Wat een eikel is dat.' Ze schonk haar vader een verontschuldigende blik. Er was echt geen woord dat beter bij Terry Lawson paste. Of bij zijn vrienden. Wat Kate betrof waren ze allemaal onderling inwisselbaar. 'Hoe dan ook, die eikel is al net zo afschuwelijk als die vrouw, maar in veel opzichten nog erger, omdat hij er zo kwaad bij is. Hij is een seksist en een racist en hij is lelijk en bot. Het is het soort man van wie je denkt dat het alleen maar een kwestie van tijd is voor hij iets gewelddadigs doet.'

Jacob legde zijn kaarten op tafel.

Oma schonk zich nog eens bij.

'Of hij geweld tegen mij zal gebruiken?' vroeg Kate zichzelf af. 'Nee, dat denk ik niet. Maar ik voel de dreiging wel. Je weet hoe het voelt, hè, als je in de buurt van een valse hond bent die is aangelijnd, dat je weet dat zodra de riem af gaat...' Weer maakte ze haar zin niet af. 'Ik heb het gevoel dat die eikel van een man zo kwaad is dat ik op mijn qui-vive moet zijn als ik ooit met hem alleen ben.'

Weer dacht Kate niet alleen aan Terry. Ze straalden allemaal iets dreigends uit. Hoe meer ze dronken, hoe erger het werd, en toch had Gail gezegd dat Chip Bixby ooit haar leven had gered. Hoe was dat mogelijk? De man was een weerzinwekkende vrouwenhater, maar hij had zijn eigen veiligheid op het spel gezet om Gail te beschermen.

In zo'n wereld leefde Kate nu. De oude regels waren simpelweg niet langer van toepassing. Je kon iemand niet beoordelen op zijn uiterlijk of zijn accent of op het beroep van zijn vader. Misschien was Jett Elliott eigenlijk een heer. Of Bud Deacon een godvruchtig man. Misschien was Cal Vick helemaal geen afstotelijke geilpeuk. Misschien lag het aan Kate, omdat ze op hun woorden afging in plaats van op hun daden.

Ze probeerde de tegenstrijdigheid te verklaren. 'Ik heb het gevoel dat als ik door iemand anders word bedreigd – door een overvaller of een gek of een moordenaar – dat die eikels me dan zullen beschermen. En ik vind dat ik hen ook hoor te beschermen. Voor zover ik ook maar iemand kan beschermen.'

Oma draaide de dop weer op de whiskyfles.

Kate was nog niet uitgepraat. 'Vandaag stond ik naar zo'n buitengewoon gewelddadige eikel te luisteren terwijl hij president Kennedy afkraakte en zei dat de moord op Bobby een godsgeschenk was. Hij kraakte de burgemeester af, zwarten, vrouwen, mij.' Ze lachte. Reken maar dat Terry Kate had afgekraakt. 'En toch heeft hij ook in de oorlog gevochten, pap. Hij was bij de bevrijding van de kampen. Hij heeft mensen uit de slavernij verlost, van de dood gered. Hij heeft ze geholpen in hun donkerste uur. In het donkerste uur van de mensheid. En ik moet ervan uitgaan dat hij in zijn functie van politieman op zeker moment en misschien op allerlei momenten tijdens zijn werkdag ook mensen helpt. Dat kan toch niet anders?'

Oma staarde naar haar glas. Ze zei niets.

Kate schudde haar hoofd. Ze had geen zeggenschap meer over de woorden die over haar lippen kwamen. 'Hoe kan het dat ze zo vreselijk zijn en toch goede dingen doen?'

Niemand gaf antwoord. De stilte hing als een donkere wolk boven de tafel.

Ten slotte zei Jacob: 'Dat is een van de grote raadselen van het leven.'

'Allemaal gemeenplaatsen.' Kate leunde achterover. Waarom had ze gedacht dat ze het zouden begrijpen? Ze begreep het zelf niet. Bovendien was ze moe en dronken en kon ze maar beter naar haar huurkamer gaan voor ze zichzelf nog belachelijker maakte.

Kate vermande zich en kwam overeind.

'Ik heb eens een Vlaams meisje gekend,' zei Oma.

Onwillekeurig glimlachte Kate, maar met beklemd hart ging ze weer op haar stoel zitten. 'Verbouwde ze aardappels en trouwde ze met haar neef?'

'Nee.' Oma staarde naar de amberkleurige vloeistof in haar glas. 'Het was een Antwerpse. Ze kwam bij mij op school aan het eind van de eerste klas.'

Kate hield haar adem in. Haar grootmoeder had het zelden over haar leven voor Atlanta.

'Ze heette Gilberte Soetaers, wat je heel grappig zou vinden als je beter je best had gedaan op je Nederlands.' Ze keek Kate met een treurig lachje aan. 'Gilberte was meteen ingeburgerd op school. De populaire meiden liepen vanaf het begin met haar weg. En waarom ook niet? Ze droeg prachtige kleren, heel modern. Ze had bruin, zijdezacht haar, net de manen van een paard. We vonden haar heel exotisch. Tenminste, dat vond ik. Haar vader bezat rubberplantages in Congo. Mijn vader was leraar. Zij was rijk. Ik niet. Ze was gereformeerd. Ik was joods. Ik was net als jij, Kaitlin. Lichamelijk was ik eerder volwassen dan de rest. De meiden deden opeens heel kil tegen me. Nadat Gilberte op school kwam, werd het nog erger. Zelfs mijn vriendinnetje, bij wie ik vaak op de thee kwam, deed mee. Ze plaagden me met mijn kleren, mijn haar, mijn figuur, mijn goede cijfers...' Ze haalde haar schouders op, alsof het logisch was, en het wás ook logisch, want zo waren meiden nou eenmaal, waar je ook woonde.

'Het zal je verbazen dat de wereld ondanks mijn verdriet om zijn as bleef draaien,' ging Oma verder. 'Ik deed eindexamen. Ik ging naar de universiteit. Ik trouwde met een fantastische man. Hij schonk me prachtige kinderen. Ik gaf les. En toen brak de oorlog uit. We verhuisden naar de Jodenbuurt. We mochten er niet uit, maar…' Ze streek over haar haar. 'De nazi's waren oerdom. Ze dachten dat een joodse vrouw geen blond haar kon hebben.' Ze wierp een blik op Jacob, en Kate kreeg de indruk dat haar vader het verhaal al eens eerder had gehoord. 'Ik glipte toch de wijk uit om eten te halen voor je opa en je moeder. Voor oom…' Ze keek Jacob weer aan.

'Je oom was al weg, hij woonde bij een echtpaar in Friesland dat zo vriendelijk was hem in huis te nemen. Heel aardige mensen. Ze hebben hun uiterste best gedaan.' Oma staarde in haar glas. Kate wist dat de jongen de oorlog niet had overleefd.

'Dus op een dag,' zei Oma, 'ga ik op zoek naar eten in de Nieuwmarktbuurt. Dat was voor mij een heel gevaarlijk gebied. Het plein werd gebruikt als verzamelpunt, en natuurlijk kon ik opgepakt worden omdat ik de gele Jodenster niet droeg.' Ze glimlachte naar Kate, hoewel er van haar gebruikelijke opgewektheid niets meer in haar blik te vinden was. 'Ik sta dus in een winkel en vraag me net af of ik een stuk kaas in mijn zak zal wegmoffelen als de winkelier even niet kijkt, en dan draai ik me om en daar staat ze.' Verbaasd trok Oma haar wenkbrauwen op. 'Gilberte Soetaers, dat meisje dat me jarenlang getreiterd heeft. En het ergste is nog dat ze met een nazisoldaat is.'

Kate bracht haar hand naar haar keel.

'Gilberte herkent me. Dat weet ik, want ik zie het aan haar ogen. We zijn inmiddels volwassen vrouwen, maar we zijn ook nog steeds meisjes die de pest aan elkaar hebben.' Oma zweeg even. '"Friedrich," roept Gilberte. Ik raak in paniek. Ze is niet zomaar met een nazi. Ze is met een Duitse nazi. Ik kijk naar de deur. Ik wil weg, maar hij staat al voor me. Gilberte zegt tegen hem: "Ik heb met haar op school gezeten." En ik sta te trillen als een espenblad. Ik kan het niet geloven. Nu ben ik verloren. Mijn gezin zal nooit weten wat er met me gebeurd is. En mijn Liesbeth is toch al zo mager. Ze kan amper meer uit haar bed komen. Zonder mij gaan ze dood.'

Oma pakte Kates hand en kneep er heel hard in. 'En dan pakt Gilberte mijn hand, precies zoals ik nu doe, en ik denk: Ze laat me niet meer los! Ze gaat me verraden! En dan zegt ze heel liefjes tegen me: "O, wat ben ik blij je te zien, mijn zoeteke."' Oma leunde achterover, maar ze bleef Kates hand vasthouden. 'Mijn zoeteke. Alsof ik een snoepje was. Het is Vlaams; ik heb toch gezegd dat ze praten alsof ze bloemen in hun mond hebben?'

Kate knikte gehaast. Ze wilde dat Oma haar verhaal afmaakte.

'Ik wist niet wat ik ervan moest denken, dat ze me zo noemde.' Oma leek nog steeds perplex. 'En dan zegt Gilberte Soetaers, dat vreselijke kreng dat me jarenlang het leven zuur heeft gemaakt, tegen die nazi: "Schat, als je mijn vriendin nou eens wat voedselbonnen geeft. Kijk eens hoe mager ze is."' Zelfs nu nog klonk Oma verbaasd. 'Dus hij gaf me allemaal bonnen. Veel te veel. We zeiden dat we snel een keer iets met elkaar gingen drinken. We kusten elkaar op de wang, wij alle drie. En toen ging ik weg.'

Oma haalde haar schouders op. Dat was het. Het einde van haar verhaal.

Maar Kate wilde meer horen. 'Dus die nazi gaf jou bonnen?'

'Dankzij Gilberte Soetaers hadden we brood, kaas en melk. Het was een mitswa. Ik heb wel drie weken met die bonnen gedaan.'

Kate vroeg zich af hoe lang het na die drie weken nog had geduurd voor ze naar de kampen werden gedeporteerd. 'Wist die nazi dat je joods was?'

'Gilberte wist het natuurlijk wel, maar dat kon ze hem later niet meer vertellen. Dan zou hij haar vermoord hebben. Of nog erger, laten deporteren.' Ze dronk haar laatste restje whisky op. 'Dus zo zie je dat vreselijke mensen ook goed kunnen zijn.'

Kate schudde haar hoofd. 'Ik snap het niet. Dat was een voorbeeld, geen verklaring.'

'Precies.' Oma stond op van haar stoel. 'Er is geen verklaring, Kaitlin. Slechte mensen kunnen goede daden verrichten. Goede mensen kunnen kwaad doen. Waarom gebeurt dat soms? Omdat het dinsdag is.' Ze keek op de klok. 'Ach. Woensdag. Ik had allang in bed moeten liggen. Welterusten, lieve mensen.'

Op weg naar de deur legde ze haar hand even op Kates schouder. Kate wilde haar tegenhouden, maar Oma liep de kamer uit zonder nog een woord te zeggen.

'Tja.' Jacob veegde de kaarten die op tafel lagen bijeen.

Kates hart bonkte in haar borst. 'Heb jij dat verhaal al eens eerder gehoord?' vroeg ze.

'Ja.'

'Heb je daar niks aan toe te voegen?'

'Wat jouw vraag betreft?' Hij haalde zijn schouders op. 'Mensen deugen gewoon niet. Maar soms deugen ze wel.'

'Nou ben je zo geleerd en dan geef je mij een gelukskoekje.'

Hij maakte een stapeltje van de kaarten. 'Die agent met wie je samenwerkte zal nooit meer kunnen zien met haar ene oog. Die heeft trouwens heel veel geluk gehad.' Hij raakte haar oor aan. 'Net als jij.'

Kate wendde haar blik af.

'Heb je daar niks aan toe te voegen? Niet eens een gelukskoekje?'

'Ik wilde niet dat je je zorgen ging maken.'

'Het enige waar ik me zorgen om maak, is dat jij de waarheid niet spreekt.'

Verlangend keek Kate naar de fles whisky.

Haar vader legde het stapeltje kaarten keurig in het midden

van de tafel. Hij nam zijn bril af. Toen Kate klein was, had hij haar *gin rummy* leren spelen. Hij won altijd, tot Kate ontdekte dat ze zijn kaarten in de weerspiegeling van zijn brillenglazen kon zien. Kate had hem nooit over die truc verteld. En Oma blijkbaar ook niet. Die was te gebrand op winnen. Wat Jacob betrof, die vond het ongetwijfeld prima om hen te laten winnen.

'Moet ik je de waarheid vertellen, pap?' vroeg Kate.

'Je moet jezelf de waarheid vertellen. Ik doe er niet meer zoveel toe. Je bent nu een volwassen vrouw. Ik kan je niet meer naar je kamer sturen.'

Kate vroeg hem zelden om raad, maar nu had ze er echt behoefte aan. 'Wat zou jij willen dat ik doe?'

Hij zette zijn ellebogen op tafel. Hij keek Kate glimlachend aan. 'Je bent me dierbaarder dan goud. Weet je dat?'

Ze knikte. Als ze van één ding zeker was, dan was het van de liefde van haar familie.

'Er bestaat niet zoiets als één stad.' Hij ging er weer voor zitten. 'Dat heb je de afgelopen twee dagen zelf gezien.'

Kate dacht dat hij haar eerdere vraag beantwoordde. 'Bedoel je dat mensen net als steden zijn?'

'Ik bedoel dat jouw leven heel anders is dan dat van andere mensen: de meisjes met wie je op school hebt gezeten, je collega's, de mensen die je helpt, de mensen die je arresteert. Voor ieder van hen betekent Atlanta iets anders. Toch zijn ze allemaal trots op hun stad. Ze vinden allemaal dat het hun stad is, en dat hun beeld van de stad het ideale beeld is. En ook voelen ze de behoefte om de stad te verdedigen. Te beschermen.' Hij glimlachte, om aan te geven dat hij wist dat zijn woorden cryptisch klonken, maar dat Kate geduld moest hebben. 'Die gewelddadige eikel vindt waarschijnlijk dat Atlanta aan de gewelddadige eikels toebehoort. Die vreselijke vrouw denkt misschien dat de stad aan vreselijke vrouwen toebehoort. Daar zijn ze allebei diep van overtuigd. Maar welk Atlanta is het echte Atlanta? Dat van ons? De stad die Patrick heeft gekend? Is het tegenwoordig van de zwarten? Is het ooit van wie dan ook geweest?'

'Sorry, pap, maar ik begrijp het nog steeds niet.'

'Ondanks mijn vrijwilligerswerk in het Grady zal ik nooit het Atlanta zien dat jij ziet. Ik zal nooit de mensen kennen die jij kent. Ik zal nooit de plekken zien die jij zult zien.'

Eindelijk snapte Kate het. Haar vader verwoordde haar eigen gedachten sinds ze voor het eerst het politiebureau was binnengestapt. 'Ik zit niet langer in mijn afgeschermde wereldje.'

'Precies,' antwoordde hij, en ze bespeurde een vreemde triestheid in zijn stem. 'Ik zal de mensheid nooit leren begrijpen zoals jij haar leert begrijpen als je dit werk blijft doen.'

'Als?' zei Kate.

'Je weet dat mijn grootvader voor de Confederatie heeft gevochten?'

Kate knikte.

'En mijn vader en ik liepen mee in een betoging voor Martin Luther King.'

Weer knikte ze.

'Ik weet nog dat we thuiskwamen na die betoging. We dronken iets. Wat een vooruitgang! We proostten op elkaar. We gaven elkaar schouderklopjes. En dat deden we allemaal hier.' Hij doelde op dit huis, dit herenhuis aan een lommerrijke straat met auto's met chauffeur en dienstmeisjes en tuinlieden. 'Hadden we enig idee hoe King zich voelde toen hij terugkeerde naar zijn huis aan de andere kant van de stad? Hadden we enig idee hoe het voor hem was om in deze stad te wonen, in zíjn Atlanta, dat ook óns Atlanta was?'

'Je helpt mensen,' zei Kate. Ze had haar vader altijd als een man van het volk beschouwd. 'Je geneest hun geest.'

'Ik praat met rijke mannen die bang zijn dat ze hun geld gaan verliezen. Ik schrijf valium voor aan huisvrouwen die beter vrijwilligerswerk in hun kerk zouden kunnen gaan doen.'

Het beeld dat hij schetste stond Kate niet aan. 'Je hebt mama en Oma gered. Je hebt ze hiernaartoe gebracht.'

'Nee, Kaitlin. Toen ik in Amsterdam aankwam, zag ik voor het eerst met eigen ogen wat de oorlog eigenlijk inhield...' Zijn stem klonk nu wrang. Hij kuchte. 'Je moeder heeft me gered. Niet andersom, kan ik je verzekeren.'

Kate zocht wanhopig naar argumenten. 'Je behandelt arme patiënten in het Grady.'

'Tegen de tijd dat ik in het Grady een patiënt te zien krijg, is hij gewassen, heeft hij een kalmeringsmiddel gekregen en is hij vastgebonden.' Jacob lachte droevig. 'Hoe zag zijn leven er twee, drie uur daarvoor uit? Ik kan alleen maar op zijn medisch dossier afgaan, soms op het politierapport. Ik ben nooit bij hem thuis geweest. Ik heb geen idee hoe zijn leven eruitziet. En tot op dat moment heb ik niet stilgestaan bij de politieagent die hem naar het ziekenhuis heeft gebracht. Die het scheermes heeft afgepakt voor hij zijn polsen kon doorsnijden. Die hem heeft getackeld. Die heeft voorkomen dat hij zichzelf en anderen iets zou aandoen.'

'Nou, zo moedig ben ik niet geweest, pap. Op mijn eerste dag ben ik tegen een muur opgeknald. Vanmiddag ben ik door eigen schuld knock-out gegaan.'

Haar vaders gezicht vertrok, en hoewel ze had begrepen dat hij van de hoofdzaken op de hoogte was, waardeerde ze het dat hij niet naar de bijzonderheden vroeg. 'Wat ik wil zeggen is dat jij al die mensen ziet zoals ik ze nooit zal zien. Jouw ervaringen zijn niet langer de mijne. Ik kan je niet langer leiden, want ik weet niet waar je naartoe gaat.'

Kate dacht aan de bedorven lucht in de getto's. De pooier die zijn lippen aflikte terwijl hij verlekkerd naar haar keek. De man van de stomerij van wiens toilet ze gebruik mocht maken. De twee dode mannen boven in de slaapkamer in het pension van de Portugese dame.

'Het klopt niet helemaal wat erover gezegd wordt,' zei ze.

'O nee?'

Kate wist niet wat ze moest antwoorden, want ze snapte het zelf niet. Het werk doodde je ziel, was vernederend en angstaanjagend, maar vreemd genoeg was het ergens ook uitdagend en wat haar nog het meest verbaasde: ook leuk.

Ze koos voor een gemeenplaats. 'Ik zal altijd je dochter blijven.'

'Dat weet ik, schat.' Voorzichtig plooide hij zijn hand om haar gezicht. 'Je moeder was bang dat je door dit werk iemand zou worden die je niet bent. Ik was bang dat je de persoon zou worden die je echt bent.'

Het was een eerlijk antwoord, en Kate vroeg zich af waarom ze zich niet echt gekwetst voelde. 'Is dat zo erg?'

'Dat weet ik niet, Katie. Mensen in dit soort beroepen, met veel stress, hebben de neiging zich in tweeën te splitsen. Voor een deel zul je hetzelfde meisje blijven dat we kennen. Een ander deel breekt daarvan los en wordt een vrouw die we nooit zullen ontmoeten en die al deze vreselijke dingen ziet.'

Kate schoot in de verdediging. 'Net als Oma? Of als mama?'

'Je bent een slimmerd. Ik stop met mijn veronderstellingen.' Het moment was voorbij. Hij sloeg een luchtiger toon aan. 'Het valt buiten de taakomschrijving van een vader om iets op zijn dochter aan te merken te hebben.'

'Freud?'

'Herschel.'

'O die,' zei Kate plagerig. 'Ik heb gehoord dat hij geweldig is.'

Hij lachte weer. Hij nam zijn bril af en wreef in zijn ogen.

'Welterusten, pap.' Ten afscheid kuste Kate haar vader op zijn hoofd.

Ze verliet het huis via de voordeur. Haar vingertoppen streken over de mezoeza. Terwijl ze de verandatrap afdaalde en over de oprit liep, trok ze de spelden uit haar haar. Ze had haar auto op het brede gedeelte voor de garage geparkeerd. Steunend op de auto deed Kate eerst haar linker- en toen haar rechterschoen uit. Vervolgens trok ze haar panty naar beneden en wierp het hele zaakje in de auto.

Ze stapte niet in, maar liep de oprit af. Met elke stap schreeuwden haar voeten het uit. Ze had blaren boven op blaren. Haar hielen zagen eruit alsof ze door een blender waren gehaald.

Aan het eind van de oprit sloeg Kate links af. Er waren geen auto's op de weg. Nergens gloeide een sigaret. Er was geen schimmige onbekende die elke beweging die ze maakte volgde met zijn blik. Ze keek op naar de maan, een karig sikkeltje licht. De route was zo vertrouwd dat ze geen hulp nodig had. De eerste vijfentwintig jaar van Kates leven waren bepaald door deze straat. Haar beste vriendin had twee huizen verderop gewoond voor ze naar New York vertrok. Haar lagere school was zes blokken verder, haar middelbare school zevenenhalf. Tussen haar huis en de synagoge lagen vier straten. Het winkelcentrum was een ritje van tien minuten. Hier had ze leren fietsen. Hier had de schoolbus haar afgezet. Hier had ze met Patrick in de auto zitten vrijen vlak voor ze hem aan haar familie voorstelde.

Bakker, slager, kruidenier: ze bevonden zich allemaal binnen een straal van een kilometer vanaf de plek waar ze nu stond.

Het Atlanta van haar vader.

Niet langer dat van Kate.

Ze liep langs het huis van Janice Saddler. Haar ouders waren dood. Een auto-ongeluk. Janice en haar broer hadden het huis aan een jonge advocaat en zijn vrouw verkocht.

De familie Kleinman. De Baumgartens. De Pruetts.

Hun kinderen waren volwassen, maar de ouders woonden nog altijd in de statige grote huizen die van de ene generatie op de andere waren overgegaan. Kate had op hun schommels geschommeld, in hun zwembaden gezwommen, met hun zonen geflirt, ze was stiekem door hun achtertuinen geslopen.

Weer sloeg ze links af. De oprit was ongeplaveid. Fijn grind bleef aan haar blote voetzolen plakken. Inmiddels voelde ze bijna niets meer, wat waarschijnlijk de beste beschrijving was van haar huidige leven. Als de pijn te hevig werd, schonk Kate er simpelweg geen aandacht aan.

Het verandalicht bij het hoofdgebouw was uit. Alle ramen waren donker. Kate streek met haar hand over een zwarte Cadillac Fleetwood. Ze liep langs de keuken, langs de verzonken tv-kamer, het zwembad, de tennisbaan.

Het gastenverblijf was oorspronkelijk bedoeld voor de bedienden, maar die tijd was voorbij, dankzij burgerrechten, stofzuigers, wasmachines, drogers en alle andere moderne apparaten waardoor je met weinig personeel een grote villa kon onderhouden. Voor het gastenhuis, dat slechts één verdieping telde, stond een kleine sportwagen. Het dak was naar beneden. Kate streelde het zachte leer van de bestuurdersstoel.

Hier brandde het verandalicht wel. Achter de gordijnen aan de voorkant zag ze een zachte gloed. Binnen hoorde ze muziek. Net als eerder bij het huis van haar ouders legde Kate haar hand op de zijkant van de auto. Deze keer trok ze haar slip uit.

Ze wierp hem in de auto. Ze liep de verandatrap op.

Toen klopte ze drie keer op Philip Van Zandts deur.

VIERENTWINTIG

Met trillende knieën liep Kate door de parkeergarage onder het Barbizon Hotel. Elke atoom in haar lijf vibreerde op een eigen frequentie. Haar lippen waren gezwollen van Philips kussen. Haar borsten waren gevoelig van zijn mond. Als ze haar ogen dichtdeed, kon ze moeiteloos de sensatie oproepen van zijn tong die over haar lichaam zwierf.

Het liefst was Kate teruggekropen in Philips warme bed zodat hij al die fantastische dingen telkens opnieuw kon doen, maar in een hoekje van haar hersens huisde nog steeds een splintertje gezond verstand. Ze kon simpelweg niet 's ochtends naast hem wakker worden. Ze kon zijn toast niet laten aanbranden of zijn koffie zetten of hem vragen naar zijn plannen voor de dag. Ze kon niet het huisvrouwtje gaan uithangen.

Dat zou te veel op vals spel lijken.

Vreemd dat ze niet het gevoel had Patrick te hebben bedrogen door Philip al die dingen met zich te laten doen. De twee mannen leken in niets op elkaar. Philips kussen waren sensueler. Hij was een expert op het gebied van de vrouwelijke anatomie. Hij had geen haast. Hij genoot van elk stukje van haar lichaam. Op het hoogtepunt deed hij iets buitengewoons met zijn heupen, een verrukkelijke beweging, als een lepel die in honing werd gedoopt. Geen steeds sneller gestoot dat te vroeg voorbij was, waardoor Kate de badkamer in glipte om het werk zelf af te maken.

Kate wist dat ze nooit bij haar man was klaargekomen. Tenminste niet zoals wanneer ze het zelf deed. Het was geen kwestie van volhouden, maar van finesse. Patrick bracht haar tot op het randje, wat fijn was, maar ze kreeg niet dat laatste duwtje waardoor ze de afgrond in tuimelde. Kate was ervan overtuigd dat het anders zou zijn geweest als ze meer tijd samen hadden gehad. Tijd om elkaar te ontdekken. Tijd om op te groeien en te waarderen wat ze elkaar te bieden hadden.

Maar zoals het ging, was alles altijd gericht geweest op Patricks genot, wat Kate trouwens totaal geen probleem had gevonden. Ze voelde zich prettig bij haar man. Haar lichaam reageerde op hem. Het tintelde op de juiste plekken, haar hart sloeg over en haar lichaam welfde zich vol verwachting. Het gewenste resultaat bleef uit, maar Kate was er altijd van uitgegaan dat het aan haar lag. Niet vanwege Freud, maar omdat ze zoveel van Patrick hield dat het simpelweg wel aan haar móést liggen.

Voor dat soort zaken had Kate Patrick trouwens niet nodig. Het was al genoeg om naast hem te liggen. Om zijn sterke armen om zich heen te voelen. Om zijn adem te horen stokken, de blik in zijn ogen te zien... dat alles was meer dan genoeg. Ze waren verliefd, smoorverliefd, en zijn geluk schonk Kate meer bevrediging dan wat er ook in bed met haar gedaan werd.

Als er één ding in haar leven was dat Kate zeker wist, dan was het dat ze nooit iets dergelijks voor Philip Van Zandt zou voelen. Ze zou nooit zijn overhemden strijken. Ze zou nooit zijn zakdoeken liefdevol in keurige vierkantjes vouwen. Ze zou nooit haar gezicht in zijn kussen drukken om die heerlijke geur van hem op te snuiven.

Haar vader had het mis. Kate splitste zich niet op in twee verschillende personen. Ze was in drieën gebroken.

Ze drukte op de knop voor de lift. Normaal nam Kate de trap naar de lobby, maar ze vertrouwde haar benen niet. Het was halfzes 's ochtends. Het was alsof er hommels in haar hoofd zaten. Haar lichaam pulseerde nog steeds als ze aan

Philip dacht. Ze moest zich douchen. Ze moest heel even gaan liggen. En daarna zou ze haar uniform weer aantrekken en naar haar werk gaan.

De liftdeuren schoven open. Kate keek naar de roodfluwelen bank achter in de cabine, maar ze wist dat ze niet mocht toegeven. Ze drukte op de knop voor de lobby en bedacht hoe vreemd het was dat ze toch weer naar het werk ging na wat er de vorige dag gebeurd was. Na die slachtpartij in het Portugese huis wilde ze juist nog harder werken. Ze moest zichzelf bewijzen. Ze moest iets goedmaken tegenover Maggie. Gail Patterson mocht niet denken dat haar offer voor niets was geweest.

Freud dook weer op in Kates gedachten: de vloek die je achtervolgde als je de dochter van een psychiater was. De dode zielenknijper zou ongetwijfeld masochistische neigingen aan Kate hebben toegeschreven. Of misschien zou hij het penisnijd hebben genoemd. Waarom anders zou een vrouw mannenwerk willen doen? Ze zocht de aandacht van haar vader. Ze wilde haar moeder straffen omdat die haar vader dingen gaf die zij niet kon geven. Ze was gek. Ze was hysterisch. Haar hormonen waren van slag.

Hoe was het mogelijk dat de mannelijke agenten van het korps van Atlanta en een bejaarde Oostenrijkse psychiater onafhankelijk van elkaar tot precies dezelfde conclusie waren gekomen?

Eigenlijk zouden ze met dokter Philip Van Zandt moeten gaan praten. Hij zat eerder op de lijn van de seksuologen Masters en Johnson. Dat was ook de reden dat Kate stond te glimlachen toen de liftdeuren opengingen.

En toen verging haar het lachen.

Maggie Lawson stond voor haar. Zo te zien had ze gehuild. Onder haar oog zat een snee. Rond haar hals zaten blauwe plekken. Ze zei niets, maar er hing zo'n waas van wanhoop om haar heen dat Kate het bijna kon proeven.

'Wat is er?' vroeg ze.

'Jimmy is verdwenen.' Ze gooide de woorden eruit alsof ze ze heel lang had opgekropt. 'Hij wordt vermist.'

'Vermist?' Kate stapte de lift uit. Schueneman, de nachtportier, nam haar met diep misprijzen op. Ze vroeg zich af hoe lang Maggie daar al had staan wachten. Ook vroeg ze zich bezorgd af of haar gevoelens van haar gezicht waren af te lezen. En nu maakte ze zich bovendien zorgen om Jimmy.

'Vertel eens wat er gebeurd is,' zei ze.

Maggie haalde diep adem. 'Gisteravond ben ik naar huis gegaan. Jimmy was niet op zijn kamer. Zijn auto stond niet buiten. Hij was niet op het bureau. Hij heeft geen dienst. Geen van zijn vrienden weet waar hij is. Dons vriendin heeft sinds maandag niets meer van hem vernomen. Hij zit niet in zijn stamkroeg. We kunnen hem niet vinden. We hebben overal gezocht.'

Ondanks haar vermoeidheid probeerde Kate zich te concentreren. Maggies toon had iets geoefends, alsof ze een van tevoren ingestudeerd verhaal afstak. 'We?'

'Terry. Ik. We zijn ieder een andere kant op gegaan.' Ze hield haar blik afgewend, keek Kate niet aan. 'De andere jongens zijn ook naar hem op zoek. Terry heeft een BOLO doen uitgaan. Dat betekent...'

'*Be on the look-out*,' zei Kate, 'een opsporingsbericht. Is Jimmy wel eens eerder zomaar verdwenen?'

'Nooit.'

'Hij heeft niet gebeld of een briefje achtergelaten?'

'Nee.' Ze keek over Kates schouder. 'Hij heeft niks achtergelaten.'

Kate probeerde haar gedachten te ordenen. Ergens lag ze nog steeds te slapen in Philips bed. 'Weet je zeker dat hij er niet met iemand vandoor is?'

Maggie schudde haar hoofd. 'Er is niemand.'

Kate vroeg zich af of dat waar was. Als er een man in het leven van Jimmy Lawson was, zouden zijn familieleden dat als laatsten te horen krijgen.

Tenzij er een andere reden was.

Eindelijk voelde Kate haar hersens wakker worden. 'De Shooter.'

Nu keek Maggie haar aan. Onversneden angst stond in haar ogen. Hier was ze dus bang voor. Niet dat haar broer was weggelopen, maar dat iemand hem had vermoord en dat zijn lichaam nog niet was gevonden.

'We gaan hem zoeken, oké?' zei Kate. 'Ik weet zeker dat er niks met hem aan de hand is.' Ze pakte Maggie bij haar arm en voerde haar mee naar de rij liften achter de receptie. 'Ik moet me alleen even omkleden. Maar ik zet wel koffie voor je, dan kunnen we erover praten.'

'Er valt niks te praten.' Maggie volgde haar de lift in. 'We moeten alleen de Shooter zien te vinden. We moeten hem tegenhouden.'

Nu moesten ze opeens de Shooter zoeken in plaats van haar broer. Er kwam geen zinnig woord uit.

De deuren gingen dicht. Kate bestudeerde Maggie in de spiegels. Ze zag er vreselijk uit. Haar haar zat in de war. Haar lippenstift was vervaagd. Haar uniform was schoon, maar wel gekreukeld, alsof ze het onder uit haar kast had getrokken.

'Ik heb al bij de Golden Lady gekeken. Dat is de...'

'De stripclub waar de vier vorige slachtoffers hun laatste maaltijd hebben gebruikt.' De bel klonk weer. Kate stapte de lift uit. 'Wat zeiden ze daar?'

'Ze hebben Jimmy niet gezien.'

Nu ging het weer over Jimmy. Maggie wist niet wie ze wilde zoeken. 'Heb je nog naar de slachtoffers gevraagd?' Toen ze geen antwoord kreeg, draaide Kate zich om. Maggie was midden in de gang blijven staan. Haar hand rustte op de sierlijst langs de muur. 'Maggie?'

'Wat is er?'

'Die andere slachtoffers. Ballard en Johnson, Keen en Porter. Heb je naar ze gevraagd toen je in de stripclub was?'

'Ja.' Maggie maakte zich los van de muur. Ze leek net een speelgoedautootje. Ze kwam alleen in beweging als Kate haar opwond met een vraag. 'De manager van de club houdt een lijst bij zodat de baas weet wie niet hoeft te betalen. Alle vier slachtoffers zijn daar geweest in de nacht dat ze stierven. Ze hebben allemaal hetzelfde gegeten: hamburgers en patat. Iets anders staat niet op het menu.'

'Dat komt overeen met wat de patholoog in hun maag heeft gevonden.' Kate stak haar sleutel in het slot. 'Wist de manager zeker dat Jimmy en Don niet in de club zijn geweest die nacht dat Don is vermoord?'

Weer luisterde Maggie niet. Ze was zichtbaar in gedachten verzonken. Haar ogen schoten heen en weer. De gang was slecht verlicht en de blauwe plekken om haar hals leken nog donkerder.

Kate deed de deur open. 'Kom binnen.'

Maar Maggie ging de kamer niet binnen. Ze werd te zeer afgeleid door de inrichting. Nu ze Maggies huis had gezien, begreep Kate dat wel.

Wat ze niet begreep was de merkwaardige sigarettenlucht. In Kates kamer werd nooit gerookt.

'Zal ik mijn schoenen uittrekken?' vroeg Maggie.

'Natuurlijk niet.' Kate besloot de geur te negeren, want waarschijnlijk was die afkomstig van het meisje dat naast haar woonde. 'Maak het je gemakkelijk,' zei ze tegen Maggie.

'Hoe lang woon je hier al?' vroeg Maggie wat achterdochtig.

'Een jaar ongeveer.' Ze wees naar de gestoffeerde stoel naast het raam. 'Ga zitten.'

Maggie bleef echter staan. 'Heeft je vader gezorgd dat je dit kreeg?'

Kate diste de eerste de beste leugen op die haar te binnen schoot. 'Mijn man had een levensverzekering.' Kate wierp een blik op Patricks foto, die op het nachtkastje stond. En toen keek ze nog eens goed.

Patricks dogtags waren verdwenen.

Ze hadden er nog gelegen toen ze de vorige avond was vertrokken. Kate wist nog goed dat ze naar de dogtags had gekeken voor ze de deur achter zich dichttrok. Ze boog zich over het nachtkastje om te kijken of ze erachter waren gevallen. De ruimte was te krap om iets te kunnen zien. Ze wilde onder het bed kijken, maar Maggie had al aanleiding genoeg om Kate een losbol te vinden zonder dat ze daarvoor in een jurkje over de vloer hoefde rond te kruipen. Zonder slip.

'Wat is er?' vroeg Maggie.

'Niks.' Kate wreef over haar armen om het wat warmer te krijgen. De gordijnen waren open. Kate zou durven zweren dat ze die had dichtgetrokken voor ze de vorige avond de kamer had verlaten. Dezelfde huivering trok door haar heen als op de verandatrap van haar ouderlijk huis: het inmiddels bekende, verontrustende gevoel dat iemand haar in de gaten hield.

'Kate?'

'Er is niks.'

'Weet je het zeker?'

'Natuurlijk weet ik het zeker.' Kate was bang dat het gesprek een ongewenste wending zou nemen en veranderde snel van onderwerp. 'Wat ik me afvroeg: als de Shooter Jimmy iets heeft aangedaan, zouden we het inmiddels weten. Je hebt het zelf gezegd: zijn OM is altijd dezelfde. Hij doodt ze tijdens hun dienst. Hij laat ze een etenspauze melden en dan ontkoppelt hij hun portofoon. Hij weet dat er uiteindelijk naar hen gezocht zal worden. En volgens het protocol is het duidelijk waar ze het eerst gaan zoeken: bij de laatste 10-20 die ze aan de meldkamer hebben doorgegeven.'

'Zo is het niet met Sir Chic gegaan.'

'Weet je zeker dat Chic door de Shooter gedood is?'

'Waarom zou hij anders gedood zijn?'

Kate kon heel veel redenen bedenken, bijvoorbeeld omdat hij een pooier was. Toch trok ze de lijn van Maggies redenering door. 'We zijn vast niet de enigen die bedacht hebben dat een van Chics meiden iets gezien heeft. Het is duidelijk dat er al iemand bij het Portugese huis is geweest voor wij daar aankwamen. Of erna, want hij had tijd genoeg om zich aan de overkant van de straat te installeren. Dus misschien is hij ons gevolgd.' Kate liet die theorie weer snel varen. Ze wilde er niet aan denken dat ze gevolgd werd. 'Hoe dan ook, de Shooter hield Chic in de gaten toen we allemaal boven in die voorkamer zaten. Weet je nog hoe het gebeurde? Chic hield de portofoon omhoog. Gail duwde hem haar revolver in het gezicht. Chic wilde net gaan praten. Dat weet je. En de Shooter wist het ook. De portofoon was het bewijs dat er een getuige was. Chic hoefde ons alleen nog maar te vertellen wat dat meisje gezien had.'

'Jimmy's portofoon.' Kennelijk was Maggie die helemaal vergeten.

'Weet je, nu ik erover nadenk vind ik het heel vreemd wat Chic zei.' Kate citeerde de woorden van de pooier voor zover ze zich die nog kon herinneren. '"De dude die dat vrouwtje van mij heeft gezien lijkt niet op de brother die jullie op het nieuws hebben gezet."'

Maggie zei niets. Ze zag bleek. Zweet parelde op haar voorhoofd.

Kate deed het raam op een kier open. Koude lucht gierde naar binnen. 'Chic had het vast over de politieschets die Jimmy heeft helpen opstellen. Daar is de hele pers mee aan de haal gegaan. Hij stond op de voorpagina van de avondkrant. Ik ben niet zo goed in straattaal, maar ik heb de indruk dat brother naar een zwarte man verwijst. En een dude? Is dat soms een blanke man?'

Maggie legde haar hand op de ladekast. Ze maakte een aangeslagen indruk. 'Hangt ervan af met wie je praat.'

Kate probeerde het nog eens met haar door te nemen. 'Volgens jou heeft Gail gezegd dat blanken blanken doden en zwarten zwarten, dus...'

Maggie keek haar afwachtend aan.

'Wat herinner je je nog van gisteren? Nadat ik buiten westen was geraakt, bedoel ik.'

Maggie haalde haar schouders op. 'Ik herinner me alles nog.'

'Maar ook duidelijk? Hoe iedereen eruitzag bijvoorbeeld?' Kate sloeg haar armen over elkaar. Het raam stond open en ze begon het nu echt koud te krijgen. 'Want ik heb eens zitten denken: al sla je me dood, ik zou niet meer weten hoe die Portugese eruitzag. We hebben minutenlang met haar gesproken. We zijn in haar huis geweest. Maar als je me zou vragen om haar gezicht te beschrijven, zou ik dat niet kunnen.'

Weer haalde Maggie haar schouders op. 'Nou en?'

'En als ik haar 's nachts had gezien terwijl ze met een wapen in de hand de hoek om kwam, dan zou ik haar gezicht al helemaal niet hebben kunnen beschrijven. Dus misschien heeft Jimmy...'

'Zo ben jíj, Kate. Je doet dit werk nu ongeveer twee tellen. Je kunt niet eens goed opletten. Jezus, je bent zomaar tegen een stenen muur aangeknald.'

Kate liet haar woorden bezinken. Het ging niet zozeer om wát Maggie had gezegd, want dat was absoluut waar, maar om hóé ze het had gezegd. Er klonk niets van haar gebruikelijke irritatie in door. Het klonk alsof ze zich verdedigde. En ondanks de kou zweette ze nog steeds.

'Je hebt gelijk,' gaf Kate toe. 'Misschien moet ik eerst koffie hebben om wakker te worden.' Ze pakte de kan en liep naar de badkamer. Ze draaide de kraan open en ondertussen probeerde ze het gevoel van zich af te schudden dat ze iets heel belangrijks over het hoofd zag.

Op luide toon, zodat Maggie haar boven het stromende water uit kon horen zei ze: 'Jimmy is de afgelopen paar dagen bij allerlei traumatische situaties betrokken geweest. Hij was erbij toen Don werd vermoord. Hij is in zijn arm geschoten. En hij is ook vast geschrokken van wat er met jou is gebeurd. Misschien wil hij gewoon een tijdje alleen zijn? Om zijn gedachten op een rijtje te zetten?'

Eerst kwam er geen antwoord. Kate wilde de vraag al herhalen toen Maggie zei: 'Dat is niks voor Jimmy.'

De kan was vol. Kate liep terug naar de kamer. 'Is er misschien iemand die hij in het geheim ziet?'

Maggie keek Kate onderzoekend aan. 'In het geheim?'

Kate ging met het koffieapparaat aan de slag. 'Ik heb nooit een broer gehad, maar mijn vriendinnen die er wel een hebben zeggen dat ze altijd heel geheimzinnig doen, vooral als het hun liefdesleven betreft.'

'Heeft hij met je aangepapt in de auto?'

'Jimmy?' Kate vond het een vreemde vraag, en ze wist niet goed wat ze moest antwoorden. 'Volgens mij moest hij alleen maar het groentje africhten. Daarom heeft Terry mij toch aan hem toegewezen?'

'Maar heeft hij met je geflirt?'

'Ja, dat wel.' Kate zette het apparaat aan. 'Natuurlijk. En ik heb terug geflirt. Hij kan heel charmant zijn.'

Maggies gezicht was weer uitdrukkingloos. Eerst kon ze Kate niet eens aankijken, maar nu leek ze niet in staat haar blik af te wenden.

'Laten we ons op de zaak richten, oké?' zei Kate. 'We gaan verder waar we gisteren zijn gestopt. We waren op zoek naar informatie die naar de Shooter leidt. Laten we dat vandaag ook weer doen.'

Maggie begon traag te knikken. 'We weten niet waar Jimmy is, maar als we de Shooter vinden, weten we wat er met Jimmy aan de hand is.'

Tot Kates opluchting kwam er eindelijk wat verstandigs uit. 'Is er nog iets wat je dwarszit?'

'Wat zou me verder nog dwars moeten zitten?' Weer schoot Maggie in de verdediging. 'Heb je soms problemen met wat ik met Anthony heb gedaan?'

'Helemaal niet. Dat was zelfverdediging. Je hebt ons gered. Ons allemaal.' Kate zweeg om de zich opdringende emoties weg te slikken. Ze stond weer in die telefooncel bij de Texaco en voelde een dwingende noodzaak om haar verontschuldigingen aan te bieden. 'Het spijt me, dat staat voorop. Ik heb je in de steek gelaten. Ik heb Gail in de steek gelaten. Ik had beter moeten opletten. Ik had je moeten kunnen helpen toen de hel losbrak.'

Maggie keek naar het koffieapparaat. 'Ik had het gebouw aan de overkant moeten controleren.'

'Dat heb je ook gedaan,' benadrukte Kate. 'Ik heb het je zelf zien doen toen we Chics kamer binnenliepen. Jij en Gail hielden alles in de gaten, ook dat gebouw.'

Maggie geloofde haar niet, dat was duidelijk.

'Je hebt de eerste dag tegen me gezegd dat je het vak van politieagent leert door naar andere agenten te kijken. Ik keek naar jou en Gail. Jullie hielden allebei alles in de gaten.'

Maggie liet zich niet overtuigen. Om haar kalmte te herwinnen plukte ze een pluisje van haar uniform. 'De chef heeft gezegd dat we een paar dagen vrij moesten nemen.'

'En?' Kate had pal naast Maggie gestaan toen Cal Vick dat zei. 'Jij neemt echt geen vrij. Volgens mij zou Gail vandaag nog op het ochtendappèl verschijnen als ze haar het ziekenhuis uit lieten gaan.'

Onwillekeurig glimlachte Maggie even.

'Goed.' Het koffieapparaat was klaar. Al pratend schonk Kate twee koppen in. 'Het is de bedoeling dat we achter de identiteit van de Shooter komen, toch? Ik stel voor dat we nog eens met die Portugese gaan praten.'

'Waarom?'

'We mogen aannemen dat de Shooter dacht dat Chic de getuige was, maar er is nog iemand in dat huis die waarschijnlijk het hele verhaal kent.'

Maggie snapte het niet.

'Had je niet het gevoel dat die Portugese een echte bemoeial is die haar neus altijd in andermans zaken steekt?'

'Gaan we nu op gevoelens af?' Maggie schudde haar hoofd. 'Ik kan je verzekeren dat dat mens ondertussen door elke hoge ome van het korps is ondervraagd en dat ze allang onder ede een verklaring heeft afgelegd. Zo gaat dat als de hele boel in de shit draait. Er is waarschijnlijk al genoeg papier volgeschreven om dit hele hotel mee te behangen.'

Kate zette de kan weer op het plaatje. 'Jij zei gisteren dat mensen altijd liegen.'

'Doen ze ook.'

'Dan heeft die Portugese dame gisteren misschien tegen de politie gelogen.' Ze probeerde het als een verhaal in te kleden. 'Bekijk het eens zo: een van Chics meiden heeft iets ergs meegemaakt. Ze heeft gezien dat een agent werd vermoord. Ze werd bang. Waar denk je dat ze het eerst naartoe is gegaan?' Kate gaf zelf antwoord. 'Ze is naar haar baas gegaan, heeft hem wakker gemaakt en de portofoon aan hem gegeven. En wie heeft haar op dat late tijdstip binnengelaten? Wie heeft die vier sloten opengemaakt en de ketting weggetrokken?'

'Oké.' Maggie gaf eindelijk toe. 'Het is een gok, maar het is het enige wat we nog hebben.'

'Momentje, dan schiet ik even onder de douche en kleed me om.' Kate pakte een schoon stel ondergoed. Een steek van schuld schoot door haar heen toen ze haar kastdeur opende om haar uniform eruit te halen. De stang boog door van al haar jurken. De schoenendozen stonden twee hoog en drie diep over de hele breedte van de kastvloer.

Kate nam een van de koppen koffie mee naar de badkamer.

De leidingen piepten toen ze de douchekraan opendraaide. Ze probeerde haar haar droog te houden. Losse zenuwen begonnen te vuren toen ze zich waste. Vanaf haar middel naar beneden zag ze er nogal gehavend uit. Ze probeerde niet aan Philip te denken toen hij heel voorzichtig haar blauwe plekken had gekust.

Kate betwijfelde of er iemand was om de blauwe plekken rond Maggies hals te kussen. Ze had zich vanochtend in een dubbel pantser gehuld. Kwam dat alleen doordat haar broer werd vermist? Diep in haar hart had Kate het gevoel dat er meer speelde. Zou Maggie vermoeden dat Jimmy homo was? Was dat de reden dat ze hem zocht? En niet alleen Maggie wilde Jimmy vinden. Terry was ook naar hem op zoek. Het hele korps was dankzij die BOLO gewaarschuwd. Elke agent in Atlanta zou vandaag in actie komen, of hij nou naar Jimmy Lawson zocht of jacht maakte op de Shooter.

Jammer dat Kate geen inbreker was.

Ze stapte onder de douche vandaan en droogde zich snel af. Haar make-up moest het met een opfrisbeurt doen. Met een beetje geluk verhulde de vloeibare kleurcorrector eventuele donkere kringen onder haar ogen. Kate was haar panty vergeten, maar er was vast niemand die het zag. Ze was bijna klaar met aankleden en luisterde of ze iets in de kamer hoorde. Ze vroeg zich af of Maggie in slaap was gevallen. Ergens hoopte ze het. De vorige dag nog had Kate Maggie Lawson een van de slimste vrouwen gevonden die ze ooit had ontmoet. Op dit moment leek ze amper in staat ook maar de meest voor de hand liggende conclusies te trekken.

Kate deed de deur van de badkamer open. Maggie stond nog precies op dezelfde plek. De blauwe plekken rond haar hals werden met het uur donkerder. Kate had durven zweren dat er rond de snee op haar wang ook een blauwe plek kwam opzetten.

'We moeten onze aantekeningen van gisteren er nog eens

bij halen,' zei ze. Voor Maggie iets kon vragen, voegde ze er ter verduidelijking aan toe: 'De aantekeningen over de Shooter-zaken.'

'Die heeft Terry.'

Kate vroeg maar niks, want ze wist dat ze toch geen antwoord zou krijgen. 'Hoe zit het met die bar?'

'Welke bar?'

'Dabbler's. Van dat luciferboekje dat in Don Wesleys broekzak zat.'

Kennelijk was Maggie die hele tent vergeten. Maar toen zei ze: 'Mijn buurman werkt voor het telefoonbedrijf. Ik heb het er gisteravond met hem over gehad.' Ze zocht naar een plek om haar koffiekop neer te zetten. 'Hij zou het adres in mijn brievenbus stoppen. Laten we daar eerst maar langsgaan voor iemand anders het vindt.'

Kate vroeg zich af wie er volgens Maggie haar brievenbus zou kunnen leegroven. 'Het is trouwens na zessen. Die Portugese is misschien in een wat spraakzamer bui als we haar de kans geven wakker te worden. Zet die kop maar ergens neer.'

Maggie zette hem boven op het koffieapparaat. 'Waarschijnlijk is het het zoveelste doodlopende spoor. Volgens Gail komen daar geen agenten.'

'Mijn vader zegt altijd dat als je niet weet wat je moet doen, je gewoon moet blijven doorlopen tot je het wel weet.' Kate schoof haar voeten in Jimmy's schoenen. Ze nam haar riem van de knop aan de kastdeur. De metalen clips zaten in haar sieradendoos. Ze zag een van haar oude horloges en deed het om. 'Moeten we nog contact opnemen met Delroy en Watson?'

'Hoezo?'

Kate haakte de clips aan haar riem. 'Om toestemming te vragen dat deel van de stad weer binnen te gaan.'

'Ik heb gisteren vijf kogels op een man afgevuurd. Ik denk niet dat er nog iemand is die met ons durft te kloten.'

Kate staarde haar aan. Was dat het echte probleem? Voelde Maggie zich schuldig omdat ze Anthony van het leven had beroofd? Waren die blauwe plekken om haar hals een poging om de demonen het zwijgen op te leggen?

'Maak je om mij maar niet druk,' zei Maggie.

'Ik heb anders niks gevraagd.'

'Je bent net een open boek.'

'Je moet een boek niet beoordelen op de buitenkant.' Kate controleerde haar zakken: lippenstift, kleingeld, bonnenboekje, notitieboekje, pennen. Ze stak de wapenstok door de haak aan haar riem. Ze koppelde haar microfoon aan de portofoon. 'Lijkt me een aardige vent, die buurman.'

'Hij is doof.'

Handboeien. Sleutels. Kel-Lite. Rugkramp. 'Gail is halfblind. Dat wil niet zeggen dat ze niet aardig is.'

'Zijn moeder is verpleegster. Vroeger was ze aborteuse.'

Kate keek op.

'Voordat abortus legaal was.' Maggies stem haperde. 'Het was er een komen en gaan van meiden, het ging dag en nacht door. Daarom wonen ze ook in het mooiste huis van de straat. Ze heeft bergen geld verdiend. Ben je zover?'

Kate liep al naar de deur, maar draaide zich toen snel om en trok de bovenste la van haar bureau open. Ze had de vorige dag een nieuwe revolver gekregen omdat de oude als bewijsmateriaal was ingenomen. Kate liet het wapen in haar holster glijden en klikte het riempje vast. 'Ik ben zover.'

Even ving ze een glimp van de oude Maggie op in de spottende blik in haar ogen. 'Altijd de veiligheidspal controleren, Murphy. Je hebt bijna je voet eraf geschoten.'

VIJFENTWINTIG

Fox moest steeds aan Kates haar denken. Hij zag het zodra hij zijn ogen sloot. Goud- en honingkleurige strengen. Zijdezachte plukjes die langs haar lange hals kringelden. Uit ivoor gesneden jukbeenderen. Ogen als de allerongereptste zee.

Allemaal leugens.

Blond terwijl ze donker had moeten zijn. Een Ierse naam terwijl ze joods was. De wereld het ene gezicht tonen terwijl ze haar ware zelf verborg achter een masker van normaliteit. Dat was het probleem: van die oplichters die ongemerkt naar binnen glipten, en tegen de tijd dat je doorhad wie ze in werkelijkheid waren, was het te laat.

Joden. Italianen. Wijven. Spleetogen. Zwarten. Indianen.

De ouwe had gelijk gehad. De wereld stond inderdaad op z'n kop. Mensen wisten echt hun plaats niet meer. Fox deed zijn best om het te verhelpen, maar onwillekeurig vroeg hij zich af hoe zijn leven eruit zou hebben gezien als hij zaken voor Senior recht had kunnen zetten.

Als hij die spaghettivreter had doodgeschoten voor hij de fabriek kon sluiten.

Als hij die joodse trut had kunnen vergassen voor ze zijn werkloosheidsuitkering had kunnen verkloten.

Als hij die gele hufter had kunnen executeren voor hij zijn baan kon inpikken.

Als hij zijn moeder had kunnen behoeden voor Seniors pijn.

Want het was niet zijn woede waarmee hij iedereen kwetste. Het was zijn pijn.

Na de sluiting van de fabriek zat Senior elke avond aan de

keukentafel over de mensen te praten die hem hadden verneukt. De joden. De latino's. De wijven. De klootzakken die hier niet hoorden. Senior begon de bijbel te lezen. Hij gaf zich er als een ware bekeerling aan over. Nadat hij Fox' moeder jarenlang had uitgelachen omdat ze altijd naar de kerk ging, vond hij zijn roeping.

Uit één mens heeft hij de hele mensheid gemaakt, die hij over de hele aarde heeft verspreid; voor elk volk heeft hij een tijdperk vastgesteld en hij heeft de grenzen van hun woongebied bepaald.

Fox zat aan tafel toen Senior op dat vers stuitte. De ouwe had met zijn vinger op de pagina getikt en een 'aha' uitgestoten dat vanuit zijn binnenste naar boven dreunde. Handelingen 17:26. God had Senior een doel geschonken dat vanaf Adam was doorgegeven. Hij was beroofd van zijn vastgestelde tijdperk. Zijn grenzen waren opnieuw bepaald.

En wie waren de dieven van Seniors tijd onder de zon? De joden. De latino's. De spaghettivreters. De wijven. Ze vielen om als dominostenen en donderden op Seniors wereld neer.

En toen eisten ze hun laatste slachtoffer op: Fox' moeder.

Ze zaten aan de keukentafel toen ze thuiskwam van de dokter. De bijbel was dicht. Senior dronk Jack Daniels rechtstreeks uit de fles en zocht naar een aanleiding om iemand te slaan. Die ging Fox hem niet geven. Hij was net thuis uit school. Hij zat het tussendoortje te eten dat zijn moeder altijd voor hem klaarzette: een boterham zonder korst en een plak kaas. Er hoorde ook een koekje bij, maar Fox was zo verstandig niet te vragen wat daarmee gebeurd was.

Zijn moeder ging aan tafel zitten. Haar stoel was kleiner dan die van hen. De rugleuning was versplinterd. Ze zat altijd op het randje. Ze had haar hele leven dingen gladgestreken, maar nu wond ze er geen doekjes om. De pijn in haar maag was kanker. De tumor was zo groot als een grapefruit.

Ze hadden haar drie maanden gegeven. Vier als ze rustig aan deed.

Senior was in tranen uitgebarsten. Dat was de eerste van de twee keren dat Fox de ouwe had zien instorten.

Fox had niet gehuild. In gedachten zag hij een grapefruit voor zich. Hij vergeleek die met andere dingen die hij kende. Een honkbal. Een softbal. De vuist van zijn vader.

In Fox' ogen was het bepaald geen toeval dat zijn moeder een kwaadaardig gezwel ter grootte van Seniors vuist in haar maag had. Daar raakte Senior haar het vaakst, in haar maag. Fox stelde zich voor dat de vuist net zo lang op het orgaan had ingebeukt tot het dezelfde vorm en consistentie had aangenomen. Hij zag zijn moeders maag als een vuist. Hij gelastte de vingers zich te openen. Hij smeekte God om de tumor te laten ontspannen en zijn moeder van de pijn te verlossen.

Morfine was het enige wat nu nog uitkomst bood. Misschien dat er twee jaar eerder iets gedaan had kunnen worden, toen ze de artsen voor het eerst over de pijnscheuten had verteld, of een jaar eerder, toen ze bloed had uitgescheiden. Maar nu was het te laat.

Fox kon het de artsen niet verwijten dat ze haar niet geloofden. Ze loog aan de lopende band. De gebroken polsen. De kapotte enkels. De sneden en blauwe plekken en de paniek in haar ogen als ze te horen kreeg dat een wond gehecht moest worden. Niemand sloeg per ongeluk twee keer achter elkaar het autoportier dicht tegen je been. Je kreeg geen derdegraads brandwond op je arm omdat je per ongeluk een fornuisring had aangeraakt. Die ringen werden in je huid gebrand omdat iemand je erbovenop drukte om je een lesje te leren.

Als iemand altijd liegt, hoe weet je het dan als ze uiteindelijk de waarheid spreekt? Fox had de waarheid gezien. Zoals zijn moeders knieën het begaven als ze bij het aanrecht stond en de pijn toesloeg. De trillende handen. De gekwelde kreten als ze op de wc zat. Ze had steeds tegen de artsen gezegd dat er iets mis was, en ze bleven maar tegen haar zeggen dat ze gewoon rust nodig had.

Fox had rust nodig. Sindsdien waren er jaren verstreken, maar bij de gedachte aan haar lijden kreeg hij het nog steeds benauwd.

Hij leunde tegen de kelderdeur. Hij sloot zijn ogen en luisterde. De ruimte was geluiddicht; hij had goed werk verricht. Pas toen hij zijn oor tegen het hout drukte, kon hij het gerammel van kettingen horen. Jimmy Lawson huilde nog steeds. Hij had gebruld vanaf het moment dat Fox hem meenam. Hij smeekte niet om genade. Hij smeekte erom gedood te worden. Net als de anderen wist Jimmy wat hij verdiende. Twee kogels door zijn hoofd, net als Senior.

Of in elk geval zoals Senior had geprobeerd.

De sukkel had nooit één ding goed gedaan in zijn leven.

Het gebeurde na de begrafenis. Fox had toegekeken terwijl zijn moeders kist in de aarde werd neergelaten. Het was bitter koud die dag. Fox bevroor zowat. Niemand had tegen hem gezegd dat hij zijn jas moest aantrekken. Hij stond in zijn dunne pak naast de hoop grond die uit de aarde was opgegraven en proefde de natte klei achter in zijn mond, terwijl de wind als een zwaard dwars door hem heen sneed.

Senior had gehuild. De tweede keer dat Fox er getuige van was geweest. Dikke, vette tranen rolden over zijn wangen. Fox had ze op de bovenkant van zijn schoenen zien spatten.

Les negen: een man zorgt altijd dat zijn schoenen gepoetst zijn.

Senior zweeg toen ze terugreden naar huis. Er was niemand om hen te begroeten. Fox' moeder had geen vriendinnen. Seniors vroegere collega's hadden allemaal andere bezigheden. Er stonden een paar stoofschotels die de dames van de kerk hadden gebracht. Een van de buren had de melk binnen gezet. Er was een taart van de vrouw van de dominee, maar de dominee zelf was er niet. Alleen een koud, leeg huis waarvan Fox nooit had beseft dat zijn moeder het op de een of andere manier had weten te vullen. Met haar blijdschap. Met haar pijn. Met haar angst. Met haar liefde.

Senior liep de keuken in. Hij ging aan tafel zitten. Hij trok een van de kastladen open. Hij haalde er een wapen uit. Hij drukte de loop tegen zijn hoofd. Hij haalde de trekker over.

Fox stond pal naast hem toen hij dat deed. In de allerlaatste seconde had hij Seniors blik vastgehouden. Zodra de trekker was overgehaald, ging Seniors oog met een ruk opzij. Het was bijna komisch zoals hij uit het raam leek te staren en tegelijkertijd naar Fox keek. Het wapen kletterde op de vloer. Senior viel er niet achteraan. Hij zat kaarsrecht op zijn stoel, net zoals hij dat elke avond gedaan had, zolang Fox het zich kon herinneren.

Tweeëntwintig kaliber. De kogel had zijn schedel niet verlaten. Hij had als een muskiet in zijn hersens rondgezoemd. Van de ene kant naar de andere. Van voren naar achteren. Veel bloed was er niet. Een klein stroompje sijpelde uit het zwarte gat boven Seniors oor. Zijn mond bewoog. Zijn keel stootte iets uit wat aan vogelgekras deed denken.

Fox keek naar de taart van de domineesvrouw. De korst was donker bij de randen. Zijn moeder zou nooit iemand een taart met een verbrande rand hebben gebracht.

Weer maakte Senior dat krasgeluid.

Fox brak een stuk korst af en stopte het in zijn mond. De smaak was boterig en machtig en verspreidde zich over zijn tong. Toen kwam de schroeierige nasmaak. Hij stak zijn hand in de taart en schepte er vulling uit. Terwijl hij de kersendrab van zijn hand likte, liep Fox naar zijn vader. Hij bedacht dat zijn hand roder was dan de kogelwond in Seniors hoofd, maar vervolgens werd de zaak weer gelijkgetrokken toen hij het wapen van de vloer opraapte, de loop tegen zijn vaders hoofd drukte en de trekker voor de tweede keer overhaalde.

Les tien: een man maakt altijd af wat hij begonnen is.

De belangrijkste les. De enige les die er echt toe deed.

Er was iets wat Fox heel binnenkort moest afmaken. Niet

omdat er haast bij was, maar omdat het geen zin had het nog langer te rekken. Jimmy Lawson huilde nog steeds. Over een uur of over een jaar zou hij nog even hard huilen.

Fox was geen moordenaar. Hij was een scherprechter. Jimmy's pijn schonk hem geen genot.

Niet veel in elk geval.

Fox maakte zich los van de kelderdeur. Hij controleerde het slot. Hij draaide zich niet om, ging het huis niet weer in. Hij kon nergens naartoe.

Druk.

Ook als hij niet aan Kate dacht, begeerde zijn lichaam haar. Fox hield zijn hand tegen zijn stijve pik. Hij moest tijd met Kate doorbrengen. Tijd alleen. Hij kon haar niet langer vanuit de verte observeren. Hij moest haar hebben: in zijn huis, in zijn bed, in zijn kelder.

Fox zou haar net zo lang houden tot de druk verdween. Hij besefte dat hij dat lang geleden besloten had, misschien wel de eerste keer dat hij haar zag. Ook toen al werkte zijn brein aan twee plannen tegelijk. Haar neuken. Haar doden. Haar weer neuken.

Wat kon het voor kwaad?

Niemand zou ooit te weten komen wat zich tussen hen had afgespeeld. Senior lag allang in zijn graf, begraven naast al die andere schooiers. Hij zou nooit weten dat zijn zoon een jodin neukte. Hij zou nooit weten wat voor macht Kate over zijn zoon had uitgeoefend.

Maar Fox wist het wel.

Hij sloeg zijn handen voor zijn ogen. De schaamte golfde als traangas over hem heen. De spijlen waarop zijn hoornvliezen gespietst waren. Het glas in zijn longen. Het wurgende, verstikkende besef dat hij verliefd op haar was.

Verliefd.

Het had geen zin het nog langer te ontkennen. De bliksemflits in zijn schedel was niet het plan dat op zijn plaats viel. Het was Kate met haar jodenmagie. Het vuile kreng had de rollen omgedraaid. Hij had gedacht dat hij jacht op haar maakte, dat hij haar stalkte, maar in werkelijkheid had Kate hem al te pakken.

Fox ging die macht terugnemen. Kate zou moeten buigen voor zijn wil. Misschien zou ze breken. Alleen de tijd zou het leren. Fox moest zorgen dat hij alleen met haar was. Dat was het belangrijkste deel. Hij moest haar onverdeelde aandacht hebben. Hij zou haar bestuderen. Hij zou zich in haar zwakheden verdiepen, hij zou haar reacties op zijn klembord noteren zodat hij wist hoe hij haar telkens het best kon raken.

Dit was anders dan Senior, die het op Fox' moeder had voorzien. Kate was niet onschuldig. Ze was een leugenaar. Ze was een bedrieger. Met haar listen had ze Fox verliefd op haar laten worden, net als Rebecca Feldman dat gedaan had. Net als elk kutwijf van wie Fox na de dood van zijn moeder had gehouden.

Fox begon te knikken. Nu snapte hij wat er gebeurd was. De bliksemflits had het niet laten afweten. Dit alles hoorde bij het plan. Zijn hersens waren dit al weken aan het voorbereiden. De kettingen zaten al met stevige bouten aan de balken verankerd. De ruimte was geluiddicht. Fox was de regie niet kwijt. Hij had voortdurend de macht in handen gehouden.

Nu hoefde hij alleen nog maar alles bij elkaar te brengen.

Het plan was als volgt: maak het karwei af. Begin een nieuw plan met Kate.

Fox stak zijn hand in zijn zak en haalde de dogtags tevoorschijn die hij uit haar kamer had gestolen. De metalen schijfjes lieten een vertrouwd geklik horen toen hij ze tegen elkaar wreef.

Murphy.

Patrick R.

Zijn sociaal-fiscaal nummer, hoewel hij nooit meer belasting zou betalen.

Zijn bloedgroep, die hij over een of andere godvergeten jungle had uitgestort.

Zijn religie, hoewel die klotepaus de oorlog geen halt had toegeroepen.

Fox hing de ketting om zijn nek. Hij stopte hem in zijn shirt. Het koude metaal kuste zijn borst.

Hij vroeg zich af of Kates lippen ook zo zouden voelen.

ZESENTWINTIG

Op weg naar CT raakte Maggie de weg kwijt. Ze had de rit van haar huis naar de Westside wel honderd keer gemaakt, maar haar hersens hadden uitgecheckt en haar spiergeheugen had er de brui aan gegeven en in plaats van voor het huis van de Portugese dame te staan, zaten ze nu vast in het ochtendverkeer in het centrum.

Als Kate het al doorhad, zei ze niets. Maggie was blij dat ze zweeg. Ze begreep niets van de verandering die Kate had ondergaan. Ze was niet langer het Schaap, maar vertoonde er alle tekenen van dat er een verdomd goede politieagent in haar school. Daar had Maggie de vorige dag een glimp van opgevangen, toen ze de Shooter-dossiers bestudeerden. Vanochtend zag Kate allerlei verbanden, sneller dan Maggie het kon bijhouden. Kate leek met de dag beter te worden in haar vak.

En Maggie werd met de seconde slechter.

Ze was doodsbang dat Kate haar op slinkse wijze de waarheid over Jimmy zou ontfutselen. Niet dat Maggie die waarheid wist. Was haar broer homo? Was hij een moordenaar? Kon ze het ene geloven zonder het andere ook te geloven? Waren het allebei wrede verzinsels?

Haar hoofd barstte straks uit elkaar als ze zichzelf vragen bleef stellen die elkaar in de staart beten.

Maggie was op het punt aangeland dat ze alle stomme dingen deed waarop ze altijd lette als ze met een verdachte te maken had. Haar handen trilden. Ze zweette. Ze kon Kate niet recht in de ogen kijken. Eigenlijk zouden ze Maggie uit de auto moeten slepen en voor een klas op de academie neerzetten. Ze was schuldig volgens alle regels van het boekje.

En ze was hondsmoe.

De vorige avond had Maggie haar ouderlijk huis verlaten in de overtuiging dat ze nooit meer terug zou komen. Ze had niks ingepakt. Er lag niks in haar kamer dat ze nodig had. Ze had haar riem van het aanrecht gegrist en was naar buiten gelopen. Ze had een patrouillewagen opgeroepen, die haar op de hoek had opgepikt. Ze had zich bij het bureau laten afzetten. Ze had zich gedoucht in de lege mannenkleedkamer. Ze had een schoon uniform aangetrokken dat ze in haar kluis bewaarde.

Alles wat Maggie deed voelde onomkeerbaar, maar ze wist dat ze alleen maar terug kon. Ze had geen eigen plek. Haar auto stond in de garage om gerepareerd te worden. Ze had geen cent te makken. Ze had geen chic appartement met een hoogpolig wit tapijt en meer kleren in haar kast dan er dagen waren om ze te dragen.

Terry ging over al het geld. Destijds had het geen slecht idee geleken. Zonder de handtekening van haar echtgenoot kon Delia geen eigen bankrekening openen, en Hank joeg al het geld er altijd doorheen als hij op verlof was uit de inrichting. Toen ze het huis dreigden kwijt te raken besloot Delia haar cheques aan Terry te geven. Maggie volgde haar voorbeeld zodra ze bij het politiekorps begon. En als een van hen een misstap beging, gaf Terry zo'n harde ruk aan het koordje van de beurs dat ze bijna gewurgd werden.

Er waren allerlei nieuwe federale wetten die geacht werden financiële deuren te openen voor vrouwen, maar in Atlanta, Georgia, zaten die deuren nog stevig op slot. Er was altijd wel een foefje of slimmigheidje dat ervoor zorgde dat de deur dicht bleef. Maggie kon geen bankrekening openen zonder dat Terry er toegang toe had. Ze kon geen lening voor een auto afsluiten zonder Terry's handtekening. Ze kon geen creditcard krijgen of een flat huren zonder Terry's toestemming.

Gegevens naaste mannelijke familielid.

Dat stond op alle formulieren. Maggie had maandenlang alle krantenadvertenties voor flats afgebeld. Maar telkens moest een man garant voor haar staan. Zelfs in de vaagste gevallen. Ze was te bang om het aan Terry te vragen, en Jimmy weigerde omdat hij niet tussen twee vuren in wilde staan.

Jimmy.

De vorige avond was Maggie bij zijn vrienden begonnen. Ze had op de deuren van hun flats gebonsd, hun familieleden wakker gemaakt, en ondertussen wist ze maar al te goed dat Jimmy er niet zou zijn. Ze ging naar de bar waar hij na het werk soms iets dronk. Ze belde ieder ex-vriendinnetje van wie ze de naam nog wist. Ze keek op de achterbank van zijn patrouillewagen. Ze forceerde zijn kluis op het werk. Ze bracht een bezoekje aan de schietbaan. Ze ging naar het footballveld van Grady High School. Ze doorzocht de kleedkamer, het kantoor van de trainer, het souterrain waar pubers stiekem binnenglipten om te vrijen. Ze maakte alle managers wakker van de motels langs de snelweg. Ze liep met een zaklantaarn door Piedmont Park. Ze scheen met haar koplampen in tunnels en steegjes waarvan ze wist dat het ontmoetingsplekken voor homo's waren. Ze ging langs pornobioscopen en nachtrestaurants.

Haar wanhoop groeide met elk nieuw steegje en parkeerterrein, elke bange, naamloze man die er bij het zien van een politiewagen vandoor ging. Maggie moest haar broer vinden vóór Terry hem vond. Ze wist niet eens of ze zijn leven wilde redden. Dat voelde merkwaardig onbelangrijk naast de noodzaak om zijn schuilplaats op te sporen. Haar voornaamste doel was hem om uitleg te vragen. Jimmy moest Maggie recht in haar gezicht vertellen waarom hij die brief had geschreven.

De brief.

Elk woord zat in haar brein geschroeid. Delia had het papier verscheurd, maar zodra Maggie het huis uit was, had ze Jimmy's bekentenis in haar notitieboekje opgeschreven. Ze had de tekst zin voor zin bestudeerd. Sommige had ze omlijnd. Ze had naar een of andere verborgen betekenis gezocht. Er moest meer achter zitten dan wat de woorden vertelden.

Want waar sloeg het op?

In het onwaarschijnlijke geval dat Jimmy inderdaad homo was en hij met Don Wesley en al die andere mannen had gevreeën, bleef de vraag waarom ze dan vermoord moesten worden. Ze hadden allemaal een even krachtig wapen in handen. Ze waren net Rusland en de Verenigde Staten die overeen waren gekomen hun kernkoppen niet te lanceren omdat dat tot wederzijdse vernietiging zou leiden.

En als Jimmy geen homo was, waarom zou hij dan die moorden bekennen? Wat was zijn motief? Misschien klopte het wat Kate over zijn geestesgesteldheid had gezegd. Don was voor zijn ogen neergeschoten. Hij was er niet in geslaagd het leven van zijn collega te redden. Hij was zelf door een gestoorde vrouw in zijn arm geschoten. Leek Jimmy op die soldaten met een oorlogsneurose, die gek werden als ze terugkeerden naar de echte wereld? Was de brief een kreet om hulp?

Als dat het geval was, had Jimmy precies datgene gedaan waardoor Terry hem gegarandeerd uit zijn lijden zou verlossen. De enige mensen die Terry nog meer haatte dan zwarten en linkse types waren homo's.

'Kut!' Maggie sloeg met haar vuist op het stuur.

Ze reden over Third Street, een paar blokken verwijderd van de tunnel bij Georgia Tech, toen ze Regenjas over het trottoir zag sjokken, alsof hij geen enkele zorg in de wereld had. Hij droeg nog steeds zijn oudemannenjas, maar deze keer zag ze de pijpen van een kamgaren broek boven de glimmend zwarte loafers aan zijn voeten.

Maggie zwenkte zo plotseling opzij dat de motor afsloeg.

Kate greep zich aan het dashboard vast. 'Wat doe je...'

'Die daar.' Maggie stapte al uit. 'Dat is de verkrachter van dat meisje.'

Kate stapte ook uit. 'Weet je het zeker?'

'Hij heeft de jas van haar grootvader gestolen.' Maggie trok de wapenstok uit haar riem. Ze praatte zo luid dat Regenjas het wel moest horen, maar net als eerst liep hij gewoon door. 'Hij heeft een meisje van dertien verkracht. Hij heeft de jas van haar grootvader gestolen.' Ze ging op een drafje achter hem aan. 'Hij heet Lewis Windall Conroy de Derde. Hij komt uit Berwyn, Maryland.'

Nu bleef hij staan. Hij balde zijn vuisten in zijn zakken, maar hij draaide zich nog steeds niet om.

Maggie stond achter hem. Ze liet de wapenstok op haar handpalm kletsen. 'Op je knieën.'

Hij verroerde zich niet.

Maggie had geen zin om nog een keer te waarschuwen. Ze liet de metalen stok door de lucht zwiepen en ramde hem tegen de achterkant van zijn benen.

Conroy zakte als een pudding in elkaar.

'Maggie!' riep Kate geschrokken.

'Opstaan,' zei ze tegen de man. 'Opstaan of ik doe je net zoveel pijn als jij dat meisje gedaan hebt.'

Conroy hees zich op zijn handen en knieën overeind, maar verder kwam hij niet. De wapenstok had hem zo ongenadig geraakt dat hij snakte naar adem. Hij deed zijn mond open, maar er droop alleen kwijl uit.

'Opstaan, zei ik!' Maggie sloeg zo hard tegen zijn stuit dat het metaal ervan zong.

Conroy schreeuwde het uit. Zijn armen en benen vlogen onder hem weg en hij smakte op zijn buik op het trottoir.

Maggie klemde de wapenstok vast. 'Denk je dat je pappie je hier weer uit komt redden, Lewis?' Ze stond te popelen om hem opnieuw te slaan, ze wilde zijn botten horen kraken, ze wilde hem horen kermen van pijn. 'Opstaan!' herhaalde ze.

‘Opstaan, vuile kinderverkrachter.’

Hij deed een poging, maar zijn armen hielden hem niet. Hij smakte weer plat op zijn buik.

‘Help hem eens overeind,’ zei Maggie tegen Kate.

Doodsbang pakte Kate Conroy onder zijn arm. Ze was niet sterk genoeg en hij bood alleen maar weerstand.

‘Alsjeblieft...’ smeekte hij.

‘Gebruik je benen,’ zei Kate.

‘Alsjeblieft, mevrouw.’ Net als iedereen rook hij Kates zwakte. ‘Help me, alsjeblieft. Ik heb niks gedaan.’

‘Bek houden.’ Kate liet hem weer op het trottoir ploffen. ‘Wat wil je met hem doen?’ vroeg ze.

Die vraag overviel Maggie. Ze had er nog niet over nagedacht.

‘Alsjeblieft,’ jammerde Conroy. ‘Het is gewoon een misverstand.’

‘Roep de meiden op,’ zei Kate.

Maggie wist dat dit niet via de mobilofoon bekend mocht worden. Ze keek om zich heen. Op de eerstvolgende hoek was een telefooncel. ‘Kun je hem houden?’

‘Ja hoor, zolang hij snapt dat ik even goed met mijn wapenstok overweg kan als jij.’ Kate trok haar wenkbrauw op, zich maar al te bewust van haar leugen. Wat kon ze opeens goed liegen. Hoe was dat zo gekomen?

‘Moet je kleingeld?’ vroeg ze.

‘Heb ik.’ Terwijl Maggie naar de telefooncel liep, schoof ze haar wapenstok weer aan haar riem. Ze was zo ziedend dat ze haar gebalde vuisten niet kon ontspannen. Lewis Windall Conroy de Derde. Hij kon elk flatgebouw in de stad binnenlopen en tien appartementen huren. Hij kon elke auto kopen die hij wilde hebben. Hij kon alles doen waar hij zin in had.

Maar hij kon niet straffeloos een meisje verkrachten.

De telefooncel stonk naar pis. De vloer zat onder de natte kotsspetters. Terwijl ze met haar schouder de deur openhield, leunde Maggie naar binnen. Ze belde het bureau en vroeg om een vaste lijn naar een bepaalde politiemobilofoon. Delroy antwoordde met haar roepnaam. Zonder haar naam te noemen of uitleg te geven zei Maggie: 'Hoek Third Street en Cypress Street.'

'Kwartiertje.' Delroy verbrak de verbinding.

Maggie legde de hoorn op de haak. De deur zwaaide dicht op zijn scharnieren. Ze zag dat Kate zich over Conroy had gebogen. Ze had haar wapenstok getrokken, maar die hield ze als een toorts voor haar gezicht.

Dertien jaar.

Even oud als Lilly. Lilly was een mooi meisje en ze kon er sexy uitzien als ze te veel make-up op had, maar ze was nog steeds een kind dat tot een paar maanden geleden met haar barbiepop had gespeeld.

Maggie keek naar haar handen. Een voor een strekte ze haar vingers. Ze wilde weer rustig zijn als ze bij hen terug was. Ze weigerde zichzelf als een ongeleid projectiel te beschouwen, zoals Terry, of als een koelbloedige moordenaar zoals Jimmy, maar tegen de tijd dat ze bij Conroy stond, wilde ze alleen nog haar revolver pakken, de loop in zijn mond duwen en de trekker net zo lang overhalen tot hij begon te klikken, net als bij Anthony.

'Hoe lang gaat het duren?' vroeg Kate.

'Te lang. Opstaan.' Ze hees Conroy bij zijn kraag overeind. Hij was zo verstandig geen weerstand te bieden. Wankel als een veulen dat zijn eerste stapjes zet, stond hij op zijn benen. 'Die kant op.' Maggie gaf hem een schop onder zijn kont. 'Lopen.'

Kate liep naast Maggie. Ze hield haar wapenstok nog steeds voor haar gezicht. Maggie duwde hem schuin naar beneden zodat ze er beter mee kon zwaaien.

Conroy kwam maar langzaam vooruit. Hij liet zijn hoofd hangen, en ondertussen zocht hij naar een uitweg. 'Alsjeblieft, dames. Laten we het uitpraten. Het is gewoon een misverstand.'

'Dat kind moest gehecht worden nadat jij klaar met haar was,' zei Maggie. 'Wist je dat?'

'O, gaat het daarover?' Hij klonk opgelucht. 'Jezus, dan betaal ik de doktersrekening toch? Mijn vader schrijft wel een cheque uit.'

'Zo makkelijk kom je er niet vanaf.'

'Vraag het dan aan haar familie. Wedden dat die het geld aannemen? Echt, die meid wist wat ze deed.'

'Heeft ze je erin laten stinken?' Maggie had die smoes zo vaak gehoord dat ze er misselijk van werd.

Ze zei niet hoe oud ze was. Ze leek heel volwassen voor haar leeftijd. Ze legde het zelf met me aan. Ze wilde niet stoppen. Wat moest ik?

Mannen waren voor zo ongeveer alles in de wereld verantwoordelijk, behalve voor hun pik.

Maggie trok haar wapenstok weer. 'Schiet eens een beetje op.'

Stiekem keek hij naar links en naar rechts. Nu zocht hij een vluchtweg.

Maggie drukte de stok tegen de onderkant van zijn rug. 'Waag het eens weg te rennen, lul. Ik heb alleen maar een aanleiding nodig.'

'Ik weet hoe jullie heten.'

'Wij weten hoe jij heet.' Maggie negeerde de panische blik die Kate haar toewierp. 'Dat wordt lachen als je op de voorpagina van de krant staat naast een foto van dat meisje dat je uit elkaar hebt gescheurd.'

'Alsof het jou iets uitmaakt,' zei hij. 'Het is gewoon een stom zwartjoekeltje.'

'En jij bent een verwend eikeltje dat ongenadig op z'n sodemieter gaat krijgen in plaats van voor drie jaar de bak in te draaien.'

Ze waren bij de telefooncel aangekomen.

'Naar binnen.' Maggie gaf hem een duw. Hij aarzelde. Er lag kots op de vloer. Hij wilde zijn loafers niet vies maken. 'Trek je schoenen uit.'

'Wat?'

Ze sloeg met de wapenstok tegen de telefooncel. 'Schoenen. Uit.'

Hij schoof ze van zijn voeten. In de gleufjes zaten pennies. Hij had geen sokken aan. Waarschijnlijk had hij meer voor zijn kamgaren broek betaald dan Maggie in een hele week verdiende. Ze had het helemaal gehad met die rijke stinkerds die door het leven zweefden alsof het allemaal niks voorstelde.

'Trek je jas uit,' zei ze tegen Conroy. 'Die is niet van jou.'

Deze keer protesteerde hij niet. De jas ging uit. Kate ving hem op voor hij op de grond viel.

'En nu de rest,' zei Maggie.

'Wat?'

Ze zwiepte de wapenstok naar achteren. Meer was er niet voor nodig. Hij rukte zijn overhemd los. De knopen vlogen alle kanten op. Hij trok aan de drukknoop van zijn broek en ritste zijn gulp open. Hij haakte zijn duimen om de tailleband van zijn onderbroek.

'Nee,' zei Maggie, niet omdat ze hem niet verder wilde vernederen, maar omdat ze hem niet naakt wilde zien. 'En nu de telefooncel in.'

Weifelend stapte hij in de kots. Ze hoopte dat die al koud was. Ze hoopte dat hij de klonten tegen zijn voetzolen kon voelen.

'Wat moet dat...' zei Conroy.

Maggie duwde de klapdeur dicht. Haar hand reikte naar de bovenkant van de telefooncel. Ze moest op haar tenen gaan staan om de driepuntssluiting te vinden. De slotbout schoot galmend naar beneden.

Conroy duwde tegen de deur. Er zat geen beweging in. 'Laat me eruit!' Hij raakte in paniek en zette zijn schouder ertegenaan. 'Laat me eruit! Godverdomme!'

Kate had de jas van de grootvader opgevouwen. Die legde ze naast de telefooncel. 'Denk je dat ze die aan hem teruggeven?'

'Dat zijn onze zaken niet.' Ze schoof de wapenstok weer aan haar riem. 'Verder nog iets, Kate? Is er verder nog iets wat je wilt vragen of eisen of wat je me aan mijn verstand wilt brengen?'

Kate schudde haar hoofd.

Maggie liep weg. Ze trommelde met haar vingers op haar Kel-Lite. Haar hoofd bonkte bij elke stap die ze zette. Ze zag alles in een waas. Ze was bezweet en bibberig.

Achter zich hoorde ze Kates voetstappen. Ze volgde Maggie op enige afstand. Ze gaf haar ruimte, wat irritant was en vernederend en net iets voor Kate.

De eerste week dat Maggie bij Gail in de auto had gezeten, wist ze dat ze haar mond moest houden. Ze had aantekeningen gemaakt. Ze had bevelen opgevolgd. Ze had geen vragen gesteld. Ze had niet om de vijf minuten met haar mening klaargestaan. Ze had niet van elke stommiteit die ze uithaalde een grap gemaakt zodat ze zichzelf kon uitlachen voor een ander dat deed.

Maggie viste de sleutels uit haar zak. Haar hand verkrampte. Ze kreeg de ring niet om haar middelvinger.

De trekker overhalen. Het stuur vastklemmen. Op deuren bonken. De Kel-Lite vasthouden. De wapenstok hanteren. God handenwringend smeken dat haar broer nog leefde. Dat hij dood was. Dat Terry hem niet gevonden had. Dat ze hem nooit meer hoefde te zien.

Maggie bleef voor de patrouillewagen staan. Haar borst deed pijn. Ze vroeg zich af of ze een hartaanval kreeg.

Kate stond achter haar. Ze zei niets, maar de vraag was er

niet minder luid en duidelijk om: Alles in orde?

Alles in owde?

Maggie wierp haar de sleutels toe. 'Jij rijdt.'

ZEVENENTWINTIG

Tijdens de hele rit naar het huis van de Portugese hield Maggie haar kiezen op elkaar geklemd. Kate reed als een oud wijf. Ze tikte de rem aan telkens als een andere auto in de buurt kwam. Inhalen deed ze niet. Zo'n zeventig meter voor een afslag gaf ze al richting aan. Ze hield beide handen in de tien-voor-tweepositie aan het stuur.

Maggie liet zich niks wijsmaken. Ze had heel wat van die Kate Murphy-types aangehouden. Dat soort vrouwen dacht dat de regels niet voor hen golden. Ze negeerden stoptekens. Ze overschreden de maximumsnelheid. Ze reden met open dak en met een zijden sjaal om hun hoofd zodat hun haar niet in de war raakte.

Jeetje, agent, ging ik echt zo hard?

De patrouillewagen kwam langzaam tot stilstand voor het huis van de Portugese. Het zag er nog vrijwel net zo uit als de vorige dag. Het enige verschil was dat de vitrage door het kapotte raam op de eerste verdieping wapperde. Niemand had de moeite genomen het dicht te timmeren.

Kate stapte als eerste uit. Ze liep als eerste het trottoir op en stond als eerste op de veranda.

Maggie vond het prima dat zij vooropging. Wat haar betrof mocht iemand anders een keer de leiding nemen. Kate had zoveel geluk dat het Maggie niets zou verbazen als Jimmy voor hun neus stond wanneer de deur openging. Hij zou zijn handen naar voren steken en een bekentenis afleggen. Cal Vick zou Kate ter plekke promotie geven. Ze zou de enige vrouwelijke rechercheur van het korps worden. Tijdens de installatieplechtigheid zou ze een buiging maken en dan zou er een regenboog uit haar kont komen.

Kate klopte op de deur alsof ze een Avon-consulente was.

'Je moet harder kloppen,' zei Maggie.

'Ik had de indruk dat je dit door mij wilde laten afhandelen.'

Maggie zei niets. Telkens als ze dacht dat haar vijandelijke gevoelens verdwenen waren, deed Kate haar mond open en kreeg ze meteen weer zin om haar te slaan.

Opnieuw klopte Kate op de deur, nu als een puber die tijdschriftabonnementen verkocht.

'Waar heb je Portugees geleerd?' vroeg Maggie. 'Heb je in Europa gewoond of zo?' Waarschijnlijk was ze daar op huwelijksreis geweest met haar dode man, die Robert Redford-lookalike.

'Pardon?' Kate keek verward, maar toen verscheen die stralende glimlach weer. 'Ze sprak geen Portugees. Dat is Jiddisch. Ik heb een beetje van mijn grootmoeder opgepikt. Van mijn vaders kant. Ze komt uit Oost-Europa. *A sjande oen a charpe*, het was een flink schandaal toen ze trouwden.'

Maggie hoefde haar gelukkig niet te vragen waar ze het in godsnaam over had, want op dat moment ging de deur open.

Deze keer waren er geen grendels en kettingsloten. De Portugese deed een paar stappen terug. Ze hield een kaars in haar hand. Het was donker in het huis, nergens brandde licht. Ze droeg hetzelfde zwarte tenue als de vorige dag, alleen was de mouw bij de schouder gescheurd. Haar peper-en-zoutkleurige haar hing tot op haar middel. Maggie had geen idee waarom. Het zag er ongewassen uit.

Kate zei niets. Voor ze het huis in liep, raakte ze het rechthoekige doosje op de deurpost even aan.

Maggies training stak nu de kop op. De kamers waren vol schimmen. Alle gordijnen zaten dicht. Zelfs de spiegel boven de haard was met een zwart laken bedekt. Ze wilde een lamp aandoen. Zo zag je niet wie er verder nog in het huis was.

De vrouw liep naar de keuken. De kaars flakkerde op de tocht. Haar voeten trippelden zachtjes over de vloer. Ze had geen schoenen aan.

Kate wilde haar volgen, maar Maggie greep haar bij haar mouw.

'Sst,' waarschuwde Kate.

Weer probeerde Maggie haar mouw te pakken, maar Kate liep de gang al door. Er zat niets anders op dan haar te volgen. Dat kwam ervan nu ze Kate de leiding had gegeven: een verhoor waarbij niemand iets mocht zeggen.

In de keuken was het in elk geval minder donker dan in de rest van het huis. Er hingen geen gordijnen voor de ramen. Zonlicht stroomde het vertrek binnen. Op het aanrecht stond een keur aan gerechten. De helft van wat ze zag herkende Maggie niet.

De Portugese zette de kaars op de vensterbank boven de spoelbak. Ze knikte naar de keukentafel. Kate ging zitten, en daarom deed Maggie het ook. Met haar rug naar hen toe schepte de vrouw twee borden vol.

Maggie slaakte een diepe zucht om te laten merken dat ze niet blij was met de situatie. Niets van dit alles bracht hen dichter bij Jimmy. Vanaf het begin had ze geweten dat dit een stom idee was.

De oude vrouw had de borden volgeladen. Ze draaide zich om. Haar gezicht baadde in het zonlicht.

'O,' klonk het verbaasd uit Maggies mond.

Het gezicht van de vrouw was bedekt met stoppels. Geen wonder dat ze net zo klonk als Ricardo Montalbán. De Portugese dame was een man.

'Kan ik jullie icetea aanbieden?' vroeg hij.

'Ja, graag.' Kate leek zich totaal niet te verbazen over dit alles. Ze nam de borden aan en zette ze op tafel. Ze schonk Maggie een waarschuwende blik, zoals een moeder dat doet met een kind dat zich misdraagt. 'Ik geloof niet dat we ons gisteren aan elkaar hebben voorgesteld. Ik ben agent Murphy. Dit is agent Lawson.'

'Eduardo Rosa.' Hij zette zijn handen in zijn zij en keek Kate onderzoekend aan. 'Murphy. Dan ben je zeker met een *sjejgets* getrouwd?'

'Inderdaad.'

'Slimme meid. Joodse mannen houden nooit hun mond.'

Kate liet een diepe lach horen, want het grapje was kennelijk alleen voor ingewijden bedoeld.

Eduardo liep naar de koelbox. Hij haalde er een kan met icetea uit. Uit de vriezer pakte hij een ijsbakje en uit de kast nam hij twee glazen.

Maggie bekeek hem gefascineerd. Hoe was het mogelijk dat ze dat de vorige dag niet gezien had? Zijn adamsappel ging schuil achter de hoge boord. De lange mouwen bedekten harige armen. De rok die tot op de grond viel onttrok grote voeten aan het zicht. Maar zijn handen hadden hem moeten verraden. Die waren gigantisch.

'Dus u bent de travopooier,' zei Maggie.

'*Fe!*' Hij drukte de ijsblokjes uit het bakje. 'Pooiers zijn allemaal *sjwartzen*.'

Kate snoof in haar hand.

'Wijlen mijn echtgenoot, Gerald...' Eduardo zette de twee glazen met icetea op tafel, 'die ging over de zaken.' Hij wees naar de stoel waarop Maggie zat. 'Daar is hij gestorven, drie maanden geleden. Een hartaanval. We zijn twintig jaar samen geweest.'

'Was Chic uw zoon?' vroeg Kate.

'Hij heette Lionel. Hij woonde in Detroit, bij zijn moeder, Lydia. Ik heb altijd van donkere types gehouden.' Er stonden nog twee stoelen bij de tafel, maar Eduardo pakte de rand van het aanrecht en liet zich op de vloer zakken. 'Lionel hing in Detroit de pooier uit, maar hij raakte in de problemen. Hij zat altijd in de problemen; *alav hasjalom.*' Eduardo zweeg even en ging toen verder. 'Lydia vroeg of ik wilde helpen. Nu Gerald er niet meer was, bedachten we dat hij hier de zaken maar moest overnemen.'

Maggie legde haar kin op haar hand, omdat haar kaak anders op de vloer zou vallen. 'Hebt u gisteren uw echte naam opgegeven voor de getuigenverklaring? Dat is een getuigenis onder ede.'

'Ik heb Geralds naam opgegeven. Niemand heeft me gevraagd mijn hand op de bijbel te leggen.' Eduardo keek op naar Kate. 'Ik weet dat jullie informatie van me willen. Kun je ervoor zorgen dat mijn jongen wordt vrijgegeven?'

'Is de begrafenis dan nog niet geweest?' vroeg Kate verbaasd.

'De lijkschouwer wil het lichaam niet vrijgeven. We hebben alle papieren. Lydia is nu daar. Ze zeggen dat het nog een week gaat duren.'

Eindelijk kon Maggie iets bijdragen. 'Er moet autopsie worden verricht. Dat is een belangrijk onderdeel van het onderzoek. Als de kogel herleid kan worden tot het gebruikte wapen, kan de moordenaar misschien gevonden worden. En dat alles moet tijdens het proces worden voorgelegd.'

'Ik wil niet dat het lichaam van mijn zoon nog verder verminkt wordt,' zei Eduardo vastberaden. 'Ik moet hem recht doen.'

'Het spijt me,' zei Maggie, 'maar zo is de wet nou eenmaal. U wilt toch ook dat we de man pakken die uw zoon heeft vermoord?'

'Jongedame, ik weet dat Lionel in een levensgevaarlijke branche werkzaam was. Of ik blij zou zijn als jullie zijn moordenaar te pakken krijgen? Natuurlijk. Maar je moet ook begrijpen dat zijn lichaam zo snel mogelijk moet worden vrijgegeven zodat zijn moeder en ik hem kunnen begraven.'

'Hebt u al met uw rabbijn gesproken?' vroeg Kate.

Hij wees naar zijn jurk. 'Zie ik eruit als een liberale jood?'

'Maggie? Ken jij iemand?'

'Op het kantoor van de lijkschouwer?' Maggie meende een meisje van de avondschool te kennen dat daar secretaresse was. 'Ik wil wel een paar telefoontjes plegen, maar ik kan niks beloven.'

Eduardo vouwde zijn handen samen op zijn schoot. Hij keek naar de vloer. Maggie vroeg zich af of hij aan het bidden was, maar ze wist niet hoe joden baden. Of ze eigenlijk wel baden.

Ten slotte keek hij op. 'Als jullie beloven dat jullie je uiterste best zullen doen, zal ik de informatie geven waarvoor jullie hier zijn gekomen.'

'Goed,' zei Kate, alsof het helemaal liep zoals ze gepland had.

Eduardo stak van wal. 'Het meisje dat erbij was die nacht dat de politieman werd doodgeschoten heet Delilah. Ik heb geen idee of dat haar echte naam is. Misschien is ze fan van Tom Jones. Wie niet? Haar achternaam weet ik ook niet. Ze was geloof ik een jaar of vijftien toen Gerald haar in de pornobioscoop aan Ponce aantrof, waar ze iemand aan het pijpen was.'

Kate leunde achterover.

'Hij heeft haar afgebeuld. Die reputatie had hij. Een puriteins arbeidsethos.' Hij haalde een schouder op. 'Delilah ging niet lang mee, en ze leverde meer problemen op dan ze waard was. Gerald verkocht haar met verlies, om maar van haar af te zijn. Toen Lionel naar de stad kwam, moest hij vanaf het begin beginnen. Ik hield van mijn jongen, maar hij was een *aroemlojfer.* Alles moest hem aangereikt worden. Ik zei dat ik misschien wel een meisje wist dat maar al te graag alles aanpakte. Hij vond haar bij het Amtrak-station aan Peachtree; daar was ze aan het werk.'

'In Buckhead?' Kates stem schoot de hoogte in. Ze was weer helemaal in vorm.

Maggie nam het over. 'Werkt Delilah nog steeds in Whitehall?'

'Ik heb geen idee waar ze nu werkt. Die nacht van de schietpartij is ze hiernaartoe gekomen. Lionel liet haar alle hoeken van de kamer zien. Ze had de hele nacht moeten werken. Ze gaf hem de politieportofoon. Lionel riep mij erbij om ernaar te kijken. Ik wist meteen wat we in handen hadden.'

'De troefkaart,' zei Maggie.

'We zouden wachten tot de beloning omhoogging. Vijfduizend dollar.' Hij snoof minachtend. 'De laatste keer dat ze iemand pakten, was de beloning twintigduizend.'

Kate sloeg haar armen over elkaar. Van haar innemendheid was niets meer over.

'Wat heeft Delilah gezien?' vroeg Maggie. 'Ik ga ervan uit dat u niet van plan was haar het politiebureau te laten binnenlopen om haar verhaal te doen en het geld in ontvangst te nemen.'

'Ga je bellen?' vroeg Eduardo. 'Beloof je dat?'

'Dat heb ik toch gezegd?'

'Ik vertrouw je.'

'Beseft u dat degene die Lionel heeft vermoord waarschijnlijk dezelfde is die die agent vermoord heeft?' vroeg Maggie.

Hij legde zijn hand op zijn borst. Zijn stem haperde. 'Dat snap ik, maar jullie moeten begrijpen dat ik mijn zoons lichaam ter aarde wil bestellen, waar het thuishoort.'

Maggie voelde zijn wanhoop even scherp als die van zichzelf. 'Ik beloof u dat ik alles in het werk zal stellen om te zorgen dat het wordt vrijgegeven.'

Eduardo knikte. 'De moordenaar was blank, niet zoals die zwarte op de politietekening.'

Maggies hart sloeg over.

'Groot. Gespierd. Brede schouders. Hij droeg een spijkerbroek, een rood shirt en hij had zwarte handschoenen aan. Ze heeft niet naar zijn schoenen gekeken.'

Maggie beet op haar lip om het trillen tegen te gaan. Jimmy droeg zwarte handschoenen.

'Hij had donker, kortgeknipt haar,' vervolgde Eduardo. 'Zijn snor was getrimd. Lange bakkebaarden. Volgens Delilah zag hij er nogal gewoon uit, op die bakkebaarden na.'

Maggie probeerde haar stem in bedwang te houden. 'Dat klinkt behoorlijk specifiek. Hoe dichtbij stond ze?'

'Ze was aan het einde van de steeg. Ze heeft alles gezien. De man kwam de hoek om. Hij had een Saturday night special in zijn hand. Een Raven MP-25.'

Het wapenmerk was nog niet door de politie openbaar gemaakt. 'Wist ze dat zeker? Van die MP-25?'

'Delilah weet alles van wapens. Haar vader heeft de nodige drankwinkels overvallen.'

'Heeft ze dat allemaal gezien?' Maggie probeerde enig wantrouwen in haar stem te leggen. 'Ze stond dicht genoeg bij om het wapen te zien en het gezicht van de Shooter en wat hij aanhad, en toch heeft ze het er levend afgebracht?'

'Als ik Delilah een beetje ken, lag ze onder een kartonnen doos heroïne te spuiten.'

'Had ze gebruikt?' Maggie voelde een glimpje hoop. 'Dan is ze niet bepaald een betrouwbare getuige.'

'Reken maar dat ze betrouwbaar is als er een mes in haar pruim steekt.' Eduardo reikte omhoog naar het aanrecht. Zwaar kreunend en blazend hees hij zichzelf van de vloer overeind. 'Ik vertel jullie wat we uit haar hebben gekregen. Ik heb het Anthony laten afhandelen. Delilah heeft hem alles verteld wat ze gezien heeft. Neem dat maar van mij aan.'

Het zweet liep Maggie over de rug. Het was te warm in de keuken. Als ze hier niet snel wegging, moest ze overgeven.

'Wat deden die twee agenten toen de Shooter de hoek om kwam?' vroeg Kate.

Eduardo keerde zich naar de spoelbak toe. 'Dat heeft ze niet gezegd. En ik heb jullie alles verteld wat ik weet, dames. Dat

Hasjem jullie straffe als jullie je deel van de afspraak niet nakomen.'

'Daar zorgen we voor,' zei Kate. 'Dat beloof ik.'

Maggie stond op. Ze moest zo snel mogelijk dit huis uit. 'Gecondoleerd met uw verlies.'

'Moge de hemel u troosten,' zei Kate.

Maggie moest zich inhouden om niet de gang op te stormen. Haar keel snoerde dicht. Ze trok aan haar boordje. Haar vingers streken langs de blauwe plekken op haar hals. Ze rukte de deur open en zoog haar longen vol lucht.

Kate legde haar hand op Maggies schouder. 'Gaat het?'

Maggie schudde haar van zich af en liep naar beneden. Ze knoopte haar boordje dicht. Ze had tegen Kate gezegd dat ze niemand moest vertrouwen, dus waarom vertrouwden ze Eduardo wel? Misschien loog hij over dat signalement. Misschien loog hij over het meisje dat getuige van de moord was geweest. Misschien loog het meisje tegen iedereen.

Maar hoe kwam ze dan aan Jimmy's portofoon?

'Nou, dat was interessant,' zei Kate, 'maar of het nuttig was weet ik niet.'

Maggie veegde het zweet uit haar nek. Haar maag kolkte. Ze voelde zich afgepeigerd en uitgeput.

'We hielden er al rekening mee dat de Shooter blank zou kunnen zijn,' zei Kate. 'En dat signalement: groot, atletisch, snor, lange bakkebaarden. Aan wie doet jou dat denken?'

Maggie proefde gal op haar tong.

'Aan zo ongeveer elke agent van het korps, als je het mij vraagt. Inclusief Jimmy en je oom Terry. En ze hebben allemaal zwarte rijhandschoenen aan. Volgens mij hebben ze te veel films met Steve McQueen gezien.' Ze gaf Maggie de autosleutels. 'Rij jij maar naar Dabbler's. Ik ben nooit in dat deel van de stad geweest.' Ze maakte het portier open. 'Eén ding moet ik Gail nageven: ze had wel gelijk wat die mensen betreft. Niet te geloven zoals die Eduardo over dat arme meisje sprak. Ik weet dat het een prostituee is, maar dan nog. Alsof hij het over een lap vlees had.' Ze zweeg even. 'Hij? Zij? Jeetje, wat is het eigenlijk?'

Maggie liep om de auto heen. Ze nam achter het stuur plaats. Ze probeerde de sleutel in het contact te steken, maar de sleutelring glipte uit haar vingers. Ze tastte blindelings om zich heen om de sleutelbos te zoeken.

Kate kletste maar door. 'Zij, zullen we maar zeggen. We horen hem te belonen voor zijn moeite. Dat zou ik tenminste willen als ik in zijn schoenen stond. In haar schoenen. Ik geloofde mijn ogen niet toen ze de deur opendeed en ik die baard zag. Eduardo Rosa. Dat verklaart de stem. Ik moest gisteren de hele tijd aan Ricardo Montalbán denken.' Kate lachte in zichzelf. 'We moeten haar naam maar eens natrekken als we niet voor nieuwe verrassingen willen komen te staan. Jeetje. Ik wil niet arrogant klinken, maar van een jood had ik meer verwacht.'

'Godsamme,' mompelde Maggie. Ze had de sleutels gevonden, maar haar vingers kregen er geen grip op.

'Maar ik moet niet zo onaardig doen, dat weet ik. Ze zit *sjiwe*. Eigenlijk is dat een heel mooi ritueel. Er horen allerlei regels bij. Je mag je niet scheren of make-up opdoen. Ze heeft haar kleren verscheurd; dat heet *krieë*, en het staat voor verdriet en woede over de dood. Ze ging op de vloer zitten omdat je geacht wordt dicht bij de grond te blijven. Maar het lichaam moet eigenlijk binnen vierentwintig uur begraven worden. Daarom is ze zo overstuur. Het rouwen duurt zeven dagen. Sjiwe betekent zeven.'

'Hebbes.' Maggie stootte haar wang tegen het stuur. Ze kromp ineen van pijn. De blauwe plek hield er een eigen hartslag op na.

Kate was zo langzamerhand uitgekwebbeld. 'Maggie, ik ben door mijn onzinnige gespreksonderwerpen heen, dus ik zou het erg fijn vinden als je eens antwoord gaf.'

Maggie koos voor de gemakkelijke weg. 'Ik zal even bellen over Eduardo Rosa. Eens kijken of hij een strafblad heeft.'

Kate keek Maggie onderzoekend aan. 'Ik heb de hele morgen al het gevoel dat er iets belangrijks is wat je voor me verzwijgt.'

'Jéétje, echt?' deed Maggie haar na. 'Bijvoorbeeld dat ik joods ben? Of dat ik weduwe ben? Of dat mijn vader de rijkste tuinier uit de hele menselijke geschiedenis is?'

'Ja, dat zijn allemaal prachtige voorbeelden van waar ik het over heb.'

Maggie ramde de sleutel in het contact. Ze startte de auto.

'Heb je soms keelpijn?'

'Alleen als ik stomme vragen moet beantwoorden.'

ACHTENTWINTIG

Kate staarde naar de portofoon op haar schoot. Op de meldkamer kwam het ene na het andere telefoontje binnen van mensen die meenden Jimmy's auto te hebben gezien of die nieuwe tips hadden over de Shooter. Haar vermoeden klopte dat het een feestdag was voor boeven. Wanda Clack gaf een chicken bone door die was afgehandeld, en een van de zwarte meiden meldde dat ze de radio had gevonden van een zendamateur, die een tijd geleden als gestolen was opgegeven, maar dat waren de enige misdrijven die deze dag werden opgelost.

Ze legde haar hoofd op haar hand. Ze zat in de patrouillewagen, die voor Dabbler's was geparkeerd, terwijl Maggie stond te bellen in de telefooncel naast het gebouw. Ze had geen idee in welk deel van de stad ze zich bevonden, of ze überhaupt nog binnen de stadsgrenzen waren. Dat de bar onopvallend leek, was een understatement. Kate vermoedde dat het een vorm van bescherming was. Je kwam hier alleen als je wist wat voor zaak het was, en als je dat niet wist, liep je eraan voorbij. De bakstenen voorgevel was zwart geverfd. De smalle ramen waren getint om het daglicht te weren. Voor zover ze het vanaf de straat kon zien waren er geen neonborden die drank aanprezen. Er ontbrak zelfs een naambord op de deur.

Alleen de gasten lieten aan duidelijkheid niets te wensen over. De ene strak in het pak gestoken man na de andere stapte uit zijn dure auto en liep de zwaaideur door. Haar tot op de kraag. Bakkebaarden die vierkante kaken omvatten. Ze hadden allemaal een snor en leken stuk voor stuk sprekend op de homo's met wie Kate bekend was.

Dat er een patrouillewagen bij de bar stond leek het bezoekersaantal niet te drukken. Binnen tien minuten nadat Maggie uit de auto was gestapt, stond het parkeerterrein vol. Kate was aan alle kanten omringd door auto's. Sommige mannen keken haar zelfs even glimlachend aan terwijl ze naar het gebouw liepen.

Een politieagent was dus geen ongebruikelijke verschijning in Dabbler's. Het verbaasde Kate niet. Je raakte niet toevallig in dit deel van de stad verzeild. Je moest weten waar je naartoe ging. Ze konden ervan uitgaan dat Don Wesley het etablissement minstens één keer had bezocht. Zou dat ook voor Jimmy gelden? Zou hij op dit moment binnen zitten en zijn wonden likken? Dat hij gewond was stond vast, en niet alleen vanwege de stukjes schedel die zich in zijn been hadden geboord of de kogel die in zijn arm was gedrongen. Hoe onbehouwen hij zich de vorige dag thuis ook had gedragen, het ging er bij Kate niet in dat Jimmy Lawson niets voelde voor zijn gestorven minnaar.

Of voor zijn zus. Maggie had een man gedood. Wist Jimmy dat ze ook bijna gewurgd was? De blauwe plekken tekenden zich inmiddels nog scherper af. Kate kon de vingerafdrukken zien van de hand die om Maggies hals was geslagen. Ze ging ervan uit dat Terry haar te pakken had gehad. Jimmy kon een zelfingenomen lul zijn, maar ze zag hem zijn zus nog niet wurgen.

Anderzijds kon Kate zich ook niet voorstellen dat Maggie de grip op zichzelf verloor, maar dat was wel degelijk gebeurd toen ze Lewis Conroy tegenkwamen. Niet dat Kate zoiets niet al eens had meegemaakt. Gail had de prostituee aangevallen. Ze had het been van de vrouw gebroken en haar vervolgens gemarteld. Maggie had Conroy minder sadistisch aangepakt, maar er waren een paar griezelige overeenkomsten.

Stond Kate dat ook te wachten? Hield zich een vierde persoon in haar psyche schuil die tot een gewelddadige sadiste zou uitgroeien?

Net als bij alles wat met dit onmogelijke werk te maken had, was de situatie niet helemaal zwart-wit. Of misschien wel in het geval van Lewis Conroy. Dat hij blank was en zijn slachtoffer een jong zwart meisje zei al veel. Dat hij schuldig was leed geen twijfel. Conroy had het min of meer bekend. Hij had geen berouw getoond, zelfs niet toen hij naar adem snakkend op de grond lag. Hij had niet één keer zijn excuses aangeboden. Eigenlijk had hij heel arrogant geklonken, als een man die met een ober in discussie gaat over de rekening. Zo'n type als Conroy wist dat hij een dergelijk geschil altijd zou winnen.

Geen wonder dat iedereen de pest had aan mensen uit Kates deel van de stad. Ze begon zelf ook de pest aan ze te krijgen. Alsof ze overal recht op hadden. En dan die houding. Was Maggie daarom zo vijandig? Ze was laaiend geweest toen ze bij Conroy wegreden. Kate was ervan uitgegaan dat ze gewoon tijd nodig had om weer tot zichzelf te komen. Maar het enige wat Maggie met die tijd gedaan had, was al haar venijn op Kate richten.

Het gonsde op de mobilofoon van de meldingen over de zoveelste Shooter-waarneming. Kate draaide het geluid zachter. Ze keek naar het witte kunststoffen blok op haar schoot. Al werd ze honderd, ze zou nooit vergeten hoe dat ding eruitzag. Gail had het als wapen gebruikt. Sir Chic had het als onderhandelingstroef gebruikt. Jimmy had het achtergelaten op de plek waar Don was vermoord.

Kate had wel een vermoeden waarom Jimmy de portofoon in het steegje had laten liggen. Je kon niet zitten met zo'n ding aan je riem, laat staan dat je je broek naar beneden kon trekken. Hij had het apparaat vast naast zijn been gelegd, zoals iedereen dat deed. Door de plug eruit te halen voorkwam hij dat hij per ongeluk ging zenden. En toen Don was neergeschoten, was de portofoon ongetwijfeld het laatste waarover Jimmy zich druk had gemaakt.

Maggie was klaar met bellen. Zigzaggend tussen de auto's door stak ze het parkeerterrein weer over. Haar hoofd was gebogen. Ze hield haar notitieboekje in haar hand. Ze stapte in en liet haar arm op het portier rusten. Zonder een woord te zeggen keek ze naar het gebouw.

Kate keek ook naar het gebouw. Ze had het met vragen geprobeerd. Ze had het met oeverloos geklets geprobeerd. Nu maar eens zien of het met zwijgen lukte.

Maggie leek de stilte geen probleem te vinden. Ze observeerde de mannen die het gebouw binnengingen. Het parkeerterrein stond vol, ook al was het nog maar elf uur 's ochtends. Ook langs de straat werd al geparkeerd.

Eindelijk deed ze haar mond open. 'Mijn contactpersoon op het kantoor van de lijkschouwer zal haar best doen. Ze is maar secretaresse. Ik weet niet of er naar haar geluisterd wordt.'

Kate beet op haar lip om niks te hoeven zeggen.

'Ik heb het strafblad van Eduardo Rosa opgevraagd. Rick zei dat hij het in het ziekenhuis zou achterlaten. Ik dacht dat we maar even bij Gail moesten gaan kijken.'

Onwillekeurig knikte Kate.

Maggie blies een stoot lucht tussen haar tanden door. 'Dit is een homobar, hè?'

'Ja,' zei Kate na enige aarzeling.

Maggie pakte de kruk van het portier. 'Ben je zover?'

Kate stapte uit. Ze klikte de portofoon aan haar riem. Ze zette Jimmy's stinkende pet op haar hoofd.

Maggie zweeg weer toen ze tussen de auto's door liep. Ze had haar pet laag over haar voorhoofd getrokken. Haar handen hingen langs haar zij. Haar schouders waren gebogen. Kate vroeg zich af hoe weinig kracht ervoor nodig zou zijn om haar tegen de grond te slaan. Ze hoopte dat ze daar niet achter zou komen.

Iedereen in de bar keek op toen ze binnenkwamen. Er klonk wat nieuwsgierig gemompel, maar geen van de mannen maakte een geschrokken indruk nu twee vrouwelijke agenten de zaak binnenstapten.

En geen van hen bleek Jimmy Lawson te zijn.

Maggie liep op de bar af. Weer volgde Kate haar.

Binnen was het gebouw even donker als het er aan de buitenkant uitzag. Mannen zaten dicht tegen elkaar rond de tafeltjes. Ze zaten schouder aan schouder in de krappe boxen. Linda Ronstadt klonk zacht door de speakers. Het nummer sloot goed aan bij het publiek: 'When Will I Be Loved'.

Kate wist niet wat ze verwacht had. Hitsige blikken, smerige achterkamertjes. Over het algemeen deden de mannen denken aan stelletjes die vóór de lunch iets met elkaar gingen drinken. Sommigen zaten hand in hand. Anderen hadden hun arm over een stoelleuning gelegd. Er werden verholen blikken uitgewisseld. De sfeer was los en informeel. Afgezien van het feit dat iedereen van hetzelfde geslacht was, leek het op alle clubs die Kate ooit bezocht had.

Ook in Dabbler's stond hoffelijkheid hoog in het vaandel. Twee mannen maakten hun kruk aan de bar vrij. Zonder ook maar een bedankje ging Maggie zitten. Ze legde haar pet voor zich neer. Zo te zien kon ze wel een borrel gebruiken, maar toch was Kate verbaasd toen ze een whisky puur bestelde.

'Wil je ook?' vroeg ze aan Kate.

'Ja hoor.' Kate legde haar pet eveneens op de bar.

Maggie keek in de spiegel achter de rijen drankflessen. Haar blik schoot heen en weer terwijl ze elk gezicht opnam en geen gebaar haar ontging.

'Van het huis.' De barkeeper zette twee glazen voor hen neer. Hij was beeldschoon, hooguit achttien en had dezelfde lange bakkebaarden en dikke snor als de rest. 'Kan ik jullie ergens mee helpen, dames?'

Maggie stak haar hand in haar borstzak. Ze haalde een foto

tevoorschijn. 'Heb je deze man wel eens gezien?'

Hij glimlachte. Hij had prachtige rechte tanden. 'Ja, dat is Jim. Een vriend van je?'

Maggie legde de foto ondersteboven op de bar. 'Wanneer heb je hem voor het laatst gezien?'

De barkeeper kneep zijn ogen samen. 'Heeft hij problemen?'

'Hangt ervan af wanneer je hem voor het laatst gezien hebt.'

'Was dat niet een paar avonden geleden?' Hij dacht nog eens na. 'Volgens mij was dat bij de herdenkingsplechtigheid voor Don. Dat was toch maandagavond?'

Maggie pakte haar glas. Ze sloeg de whisky in één keer achterover.

'Heb je Jimmy sindsdien niet meer gezien?' vroeg Kate.

'Nee. Overdag komt hij meestal niet.'

'Is hij hier vaste klant?'

'Ja. Iedereen mag Jim graag.' De barkeeper knikte naar een van de gasten ten teken dat hij hem zo zou helpen. 'Is er verder nog iets?'

'Heb je hier soms verdachte figuren zien rondhangen?' vroeg Maggie.

'Afgezien van twee bloedmooie politieagentes? Wat heb je trouwens beeldig haar, schat,' zei hij tegen Kate. 'Wat een schitterende kleur.'

'Dank je.' Onwillekeurig streek Kate haar haar naar achteren. 'Er is hier de laatste tijd niemand geweest die hier niet thuis leek te horen? Iemand die hier niet paste?'

'Schat, elke man hoort hier thuis zodra hij die deur door komt. Daar gaat het hier juist om.' Hij schonk Maggie weer bij. 'Sorry dat ik niet...' Hij zweeg even. 'Nou je het zegt. Gisteren was hier een vent van wie ik eigenlijk de rillingen kreeg.'

'Hoe zag hij eruit?' vroeg Maggie.

'Hij leek op mij.' Hij lachte. 'Alleen een stuk ouder.'

Daar schoten ze niet veel mee op, bedacht Kate. Als je achttien was, leek dertig al bejaard. 'Heeft hij iets gezegd?'

'Niet echt. Het was zo'n stoer, zwijgzaam type. Gaf een flinke fooi. Hij dronk Southern Comfort. En hij hield voortdurend de deur in de gaten. Ik had de indruk dat hij op iemand wachtte of naar iemand op zoek was. Maar dat geldt natuurlijk voor zo ongeveer iedereen die hier komt.'

'Was hij van de politie?'

'Hij was niet in uniform. Hij had wel iets van een smeris. Of van een soldaat. We krijgen hier heel veel veteranen. Volgens mij zijn de meesten niet eens homo. Ze waren het daarginds alleen gewend om met mannen onder elkaar te zijn. Ze willen weer het gevoel hebben dat ze deel van een eenheid zijn. Raar, hè?'

Kate deed alsof ze het snapte en knikte.

Weer schonk hij Maggie bij. 'Hoor eens, knapperd, wat mij betreft blijven jullie hier zitten en drinken jullie zoveel als je op kunt, maar ik heb liever niet dat je de gasten vragen gaat stellen. Je krijgt er toch niet meer uit dan wat ik net verteld heb, en het zou je verbazen hoeveel hoge heren van de politie hier hun gezicht laten zien. Vat je me?'

'Ja hoor.' Na het debacle van de vorige dag waagde Kate zich niet meer aan popi taalgebruik. 'Dank je.'

Hij gaf haar een knipoog en liep weg.

Maggie nam weer een slok. Kate nipte van haar whisky en begon bijna te kokhalzen. Het bocht dat hij hun had ingeschonken was bepaald niet van de bovenste plank.

'Kom, we gaan.' Maggie pakte haar pet en liep naar de deur.

Kate had minder haast. Ze pakte de foto op van de bar. Die was van Jimmy en hij stond er goed op. Hij leunde tegen een auto. Zijn shirt spande om zijn gespierde borst. Hij had zijn kin zelfverzekerd omhooggestoken. Hij lachte, en Kate hoopte dat Maggie de foto had genomen, dat de grijns die de camera had vastgelegd voor zijn zus was bedoeld.

Met haar pet onder haar arm liep ze de volle ruimte door.

Ze hoefde zich geen weg naar buiten te banen. Mannen gingen beleefd voor haar opzij. Ze knikten respectvol. Iemand deed zelfs de deur voor haar open.

Op zoek naar Maggie liet ze haar blik over het parkeerterrein gaan. Maggie zat niet in de patrouillewagen. Ze liep niet tussen de auto's door. Kate draaide zich om. De telefooncellen waren leeg. Ze wilde net de bar weer binnengaan toen ze iemand hoorde kokhalzen.

Maggie bevond zich aan de zijkant van het gebouw. Ze zat op handen en knieën op de grond en gooide haar hele maaginhoud eruit.

Kates eerste reactie was om naar haar toe te gaan, een hand op haar rug te leggen en haar haar uit haar gezicht te houden. Maar nu was ze de tweede Kate, of misschien wel de vierde, en ze bleef staan wachten tot de misselijkheid voorbij was.

Het duurde langer dan ze had verwacht. Kates voeten begonnen pijn te doen. Ze ging op de stoeprand zitten. Ze keek uit over het met puin bezaaide braakliggende terrein naast de bar. Iemand had er een winkelwagentje vol stukken nat karton achtergelaten. Ze zag condooms, naalden, zilverfolie, lepels. De gebruikelijke rotzooi waarvan ze inmiddels had leren accepteren dat de hele stad er vol mee lag, op haar eigen wijk na.

Eindelijk perste Maggie kreunend het laatste restje vocht uit haar maag. Met haar hand veegde ze haar mond af.

Kate keek naar haar pet. Jimmy's naam stond aan de binnenkant van de rand. Ze had geen idee waar haar eigen pet was gebleven. Ze had haar schoenen achter in Gails auto teruggevonden, maar de pet was spoorloos.

Maggie ging weer op haar knieën zitten. Ze hijgde het uit.

'Ik had gisteravond een geurzakje in de pet willen stoppen,' zei Kate. 'Ik heb er een paar in mijn ondergoedla liggen. Met rozengeur.'

Maggie liet haar blik over het parkeerterrein gaan.

Kate legde de pet op haar knie. Ze streek haar broekspijpen glad. 'Mijn vader is psychiater.'

'Krijg nou wat,' mompelde Maggie. 'Nou, dat verklaart alles.'

Kate glimlachte, want waarschijnlijk was het nog waar ook. 'Hij betaalt mijn kamer. Er was helemaal geen levensverzekering. Ik heb nooit een weduwenuitkering aangevraagd, want als ik dat deed zou hij voor mijn gevoel echt dood zijn.'

Maggie keerde zich naar haar toe.

'Ik ben vannacht met een getrouwde man naar bed geweest. Hij wil dat ik vanavond terugkom, maar ik weet niet of ik dat doe. Wat vind je? Beter van niet, hè?'

'Waarom vertel je me dat allemaal?'

'Geen idee,' moest Kate toegeven. 'Je was al die tijd zo kwaad op me, leek het. Ik dacht dat het kwam omdat je wist dat ik loog. Maar nu weet ik het niet zo zeker.'

'Is dit een soort deal of zo? Jij vertelt iets aan mij, dan vertel ik iets aan jou?'

Kate haalde haar schouders op. Ze wist niet wat het was.

'Jimmy is homo.' Maggies toon duldde geen tegenspraak. 'Daar heeft hij niet over gelogen. Ik heb me er de hele nacht tegen verzet, maar volgens mij heeft hij nergens over gelogen.'

Kate was zo verstandig geen nadere uitleg te vragen.

'Als iemand je op straat voorliegt, geloof je al het andere wat hij zegt ook niet. Zo iemand vertrouw je niet meer.' Maggie kuchte een paar keer. Het leek even alsof ze iets wilde uitspugen. 'Dus als hij de waarheid spreekt over zoiets vreselijks...' Haar stem stierf weg. Ze boog zich voorover en spuugde op de grond. 'Sorry.'

Kate wist niet waarom spugen minder beschaafd aanvoelde dan kotsen, maar zo was het wel. 'Zal ik even een glas water halen in de bar?'

'Al die mannen daar...' Ze schudde haar hoofd. 'Ze zagen er zo normaal uit.'

'Ze zijn ook normaal.'

Maggie keek haar weer aan.

'Het heeft je nooit geïnteresseerd wat je broer met vrouwen deed. Waarom zou het je wel interesseren wat hij misschien met mannen doet?'

'Voor jou is het allemaal zo makkelijk. Je besluit gewoon dat de dingen nou eenmaal zo zijn, en dan doe je alsof het allemaal niet belangrijk is.'

'Ik kan niet de hele tijd medelijden met mezelf zitten hebben. Dat heb ik twee jaar lang geprobeerd en ik ben er niks mee opgeschoten.'

'Kate, je huilt bij het minste of geringste.'

Ze moest lachen, want voor haar was het geen huilen. De tranen van de afgelopen paar dagen waren niets vergeleken met de tranen die ze voor Patrick had vergoten. 'Het moet er op de een of andere manier uit. Je kunt de dingen niet voortdurend opkroppen.'

'Makkelijk praten als je kunt kiezen.'

'Jij kunt ook kiezen.' Kate reikte haar Jimmy's foto aan. 'Je kunt ervoor kiezen om hoe dan ook van je broer te houden.'

Maggie hield de foto in haar hand. Ze keek ernaar tot er een traan op Jimmy's gezicht spatte. 'De hele nacht geloofde ik er geen barst van. Ik ken mijn broer. Tenminste, ik dacht dat ik hem kende.'

Kate was zo verstandig om te zwijgen.

Maggie verfrommelde de foto. Ze propte hem in haar broekzak. 'Jimmy heeft bekend dat hij de Shooter is. Hij heeft al die mannen vermoord.'

Kate voelde de woorden door haar hersens tollen. Het waren net knikkers in zo'n houten doolhofpuzzel, die rondrolden op zoek naar het juiste pad.

Maggie zei: 'Mark Porter, Greg Keen, Alex Ballard, Leonard Johnson, Don Wesley. Jimmy heeft ze allemaal vermoord.'

Uiteindelijk vond Kate haar stem terug. 'Dat kan niet,' zei ze.

'Hij heeft het opgeschreven.' Maggie trok haar notitieboekje uit haar zak. 'Zijn bekentenis. Die heb ik overgeschreven.'

'Waar is het origineel?'

'Doet er niet toe.'

Kate pakte het notitieboekje. 'Natuurlijk doet dat ertoe. Wat is er met het origineel gebeurd?'

'Mijn moeder heeft het verscheurd, nou goed? Ga je het nog lezen of niet?'

Kate was zo verbijsterd dat ze niet goed kon denken. Ze keek naar de woorden van het briefje en las ze in stilte. Ze moest het twee keer lezen voor het haar begon te dagen.

Ik ben de Atlanta Shooter. Ik heb die mannen gedood omdat ik als een smerige flikker met ze gerotzooid heb en ik niet wilde dat iemand erachter kwam. Probeer me niet te zoeken, want dan dood ik nog meer mensen. Maggie, sorry dat ik je nooit mijn verontschuldigingen heb aangeboden. Ik had moeten zeggen dat het jouw schuld niet was wat er gebeurd is.

Kate was zo verbijsterd dat ze amper wist hoe ze moest reageren. 'Dit heeft Jimmy niet geschreven.'

'Dat heeft hij wel. Het was in zijn handschrift. Door hem ondertekend.'

'Maar het is niet waar.'

'Ik weet wat je gaat zeggen. Dat heb ik vannacht zelf ook allemaal bedacht.' Maggie wees naar de bar. 'Hij is homo, Kate. Waarom zou hij daarover de waarheid spreken en liegen dat hij een moordenaar is?'

Kates mond ging open, maar ze wist niet wat ze moest zeggen.

'Als je het aan mijn oom Terry vraagt, dan is het eerste erger dan het tweede. Jimmy had evengoed een zelfmoordbriefje kunnen schrijven. Waarom zou hij ook maar iets van dit alles vertellen als het niet waar is?'

'Omdat...' Kate was nog steeds niet tot praten in staat. 'Omdat.'

'Het signalement dat Eduardo heeft gegeven. Dat is Jimmy. Denk eens aan de Shooter: hij kent de politiecodes. Hij kent de werkwijze en procedures van de politie. Dat Jimmy een wapen trok, was het laatste wat Don zou verwachten. Niemand zou dat verwachten. En moet je kijken waar we nu zijn. Dit is een homobar waar een herdenkingsplechtigheid voor Don is gehouden. Je houdt geen plechtigheid voor iemand die je niet kent. Don was homo. Ze waren allebei homo, en toen is er bij Jimmy iets geknapt, en...'

'Hou daar eens mee op, Maggie. Je bent doodmoe. Je hebt de hele nacht niet geslapen. Je trekt zoveel conclusies dat je de feiten helemaal vergeet.'

'Ik ken de feiten.'

'Laten we die dan eens doornemen.' Kate tekende het voor haar uit. 'Volgens Delilah droeg de Shooter een spijkerbroek en een rood shirt. Wil jij me wijsmaken dat Jimmy zich heeft omgekleed om Don te vermoorden, en toen zijn uniform weer heeft aangetrokken waarna hij hem dat hele eind naar het ziekenhuis heeft gedragen?'

Maggie schudde haar hoofd. 'Ik weet het niet. Ik weet niet meer wat ik moet denken.'

'Heeft Jimmy een rood shirt? Jij hebt gezegd dat hij alleen zwart, grijs en marineblauw draagt.'

'Die hoer heeft misschien gelogen. Of Eduardo.'

'Dan heeft ze dezelfde leugen opgedist als Jimmy zelf. Die heeft gezegd dat de Shooter een rood shirt en een spijkerbroek aanhad.'

Maggie wilde er nog steeds niet aan. 'Jimmy heeft gelogen over de Shooter. Hij zei dat hij zwart was.'

'De Shooter droeg zwarte handschoenen. Daarom zei Jimmy dat hij zwart was. Waarschijnlijk heeft hij het wapen gezien en de hand die het wapen vasthield, en daarna heeft hij dekking gezocht. Na wat jij en ik gisteren hebben meegemaakt, vind ik het niet vreemd dat sommige details hem ontgaan zijn.'

Maggie bleef haar hoofd schudden. Tranen stonden in haar ogen. 'Je moet het gewoon accepteren. We moeten het allebei accepteren.'

'Ik pieker er niet over.' Eindelijk besefte Kate dat er niets anders op zat dan Maggie de waarheid te vertellen. In elk geval een deel van de waarheid. 'Die nacht dat Don werd vermoord, is Jimmy ook gewond geraakt.'

Maggie keek bedenkelijk. 'Ik heb toch gezegd dat hij een slechte knie heeft?'

'Dat bedoel ik niet. Er zijn fragmenten van de kogel waarmee Don is vermoord in Jimmy's dijbeen terechtgekomen.' Kate koos haar woorden met zorg. Maggie hoefde de bijzonderheden niet te weten. 'Ik heb de arts in het Grady gesproken die hem behandeld heeft.'

'Jimmy heeft niks over kogelfragmenten gezegd.'

Kate probeerde verwoed een verklaring te bedenken. 'Je weet toch hoe Jimmy is. Die geeft niet snel toe dat hij gewond is. Daar is hij veel te stoer voor.'

Maggie hunkerde naar het verlossende woord. 'Wat wil je daarmee zeggen?'

'Jimmy zou geen kogelfragmenten in zijn been hebben gekregen als hij het wapen in zijn hand hield. Dus stond hij naast Don toen het gebeurde.'

Maggie legde haar hand tegen haar hals. 'Zijn hele gezicht en borst zaten onder het bloed. Ik dacht nog dat hij wel erg dicht bij Don moest hebben gestaan toen die werd neergeschoten.'

'Dat klopt,' beaamde Kate. 'Hij stond naast Don toen het gebeurde.'

Maggie ging rechtop zitten. 'Ik heb vers bloed op Jimmy's broek gezien. Je was er zelf bij. Ik was op straat met Conroy. Jullie reden langs en stopten. Ik zag dat bloed en toen ik ernaar vroeg deed hij heel raar.' Ze greep Kate bij haar arm. 'O, Kate, weet je het zeker? Heeft die arts dat echt gezegd?'

'Ga zelf maar met hem praten.' Kate was ervan overtuigd

dat Philip geen problemen zou hebben met een leugentje om bestwil. 'Dan gaan we nu naar hem toe.'

Maggie luisterde niet. Ze was alles nog steeds aan het uitpluizen. 'Ik snap het niet. Waarom heeft hij gezegd dat hij al die mensen heeft gedood?'

'Stress?' Nu begaf Kate zich op glad ijs. Dit was eerder haar vaders terrein. 'Misschien voelde hij zich ergens verantwoordelijk omdat hij Don niet kon redden?'

Maggie ontdekte nog een gat in de bekentenis. 'Dus al die mannen waren homo? Keen, Porter, Johnson, Ballard?'

'Je hebt de barkeeper gehoord,' zei Kate. 'Het korps stikt ervan.'

'Maar die mannen waren getrouwd. Ze hadden minnaressen.'

Kate zou niet weten hoe ze dat moest uitleggen. Voorlopig maakte ze zich vooral zorgen om Jimmy. Waarom had hij dat briefje geschreven? Wat zou zijn motief kunnen zijn?

Ze las het briefje nog eens. *Smerige flikker.* Dat was iets wat een ander over je zei; zoiets zei je niet over jezelf.

Maggie verwoordde wat ze allebei dachten. 'Er klopt geen moer van dit alles.'

'Maar er is altijd een reden. Die moeten we zien te achterhalen.'

'Daar ben ik de hele nacht mee bezig geweest. Er is geen reden.' Maggie raapte een steentje van de grond. Ze smeet het in het onkruid.

Kate las Jimmy's woorden hardop. '"Ik had moeten zeggen dat het jouw schuld niet was wat er gebeurd is."'

Weer wierp Maggie een steentje. Deze keer ging het een heel eind verder. Ze probeerde het winkelwagentje te raken.

Kate las de regels nog eens, maar nu in stilte.

Sorry dat ik je nooit mijn verontschuldigingen heb aangeboden. Ik had moeten zeggen dat het jouw schuld niet was wat er gebeurd is.

'Wat was jouw schuld niet?' vroeg ze.

Maggie keilde nog een steentje weg. Het kwam wat dichter bij het wagentje terecht. In plaats van te antwoorden, zocht ze een nieuw projectiel.

Kate keek naar het briefje. Ze kende het inmiddels uit haar hoofd, maar ze bestudeerde nu het cursieve schrift. Maggie had een mooier handschrift dan zij. De pen had in het papier gedrukt. Ze kon de woorden dwars door de pagina heen voelen.

'Acht jaar geleden had Jimmy een vriend, een zekere Michael,' zei Maggie.

Kate hield haar blik neergeslagen.

'Het was een knappe jongen. Jimmy heeft altijd knappe vrienden.' Maggie lachte scherp en verrast, want eindelijk snapte ze waarom. 'Michael bleef heel vaak logeren. Ik was vijftien en ik was verliefd op hem. Hij zag me niet eens staan.' Ze klemde een steen in haar hand. 'Op een nacht schrok ik wakker omdat Michael boven op me lag.' Ze haalde haar schouders op. 'Ik was nog heel onnozel wat dat soort dingen betrof. Ik had eigenlijk geen idee wat er aan de hand was, maar het deed vreselijk pijn en hij wilde niet stoppen. Jimmy moet me hebben horen schreeuwen, want opeens staat hij in mijn kamer en slaat Michael helemaal verrot.'

Ze wierp een vluchtige blik op Kate. 'Mijn moeder was er en ook mijn oom Terry, en toen pas besefte ik dat hij soms bleef slapen. Mijn zusje was vijf. Ze sliep overal doorheen, maar inmiddels weet ze het ook. Daar heeft Terry wel voor gezorgd.' Ze wierp de steen weg. Hij kletterde tegen het karretje. 'Hij wrijft het me voortdurend in. Dat doen ze allemaal. Ze gebruiken het tegen me als ze me op mijn nummer willen zetten.'

Kate wreef haar lippen over elkaar. Ze wist niet wat ze moest zeggen. In elk geval snapte ze nu beter waarom Maggie zo woedend was op Lewis Conroy omdat hij een tienermeisje had verkracht.

'Weet je,' vervolgde Maggie, 'de hele tijd dat Jimmy Michael aan het slaan was riep hij: "Hoe kun je me dit aandoen?" Alsof hij degene was die pijn leed. En hij leed ook pijn. Ik had hem nog nooit zo overstuur gezien. Hij brulde het uit. De tranen stroomden over zijn gezicht. Het snot droop uit zijn neus. Maandenlang heeft hij geen woord tegen me gezegd, en toen hij uiteindelijk weer tegen me praatte, was het nooit meer zoals vroeger.' Ze schopte tegen het grind dat op de grond lag. 'Ik heb altijd gedacht dat het mijn schuld was. Om wat er daarna gebeurde. Omdat ik mijn familie te schande had gemaakt. Maar nu denk ik dat Jimmy zo overstuur was omdat Michael hem had bedonderd.' Ze moest weer lachen. 'Hij was jaloers op me. Om wat er tussen Michael en mij gebeurd was.'

Maggies woorden weergalmden in Kates oren. *Om wat er daarna gebeurde.*

Wat was er daarna gebeurd? Die verpleegster die naast hen woonde?

Maggie nam haar notitieboekje terug en staarde naar Jimmy's bekentenis. 'Het rare is dat Jimmy me gisteren in het ziekenhuis zijn excuses aanbood. Hij zei dat hij het erg vond wat er gebeurd was. Dat is de allereerste keer dat hij ergens zijn excuses voor heeft aangeboden. En ik weet dat hij het over die nacht met Michael had, want hij zei "zeven jaar geleden", waarop ik zei dat het er acht waren, en dat beaamde hij.' Ze keek Kate schouderophalend aan. 'Dus waarom schrijft hij hier dat hij nooit zijn verontschuldigingen heeft aangeboden?'

'Hij heeft zijn verontschuldigingen niet aangeboden voor wat er echt is gebeurd.'

'Hij was helemaal lijp van de pijnstillers. Misschien was hij vergeten dat hij zijn verontschuldigingen al had aangeboden.' Maggie sloeg het notitieboekje dicht. 'Maar dat verklaart nog steeds niet waarom hij dit alles heeft opgeschreven. Of waar hij nu is.'

'Misschien is hij bij iemand die jij niet kent.'

Maggie herhaalde Kates eerdere woorden. 'Iemand die hij in het geheim ziet.'

'Waarschijnlijk is hij bij een vriend, Maggie. Iemand die weet hoe het zat met Don en die hem kan troosten.' Kate deed een nieuwe poging: 'Bekijk dat briefje eens vanuit zijn standpunt. Dat hij aan jou onthult dat hij homo is, betekent dat jij het aan niemand anders laat zien. En dat gedeelte waarin hij schrijft dat hij nog meer mensen gaat doden als je hem zoekt... Hij heeft helemaal niemand gedood. Hij probeerde je alleen bij zich uit de buurt te houden.'

'Terry is naar hem op zoek.' Maggies stem werd zacht van angst. 'Die schiet hem neer zodra hij hem ziet. Dat heeft hij zelf tegen me gezegd.'

'Als jij Jimmy niet kunt vinden, kan Terry dat ook niet.'

Maggie was weer een en al wanhoop. 'Ik weet niet wat ik doen moet.'

'We moeten gewoon doorgaan met waar we mee bezig waren. Aan de zaak werken. Dit is een grote doorbraak. De Shooter had het om een bepaalde reden op Don en Jimmy voorzien. Als die reden is dat de Shooter homo's haat, dan hebben we een aanknopingspunt.'

'En als Jimmy weet wie de Shooter is? Stel dat het iemand is met wie hij omging, en dat hij weet dat die vent mensen doodt, maar dat hij hem niet kan aangeven?'

Dat was geen slechte verklaring, maar ze schoten er nog steeds niks mee op. 'We kunnen het de hele dag over samenzweringstheorieën hebben, maar we kunnen ook op onderzoek uitgaan.'

'Misschien probeert Jimmy hem op eigen houtje op te sporen,' zei Maggie. 'Daar was hij gisteren mee bezig toen die vrouw op hem schoot. Misschien heeft Jimmy een aanwijzing en heeft hij dat briefje geschreven om te zorgen dat we hem niet voor de voeten lopen.'

Weer had Kate niets tegen die theorie in te brengen. 'Ik zie niet in hoe we hem voor de voeten lopen als we op dezelfde manier als eerst aan de zaak blijven werken.'

'Je bedoelt de dossiers,' zei Maggie. 'Die heeft Terry.'

'Maar hij heeft onze hersens niet. En je zult er versteld van staan wat een prima geheugen ik heb.' Het kostte Kate geen enkele moeite de vragen boven te halen die de vorige dag bij haar waren opgekomen na het lezen van de Shooter-dossiers. 'Autopsierapporten zijn openbaar. Zou een arts censuur op de documenten toepassen als hij bewijs aantrof dat de slachtoffers homo waren?'

'Geen idee.'

'Hoe zit het met je kennisje op het kantoor van de lijkschouwer?'

'Die typt alleen de rapporten uit. Ze vertellen haar niks.' Maggie wreef in haar ogen. 'Mark Porter was gelukkig getrouwd. Greg Keen woonde niet meer bij zijn vrouw. Ballard en Johnson heb ik niet gekend. Volgens hun dossiers waren ze getrouwd. Ze hadden allebei twee kinderen. Misschien weet Gail meer. Die steekt haar neus altijd in andermans zaken.'

'Dan gaan we naar het ziekenhuis.' Kate duwde zichzelf overeind. Ze bood Maggie haar hand. 'Jij probeert roddels uit Gail los te krijgen. Ik ken een arts die onze vraag over die autopsie misschien kan beantwoorden.'

Maggie krabbelde op eigen kracht overeind. 'Maar stel dat we het mis hebben en dat Jimmy om een andere reden onvindbaar is?'

Kate herhaalde haar eerdere idee: 'We gaan net zo lang door tot we het weten.'

NEGENENTWINTIG

Fox sloeg de kraag van zijn jas op terwijl hij over het rangeerterrein liep. Hij had zich niet geschoren. Hij stonk naar drank. Hij droeg zijn gebruikelijke camouflageplunje.

Er valt hier niks te zien, maat, gewoon de zoveelste zwerver op zoek naar een droge plek.

Hij had verwacht dat hij die ochtend bij het openen van zijn voordeur geconfronteerd zou worden met een schreeuwende krantenkop over een agent die een allergruwelijkste misdaad had bekend. In plaats daarvan zag hij een artikel over het nieuwe integratieplan van de burgemeester. Met Fox' ogen was niks mis. Hij stond over de krant gebogen, las de eerste paar regels en deed toen zachtjes de deur dicht.

Een onverwachte ontwikkeling.

Fox' plan ging ervan uit dat de bekentenis openbaar gemaakt zou worden. Eens moest er worden afgerekend. Jimmy Lawson moest opgespoord worden. Een heldhaftige politieman moest hem pakken. En dan zou een heldhaftig team de rest afhandelen. Een man of twee zouden voor die taak worden aangewezen. Betrouwbare mannen. Met vaste hand en stalen zenuwen. Jimmy zou zijn verhaal niet mogen navertellen. Het korps kon de schande niet aan. Deze gevallen agent was een van hen geweest. Zouden ze de wereld laten weten dat ze een moordenaar, een perverseling, onder hun gelederen hadden gehad?

Geen denken aan. De mannen die het in deze stad voor het zeggen hadden, zouden dat niet toestaan.

Fox wist dat schaamte een grote drijfveer was. Daarom had

hij Jimmy ook zo snel kunnen breken. Fox hoefde alleen maar zijn pistool tegen zijn hoofd te drukken en het volgende moment had Jimmy met een pen in zijn hand aan de eettafel van de Lawsons gezeten.

En toen begonnen de problemen. Jimmy's tranen hadden het papier bevochtigd. Fox liet hem overnieuw beginnen. Jimmy's pen had het papier kapotgescheurd. Fox liet hem overnieuw beginnen. Jimmy had het zo vaak verkloot dat Fox de brief uiteindelijk woord voor woord aan hem gedicteerd had.

En toen had Jimmy gevraagd of hij nog iets mocht schrijven.

Wie had kunnen denken dat die jongen ook maar een moer om zijn zus gaf?

Fox was enig kind geweest, net als zijn ouders. Hij had geen neefjes en nichtjes gehad om mee te spelen. De enige oom die hij ooit gekend had, was zijn Uncle Sam. Fox had er nooit bij stilgestaan hoe het zou zijn om een broer of zus te hebben.

Nog een hoofd dat Senior kon meppen. Nog een achterste dat hij kon slaan. Nog een hand die hij kon vermorzelen onder de hak van zijn schoen. Nog een stel benen dat hij kon breken.

Want uiteraard was het niet alleen Fox' moeder geweest. Waarom zou je alleen een vrouw slaan als je ook een opgroeiende jongen verrot kon trappen?

Fox vroeg niet waarvoor Jimmy excuses aan zijn zus aanbood. Ze hadden tijd, maar ook weer niet zoveel. Als Jimmy haar een soort code stuurde, maakte Fox zich daar totaal niet druk om. Niemand luisterde naar Maggie Lawson. Jaren geleden had Fox overwogen haar als doel te nemen, maar toen was hij tot de conclusie gekomen dat ze het gewoonweg niet waard was. Dat soort vrouw brandde zichzelf op eigen kracht helemaal op. Maggie had zoveel schande over de familie afgeroepen dat haar eigen moeder alleen met gebogen hoofd over straat durfde.

Maar Fox had geen rekening gehouden met de schaamte

van Terry Lawson. Jimmy was zijn bloedverwant. Fox had kunnen weten dat een oude soldaat als Terry zijn neef eigenhandig wilde doden.

Een onverwachte ontwikkeling, maar eentje die Fox goed kon gebruiken. Zo deed een man dat. Anderen zagen problemen. Fox zag oplossingen.

Toch was Fox nerveus. Zou Kate haar rol kunnen spelen? Zou Fox haar zijn hol kunnen binnenlokken?

Hij voelde ademen in zijn nek. Hij hoorde de onzichtbare voetstappen die hem van achteren beslopen. Hij zag bladeren trillen, door de wind of door een man met een mes, die geruisloos Fox' keel zou doorsnijden en zich dan in de jungle zou verschuilen in afwachting van het volgende blanke gezicht dat langskwam.

Fox had het zien gebeuren.

Hij werd Mick genoemd.

Hij was knap als een filmster, maar niet bang om vuile handen te krijgen. Wendbaar. Slim. Hij wist van wanten. Hij had een harde leerschool doorlopen. En toen koos hij de verkeerde richting, lette niet op de juiste signalen en eindigde met zijn keel tot op de nekwervels doorgesneden.

Fox had de moordenaar niet opgespoord. Hij had te veel ontzag voor zijn werk. Mick was zo'n drie tot vijf meter van Fox verwijderd toen zijn laatste uur sloeg. Fox stond gebiologeerd naar het dansje van de moordenaar te kijken. De elegante sluipgang door de jungle. De sierlijke zwaai van het kapmes. De bevallige draai van zijn hoofd om te voorkomen dat de straal slagaderlijk bloed hem het zicht benam.

Een kunstenaar.

Dat wilde Fox vandaag ook zijn. De hele dans zat al in zijn hoofd. Het ging er nu alleen nog om Kate naar het midden van de vloer te leiden.

Terwijl hij over het rangeerterrein liep, hoorde Fox de muziek aanzwellen in zijn hoofd.

DERTIG

Kate probeerde de veelbetekenende blik van de verpleegster te negeren toen ze vroeg waar ze de kamer van dokter Van Zandt kon vinden. Als ze zich eerder al geen hoer had gevoeld, deed ze dat nu wel.

Terwijl ze de gang door liep, keek ze op haar horloge. Kate had zichzelf tien minuten gegeven om Philip vragen te stellen. Gail bevond zich in de krochten van het ziekenhuis, waar ze een of ander onderzoek moest ondergaan. De verpleegster had gezegd dat het minstens een halfuur zou duren. Zo lang hoefde Kate niet met Philip in één kamer te zijn. Tien minuten was lang genoeg om een rechtstreeks antwoord aan hem te ontlokken.

Waarschijnlijk liep het in beide gevallen op niets uit. Gail Patterson beschikte niet over informatie die deze zaak zou kunnen openbreken. Dan zou ze het allang zelf hebben uitgevogeld, zo slim was ze wel. En Kate betwijfelde of Maggie het allemaal aankon. Ook al begreep ze hoe Maggie tot de conclusie was gekomen dat haar broer tot massamoord in staat was, toch schrok Kate ervan dat ze die gedachte ook maar een seconde had gekoesterd.

Wat de vragen voor Philip betrof: wat schoten ze ermee op als alle dode mannen homo's bleken te zijn? Wat moesten Kate en Maggie met die informatie? Ze konden er nergens mee terecht. Ze konden er met niemand over praten. Ze konden geen leden van de homogemeenschap gaan ondervragen, want ze hadden geen idee bij wie ze dan moesten zijn. Soms las Kate een alternatieve krant. Misschien moesten ze beginnen bij die redacties. Of ze zouden weer een praatje met de barkeeper van Dabbler's kunnen aanknopen.

Of ze konden in kringetjes blijven rondrennen tot ze met de koppen tegen elkaar knalden en op de grond vielen.

De deur van Philips kamer was dicht. Kate hoorde het diepe timbre van zijn stem. Hij was aan het bellen. Waarschijnlijk met een andere vrouw. Mogelijk met zijn eigen vrouw. Bijna was Kate zonder te kloppen naar binnen gegaan, maar er liepen een paar gniffelende verpleegsters langs, waarop ze zo hard aanklopte dat de deur ervan schudde.

'Ja?' riep hij.

Kate ging naar binnen. Philip zat aan een metalen bureau. Hij hield een telefoon tegen zijn oor. Tegenover hem stonden twee leren Sled-stoelen. Een gestroomlijnde leren bank nam de hele linkerkant van de kamer in beslag. Philip droeg een donkerblauw pak dat de kleur van zijn ogen accentueerde, en een geel overhemd met open boord, waaronder zijn krullende borsthaar zichtbaar was.

Het liefst had Kate zich omgedraaid en was de kamer weer uit gelopen.

'Hé, schat.' Hij hing op en kwam uit zijn stoel overeind. 'Wat een leuke verrassing.'

'Ik ben hier voor zaken.' Ze deed de deur dicht. 'Ik heb een vraag over sperma.'

'Voor sperma ben je hier aan het goede adres.'

Inwendig vervloekte Kate haar verbale klunzigheid. 'Het is serieus.'

'Uiteraard. Dat zie ik.' Hij wees op de bank. Kate ging op het randje van een van de diepe stoelen zitten.

'Gaat het wel goed met je?' zei hij. 'Je had vanmorgen zo'n haast.'

'Het gaat prima, dokter Van Ritsloos. Bedankt voor je belangstelling.'

Hij lachte, en was kennelijk nog meer met de naam ingenomen dan Oma. Hij nam weer achter zijn bureau plaats. 'Goed, dan nu serieus. Wat wilde je vragen, agent Murphy?'

'Liegt een arts wel eens in een autopsierapport?'

Nu was zijn nieuwsgierigheid gewekt. 'Dat hangt waarschijnlijk af van wat er gevonden is.'

'Als een man homoseksueel is, zijn daar dan fysieke tekenen van?'

'Kort gezegd, ja.' Hij leunde achterover. 'Wat je oorspronkelijke vraag betreft: waarschijnlijk vind je sporen op voor de hand liggende plekken. Als het binnen een of twee uur voor de dood is ingeslikt, kun je het in de maag terugvinden. Sperma is rijk aan vetten en eiwit, en het duurt even voor het spijsverteringssysteem die heeft verwerkt. Hoewel de calorische waarde ruwweg dezelfde is als die van een blikje frisdrank, wat ik maar goed zou onthouden als ik jou was.'

Kate was bijna zo dom om te vragen waarom, maar ze hield zich nog net op tijd in. 'Stel dat de lijkschouwer sporen heeft gevonden op dergelijke plekken, of bewijs heeft aangetroffen in de maag. Komen dat soort vondsten dan in het autopsierapport terecht? Of is het iets wat weggelaten wordt?'

'Ik zou ze weglaten als ze er niet toe deden, maar ik ben dan ook een zeer discreet man. Zal ik de lijkschouwer voor je bellen om het te vragen?'

'Ken je die dan?'

'Een van hen, Artie Benowitz.' Kates verbaasde blik ontging hem niet. 'Ja, die *poetz*. De slechtste van zijn jaar toen hij aan de University of Georgia studeerde. Ik bel hem wel even.' Hij nam de hoorn van de haak. 'Candy, kun je me dokter Benowitz geven?'

Hij knipoogde naar Kate.

Ze keek op haar horloge. Was ze hier echt nog maar vier minuten? Haar blik ging de kamer rond. De bank was langer dan Philip zelf. De stoelen waren zo diep dat haar achillespezen pijn begonnen te doen, zoveel moeite kostte het haar om op de rand van de stoel te blijven balanceren.

Philip hield zijn hand voor het mondstuk. 'Heb je namen voor me?'

Kate pakte haar notitieboekje. Ze bladerde door tot ze bij de namen van de dode agenten was aangekomen. 'Het waren dubbele moorden, dus ze horen bij elkaar, telkens twee aan twee.'

'Ik versta je niet. Als je nou eens bij me op schoot komt zitten.'

Kate legde het notitieboekje met een klap voor hem op het bureau.

Zwijgend las Philip het lijstje. 'Dat zijn die geëxecuteerde agenten.'

'Ja.'

Hij stak een vinger op en zei: 'Hallo, Artie? Ja, Van Ritsloos hier.' Weer knipoogde hij naar Kate. Ze kon hem wel slaan. 'Ik heb een paar namen voor je. Ik wil graag weten of het *fejgeles* waren.' Hij las de namen op van het lijstje. Tegelijkertijd stak hij zijn hand in de zak van zijn jasje. Kate zag een flits van zwarte zijde.

Ze dook over het bureau, maar hij griste het slipje terug.

'Ja,' zei hij, 'ik wacht wel.'

'Philip.' Het kostte Kate moeite haar stem in bedwang te houden.

Hij haalde de hoorn bij zijn mond weg. 'Dat vond ik vanochtend in mijn auto. Weet je van wie het is?'

'Geef op.'

'Je wilt het echt niet terug hebben. Ik heb het op mijn hoofd gehad toen ik naar het werk reed.'

Kate stak haar hand uit. 'Nu.'

'Maar het is zo zijdezacht.' Hij stopte het slipje voor in zijn broek. 'Het voelt zo heerlijk tegen mijn... Ja.' Hij bracht de hoorn weer naar zijn mond. 'Hier ben ik weer, Artie. Geweldig. Geen enkel spoor. Wat zeg je?' Weer nam hij de hoorn weg en zei tegen Kate: 'Artie is zo vrij geweest ernaar te kijken. Bij Don Wesley is het zeker het geval. Bij de andere vier niet. Verder nog iets?'

Kate pakte een pen en voegde Lionel Rosa's naam aan het lijstje toe. 'Deze man is gisteren vermoord. Zijn moeder wil graag dat zijn lichaam wordt vrijgegeven. Ze zit al sjiwe.'

Philip ging rechtop zitten. De plagerige toon was verdwenen toen hij de informatie doorgaf aan Artie Benowitz. Er werden geen koetjes en kalfjes meer uitgewisseld. Hij hing simpelweg op. 'Het lichaam van Rosa wordt vanmiddag vrijgegeven.'

'Dank je.' Kate was opgelucht. Ze had in elk geval iets goeds bereikt vandaag. 'Geef je me nu mijn slipje terug?'

'Schat, het lijkt me veel leuker als je het komt halen.'

Kate sloeg haar handen ineen op haar schoot. 'Probeer nou eens serieus te doen. Dat deed je net ook, dus ik weet dat je het kunt.'

'Maar ik denk de hele tijd aan jouw hand in mijn broek. Ik kan me niet concentreren.'

Ze gaf het op. 'Waar slaat dit op?'

'Waarom moet het ergens op slaan?'

Kate had er genoeg van dat hij haar vragen steeds met een wedervraag beantwoordde.

'Hoor eens, Kaitlin.' Philip liep om zijn bureau heen en ging op de stoel naast haar zitten. 'Mag ik je handen vasthouden? Hiervoor moet ik echt je handen vasthouden.'

Met tegenzin liet ze hem haar handen pakken.

Hij keek in haar ogen. 'Ik heb naar je verlangd vanaf het moment dat ik je in het souterrain van Janice Saddler zag. Ik had nog nooit in mijn leven zo'n mooi meisje gezien. Ik heb de herinnering aan je zoenen meegenomen naar Jeruzalem. Ik smeekte mijn ouders om me weer naar huis te laten komen. Ik schreef onze namen achter in mijn schriften. "Mr Kaitlin Herschel." Ik kuste mijn hand en deed net of jij het was.'

Kate moest lachen, want zelfs voor Philip was dit belachelijk. 'Waarom heb je me dan niet opgezocht toen je terug was in Amerika? Ik was toen nog vrijgezel.'

Hij nam haar handen in een zachtere greep. 'Omdat het mijn plicht is met een joodse vrouw te trouwen die mijn kinderen in ons geloof opvoedt, zodat ze hun kinderen later ook in hun geloof opvoeden, enzovoort enzovoort tot ons volk weer heel is.'

Kate maakte zich los uit zijn greep. 'En waar kom ik voor in dat verhaal?'

'Je bent mijn *sjikse* zonder het schuldgevoel.'

'Ik ben net zo joods als jij.'

'Ja, maar jij ruikt lekkerder.' Hij wroette even in haar hals.

Kate duwde hem weg. 'Ik ben aan het werk. Ik moet weer beneden zijn over...' Ze keek op haar horloge en vroeg zich af of de wijzers misschien waren teruggelopen. Gail zat nog midden in het onderzoek. Kate had de hele week al gelogen alsof het gedrukt stond, maar opeens kon ze het niet meer. 'Ik heb maar een kwartier.'

'Dan kun je veertien minuten met me zoenen en hou je nog voldoende tijd over om naar beneden te gaan.'

'Waarom heb ik toch het gevoel dat je dat rekensommetje vaker hebt gemaakt?'

Philip trok zijn manchet omhoog. Hij liet Kate zijn digitale horloge zien. Hij drukte op een paar knopjes tot er een timer verscheen die veertien minuten aangaf.

'Philip.'

Hij startte de timer.

'Ik moet ervandoor,' zei ze.

'Maar dat doe je niet.'

Kate drukte haar handen tegen de zitting van de stoel. Ze stond niet op.

'Weet je wel hoe volmaakt je mond is?' Hij keek neer op haar lippen. 'Ik moet de hele tijd aan de kleur denken. Als van rozen? Tulpen? Alleen al van die vraag word ik gek.'

Ze glimlachte, maar niet omdat hij zo charmant was. Hij praatte tegen haar als een pooier. Alleen was hij haar niet aan het groomen. Hij maakte haar wild.

'Hier.' Philip pakte haar hand en drukte die tegen zijn borst. 'Voel je hoe mijn hart tekeergaat? Weet je wat voor effect je op me hebt?'

Zijn hart klopte als een razende. Ze voelde het door zijn overhemd heen. Kate bracht haar hand naar zijn openstaande boord. Zijn huid was warm. Ze liet haar vingers naar zijn gezicht gaan. Zijn wang was ruw van de stoppels. Zijn lippen waren oneindig zacht.

Kate kuste hem omdat ze dat zelf wilde. Ze sloeg haar hand om zijn nek. Ze trok hem naar zich toe. En dat alles omdat ze het zelf wilde.

Philip had weinig aanmoediging nodig. Met geoefend gezag verwijderde hij haar riemen. Kate vroeg zich maar niet af waar hij die kennis had opgedaan. Ze concentreerde zich op zijn mond, op zijn handen. Hij knielde voor haar neer. Kates overhemd ging uit. Hij maakte het haakje van haar bh los. Ze leunde achterover op haar stoel. Ze drukte met haar voet tegen zijn bureau. Haar hoofd knakte naar achteren toen hij haar slip naar beneden trok.

En toen vertraagde hij alles.

Zijn tong beschreef zachte, lome cirkels rond haar borst, langs haar buik naar beneden. Talmend ging hij steeds lager tot hij haar voorzichtig tussen haar benen streelde. Kate woelde door zijn dikke haar. Hij keek naar haar, lette op haar ademhaling, op haar reacties, zodat hij haar genot op zijn gemak kon opbouwen.

'Philip...' Ze dacht aan dat stomme horloge van hem. 'Kom op. Alsjeblieft.'

Hij liet zich door haar weer overeind hijsen. Kate beet op zijn lip. Ze zoog zijn tong naar binnen. Ze probeerde hem met haar hand over te halen, maar hij liet zich niet verleiden. Hij liet zich niet haasten. Hij hield hetzelfde lome tempo aan tot zijn mond haar lichaam in lichterlaaie had gezet. Toen hij eindelijk voorzichtig in haar schoof, gebeurde dat met zo'n delicate traagheid dat Kate er bijna van ging klappertanden. Stukje bij beetje trok hij zich terug. Haar lichaam probeerde hem vast te klampen. Ze voelde zich hol. En toen duwde hij zich weer naar binnen en ze kreunde het uit van genot.

'Kaitlin.' Zijn adem voelde warm tegen haar oor. Hij bleef dat gekmakende ritme aanhouden. 'Vind je het lekker als ik je zo neuk?'

Kate sloeg haar nagels in zijn huid.

'Moet ik langzamer gaan?'

'Nee.' Ze ging dood. 'Alsjeblieft.'

'Weet je het zeker?'

'Philip.' Ze hield het niet langer. 'Bek houden en neuk me nou maar.'

EENENDERTIG

Maggie stond bij Gails ziekenhuiskamer te luisteren naar de losse meldingen die via haar portofoon binnenkwamen. Het gekwetter had iets sussends. Niemand zocht nog naar haar broer. In het centrum was een bank overvallen. Twee kasbedienden en een bewaker waren neergeschoten. Alle beschikbare auto's waren eropuit gestuurd om naar de overvaller te zoeken.

Eigenlijk had Maggie opgelucht moeten zijn nu er niet meer naar Jimmy werd gezocht. Maar wat ze voelde was eerder zelfverachting. Waarom had ze ook maar een seconde geloofd wat er in dat briefje stond? Wat was er mis met haar?

Toen ze klein waren, hield Jimmy Maggie altijd voor de gek. Dan deed hij alsof hij niet wist waar haar schoenen waren. Hij verstopte haar boeken of haalde zijn schouders op als ze hem vroeg of hij haar rolschaatssleuteltje had gezien, ook al zat het in zijn achterzak. En dan dat stomme gedoe in het zwembad, als hij water in haar gezicht spoot. Telkens deed Maggie hetzelfde wat ze de vorige avond ook had gedaan: ze verdrong het knagende gevoel in haar binnenste en geloofde Jimmy, niet omdat ze onnozel was, maar omdat ze ergens niet kon accepteren dat haar broer tegen haar loog.

De vorige dag was een van de ergste uit Maggies leven geweest. Terry en zijn vrienden hadden haar voor schut gezet. Ze had een man gedood. Gail was gewond geraakt. Terry had haar als een frisbee heen en weer gesmeten. Tegen de tijd dat ze Jimmy's bekentenis had gelezen, had ze zich net Kate gevoeld nadat ze tegen die betonnen muur was opgelopen. Het was alsof ze in shock verkeerde. Ze kon niet meer goed denken. Ze kon niet meer goed zien. Haar hersens verloren de greep op de werkelijkheid.

Dat was de enige verklaring voor het feit dat de woorden van een rouwende transseksueel en een homoseksuele barkeeper Maggies twijfel in zekerheid hadden doen omslaan. De hele nacht had ze geworsteld met de inhoud van Jimmy's brief. Haar gedachten gingen als pingpongballen heen en weer. Voor elk ja was er een maar: maar het was helemaal niet nodig, maar hij had zoveel vriendinnetjes, maar hij was zo betrouwbaar en bijna overdreven eerlijk.

Twee dagen eerder had Maggie het nog aan Kate uitgelegd, toen ze buiten het Colonnade Restaurant stonden: mensen liegen voortdurend, maar als voldoende mensen hetzelfde verhaal vertellen, moet je ervan uitgaan dat ze misschien de waarheid spreken.

Toen ze met die barkeeper sprak en hoorde dat hij haar broer Jim noemde, toen ze zag hoe hij glimlachte bij het zien van Jimmy's foto... dat bewees al één ding. En als Jimmy de waarheid sprak over het een, dan was het logisch dat hij ook de waarheid sprak over het andere.

En zo had Maggie Jimmy simpelweg opgegeven. Ze had haar broer even snel afgeschreven als Terry dat had gedaan.

In elk geval had Maggie hem om andere redenen afgeschreven. Terry was er kapot van dat Jimmy homo was. Dat hij een moordenaar was, was bijna een bijkomstigheid. Bij Maggie was het tegenovergestelde het geval. En nu de ergste van alle mogelijkheden kon worden weggestreept, was dat andere net iets te veel. Daar zou Maggie zich later wel mee bezighouden, als Jimmy weer thuis was en de echte Shooter was gepakt.

Voorlopig moesten ze de vaart erin houden. Kate had gelijk. Het enige wat ze konden doen was de zaak tot op de bodem uitzoeken. Maggie was doodmoe, maar wilde niet eens aan slapen denken zolang ze niet wist of haar broer veilig was.

Vanuit Gails kamer klonk gelach. Bud Deacon, Mack McKay en Chip Bixby waren langsgekomen. Ze hadden het over football met Trouble, Gails man. De kerels waren aan het geinen alsof ze allemaal vrienden van elkaar waren. Maggie kon ze hun schijnheiligheid niet kwalijk nemen. Zo waren agenten nou eenmaal. Het maakte niet uit wie je was, het maakte niet uit hoe gehaat je was, als je in het ziekenhuis belandde, kreeg je gegarandeerd het hele korps op bezoek. De vorige dag hadden ze hetzelfde voor Jimmy gedaan.

En als Terry hem vond, zouden ze er weer zijn voor Jimmy's begrafenis.

Hij weigerde naar Maggie te luisteren. Ze had hem gebeld vanuit de telefooncel bij de afdeling spoed. Ze had tegen haar oom gezegd dat ze honderd procent zeker wist dat Jimmy niet de Shooter was. Toen Terry haar om bewijs had gevraagd, had Maggie staan stotteren als een idioot. Wat had ze eigenlijk voor bewijs behalve haar intuïtie en wat tweedehands informatie van het Schaap? 'En toen zei hij/ En toen zei zij...' – zo klonk het. Terry had geen vertrouwen in artsen. Afgezien van vingerafdrukken en bloedgroepen vond hij forensisch onderzoek maar lariekoek. Aan nuance deed hij niet. Hij wilde de kille, harde feiten. Uiteindelijk restte Maggie niets anders dan hem te vragen om haar te vertrouwen.

Lachend verbrak Terry de verbinding.

Maggies portofoon begon te piepen. 'Team vijf, meldkamer. Wat is je 10-20?'

Ze drukte haar schoudermicrofoon in. 'Meldkamer, team vijf. Ik ben in het Grady Hospital.'

'10-4, team vijf. Je hebt een 10-19.'

'10-4.' Maggie liet de microfoon los. Ze werd op het bureau verwacht. Ze moest er niet aan denken wat haar daar te wachten stond. Terry kon haar niet dwingen ontslag te nemen, maar hij kon wel een reden verzinnen om haar eruit te werken.

Ze keek op haar horloge. Kate was al twee minuten te laat. Ze had Maggie praktisch gesmeekt om klokslag halfeen hier op haar te wachten. Hopelijk had ze een solide spoor te pakken.

'Wat kom jij hier doen, meissie?' Mack was weer eens straalbezopen. Ze zette snel een stap naar achteren om niet indirect beneveld te raken. 'Waarom ben je je broer niet aan het zoeken?'

'Als Jimmy gevonden wil worden, wordt hij heus wel gevonden,' zei ze stekelig.

'Moet je die stoere meid eens horen,' zei Chip. Hij zag er een stuk beter uit dan Bud en Mack, hoewel dat niet veel zei. Ze waren allemaal van Terry's leeftijd, maar leken net oude mannen. Te veel drank, te veel late avonden en vroege ochtenden. Toen ze bij het korps begonnen, was dat de enige manier om het werk te doen. Nu alles was veranderd, konden ze er niet meer mee stoppen.

'Ben je er al achter waarom Mark een gebroken nagel had?' vroeg Bud.

Mack grinnikte om het grapje, alsof de dood van Mark Porter niets voorstelde.

'Ja hoor.' Maggie praatte over hun gelach heen. 'We hebben trouwens heel veel aanwijzingen. Murphy en ik hebben de hele ochtend aan de zaak gewerkt. We hebben een getuige gevonden.'

'Woe-hoe,' zei Bud. Het was duidelijk dat hij haar niet geloofde. 'Ons meissie hier heeft een getuige gevonden. Wat vind je daarvan, Chipper?'

'Dan zullen we het straks wel in de krant lezen,' zei Chip meesmuilend. 'Kom, we gaan weg. We kunnen niet de hele dag op die gestoorde ouwe gleuf staan wachten.'

'Nee, dat is zo.' Mack trok zijn handschoenen uit zijn jaszak. Ze waren van zwart leer, net als die van Terry. Net als die van Jimmy. Net als die van iedereen.

'Rechercheur Tiet.' Chip bracht Maggie een halfbakken groet voor ze wegliepen.

Maggie legde haar hand op haar wapenstok. De woede die ze eerder had gevoeld, bleef uit. Waarom had ze hun ook maar iets verteld? Hoeveel fouten zou ze vandaag nog meer maken? Ze was al ingestort waar Kate bij was. Ze had Bud, Mack en Chip een leugen verteld die ze waarschijnlijk aan Terry zouden doorgeven zodra ze bij hun auto's waren aangekomen. Nu was het een kwestie van tijd tot Terry haar had opgespoord en haar vroeg waar ze in jezusnaam mee bezig was. Dat kon er vanmiddag ook nog wel bij, dat ze op haar kop kreeg terwijl Kate Murphy toekeek.

'Hé, schat van me!' riep Gail vanaf het andere einde van de gang. Ze zat in een rolstoel en werd door een verpleegster voortgeduwd. Om haar hoofd zat dik verband, dat haar gewonde oog bedekte. Haar ziekenhuishemd was omhoog gekropen. Ze deed geen moeite haar knieën bij elkaar te houden. 'Hoe lang sta je daar al?'

'Nog niet zo lang.' Tot haar schande voelde Maggie tranen opkomen. Gail zat rechtovereind. Ze bleef maar praten. Zo te horen was ze weer helemaal de oude.

'Jezus, hoe kom je aan die blauwe plekken?'

Maggie schudde haar hoofd. Ze vertrouwde haar eigen stem niet. Dat kreeg je als je je tranen de vrije loop liet: gaf je er eenmaal aan toe, dan kon je ze de volgende keer niet meer terugdringen.

'Bedankt, meid, ik red me wel,' zei Gail tegen de verpleegster. Ze nam de stoel in eigen hand en reed zichzelf de kamer in. 'Trouble!'

Trouble lag op het bed een autotijdschrift te lezen. 'O, hoi, Maggie. Nog nieuws, schat?'

'Ze hebben me daarbeneden in een of ander stom apparaat gestopt. Ik mocht drie kwartier lang niet roken.'

Hij liet zich van het bed rollen en reikte Gail haar tas aan. 'Wat hebben ze gezegd?'

'Geen ene moer, hetzelfde wat ze de hele tijd al zeggen.' Ze wrong haar hoofd in een moeilijke hoek om in haar tas te kunnen kijken. 'Heb jij al m'n sigaretten opgerookt, sukkel?'

'Ik verveelde me.'

Gail keek hem met haar ene oog woedend aan.

'Beneden is een automaat.' Trouble wist niet hoe snel hij de kamer moest verlaten.

'Ik word helemaal gestoord van die vent.' Gail reed zichzelf naar het raam. 'Hij laat me geen moment met rust. Sleept de hele tijd kussens aan. Vult de kan met ijswater. Je weet dat ik geen water drink. Wat denkt hij eigenlijk?'

Maggie wist dat ze geen antwoord verwachtte.

'Dat kutding ook.' Gail doelde op het verband. 'Ik mag niet eens naar beneden kijken, want dan kan mijn oogbol eruit vallen.' Ze moest lachen toen ze Maggies gezicht zag. 'Shit, meid, ik heb wel erger meegemaakt. Vertel eens over het werk. Ik krijg van niemand ook maar ene reet te horen.'

Maggie probeerde haar gedachten te ordenen. Ze was met een bepaalde reden naar Gail toe gekomen. 'Wat weet jij over Alex Ballard en Leonard Johnson?'

'Niet veel. Het waren goeie agenten. Hadden gloeiend de pest aan elkaar. Altijd ruzie.'

Dat was Maggie niet in hun dossiers tegengekomen. 'Waarover?'

'Weet jij het?' Met al haar concentratie probeerde Gail de rolstoel te draaien. 'De chefs hebben ze bij elkaar gezet omdat ze allebei met een zwarte griet waren getrouwd. Dan hadden ze iets gemeenschappelijks, dachten ze. Typisch van die arrogante bullshit.'

Dat ze allebei met een zwarte vrouw waren getrouwd, vormde een soort link, meende Maggie. 'En Greg Keen en Mark Porter? Waren die ook getrouwd met iemand van een ander ras?'

'Niet dat ik weet. Keen is een rokkenjager, maar dat hoort

bij het vak.' Gail wees naar een map op haar nachtkastje. 'Die heeft Rick Anderson voor je achtergelaten. Hij moest eerst Jake Coffee zien te lozen voor hij naar het bureau kon rijden om het dossier te halen. Dat heeft hij wel twee keer gezegd, dus ik ga ervan uit dat hij een bedankje verwacht, buiten diensttijd of zo.'

'Ik plak wel een briefje op zijn voorruit.' Maggie sloeg het dossier open. Het strafblad van Eduardo Rosa. Het bestond uit zes tweezijdig bedrukte pagina's.

'Het lijkt hier de hele ochtend het Grand Central Station wel.' Gail zette haar rolstoel op de rem. Ze had hem zijwaarts gedraaid, zodat ze Maggie kon zien. 'Rick is hier geweest, Cal Vick. Les Leslie heeft me whisky gebracht. Red Flemming heeft de helft ervan opgezopen en je oom Terry heeft de rest soldaat gemaakt. Een stel zwarte meiden heeft me chocola gebracht. Delroy en Watson. Ken je die?'

Maggie keek op van het dossier. Delroy en Watson. Uit de manier waarop Gail haar aankeek, maakte ze op dat ze hadden zitten kleppen over Lewis Conroy, die ze naakt in een telefooncel hadden aangetroffen.

'En?' vroeg Gail. 'Was het lekker?'

'Wel op dat moment,' gaf Maggie toe. 'Maar na afloop...' Ze haalde haar schouders op. Ze wist dat Conroy het had verdiend. Nog afgezien van wat Delroy en Watson voor hem in petto hadden gehad, had hij het zonder meer verdiend. Toch hield Maggie er een rotgevoel aan over. Niet wat Conroy betrof, maar voor zichzelf. Ze had haar zelfbeheersing verloren. Dat was haar nog nooit overkomen.

'Op het moment zelf voelt het altijd lekker,' zei Gail.

'En na afloop altijd rot?'

'Elke keer weer.'

Gails onderzoekende blik werd Maggie even te veel. Ze concentreerde zich weer op het strafblad. Eduardo Rosa's jeugd verschilde niet van die van de meeste misdadigers. Berovingen van buurtwinkeltjes. Gewapende overvallen op drankwinkels. Een paar jaar lang de bajes in en uit. Op papier leek het alsof hij zijn leven gebeterd had. De afgelopen twintig jaar was er niets meer voorgevallen. Waarschijnlijk omdat Gerald de criminele activiteiten van de familie voor zijn rekening had genomen.

'Edu-ardo.' Gail sprak de naam fonetisch uit. 'Wat is dat voor gast?'

'De travopooier.' Maggie sloeg het dossier dicht. 'Of liever gezegd de moeder van de pooier. De vader. De man?' Ze klonk al net als Kate. 'Kun je je die Portugese dame nog herinneren?'

Gail keek Maggie minachtend aan en dat was helemaal terecht. Natuurlijk kon ze zich de Portugese dame nog herinneren.

'Dat is eigenlijk een man. We hebben haar vanochtend opgezocht. Ze had praktisch een baard.'

'Krijg nou wat!' Gail lachte zo hard dat haar voet de lucht in schoot. 'Godsamme!' De rolstoel rammelde, zo erg moest ze lachen. Ze richtte haar blik op het plafond om maar niet dubbel te klappen. 'O, jezus.'

Maggie glimlachte, niet omdat het zo grappig was, maar omdat Gail tot haar opluchting nog steeds kon lachen om dingen.

'Shit.' Gail veegde haar goede oog droog. 'Shit, man. Da's een goeie, zeg. Volgens mij heb ik mezelf ondergezeken. Echt,' zei ze, 'ik geloof het nog ook.'

'Zal ik een verpleegster halen?'

'Nee, laat Trouble dat maar afhandelen. Vindt-ie lekker.' Gail stak haar hand in haar tas en begon er blindelings in rond te wroeten. 'Niet te geloven dat niemand van die klunzen dat gisteren heeft opgepikt. Het hele korps is zo'n beetje in dat huis geweest. Heeft iemand haar een verklaring afgenomen?'

'Ze heeft een andere naam opgegeven.' Maggie vertelde maar niet over Gerald en Sir She. Gail had al genoeg lol voor een hele ochtend. 'Wist je dat Murphy joods is?'

'Jazeker. Dat heb ik van Wanda Clack gehoord. Die heeft het in haar dossier gelezen.'

Uiteraard. 'Bovendien is ze rijk.'

'Je meent het.' Gails neiging tot sarcasme was kennelijk ook weer helemaal hersteld. 'Hoe kwam je erachter: door dat kaktoontje of door de auto?'

Maggie bracht het niet op naar de auto te vragen. 'Ze heeft over van alles en nog wat gelogen.'

'O, jéétje,' aapte Gail Kate na. 'Maar vertel eens: loop je iedereen wijs te maken dat je die blauwe plekken aan een val van de trap hebt overgehouden?'

Maggie antwoordde niet.

Gail hield haar tas omhoog zodat ze erin kon kijken. 'Kom eens hier. Trek die stoel maar bij.'

Maggie ging voor haar zitten. 'Denk je dat ze een goede politievrouw wordt?'

'Murphy?' Gail opende haar poederdoos. 'Ik heb die meid nog steeds niet helemaal door. Kom eens dichterbij.'

Maggie boog zich dichter naar haar toe.

Met het sponsje klopte Gail foundation op Maggies wang. Ze deed heel voorzichtig, maar het was zo pijnlijk dat Maggie haar kiezen op elkaar klemde. 'Het is zwemmen of verzuipen voor Murphy. We kunnen niets voor haar doen. Ze is slim als de neten, maar tegelijkertijd te stom om te weten wanneer ze bang moet zijn.'

'Ze is bang voor Terry.'

'Shit, die doet haar echt niks. Ze is geen familie van hem.'

Maggie moest lachen, want waarschijnlijk was het nog waar ook.

'Niet lachen. Dit is zwaar werk. Hij heeft je lelijk te pakken gehad.'

Maggie deed haar ogen dicht toen Gail de make-up eromheen aanbracht. Ze kon zich niet herinneren wanneer iemand zich voor het laatst over haar ontfermd had. Delia was niet het type dat haar kinderen overdreven veel aandacht schonk. De paar keer dat Maggie verkouden was geweest of griep had gehad, had haar moeder haar naar haar kamer verbannen zodat ze de anderen niet kon aansteken.

Zelfs op de dag dat Maggie was teruggekomen uit het huis van de buurvrouw had Delia gezegd dat ze naar boven moest gaan en daar moest blijven. De enige die zich om haar had bekommerd was de Dooie geweest. Hij had naast de bank in de keuken van zijn moeder gestaan. De snoertjes van zijn hoortoestel hadden uit zijn oren gestoken. De ontvanger zat om zijn borst gebonden. Ze was nooit eerder zo dicht bij hem geweest. Hij had de vriendelijkste ogen die Maggie ooit had gezien.

'Alsjeblieft, Miss America.' Gail was klaar met de make-up. 'Het is niet je kleur, maar meer kan ik er niet van maken.'

Maggie pakte de poederdoos om zichzelf in het spiegeltje te bekijken. Gail had een donkerder teint. De foundation was iets te bruin. Maar de blauwe plekken waren weggewerkt. 'Bedankt.'

'Weet je,' zei Gail terwijl ze de poederdoos weer in haar tas liet vallen. 'Over wat er gisteren is gebeurd. Rottigheid kun je niet vermijden. Zo is het nou eenmaal.'

Maggie wist dat ze gelijk had, maar een stem binnen in haar zei het tegenovergestelde.

'Je hebt die vette hufter doodgeschoten. Dat was goed. Ik ben gewond geraakt. Dat was klote.' Ze haalde haar schouders op. 'Het hoort bij het werk. Je doet dit nou vijf jaar. En je zit er nog eens vijftig jaar aan vast.' Ze greep de armleuningen van haar rolstoel. 'Je bent een koele kikker, net als ik. Op dit moment is er niemand op de hele wereld die ik meer vertrouw dan jou.'

'Ik denk er net zo over.'

'Mooi.' Gail knikte. 'Dat hebben we maar weer gehad. Vertel nou maar eens hoe het zit met die BOLO over Jimmy.'

Maggie dacht aan Jimmy's bekentenis, aan wat ze in Dabbler's hadden ontdekt. Misschien vertrouwde ze Gail toch minder dan ze zou willen. 'Hij is gewoon verdwenen.'

'Dat is niks voor Jimmy.'

Maggie probeerde Kates gedachtegang te volgen. 'Don werd voor zijn ogen neergeschoten. Gisteren werd er op Jimmy zelf geschoten. Dat zijn twee kogels die hem de afgelopen twee dagen bijna het leven hebben gekost. Volgens mij moest hij gewoon even weg om weer tot zichzelf te komen.'

'Jimmy Lawson, jouw broer?' Gail klonk buitengewoon sceptisch. 'Die gaat echt niet in een hoekje zitten mokken. Shit, geen enkele man gaat zitten mokken, tenzij er een vrouw in de buurt is die hem kan zien. Wat heeft het anders voor zin?'

'Dit is anders. Hij zit niet te mokken. Volgens mij is hij echt bang.'

'En hij heeft niet tegen jou gezegd waar hij naartoe ging? Ook niet tegen Terry of Bud of Chip of een van de anderen?' Gail schudde haar hoofd. 'Nee hoor. Dat wil er bij mij niet in.'

'Hij heeft een briefje achtergelaten.' Maggie liet Gail niet zien wat ze had overgeschreven. 'Hij zei dat hij alleen wilde zijn.'

'Schrijft hij ook waarom?'

'Nee.' Maggie bleef oogcontact houden. Ze hield haar ademhaling in bedwang. Ze schoof niet onrustig heen en weer op haar stoel.

Gail keek dwars door haar heen. 'Je liegt.'

Maggie beet op haar lip. Ook al wilde ze het Gail vertellen, ze kon het niet. Er moest te veel uitgelegd worden. Maggie kon zich er niet nog eens toe zetten. En ze kon Jimmy's geheim ook niet prijsgeven. Gail zou een dergelijke roddel niet kunnen weerstaan. Bovendien wist Maggie uit ervaring dat Gail het weliswaar heerlijk vond om de boel op stelten te zetten, maar vaak stond ze ook meteen met haar oordeel klaar als anderen over de schreef gingen.

'Ik heb de hele nacht naar Jimmy gezocht,' zei Maggie uiteindelijk. 'Hij wil gewoon niet gevonden worden.' Ze zocht wanhopig naar een betere leugen. 'In zijn briefje schreef hij dat we hem niet moesten zoeken.'

'Wat schreef hij nog meer?'

'Dat was alles: "Ik ga weg. Niet naar me zoeken." Je kent Jimmy. Die gaat echt geen boek schrijven.'

'Heeft hij zijn ontslag ingediend?'

'Nee.'

'Heeft hij verlof aangevraagd?'

'Nee.'

'Heeft hij tegen jullie moeder gezegd dat hij wegging?'

'Nee.'

Gail liet zich niet overtuigen. 'Rustig maar, meissie. Ik lieg soms ook tegen jou.'

'Maar ik lieg...' Maggie zweeg. Ze kon zelfs niet liegen over het liegen.

'Jullie proberen die zaak tot een oplossing te brengen,' zei Gail. 'Heb je al een link naar de Shooter?'

'Ik weet helemaal niks.'

'Bullshit.' Gail dacht nog steeds dat ze loog. 'Je vroeg me net naar die agenten die vermoord zijn. Waarom heb je niet naar Don gevraagd?'

Maggie zei het eerste wat in haar hoofd opkwam. 'Vertel eens over hem.'

Gail haalde haar schouders op, alsof ze de vraag niet zelf had uitgelokt. 'Hij had zo zijn demonen.'

'Zoals?'

'De oorlog.' Gail steunde op de armleuning van haar rolstoel. 'Die jongens gaan eraan onderdoor. Ze gaan ernaartoe met de gedachte dat het voor God en vaderland is en ze komen terug in de wetenschap dat het allemaal bullshit is, gewoon een stelletje oude generaals die zeeslagje spelen omdat ze hem anders niet meer overeind krijgen.'

'Ik heb gehoord dat Don zijn vriendin nogal slecht behandelde.'

'Pocahontas.' Gail snoof toen ze de naam uitsprak. 'Hoor eens, dat stelt niks voor. Als ze terug zijn zien die soldaten de wereld nou eenmaal anders. De meesten laten het achter zich, die pakken hun leven weer op, stichten een gezin. Maar er zijn er ook bij die het niet lukt. Kijk maar naar je oom Terry. Al die shit die hij in Europa heeft gezien... Je moet echt niet denken dat hij daar geen last meer van heeft. Jett is bijna een arm kwijtgeraakt bij Midway. Mack is gevangengenomen op de Filippijnen. Chip en Red hebben hun ziel verpatst bij Guadalcanal. God mag weten wat Rick in Vietnam heeft uitgespookt. Waar het om gaat is dat zij het ook blijven meedragen, maar op een andere manier. Zo is het nou eenmaal.'

'Pocahontas,' herhaalde Maggie. Dat was het enige wat ze had gehoord. Ze had sterk het gevoel dat ze die naam moest onthouden. De vriendin van Don Wesley was een indiaanse. Alex Ballard en Leonard Johnson waren met zwarte vrouwen getrouwd. Jimmy had geen vriendin, maar misschien wel een vriend. 'Kun jij je de vrouw van Mark Porter nog herinneren, van op zijn begrafenis?' vroeg ze aan Gail.

'Ja. Ik geloof het wel.'

'Ze was toch blank?'

'Zo blank als sneeuw. Klein, rond, ze leek wel wat op Totie Fields. Zo high als een kanarie. Ik zag haar een joint roken achter de lijkwagen.' Gail dacht met Kate mee. 'Ik weet dat de vrouw van Greg Keen ook blank is. Als ze zwart was geweest, had ik het wel gehoord. Waarom moet je dat trouwens weten?'

'Het is gewoon raar dat drie van hen een niet-blanke vrouw hadden.'

'Je moet Jimmy en Don buiten beschouwing laten. Die draaien meestal geen nachtdiensten. Ze vielen in voor Rick Anderson en Jake Coffee.' Peinzend wreef Gail over haar kin. 'Voor zover ik weet heeft Rick geen vriendin, ook al doet hij zijn stinkende best. Jakes vriendin is zo'n hippietype. Knappe meid trouwens. Ze heeft wel iets weg van Marina Oswald. Ze werkt voor een groep die een personeelsbond probeert op te richten in de supermarkt.'

'Hij had het dus niet op Jimmy en Don voorzien.' Maggie moest de woorden hardop uitspreken. Ze wist niet waarom ze opgelucht was. Als haar broer een schietschijf op zijn rug had, dan hoopte ze dat het was omdat hij bij de politie werkte, niet omdat hij homo was.

Gail blies een stoot lucht uit. 'Dus doodlopend spoor nummer tienduizend fucking nog wat.' Ze stak haar hand in haar tas. 'Shit. Waar blijft Trouble met m'n peuken?'

Maggie schudde haar hoofd. Ze was nog steeds aan het nadenken. Rick hoorde bij de goeden. Dat zei iedereen. Hij hielp de vrouwen. Waar mogelijk nam hij het voor hen op. Hij leek het niet erg te vinden dat ze dit werk deden. Jake Coffee was al net zo.

Dus er was een verband tussen minstens vier van de mannen, zes als je Don en Jimmy meetelde.

Het waren allemaal mannen die tegen het systeem in gingen.

'Stoor ik?' Kate stond in de deuropening. Ze gloeide weer helemaal, net als toen de liftdeuren die ochtend waren opengegaan. 'Sorry dat ik iets te laat ben. Het gesprek duurde langer dan ik had verwacht.'

Gail liet een schor lachje horen. 'Hé, schoonheid, doe mij eens een stukje van zo'n gesprek.'

Kate bloosde. 'Gail, wat fijn dat je er weer zo goed bij zit. Sorry dat ik...'

Gail klakte met haar tong.

Kate glimlachte, maar haar wangen waren nog rood. 'Kan ik even van je toilet gebruikmaken?'

'Doe maar rustig aan, schat. Zo te zien heb je wel wat tijd nodig.' Gail grinnikte nog steeds toen Kate de badkamerdeur achter zich dichttrok. 'Tjongejonge. Misschien schuilt er toch een echte agent in dat gladde grietje.'

Maggie was even niet in Kate geïnteresseerd. 'Gail, waar we het net over hadden: over alle slachtoffers. Ze trotseerden het systeem.'

'Zeg dat nog eens?' Gail was nog steeds afgeleid.

'Ballard en Johnson waren met een zwarte vrouw getrouwd. Hoe werd daar op het bureau over gedacht?'

'Wat denk je? Ze hebben goddorie ooit een strop in Ballards kluis gelegd.'

'En Jakes vriendin. Wat is er met haar?'

'Shit, die is even blank als jij en ik, maar ze is een soort van communist, met die personeelsbond die ze probeert op te richten en zo.'

'En Rick is praktisch een hippie. Hij is de enige man die ik ken die vindt dat er ook vrouwen bij de politie horen te werken.'

Gail liet haar kin op haar hand rusten. Nu dacht ze serieus na. 'Porter heeft op McGovern gestemd. Hij had een bumpersticker op zijn auto.'

'Net als Jake Coffee.' Maggie wist nog hoe hij ermee gepest was op het bureau. Cal Vick had zijn parkeerpas ingetrokken.

De deur van de badkamer ging open. Blijkbaar had Kate alles gehoord. 'Greg Keen reed in een Toyota. Dat heb ik in zijn dossier gelezen.'

'Klopt,' zei Maggie. Het buitenlandse autootje ter grootte van een broodrooster verdronk helemaal in de zee van Fords en Buicks met hun verlengde motorkap en hun versterkte chassis.

'Keen had ook een vredesteken op zijn arm laten tatoeëren,'

zei Kate. 'Dat heb ik in het autopsierapport gelezen.'

'Dat heb je me niet verteld,' zei Maggie.

'Sorry. Die tatoeage zat trouwens op zijn bovenarm. Niemand die het zag.'

Maggie had zich de vorige avond in de mannenkleedkamer gedoucht. Er waren geen gordijnen, alleen een paal in het midden van een betegelde ruimte, waar aan alle kanten douchekoppen uit staken.

Iedereen moest het gezien hebben.

'Weet je,' zei Gail, 'ik heb eens aan die kogel zitten denken waarmee Sir Chic werd omgebracht. Die kwam helemaal van de overkant van de straat. De Shooter moet een geweer hebben gebruikt. Hoe ver is dat? Vijftig meter?'

'Minstens.' Maggie had nog niet stilgestaan bij de vaardigheid die erbij kwam kijken om het doel zo nauwkeurig te raken.

'Ik heb ooit eens met een geweer lopen klooien,' zei Gail. 'Je moet goed weten wat je doet. Rekening houden met de windrichting. Aanvoelen wanneer je doel gaat bewegen. Het is heel anders dan een shotgun waarmee je gewoon een ruk aan de trekker geeft en zo'n klootzak naar de verdommenis schiet.'

Kate verwoordde hun gedachten. 'Hij zou een politieman of een soldaat kunnen zijn.' Iets in die trant had de barkeeper in Dabbler's ook al gezegd.

'Er is maar één schietbaan die geschikt is voor geweren,' zei Gail. 'Die is in de buurt van de vrouwengevangenis. Hij is van de overheid, maar burgers komen er ook.' Gail fronste haar wenkbrauwen. De richting die het gesprek nam zat haar niet lekker. 'Shit, precies wat we in de auto al zeiden. De Shooter zou wel eens een uit het leger ontslagen sukkel kunnen zijn die bij de politie rondhangt. Dat zie je vaak. De academie is te zwaar voor ze, en daarom zoeken ze smerissen op. Ze nemen het taaltje over, ze horen de verhalen. Je weet hoe we zijn. Geef ons een paar biertjes en we blijven aan de praat.'

'Zo heeft hij de codes en procedures geleerd,' zei Kate.

Maggie dacht aan de vele uren die Jimmy op de schietbaan had doorgebracht. Hij was een van de beste schutters van het korps. Haar eerdere theorie kwam weer bovendrijven. Had Jimmy iemand ontmoet? Was er iemand op de schietbaan die goed met een geweer overweg kon?

En betekende die man meer voor Jimmy dan zomaar iemand die wist hoe hij met een wapen moest omgaan?

'Ik herinner me nog van de schietbaan dat er van die doelen op de muur stonden,' zei Kate. 'Het hoort bij een soort scoresysteem.'

'Dat is Jetts afdeling. Hij is de baanmeester.' Maggie wist dat alles wat ze tegen die man zei, rechtstreeks aan Terry zou worden doorgebriefd. 'Zou jij hem willen bellen?' vroeg ze aan Gail.

'Je moet die eikel niet vertrouwen. Ga maar naar de schietbaan, dan kun je het zelf zien. Murphy heeft gelijk. De doelen staan op de muur, zo duidelijk als wat. Er staan namen onder geschreven.' Ze wees naar Maggie. 'Probeer te ontdekken wie de hoogste score heeft, dan heb je een potentiële verdachte.'

'Maggie, heb je dat bericht doorgekregen?' vroeg Kate. 'We moeten terug naar het bureau. De beloning is verhoogd. Ze worden overspoeld met telefoontjes.'

'Ga jij maar.' Maggie stond op. 'Er is beneden wel iemand die je een lift wil geven.'

'Ik laat je niet alleen.' Kate had haar handen in haar zij gezet. Ze klonk als een echte agent, maar toen zei ze: 'Doe niet zo mal.'

'Jullie gaan allebei,' zei Gail. 'Denk je dat je op de bon wordt geslingerd als je ontdekt wie de Shooter is? Dan kan zelfs Terry niet met je kloten.' Ze greep Maggie bij haar arm. 'Goed naar me luisteren, schat. Zorg dat het volgens de regels gaat. Je draagt dit niet over aan je oom of aan een van die andere klungels. Het moet in de rechtszaal overeind blijven.'

Maggie keek Gail aan. Ze had nog nooit eerder met zoveel woorden gezegd dat Terry met het bewijs tegen Edward Spivey had geknoeid. Het wapen dat in het rioolrooster was gevonden. Het bebloede shirt. De twee verklikkers die één hand op de bijbel hadden liggen terwijl ze in de andere een verlaat-de-gevangenis-zonder-te-betalen-kaart hadden vastgeklemd. Niemand geloofde serieus dat Terry zoveel geluk had gehad. En het allerrottigste was dat zonder het nepbewijs de zaak tegen Spivey gegrond was. Tijdens het proces had zijn advocaat het wapen en het shirt als misleiding aangemerkt; hij had met beide voorwerpen naar de jury staan zwaaien terwijl de aanklacht door de achterdeur verdween.

'Oké,' zei Maggie, en stilzwijgend stemde ze in met alles wat niet gezegd was. 'Mocht ik iets op de schietbaan vinden, dan doen we het op de goede manier. Ik roep Rick en Jake op. En dan gaan we er rechtstreeks mee naar de leiding.'

'Zo mag ik het horen.'

Kates portofoon begon piepend rond te zingen. In plaats van het geluid zachter te zetten, sloeg ze haar handen voor haar oren.

Maggie schakelde haar eigen apparaat uit. 'Zet het volume zachter...' zei ze tegen Kate.

'Nee,' zei Gail. 'Harder. Zet je portofoon harder.'

Kate stelde het volume bij. Een vertrouwde, langgerekte toon kwam uit de speaker, alsof iemand op een knop van de telefoon drukte.

'Ga eens naar...' zei Maggie.

Maar Kate stemde al af op het niet-openbare noodkanaal.

'10-99.' Terry's stem was helder als een klok. De paniek van de vorige dag was eruit verdwenen. Hij klonk ijzig, berustend. '10-99, schoten gelost bij Howell Yard. Shooter waargenomen.'

'Howell Yard,' zei Gail. 'Dat is de spoorbaan bij CT.'

Maggie concentreerde zich op Terry's stem. Hij was te kalm. Ze bespeurde geen angst. Geen opwinding. 'Hij heeft Jimmy.'

TWEEËNDERTIG

Met zwaailicht en loeiende sirene scheurde Maggie door de stad, maar zoals gewoonlijk trok niemand zich er iets van aan. Auto's stopten midden op straat. Of ze gaven gas in plaats van aan de kant te gaan. Maggie weigerde vaart terug te nemen. Ze nam nergens vaart voor terug, niet voor stopborden, niet voor stoplichten, niet voor zebra's. Ze reed de hele tijd plankgas.

'Maggie...' Kate moest roepen om boven het geluid van de sirene uit te komen. 'Maggie, rij eens wat langzamer.'

Maggie zwenkte de andere rijbaan op om een pick-up te passeren. Een auto kwam recht op hen af. Op het laatste moment gaf ze een ruk aan het stuur.

'Maggie...'

'Ik ken mijn oom, Kate.' Maggies keel deed zeer van het schreeuwen. Het zweet stond in haar handen. Die gleden telkens van het stuur. 'Ik ken zijn stem. Hij heeft gezegd dat hij Jimmy een politiedood zal geven. Dat gaat hij nu doen.'

'Maar daar betrekt hij toch geen anderen bij?'

'Dat doet hij juist wel.' Maggie veegde haar handen af aan haar broekspijpen. 'Hij zei dat hij het eruit wil laten zien als het werk van de Shooter. Zodat Jimmy een heldenbegrafenis krijgt. Precies zo gaat het gebeuren.'

'Een bus!' gilde Kate. 'Er komt een bus aan!'

Maggie trapte op de rem, scheerde naar links en schampte een Greyhoundbus. Kates raampje ging aan diggelen. Ze bedekte haar hoofd toen scherven veiligheidsglas op haar neerregenden. Met een schok kwam de auto tot stilstand.

'Kate?'

Ze had haar armen nog om haar hoofd.

'Kate?'

Langzaam liet ze ze zakken. Maggie zag het besef tot haar doordringen: ze was niet in duizend stukken gesneden, ze gingen niet dood.

Maggie gaf weer gas. Slingerend en met gierende banden schoten ze de straat weer op.

Kate schudde glasscherven uit haar haar. Ze veegde ze van haar schoot. Ze gaf het nog steeds niet op. 'Ik heb alles gehoord... alles waar jij en Gail het over hadden. Dat alle slachtoffers op de een of andere manier tegen het systeem in gingen.'

Maggie stuurde de auto weer de andere rijbaan op. Aan die kant was de straat leeg. Nadat ze zes auto's had gepasseerd, gaf ze een ruk aan het stuur en reed weer naar rechts.

'Stel dat Terry de Shooter is,' zei Kate.

Maggie keek haar aan en richtte haar blik toen weer op de weg.

'Dat verhaal dat hij in de carport afstak, over linkse types en minderheden die de wereld naar de kloten hielpen.'

'Dat verhaal hoor je in zo ongeveer elke briefingruimte in de stad.'

'Terry heeft in het leger gezeten, hè?'

'Bij de US Marines.' Peachtree lag recht voor hen. Nog steeds met plankgas stuurde Maggie de patrouillewagen over de kruising.

'Shit.' Kate greep het dashboard.

De wielen raakten los van het wegdek.

Stuiterend reed de auto door. Maggies hoofd raakte het dak. Ze worstelde met het stuur om de wielen recht op de weg te houden.

Kate wachtte tot Maggie de auto weer onder controle had. 'Als Terry de Shooter is, kan hij Jimmy meegenomen hebben.

Dat zou onderdeel van zijn plan kunnen zijn. Hij pakt Jimmy en laat hem voor de moorden opdraaien.'

Weer scheurde Maggie een auto voorbij. En toen nog een.

'Misschien heeft hij Jimmy gedwongen dat briefje te schrijven. Dat laatste stukje, waarin hij zijn verontschuldigingen aanbiedt. Dat zou een code kunnen zijn.' Kate ging harder praten. 'Misschien probeerde Jimmy je een boodschap te sturen.'

Maggie kon er niet over nadenken. Of Kate gelijk had of niet, het enige wat ertoe deed was dat ze Terry moest tegenhouden voor hij Jimmy doodde.

Ze waren nu vlak bij de Howell Wye. De fabrieken maakten plaats voor overwoekerde terreinen. De auto's die op straat stonden misten wielen en motoren. Glasscherven knerpten onder de banden van de patrouillewagen.

In de verte hoorde Maggie de treinen. Het geratel van wielen, het gedender over de rails. Ze minderde vaart om de ingang niet te missen. De hekken van het in onbruik geraakte rangeerterrein zaten meestal met kettingen dicht, maar nu stonden ze wijd open. Maggie sloeg af en reed de lange grindweg op. Zo'n honderd meter vóór hen, aan weerszijden van de doodlopende weg, stonden twee kantoorgebouwen van vier verdiepingen. Elk besloeg ongeveer een half huizenblok.

De Wye zelf lag zo'n twee footballvelden verderop, maar Maggie voelde het zware getril nu al door de vloer van de patrouillewagen heen. Het geschud werd erger naarmate ze dichterbij kwamen. Het stuur rammelde. De voortdenderende treinen veroorzaakten een aardbeving die zich door de grond verspreidde.

Het Howell-rangeerterrein was een hoofdverbinding geweest tot het Tilford en het Inman een kilometer verderop tot één emplacement werden samengevoegd. Het zakelijke deel had zich ook stroomopwaarts verplaatst. Nu was het hooguit een doorgangsweg naar de grotere rangeerterreinen.

De kantoren zaten niet langer vol personeel. Op de parkeerplaatsen woekerde onkruid. Maggie was hier vaker naartoe gestuurd. Elke agent in haar district kwam minstens één keer per maand bij de Wye. De grote gebouwen en het feit dat het terrein betrekkelijk afgelegen was, maakten het gebied aantrekkelijk voor allerlei soorten criminaliteit. Drugshandel. Gewelddadige zwervers. Dode daklozen. Gestolen waar werd opgeslagen in de lege kantoren. Meisjes werden naar binnen gesleurd zodat de treinen hun gegil zouden overstemmen.

Moorden werden hier beraamd.

Maggie stopte. De auto kon niet verder. Er waren al minstens twintig politiemensen. Hun auto's stonden kriskras op de weg geparkeerd. Aan het eind van het rechte stuk zag ze Terry. Een groep mannen had zich om hem heen verzameld. Hij was een team aan het samenstellen. Ze stonden op een kluitje tussen de kantoorgebouwen, als soldaten die hun aanval voorbereidden.

'Hier blijven,' zei ze tegen Kate.

Voor Kate iets kon tegenwerpen was Maggie de auto al uit en rende op een drafje over straat. Mack McKay stormde langs met een shotgun in zijn handen. Red Flemming volgde met een geweer. Ze had genoeg trainingen meegemaakt om te weten wat er aan de hand was. Er werd een buitenring opgesteld zodat de verdachte niet kon ontsnappen. Boven hun hoofd hing een helikopter. Bud Deacon haalde kogelwerende vesten uit zijn kofferbak. Een broodnuchtere Jett Elliott stopte een handvol magazijnen in zijn zak.

Kate haalde haar in. Ze hijgde, maar ze bleef rennen. Ze hield haar armen gebogen. Haar uitrusting beukte al net zo hard tegen haar heupen en benen als bij Maggie het geval was. Ze keek links en rechts. Maggie deed hetzelfde tot ze nog maar een paar meter van Terry verwijderd waren. Toen minderde ze vaart zodat ze hem kon verstaan.

'Daar.' Terry wees naar het gebouw links van hem. 'De

schoten kwamen van de tweede verdieping. De Shooter zit nog binnen. De voor- en achterkant worden gecoverd. Mijn team neemt de voorkant. Als iemand Jimmy ziet, schiet je.' Terry sloeg met zijn hand op de motorkap. 'We gaan! Moven!'

Een tiental mannen rende op het gebouw af. Er hoefde geen deur ingetrapt te worden. Zodra ze binnen waren, splitsten ze zich op in twee teams die het gebouw van onder tot boven uitkamden. Drie mannen bleven op straat achter, met hun wapens in de aanslag, voor het geval hun doel naar buiten rende. Rick Anderson was een van hen. Zijn gezicht stond ernstig. Hij keurde Maggie amper een blik waardig.

'Meldkamer!' brulde Terry in zijn portofoon. 'Laten ze die klotetreinen stilzetten!'

'Terry,' zei Maggie.

Met een ruk draaide hij zich om. 'Wat kom jij hier godverdomme doen?'

Maggie had haar revolver in haar hand. Ze wist niet eens dat ze die getrokken had. Ze moest haar stem verheffen om boven het lawaai van de treinen uit te komen. 'Je mag hem niet doden.'

Terry was niet bang voor de revolver. 'Je laat die flikker van een broer van je ontkomen terwijl je je wapen op mij richt?'

Hoofden werden omgedraaid. Rick Anderson liet bijna zijn shotgun vallen.

'Jake Coffee is dood,' zei Terry. 'Neergeschoten, net als de anderen.'

Maggie keek Rick aan. Aan zijn gezicht zag ze dat het waar was wat Terry had gezegd. Hij zag er zwaar aangeslagen uit. Ze had hem nog nooit zo kapot gezien. 'Wat is er gebeurd?'

Rick schudde zijn hoofd.

'Vertel het haar maar,' beval Terry.

Rick kuchte. Hij meed Maggies blik. 'Ik was op het bureau om dat strafblad voor je te halen. Jake was in z'n eentje aan het patrouilleren.' Hij sprak het niet uit, maar het verwijt verrees als een glasscherf tussen hen in. 'Chip hoorde hem het sein veilig doorgeven nadat er een verdacht persoon was gesignaleerd. Toen vroeg hij om een 29, net als wat jij in de Shooter-dossiers hebt gevonden. Chip ging hier voor de zekerheid even kijken en...'

Rick keek niet meer naar de grond. Maggie volgde zijn blik. Het lichaam lag voor het gebouw aan de overkant van de straat. De zon wierp een ijzingwekkend licht op Jake Coffee. Hij lag op zijn buik. Zijn armen en benen waren gespreid. Zijn hoofd lag naar de straat gekeerd. Een volmaakt rond, zwart gat zat midden in zijn voorhoofd. Zijn broek was naar beneden getrokken.

'Nee,' stamelde ze.

Terry greep zijn kans. Hij griste de revolver uit Maggies hand.

Voor ze kon reageren, sloeg hij haar met zijn vuist in het gezicht.

Maggie smakte keihard tegen de grond. Haar longen ratelden. Grind drong haar hoofdhuid binnen. Haar kaak voelde los. Ze proefde bloed.

Terry wierp Rick de revolver toe. Hij boog zich over Maggie heen en hief zijn vuist weer.

'Stoppen!' Kate zwaaide met haar wapenstok. De metalen staaf knalde tegen Terry's hoofd. Heel even was hij versuft. Toen greep hij Kate bij de voorkant van haar overhemd. Haar voeten werden van de grond getild. Hij trok zijn vuist naar achteren.

En om onverklaarbare redenen liet hij haar weer los.

Maggie zag Kates schoenen langzaam op het grind neerdalen. Er wolkte niet eens stof op.

Terry liet zich op één knie zakken. Hij strekte zijn handen naar Kate uit. Maggies eerste associatie was met een scène uit een film: de man die voor het meisje neerknielt om haar ten huwelijk te vragen.

Maar Terry vroeg nergens om. Hij keek naar zijn maag. Een grote bloedvlek bloeide open op zijn witte overhemd.

De treinen maakten te veel lawaai. Maggie hoorde de schoten niet. Ze zag ze. Grind spatte op voor haar voeten. Kogels sloegen putten in de motorkap van de auto. De drie mannen op straat beantwoordden het vuur. Er was geen duidelijk doel en er werd lukraak geschoten. Rick vuurde zijn shotgun af in de lucht. Maggie wilde er niet bij zijn als het lood weer naar beneden kletterde.

Ze rende naar haar revolver. Een kogel floot langs en sloeg voor haar in de grond. Ze wilde al terugrennen naar de hekken aan de voorkant maar werd door een andere kogel tegengehouden. Paniek dreigde zich van haar meester te maken. Ze had geen wapen. Ze kon nergens dekking zoeken. Kate zat ineengedoken met haar armen over haar hoofd. Mannen schreeuwden. Ze hoorde schoten van de teams in het gebouw links van haar. Met elke nieuwe kogel groeide de paniek.

'Kate!' riep Maggie terwijl ze naar het gebouw aan de rechterkant sprintte.

Ze wist dat Kate haar zou volgen. Ze sprong over het lijk van Jake Coffee. Eenmaal binnen bleef ze rennen. Ze stormde de eerste deuropening door die ze tegenkwam. Het was een vierkante ruimte, vermoedelijk de directiekamer. Dossierkasten lagen op hun kant. De vloer was bezaaid met papier.

Maggie scheurde de kamer door, met Kate op haar hielen. Ze rende een tweede deuropening door. Nu waren ze in het hoofdgedeelte van het kantoorgebouw. De zaal was zo groot als een hangar. Het plafond was minstens zes meter hoog. De achtermuur was ruim vijftien meter verderop. De zaal was wel twee keer zo breed. Roestige metalen draagbalken liepen kriskras door de ruimte. Midden op de vloer stonden honderden bureaus twee- en driehoog opgestapeld. Langs de muren lagen kapotte stoelen en metalen boekenplanken.

Maggie trok Kate achter een omgevallen bureau. Ze zaten

met hun rug tegen het blad. De eerste twintig seconden zeiden ze geen woord. Daarvoor waren ze te zeer buiten adem. Maggies hart maakte salto's in haar borst. Haar hoofd galmde. Het voelde nog steeds alsof haar kaak loszat na de dreun in haar gezicht die Terry haar had gegeven.

Ze sloeg haar blik neer. Kate klemde haar hand vast. Haar portofoon stond aan. Schoten van buiten echoden door de speaker. Mannen vroegen de meldkamer schreeuwend om assistentie. De piloot riep dat zijn helikopter was geraakt. Maggie stak haar hand achter Kates rug en zette het ding uit.

'Jake Coffee is dood,' mompelde Kate. 'Hij is dood. Terry is dood. Anthony is dood. Chic is dood.'

'Dat heeft Jimmy niet gedaan,' zei Maggie. Nog nooit was ze ergens zo zeker van geweest. 'Dat was hij niet.'

Kate knikte. 'Dat weet ik.'

Maggie kneep in haar hand. Het lawaai van de treinen nam even af. De rotoren van de helikopter trokken zich terug. Aan de voorkant van het gebouw werd nog steeds geschoten.

Ze konden zich hier niet verschuilen, vooral niet omdat de mannen buiten hun hulp misschien nodig hadden. Maggie keek om zich heen, zocht wanhopig naar een uitweg. In de muren zaten enorme ramen. Het zonlicht spatte als water over de hardhouten vloeren. De vensterruiten waren kapot. De vierkante metalen raamlijsten waren te nauw om doorheen te kruipen. En voor de Shooter was het prijsschieten als hij besloot de twee agenten uit te schakelen die ineengedoken achter een omgevallen bureau zaten. Hun positie in de uitgestrekte open ruimte was bijna nog slechter dan wanneer ze op straat waren gebleven.

'Daar.' Kate wees naar de achterkant van de zaal.

Rechts in de hoek zag Maggie nog een stapel bureaus. Ernaast was een deur. Van metaal. Zonder raampje. Roestige rode scharnieren. Maggie was nog nooit zo ver in een van de gebouwen doorgedrongen. Ze had geen idee waartoe de deur toegang gaf en al evenmin of er aan de andere kant iemand hen stond op te wachten.

Als een geschrokken kat dook Kate nog verder ineen. Ze hield haar hand boven haar hoofd. 'Hoorde je dat?' Ze hijgde weer. 'Ik hoorde iets. Vanuit het andere kantoor. Aan de voorkant.'

Maggie wilde haar revolver pakken, maar de holster was leeg. Ze moest Kates wapen weer gebruiken. De vorige dag had ze een nieuw exemplaar gekregen. De handgreep zat onder de schoonmaakolie. Er was nog nooit met het wapen geschoten. Was de slagpin goed uitgelijnd? Was het richtmiddel afgesteld? Blokkeerde het vuurmechanisme niet?

Er was geen simpele manier om daarachter te komen.

Maggie nam de revolver in een stevige greep. Ze spande de hamer. Haar hart sloeg zo snel dat ze het in haar tong voelde kloppen. Ze dwong zichzelf in beweging te komen. Snel draaide ze zich om en gluurde over het bureau. Ze controleerde de deuropening aan de voorkant van de zaal.

Leeg.

Of misschien toch niet.

Er viel een schaduw over de opening. In het felle zonlicht dat door de ramen van de directiekamer scheen waren de lijnen heel scherp. Was het de schaduw van een dossierkast? Van een stoel? Een ander omgevallen bureau? Maggie tuurde zo lang naar de schaduwplek dat haar blik vertroebelde. Ze knipperde met haar ogen om weer helder te kunnen zien.

De schaduw bewoog.

Er was iemand aan de andere kant van de deur. Hij stond met zijn rug tegen de muur. En toen niet meer. Zijn schaduw verspreidde zich over de muur aan de andere kant toen hij zijn schouder tegen de deurstijl zette. Hij hield iets in zijn hand. Iets langs en duns dat verdacht veel op een geweer leek.

Maggie stond op voor haar trillende benen het begaven. Haar hart bonkte nu in haar keel en tot in haar schedel. Haar hele gevoel zei dat ze zich moest verstoppen, maar ze mocht niet aan haar emoties toegeven.

Snel sloop ze de zaal door. Als de Shooter achter de deurstijl stond, was haar enige voordeel dat ze zich links van hem bevond in plaats van recht voor hem. In gedachten smeekte ze Kate om haar hoofd laag te houden, zoals ze elke god die toevallig luisterde smeekte om te voorkomen dat zij of Kate in het gezicht werd geschoten.

Maggie hoorde haar schoen over een houten vloerplank piepen.

Ze bleef staan. Hoe kon ze dat nou horen?

De treinen reden niet meer. De vloer trilde niet meer. Iemand had het treinverkeer stilgelegd. Het uitblijven van het gedender was bijna oorverdovend.

Een schot.

Maggie dook weg, maar het geluid kwam van buiten. Twee tellen later werd het schot beantwoord.

Maggie kwam uit hurkhouding overeind. Ze zocht naar de schaduw achter de deur. Hij was weg. Of misschien had hij op iemand op straat geschoten.

Achter haar hapte Kate naar adem.

Maggie draaide zich met een ruk om. Chip Bixby stond op ruim een halve meter van Kate. Hij had een wapen in zijn hand, een *hogleg* oftewel een varkenspoot, zo'n ouderwetse westernachtige blaffer waarmee je op twintig passen afstand iemands hoofd van zijn romp kon schieten. De revolver wees naar de grond. Maggie had haar wapen op zijn borst gericht.

Chip keek haar woedend aan tot ze de revolver liet zakken. Hij trok Kate bij haar arm overeind en duwde haar naar de deur aan de achterkant. Hij wenkte Maggie, ze moest hem volgen. Ze gehoorzaamde. Misschien wist Chip een achteruitgang. Misschien konden ze om het gebouw heen sluipen en de Shooter verrassen. Ze konden ook naar boven gaan en de mannen op straat rugdekking geven. Nog steeds hoorde

Maggie af en toe losse schoten. Rick was buiten. Hij had zijn collega verloren. Maggie wilde het niet op haar geweten hebben dat ook hij het leven liet.

Ze liep achterwaarts naar Chip toe. Kate was al door de achterste deur verdwenen. Chip stond ervoor, met zijn hogleg op de enige andere deur in de zaal gericht. Zijn blik schoot heen en weer tussen de open ramen en de ingang. Zweet gutste over zijn gezicht. De voorkant van zijn overhemd plakte aan zijn borst. Hij gebaarde dat ze moest opschieten.

Het liefst was Maggie naar de deur gerend, maar ze dwong zichzelf uiterlijk kalm te blijven. Ze hield haar revolver recht voor zich uit. Zo overbrugde ze de resterende ruimte. Met samengeknepen ogen tuurde ze naar dezelfde deuropening waarop Chip zijn wapen had gericht. Ze was een kleine twee meter van de deur verwijderd toen de schaduw weer opdook.

Deze keer was het meer dan een schaduw. De loop van een wapen werd om de hoek gestoken. Zelfs van een afstand zag Maggie de korrel die vanaf de voorkant van de loop omhoogstak.

En de zwarte handschoen die de revolver vasthield.

Chip greep haar bij haar boord en trok haar achter de deur. Maggie viel ruggelings tegen de muur. Ze waren nu in een trappenhuis aan de achterkant van het gebouw. De nooduitgang. De buitendeur zat niet simpelweg op slot, hij was met kettingen vastgemaakt. Ze duwde uit alle macht. De kettingen rinkelden. Ze zag een kiertje buitenlucht, maar het was te smal om doorheen te glippen.

'Maggie,' fluisterde Kate. Ze was al halverwege de trap en stond op het tussenbordes. Ze had haar wapenstok getrokken. Ze hield hem laag en schuin, precies zoals Maggie het haar had voorgedaan. 'Deze kant op.'

Chip schoot zijn hogleg af. De lucht ratelde. Hij dook achter de deur en gebruikte die als schild. 'Rennen!'

Angst kreeg de overhand. Maggie stoof de trap op. Ze hoorde een kogel tegen de metalen deur ketsen. De Shooter zat achter hen aan. Braaksel kolkte rond in haar mond. Ze vocht tegen de paniek terwijl haar verstand schreeuwde dat ze rustig moest worden, moest nadenken, logisch moest redeneren. Het trappenhuis was van stortbeton. Het enige licht kwam van de open verdieping bij elke overloop. Elke nieuwe overloop vertegenwoordigde een nieuwe tombe waarin ze konden vastlopen.

'Kate!' riep Maggie. Ze ging als een speer naar boven, zonder te stoppen.

Weer klonk de hogleg. De dreun weergalmde als een kanonschot. De knal die hierop volgde kwam van een kleiner kaliber wapen. Twee verschillende geluiden. Twee verschillende wapens.

Maggie bereikte de volgende verdieping, en nu bleef ze staan. Ze deed haar best om boven het geruis van het bloed in haar oren iets te horen. Kate lag nog steeds minstens één verdieping op haar voor. Op de trap beneden haar hoorde ze zwaardere voetstappen. Eén stel? Twee? Drie? Alles weergalmde. Zwaar gehijg. Slepende voeten. Was dat Chip? Was het de Shooter? Was het de geheimzinnige schaduw vanachter de deuropening?

Ze dook ineen met haar revolver voor zich uit gericht. Haar vinger verkrampte bijna toen Chip de hoek om kwam. Hij gebaarde dat ze moest doorlopen. Maggie aarzelde niet. Ze rende de trap weer op. De knal van de revolver echode in haar oren. Vlak bij haar hoofd brak een brok beton af. Weer klonk er een knal. De lucht trilde. Het was alsof de traptreden onder haar voeten verkruimelden.

Ineengedoken nam Maggie de volgende trap. Op het tussenbordes bleef ze staan en drukte haar rug tegen de muur. Kates voetstappen klonken trager. Ze werd moe. Voor Maggie gold het tegenovergestelde. Haar hart ging tekeer. Het was alsof haar ingewanden in de knoop lagen. Ze kreeg haar ademhaling niet onder controle. Als ze geen vaart terugnam ging ze nog hyperventileren.

Heel even sloot ze haar ogen. Ze concentreerde zich op de lucht die haar longen in en uit ging.

Jake Coffee.

Maggie zag het gezicht van de man telkens voor zich. Het kogelgat dat haar onbeweeglijk aanstaarde. Ricks hopeloze blik toen hij haar vertelde wat er gebeurd was.

Jakes vriendin zou het nieuws te horen krijgen. Zijn broertje, zijn vader en moeder, zijn hele familie zou horen wat hem overkomen was. Op straat geëxecuteerd. Zijn broek die naar beneden was getrokken.

Maggie deed haar ogen open.

Waarom was Jakes broek naar beneden getrokken?

De hogleg klonk weer. De revolver schoot terug. Ze waren vlakbij. Te dichtbij.

Maggie rende de volgende trap op. Ze bleef weer staan en luisterde ingespannen of ze iets hoorde. Boven klonk langzaam geschuifel. Waarom ging Kate eigenlijk naar boven? Was ze in paniek geraakt of had Chip gezegd dat ze naar het dak moest gaan? Het was drie tegen een, en ze hadden twee wapens. Waarom zou je de trap op rennen als je een tactisch betere plek kon innemen op een van de verdiepingen? Chip had het arrestatieteam geleid voor hij het voor gezien hield. Op de academie gaf hij les in tactische ondersteuning. Hij kende de procedures beter dan zij allemaal bij elkaar.

Maggies mond viel open.

Chip kende hun werkwijze. Hij kende al hun codes.

Hij was commando geweest in het oerwoud van Guadalcanal.

Hij zette geen stap zonder eerst de tactische voordelen vast te stellen.

En hij was niet meer de oude geweest sinds Edward Spivey vrijuit was gegaan. Iedereen wist dat Chip met een prostituee had liggen neuken toen zijn partner werd vermoord. Het schuldgevoel was al een zware last, maar de vrijspraak van Spivey had hem bijna gebroken. De afgelopen paar maanden was Chip telkens onverwacht bij hun huis opgedoken; hij had Jimmy uit zijn bed gesleept en soms had hij Terry gevraagd om te komen, en dan had hij eindeloos over de goede oude tijd verteld, toen hij samenwerkte met Duke Abbott.

Er was geen agent die niet graag verhalen vertelde, maar op de een of andere manier slaagde Chip erin er checklists van te maken. Hij had de irritante gewoonte om alles in lijstjes in te delen. De stappen die Duke en hij hadden gezet om de agressor te isoleren. Mogelijkheden die ze hadden onderzocht toen ze hun wapens kozen. Chip had het over mensen alsof het prooien waren. De verwarde echtgenoot die zijn vrouw had gegijzeld. De bankovervaller die neergehurkt achter in een Cadillac zat. De puber die high was van de *angel dust* en die zijn moeder met een bijl achternazat.

Ze waren allemaal gestoord, beweerde Chip. Maar dat gaf niet. Hij was zelf ook gestoord.

Zo gestoord als een vos.

De hogleg klonk, zoals telkens als Maggie bleef staan. Zoals beneden toen Maggie had geprobeerd de kettingen aan de gesloten buitendeur open te breken.

Chip was als eerste ter plekke geweest. Alle informatie over wat er met Jake Coffee was gebeurd, was van hem afkomstig. Hij had tegen Terry gezegd dat de Shooter in het andere gebouw zat, dat de schoten vanaf de tweede verdieping werden afgevuurd. Ondertussen had Chip positie ingenomen recht tegenover de plaats van handeling.

Dat hij plotseling beneden was opgedoken, kon op geen andere manier verklaard worden. Maggie en Kate waren via de voordeur naar binnen gegaan. De uitgang was afgesloten en de vensterruiten waren te smal om door te vluchten. De schaduw die ze in de deuropening hadden gezien, was waarschijnlijk van een agent die probeerde te helpen. De hogleg had hem vermoedelijk uitgeschakeld, net zoals die geweerkogel Terry had tegengehouden. Maggie zag het bijna voor zich: Chip die uit het raam op de benedenverdieping leunde en op Terry richtte die buiten op straat stond.

Maar waarom had hij op Terry geschoten? Daar hoefde Maggie niet lang over na te denken. In al Chips verhalen was hij altijd degene die het schot loste. Hij gunde Terry de prooi niet. Ze waren alle twee uit hetzelfde hout gesneden, maar slechts een van hen kon de leiding hebben.

De hogleg klonk weer.

Deze keer schrok Maggie niet. Ze nam haar revolver in beide handen en richtte hem langs de trap naar beneden.

Chip had Jake Coffee naar het rangeerterrein gelokt, en nu probeerde hij Kate en Maggie het dak op te krijgen.

Weer klonk de hogleg. Toen de revolver. Of misschien was het geen revolver. Misschien was het een .25 Saturday night special.

Opnieuw hoorde Maggie Kates voetstappen. Ze keek omhoog. Het licht was scherp. Kate was bijna boven. Langzaam klom Maggie naar het volgende bordes. Zonlicht. De deur naar het dak. Naar beneden gaan kon ze niet. De enige weg was naar boven.

Ze stormde de laatste trap op. Maggie was niet zo dom om te denken dat Chip haar op dat dak wilde hebben. Ze was hooguit bijkomstige schade. Hij had het op Kate voorzien. Net als de andere slachtoffers voldeed Kate aan de criteria om vermoord te worden, alles aan haar schreeuwde dat ze hier niet hoorde. Ze was vrouw. Ze was onafhankelijk. Ze was joods.

Maggies enige kans om hen beiden te redden was door een tactisch voordeel te benutten. Het trappenhuis was een hopeloze val. Ze moest Chip opwachten als hij in de deuropening naar het dak opdook. De middagzon zou hem verblinden.

Haar revolver zou de rest doen.

Ze keek omhoog. Ze kon het bijna aanraken. Blauwe lucht. Het vlakke witte asfalt van het dak. Ze spurtte naar de openstaande deur boven aan de trap.

En toen werd er een arm om haar hals geslagen. Maggie viel achterover. De warme loop van de hogleg drukte tegen haar slaap.

'Laat je wapen vallen,' zei Chip.

Maggie aarzelde.

'Nu.'

Met al haar kracht keilde ze de revolver door de deuropening.

DRIEËNDERTIG

Kate stond op het witte asfalt van het dak. Ze kreeg bijna geen adem meer. Het zonlicht prikte naalden in haar ogen. Even sloeg ze haar hand voor haar gezicht om zich te kunnen oriënteren. Achter haar was de deur. Links van haar was het rangeerterrein.

Jimmy lag voor haar op de grond.

Toen hij Kate zag sperde hij zijn ogen wijd open van angst.

Ze rende naar hem toe. Zijn handen en enkels waren samengebonden. Op zijn mond en rond zijn hoofd zat tape. Ze wist niet waar ze moest beginnen. Het draad om zijn polsen sneed in zijn vel. De knopen waren rood van het bloed. Kate begon het touw los te peuteren.

En toen hoorde ze iets achter zich.

Ze draaide zich om. Nog steeds speelden haar ogen een spelletje met haar. Ze zag een wapen door de lucht vliegen. Een revolver, dezelfde als die ze aan haar riem droeg.

Jimmy kreunde. Zijn schouders verkrampten. Hij keek naar de revolver.

Kate keek naar Maggie.

Chip Bixby had zijn arm om haar hals geslagen. In zijn hand had hij een groot pistool. Kate had nog nooit zo'n ding gezien. De loop was minstens dertig centimeter lang. Zijn vinger rustte op de trekkerbeugel, precies zoals hij het hun op de schietbaan geleerd had.

'Dus jij,' zei Kate, want nu zag ze het. Alles waardoor ze had gedacht dat Terry Lawson de Shooter was, was ook van toepassing op dit weerzinwekkende reptiel.

'Fijn dat je dat hele eind naar boven bent gerend, schat,' zei Chip tegen Kate. 'Anders had ik je moeten slepen.'

Kate keek naar de revolver die op het dak lag, op zo'n zes meter afstand.

'Toe dan,' daagde hij haar uit. 'Denk je dat je bij die revolver bent voor ik de trekker overhaal?'

Kate sloeg haar hand tegen haar borst. Ze moest de woorden hardop uitspreken voor ze ze echt kon geloven. 'Jij bent de Shooter.'

'Slimme meid, hoor.'

'Kate,' zei Maggie. 'Pak de revolver.'

Gehoorzaam als ze was, zette Kate zich in beweging. En toen bleef ze staan, want Chips vinger ging naar de trekker.

'Wou je het er echt op aan laten komen?' zei hij.

Kate voelde iets trillen tegen haar borst. Ze besefte dat het haar hand was.

'Een stap naar achteren,' beval Chip.

Kate verroerde zich niet. Eindelijk begreep ze hoe Chip dit allemaal in scène had gezet. Hij had gezegd dat ze zo snel mogelijk naar boven moest rennen. Jimmy lag daar natuurlijk al. Nu hield hij een revolver tegen Maggies hoofd. Het was geen toeval dat ze allemaal op dit dak op het rangeerterrein stonden. Ze bevonden zich precies op de plek waar Chip ze wilde hebben.

'Niet doen,' zei Maggie. Haar lichaam hing verstijfd tegen Chip aan. Ze had haar vingers in de achterkant van zijn arm geslagen. 'Denk je dat je Dukes nagedachtenis eert door een stel agenten te vermoorden?'

'Het waren geen agenten,' beet Chip haar toe. 'Het was ongedierte. Nikkerneukers, hippies, smouzen, spaghettivreters, smerige nichten.' Hij hield zijn blik op Kate gericht, en ze wist dat zij de smous was over wie hij het had.

'Ik probeer alleen mijn werk te doen,' zei ze.

'Gezeik, dame. Je weet niet eens hoe dat werk eruitziet.'

Zijn afkeer was tastbaar en voelde als een vuist om Kates hart.

'Ik heb het gezien bij m'n ouweheer,' zei Chip. 'Als je er een toelaat, neemt die een andere mee, en dan komt er nog een, en voor je het weet zijn ze de baas in de tent en staat je hele wereld op z'n kop.' Hij duwde de loop nog harder tegen Maggies slaap. 'Ik zorg alleen dat de dingen weer worden zoals ze horen ze te zijn.'

Kate stelde de enige vraag die nog relevant was. 'Hoe gaat dit aflopen?'

'Wil je niet liever weten hoe dit alles begonnen is?' Hij glimlachte en ze zag zijn kleine bruine tanden. 'Denk eens goed na, schat. Wanneer is dit alles voor jou begonnen?'

Daar hoefde Kate niet over na te denken. Haar aandeel in dit hele verhaal begon op haar eerste dag op de schietbaan. Chip Bixby had zich heel suggestief tegen Kate aan gedrukt toen hij haar liet zien hoe ze een wapen moest vasthouden. Ze had van hem gewalgd, maar ze had geen keus, want ze moest een wapen leren hanteren. Dat allereerste onbehagen was nooit helemaal verdwenen. Het volgde haar naar haar ouderlijk huis. Het volgde haar als ze in de stad was. En de laatste tijd was dat aanvankelijke gevoel van onrust overgegaan in pure paranoia.

De gloed van een sigaret bij het huis van haar ouders. De rookgeur in haar hotelkamer. Patricks verdwenen dogtags.

'Je bent me gevolgd,' zei ze.

'Ik heb je geobservéérd.'

Met misselijkmakende helderheid begreep Kate het verschil.

Observeren betekende nauwgezette aandacht. Observeren betekende dat je gebaren opmerkte, dat je zelfs de allerkleinste details vastlegde. Kate dacht aan Chips handen die ruw haar heupen hadden beetgepakt op de schietbaan. Zijn ranzige adem. De stank van zijn kleren door al dat kettingroken.

Het walgelijke besef dat hij later waarschijnlijk met Kate in gedachten ontlading zocht voor de paal in zijn broek.

Was dat de reden dat hij haar observeerde? Om zijn fantasie te prikkelen?

Nee.

Wat er op dit dak gebeurde, was geen fantasietje. Chip was van plan haar te doden.

'Het gaat je niet lukken.' Met moeite hield Kate haar stem in bedwang. 'Uiteindelijk komen die mannen op straat hierboven. Hoe wil je drie lijken verklaren?'

'Ik vertel ze de waarheid. Ik heb jullie allemaal het dak op gejaagd, maar ik kwam een seconde te laat. Jimmy doodde Maggie. En toen sloeg hij jou bewusteloos net voor ik hem een kogel door zijn kop joeg.' Chip grijnsde weer. 'Rustig maar, schoonheid, ik heb een mooie, veilige kamer speciaal voor jou ingericht. Vraag Jimmy maar. Je kunt schreeuwen wat je wilt, maar niemand die je hoort.'

'Ik ga nog liever dood dan dat ik me door jou laat aanraken.'

'We zullen zien hoe je daar over een week over denkt, Kaitlin.' Met vertrokken gezicht sprak hij de naam uit. 'Zo noemt je mammie je toch?'

Kates keel kneep dicht.

'Trek je witte nachthemd maar aan. Sla die paarse deken maar om je heen.'

Kate klapte haar hand voor haar mond. Ze droeg altijd een wit nachthemd als ze bij haar ouders sliep. De paarse deken lag op het voeteneind van haar bed. Aan de andere kant van de kamer was een raam. Dat liet ze 's nachts meestal op een kier staan. Had Chip erachter gestaan? Had hij naar haar gekeken terwijl ze sliep?

Kates hart stond stil toen één speciale herinnering bij haar bovenkwam.

Had Chip ook staan kijken op de avond dat ze afmaakte

wat Philip was begonnen? Kate had de deken van zich afgeslagen zodat ze de koele bries op haar huid kon voelen. Ze was heel kwetsbaar geweest. Heel open.

'O god,' fluisterde ze. 'Wat heb je gezien?'

'Denk je dat ik niet weet hoe een smerige jodin eruitziet als ze haar benen wijd doet?'

Gal steeg naar haar keel.

'Ik ken je, Kaitlin. Ik weet alles van je. En wat ik nog niet wist, heb ik van je Oma gehoord.'

Alsof Kate een stomp in haar maag kreeg. Oma. Hoe wist hij dat ze haar zo noemde?

Beneden op straat klonk een kreet. In de verte loeiden politiesirenes.

Chip had het ook gehoord. Hij nam zijn arm van Maggies hals. 'Op je knieën.'

Maggie verroerde zich niet, en daarom duwde hij haar neer. De revolver was slechts enkele centimeters van haar hoofd verwijderd.

'Niet doen,' smeekte Kate. Dit was niet echt. Onmogelijk dat ze Maggie zou zien sterven. 'Alsjeblieft. Laten we erover praten.'

'Voor praten is het te laat.' Chip trok de plug van Maggies portofoon uit de microfoon. 'Je weet wat je te doen staat, Lawson.'

Jimmy sloeg met zijn schouder tegen het dak. Maggie keek naar haar broer. Haar kaak stond strak. Kate had haar één keer eerder zo gezien. Ze berustte in haar lot. Ze had de strijd opgegeven. Ze verstrengelde haar vingers.

'Maggie, niet doen.' Kate kon dit niet laten gebeuren. De revolver lag op nog geen vier meter afstand op het dak. Ze zette een stap in die richting.

Drieënhalve meter.

'Handen achter je hoofd,' zei Chip.

'Maggie.' Kate zette weer een stap.

Drie meter.

'Opschieten, Lawson.'

Maggie legde haar handen boven op haar hoofd.

'Niet doen,' smeekte Kate. Er moest toch iets zijn wat ze kon doen. Weer zette ze een stapje.

Tweeënhalve meter.

Nog een stap... twee meter nu.

Anderhalf.

Kate bleef maar tellen. Ze telde altijd als ze bang was. Het aantal seconden tussen bliksem en donder. Het aantal slagen van haar hart voor Patricks vliegtuig in de lucht verdween.

Het aantal kogels dat in het trappenhuis was afgevuurd terwijl ze naar het dak rende.

'Hoeveel kogels heeft hij in zijn revolver?' vroeg ze aan Maggie.

Maggie zei niets, maar Kate kon haar gedachten lezen. Zo gebeurde het. Dit had Chip met Ballard en Johnson gedaan, met Keen en Porter.

'Ik heb zes schoten gehoord die luider waren dan de andere,' zei Kate. 'Ik heb ze geteld.'

Met stomheid geslagen keerde Maggie haar hoofd naar Kate toe.

'Nou, hoeveel?' herhaalde Kate.

'Zes.'

Kate dook op het wapen af. Het ging niet bepaald elegant. Haar schouder smakte tegen het dak toen ze de revolver weggriste.

Ze was te laat.

Chip haalde de trekker over.

Klik-klik.

Kate had gelijk gehad. Zijn grote revolver was leeg, en haar kleine revolver was nu recht op zijn borst gericht.

'Laat vallen,' zei ze.

Even staarde Chip haar aan. Hij liet het wapen uit zijn hand glijden. Kate volgde het met haar blik toen het op het dak kletterde.

'Kate!' riep Maggie.

Weer was Kate te laat.

Ze had dezelfde fout gemaakt die ze de hele week al had gemaakt. Ze had de verkeerde kant op gekeken. Chip had het ene wapen laten vallen, maar hij stak zijn andere hand achter zijn rug en trok een tweede.

Kate herinnerde zich het wapen van haar eerste ochtendappèl. Chip had het boven zijn hoofd gehouden, zodat iedereen het kon zien. De Raven MP-25. Zes in het magazijn, een in de kamer.

'Je hebt maar één kogel,' zei Kate. 'Tenzij je kunt toveren, kun je maar een van ons doden.'

'Weet je zeker dat je goed hebt geteld, Kaitlin?' Chip klonk kalm. Hij had het evengoed over het weer kunnen hebben. 'Zo zeker dat je je leven erom durft te verwedden?'

'Ik schiet je door je hoofd.'

'Ik heb je geleerd hoe je zo'n ding moet gebruiken, schat. Je zou nog geen bus kunnen raken, ook al had je een machinegeweer.'

'Durf je daar je leven om te verwedden?' Kate vocht om de angst uit haar stem te bannen. Haar handen dropen van het zweet. Ze had de hamer niet gespannen. Had Maggie dat al gedaan? Zou ze de revolver op het dak hebben gegooid zonder dat de veiligheidspal erop zat?

'Als je die revolver nou eens neerlegt voor je jezelf verwondt?' opperde Chip.

'Als je mijn reet nou eens kuste?'

Chip hapte toe. Nu had Kate zijn volle aandacht. 'Al vanaf de allereerste dag heb ik je bij je reet willen grijpen.'

Ze hield zijn blik vast terwijl ze met haar duim langs de zijkant van het wapen streek. 'Ik dacht dat je me allang bij mijn reet had gegrepen.'

'Reken maar.'

Ze voelde de cilindergrendel, het metalen nokje onder de hamer. 'En, vond je het lekker?'

'Denk je dat ik niet wist wat je deed?' Chip beging dezelfde fout als Kate en was niet langer op gevaar bedacht. 'Zoals je met die strakke kont tegen mijn pik duwde en je smouzenkunstjes met me flikte.'

'Ik kan me die dag nog goed herinneren.' Kate voelde de drie ribbels aan de bovenkant van de hamer. 'Je zei dat degene met de meeste kogels altijd wint.'

'O, schat, deze keer ga ik zeker winnen.'

'Nee, echt niet.' Kate haalde de trekker over.

De hamer was al gespannen. De slagpin sloeg voorwaarts. De kogel werd afgevuurd.

Chips schouder schoot met een ruk naar achteren. Zijn wapen ging af.

Maggie viel op de grond.

Eén hartverlammende seconde lang dacht Kate dat Maggie geraakt was, maar de kogel was een paar centimeter van haar been in het asfalt geslagen.

Kate hoorde een bekend geluid.

Klik-klik.

Chip richtte het wapen op Maggies hoofd, maar Kate had gelijk. Het magazijn was leeg.

Hij liet de revolver vallen. Hij rukte zijn shirt open. Bloed sijpelde gestaag uit zijn schouder. Het gat was zwart in het midden, net als de gaten die hij in zijn slachtoffers had geschoten. Net als het gat in het dak dat bijna een gat in Maggies hoofd was geweest. Het helderrode bloed trok een streep over zijn romp en verzamelde zich in de tailleband van zijn broek. Zijn borsthaar was grijs en vlekkerig. Boven zijn hart zat een tatoeage van een rode vos.

Om zijn nek hingen Patricks dogtags.

Kate kwam overeind. Ze klemde de revolver in beide handen. Ze zweette niet langer. Haar huid voelde koel. Ze was niet meer bang, voelde geen paniek meer. Ze wist alleen zeker dat ze het wapen vasthield waarmee deze man gedood ging worden. 'Afdoen.'

'Kom ze maar halen.' Chip haakte zijn duim om de metalen ketting. Hij knipoogde zelfs naar haar. 'Ik zou maar oppassen, schat. Als die portier van jullie een politiepenning ziet, laat hij iedereen naar boven gaan.'

'Geef terug.' Kates stem klonk vlak. Inwendig was ze dood, even dood als Patrick. Even dood als Chip Bixby straks. 'Afdoen. Nu.'

'Dacht je echt dat je geschikt was voor dit werk?'

'Afdoen, zei ik.'

'Zelfs je eigen mammie wil niet dat je de penning draagt.'

'Bek houden,' beval Kate.

'Dat heeft Liesbeth me zelf verteld. Zij en je opoetje. Ik heb ze vorige week gesproken.'

Hij loog. Dat kon niet anders.

'Ik zag die jodentattoos op hun armen. Wie had dat nou gedacht? Een stelletje blonde gleuven. Maar Hitler liet zich vast niet bedotten.' Weer glimlachte hij. 'Jammer dat hij z'n karwei niet heeft afgemaakt.'

'Hou je stomme bek.'

'Ga jij je karwei wel afmaken, Kaitlin?' De glimlach was in een grijns overgegaan. 'Mooie bank hebben ze in de zitkamer. Hoe noem je die kleur, turkoois?'

Kate verstarde. Haar longen zogen geen lucht meer op. Haar hart sloeg niet meer. Haar vinger lag verstijfd aan de trekker. Ze zag Chip al zitten op de turkooizen bank. Met zijn benen wijd, alsof hij het daar voor het zeggen had. Oma en Liesbeth boden hem vast sigaretten en cocktails aan, en waarom? Omdat ze geen idee hadden dat een monster zich hun huis had binnen gekletst.

'Toe dan,' zei Maggie. 'Schiet hem dood.'

Kate wilde niets liever. Met heel haar wezen smachtte ze ernaar de trekker over te halen.

Maar ze kon het niet. Niet omdat ze het niet in zich had, maar omdat Chip Bixby zo graag wilde dat ze het deed. Nog steeds hoorde Kate de mannen op straat. Ze hadden de schoten op het dak gehoord. Waarschijnlijk kwamen ze nu de trap op, waarbij ze eerst elke verdieping veiligstelden voor ze verdergingen.

Chip had ze ook gehoord, dat kon niet anders, en hij had besloten dat hij liever gedood werd dan zich levend te laten arresteren.

Kate legde haar vinger weer op de trekkerbeugel. 'Sla hem in de boeien,' zei ze tegen Maggie. Toen Maggie zich niet verroerde, wierp Kate haar eigen handboeien op de grond. 'We rekenen hem in. Jij en ik. We arresteren de klootzak en brengen hem naar het bureau.'

Maggie verroerde zich nog steeds niet.

'Kom,' zei Kate. 'Jij en ik, Lawson. Niet de jongens. Wij stoere meiden slaan de grote Chip Bixby in de boeien, gooien hem achter in de auto en brengen hem naar het bureau.'

Het duurde even voor het tot Maggie doordrong. Aarzelend pakte ze de handboeien. 'Ik maak het proces-verbaal op.'

'Ik zou het niet anders willen.'

Maggie klikte de boeien open. Ze knikte terwijl ze het in gedachten aan het uitwerken was. 'Ik neem hem zijn vingerafdrukken af. Ik neem zijn foto voor de kranten. En ik gooi hem in de cel.'

'Mag ik mee?'

'Als ik hem in de cel gooi, bedoel je?' Maggie lachte. 'Tuurlijk. We gaan hem met z'n tweeën in de cel gooien waar alle boeven bij zijn.'

'Nee.' Chip deed een stap naar achteren. Toen nog een. 'Echt niet.'

'Staan blijven.' Kates vinger krulde zich om de trekker.

Chip bleef naar achteren lopen. 'Jullie rekenen me echt niet in, stelletje kutten.'

'Staan blijven.' Kates stem klonk nu krachtiger. Ze stapte op hem af terwijl hij naar achteren bleef lopen. 'Ik schiet weer, hoor.'

Chip bleef niet staan. Hij deed nog een stap naar achteren, toen nog een, tot zijn hakken tegen de borstwering stootten. Hij stapte erop. Hij stapte naar achteren. Een fractie van een seconde bleef hij in de lucht hangen.

Toen was hij weg.

Eerst bleven Maggie en Kate allebei roerloos staan. Toen renden ze naar de rand van het gebouw. Het tafereel beneden leek griezelig veel op wat ze bij aankomst hadden aangetroffen. Alleen was het deze keer niet Terry Lawson met een groep agenten om zich heen, maar Chip Bixby met een tiental wapens op zich gericht.

Ze hadden zich de moeite kunnen besparen. Chip was onmiskenbaar dood. Zijn armen en benen lagen wijd uit elkaar. Zijn schedel was opengebarsten. Overal lag bloed.

'Daarboven!' riep een van de agenten. Rick Anderson. Hij had zijn shotgun op zijn schouder.

Kate voelde zich draaierig worden. Ze liet zich op haar knieën vallen om niet achter Chip aan van het dak te tuimelen. De revolver viel naast haar neer. 'O god.'

Maggie rende naar Jimmy.

'O god,' herhaalde Kate. Wat was er zojuist gebeurd? Ze had hem moeten neerschieten. Ze had een kogel door zijn hoofd moeten jagen voor hij van het dak kon springen.

Kate moest lachen. Dacht ze echt dat ze Chip Bixby had moeten doden voor hij zichzelf van kant maakte? In gedachten hoorde ze haar vaders stem: over verspilde moeite gesproken.

Haar vader.

Haar Oma en haar moeder.

Kate begon onbeheersbaar te rillen.

Chip Bixby was in hun huis geweest. Hij had in hun woonkamer gezeten, had met Liesbeth en Oma gesproken. Hij was van plan geweest Kate weg te halen van haar familie. Hij had al een plek voor haar ingericht. Een kamer waar ze kon schreeuwen wat ze wilde zonder dat iemand haar hoorde. Kate zou voor altijd verdwenen zijn. Haar familie zou de rest van hun leven niet weten wat er met haar gebeurd was.

Net als met Oma's vader en moeder het geval was geweest, met Oma's broer en haar zoontje.

Het ene moment waren ze er nog, het volgende moment waren ze verdwenen.

'Kate!' riep Maggie. 'Kate! Kom eens helpen!'

Met haar tanden probeerde Maggie het tape van Jimmy's hoofd te trekken.

Kate moest het loslaten. Ze moest het ergens veilig in haar geest opbergen, waar het haar geen kwaad kon doen. Chip was dood. Kate was niet aan hem ten prooi gevallen. Ze was aan niemand ten prooi gevallen. Ze was politieagent. Ze had een wapen waarmee ze een verdachte had tegengehouden. Haar collega en zij hadden een zaak afgesloten. Kate had geholpen een misdaad op te lossen die de stad in zijn greep had gehouden nog voor ze ook maar had besloten een uniform aan te trekken.

Haar uniform. Hoe vaak had Chip toegekeken terwijl ze haar uniform uittrok?

Kate schudde haar hoofd in een poging die vreselijke gedachte van zich af te zetten. Ze duwde zichzelf overeind. Ze veegde haar handen af aan haar broek. Ze stapte op Maggie en Jimmy af om te zien of ze kon helpen.

Ten slotte scheurde Maggie het tape doormidden. Jimmy kreunde toen de lijmlaag van zijn gezicht werd getrokken. Maggie sloeg haar armen om haar broer. Ze huilden alle twee. Geen van beiden sprak een woord.

Toen zei Jimmy: 'Het spijt me.'

'Geeft niet,' suste Maggie. Ze streelde hem over zijn rug, kuste zijn wang. 'Alles komt goed. Alles komt voor elkaar.'

Kate wendde zich af. Ze voelde tranen komen. Ze wist niet om wie ze huilde. Om zichzelf? Om Patrick? Om Maggie en Jimmy? Om haar ouders? Haar Oma? Misschien was Kate alleen maar opgelucht. Dat was de leugen die ze zichzelf zou voorhouden. Ze was niet bang. Ze voelde zich niet achtervolgd of onteerd op het allerintiemste niveau.

Ze was alleen maar opgelucht.

'Het komt goed,' zei Maggie tegen haar broer. 'Je bent nu veilig.'

'Iedereen weet het,' snikte Jimmy. Net als zijn zus een paar minuten eerder klonk hij alsof hij berustte in het lot dat hem wachtte. 'Schiet me maar dood, Maggie. Gooi me maar van het dak, voor zij het doen.'

Maggie huilde ook. 'Ze moeten het niet wagen je ook maar aan te raken. Dan krijgen ze met mij te maken.'

'Het is te laat.' Hij was volkomen ontredderd. 'Het spijt me. Het spijt me zo verschrikkelijk.'

Op de trap klonken luide stemmen. Kate hoorde de voetstappen over de betonnen treden dreunen.

'Dood me nou maar,' smeekte Jimmy. 'Of geef me die revolver, dan doe ik het zelf.'

'Nee.' Maggie liet hem niet los. 'Jimmy, het maakt me niet uit. Dat alles maakt me niet uit. Zolang jij het maar redt.'

'Ik red het niet.'

'Ja, je redt het wel.' Ze klemde hem nog steviger vast. 'We slaan ons hier doorheen. Echt.'

Jimmy reageerde niet. Hij keek over Maggies schouder naar de deur, in afwachting van het onafwendbare oordeel. Nog meer kreten weergalmden door het trappenhuis toen de ene verdieping na de andere veilig werd verklaard. Tot op de laatste man kwamen de agenten die op straat hadden gestaan naar het dak. Waarschijnlijk hadden ze allemaal gehoord wat Terry Lawson tegen Maggie had gezegd over zijn eigen neef.

Je laat die flikker van een broer van je ontkomen.

'Chip loog,' zei Kate.

Ze keken haar allebei aan.

Schouderophalend zei ze: 'Dat heeft hij zelf toegegeven.'

'Waar heb je het over?' vroeg Maggie.

Kate legde het uit. 'Vlak voor hij van het dak sprong gaf Chip toe dat hij over Jimmy gelogen had.' Ze zette haar arrogantste Buckhead-toontje op. 'Jeetje, jullie zijn er de hele tijd bij geweest. Hebben jullie hem dat dan niet horen zeggen?'

DAG VIER

Donderdag

VIERENDERTIG

Maggie zat op een stoel op de gang bij Terry's ziekenhuiskamer.

Hij bleef leven.

Maggie kon maar niet aan de gedachte wennen. De hele vorige dag en de hele nacht had ze zichzelf voorgehouden dat hij het niet zou halen. De artsen hadden gezegd dat het er de eerste vierentwintig uur om spande, maar die waren nu achter de rug en Terry leefde nog steeds.

Niemand wist wat voor leven hem te wachten stond. De kogel had zijn ruggengraat geschampt. De zaak was enorm opgezwollen. Een deel van de kogel was blijven zitten. Het was uitermate riskant om de fragmenten te verwijderen. Het was onzeker of hij nog zou kunnen lopen. Vanaf zijn middel naar beneden voelde hij niets. Het enige wat vaststond, was dat hij zelfstandig kon ademen.

Wat betekende dat hij kon praten.

Niet dat Maggie iets tegen haar oom had gezegd. Ze bleef op de stoel op de gang zitten en hield de deur in de gaten. Terry mocht niet veel bezoek ontvangen. De gebruikelijke stroom agenten bleef uit.

Delia en Lilly huilden te erg om lang bij hem te kunnen zijn. De commissaris was langs geweest, maar hij was na vijf minuten alweer vertrokken. Cal Vick bleef iets langer, tot de verpleegster hem de deur uit schopte. Gail was in haar rolstoel aan komen rijden voor een babbeltje, maar toen ze ontdekte dat ze niet mocht roken vanwege het zuurstofapparaat had ze zichzelf weer naar buiten gereden. Er was geen spoor te bekennen van Mack McKay, Red Flemming, Les Leslie of Jett Elliott. Aan Bud Deacon de taak om Terry over Chip te vertellen. Dat gesprek had bijna een uur geduurd. Bud weigerde Maggie aan te kijken toen hij de kamer uit kwam.

Die ochtend had Jimmy met Terry gepraat. Meer informatie had Maggie niet. Ze had haar broer aan zijn hoofd gedramd om haar meer te vertellen. Natuurlijk had ze gedramd. Dat deed ze nou eenmaal altijd. Alleen had Jimmy deze keer niet gedaan wat hij altijd deed, namelijk tegen haar uitvallen. Hij had alleen zijn hoofd geschud en gezegd dat alles in orde was.

Was alles inderdaad in orde? Maggie was beneden geweest. Ze had het gefluister in de wachtkamer gehoord. Ze had de blikken gezien waarmee sommige agenten naar Jimmy keken. Alle drie hadden ze zich aan Kates verhaal over Chips bekentenis gehouden, maar agenten waren van nature achterdochtig. Ze vermoedde dat Red, Mack, Les en Jett daarom wegbleven. Ze hadden Jimmy op handen gedragen. Wat zei het over hen als Jimmy inderdaad een flikker bleek te zijn? En wat zei het over Terry Lawson als zijn neef een homo was?

Eigenlijk had Maggie opgelucht moeten zijn nu de mannen uit hun leven waren verdwenen, maar ze was woedend omdat ze haar broer in de steek lieten. Ze waren zijn mentoren geweest. Ze hadden hem beter behandeld dan hun eigen zonen. Ze zou het hen nooit vergeven dat ze hem de rug hadden toegekeerd om iets wat hun geen moer aanging.

Niet dat Jimmy onder het verraad gebukt leek te gaan. Wat er op het dak bij het rangeerterrein was gebeurd had veel veranderd, maar Jimmy Lawson was nog steeds niet het type dat met zijn gevoelens te koop liep.

En wat dat andere betrof: Maggie liep ook al niet met haar gevoelens te koop.

Kate daarentegen had een draai van honderdtachtig graden gemaakt, en was niet langer het frisse groentje dat op haar eerste dag de deur van de kleedkamer te ver had opengetrokken. Het leek wel of er vloeibaar staal door haar aderen stroomde. Zelfs toen ze de honderden pagina's met aantekeningen had gezien op het klembord dat in Chip Bixby's auto was aangetroffen, had ze hooguit geschamperd dat ze de voorkeur gaf aan 'jodin' boven 'smous'.

Wie kon zeggen wat Kate werkelijk dacht toen ze de lijst zag met alle dingen die Chip met haar wilde doen? Of wat ze vond van de observatierapporten waarin haar leven van seconde tot seconde was vastgelegd vanaf het moment dat Chip haar voor het eerst op de schietbaan had gezien? Of zijn neergekrabbelde tirades over de smouzen, tacovreters en spleetogen die de wereld naar de kloten hielpen terwijl puike kerels zoals Chip Bixby vochten om alles weer recht te zetten?

Wie had er ook maar enig idee van wat er in Kate Murphy omging?

Ze kon verdomd goed liegen. Of versluieren, zoals Kate waarschijnlijk zou zeggen. In elk geval zette ze haar talenten in voor het goede doel. De hoeveelheid bullshit die Kate in haar rapport verwerkte was adembenemend. Merkwaardig genoeg strekte geen van de vele verfraaiingen haarzelf tot voordeel.

Agent Lawson trok Bixby's aandacht door op de grond neer te knielen, zodat ik wat dichter bij de revolver kon komen. Als zij hem niet had afgeleid, had ik niet kunnen handelen.

Bixby. Eigenlijk had Maggie er graag bij willen zijn toen Terry het nieuws te horen kreeg. Ze had zijn gezicht willen zien. Niet een, maar twee mannen in Terry's leven waren erin geslaagd hem een rad voor zijn kraaloogjes te draaien. En ergens vond ze dat dit maar weer bewees wat een eikel Terry was. Hij liep de godganse dag te zeiken over de smouzen, spleetogen, zwarten, rooien, feministen en wie er verder nog bezig was zijn volmaakte wereldje naar de verdommenis te helpen. Wat dacht hij dat er gebeurde als iemand als Chip zijn woorden als strijdleus gebruikte?

'Miss Lawson?' De verpleegster kwam Terry's kamer uit. Ze hield de deur voor Maggie open. 'Hij vraagt naar u.'

Maggie wist niet of ze moest lachen of de zakken van het mens op drugs moest controleren.

'Niet te lang binnen blijven.' De verpleegster maakte geen grapje. Het was duidelijk dat de zorg voor Terry haar volledig had leeggezogen. 'Hij heeft rust nodig.'

Met haar handen op haar knieën duwde Maggie zichzelf overeind. Haar lijf deed nog steeds zeer van de aframmeling die ze had gekregen. Haar wang was één grote beurse plek. Haar hals was bont en blauw. Haar kaak knakte van de klap in het gezicht die Terry haar had gegeven.

De lampen waren uit in de kamer, maar er kwam zoveel licht van de apparatuur af dat alles goed te zien was. Maggie had zich altijd op haar gemak gevoeld in ziekenhuizen. Ze had haar vader jarenlang opgezocht in Milledgeville, en langzamerhand was ze het als een tweede huis gaan beschouwen.

Terry had een kantelbed, zodat niets op zijn ruggengraat drukte. Hij lag op zijn buik. Dankzij de kinsteun kon hij een stuk vloer zien. Lange riemen zorgden ervoor dat hij zijn armen en benen niet kon bewegen. Er liep ook een riem om de achterkant van zijn hoofd. Zijn ziekenhuishemd hing open. Maggie zag de vleugels van zijn schouderbladen. Dertig centimeter lager, op de plek waar de kogel was binnengedrongen, zat een groot verband. Een laken bedekte de rest.

Iemand had een blauwe hemel en pluizige witte wolken op de tegel recht onder zijn gezicht geschilderd. Aan een stang aan het bed zat een spiegeltje. Het was zo gericht dat je Terry's ogen en neus kon zien, maar Maggie wist niet of hij ook kon zien wie er in de kamer was.

'Kom eens dichterbij,' zei hij.

Eerst verstond Maggie hem niet. Zijn kaak drukte tegen de kinsteun. Hij kon nauwelijks praten.

'Dichterbij.'

Ze zette weer een stap in zijn richting. Hij keek in het spiegeltje. Hij kon haar zien.

'Waar is Jimmy?'

'Die is weer aan het werk.'

Terry's neusvleugels trilden. 'Hij moet ontslag nemen.'

Maggie reageerde niet.

'Hij hoort daar niet.'

'Je klinkt net als Chip Bixby.'

Terry's hoofd was al rood. Zijn ogen puilden al uit. Ook zonder de gebruikelijke signalen wist Maggie dat hij woedend op haar was. Ze voelde het diep vanbinnen. Ze voelde het met elke ademtocht. Met elke hartslag. Hoe hard ze het ook ontkende, ze was met Terry verbonden, net zoals ze met de geluiden van haar huis was verbonden: de klets van het telefoonsnoer, de klap waarmee de kastdeur werd dichtgegooid, het gekraak van een stukgeslagen ei.

Maggie nam in kleermakerszit op de vloer plaats en boog zich zo ver voorover dat Terry haar zonder het spiegeltje kon zien.

'Ik moet je iets vertellen,' zei ze.

Hij staarde recht voor zich uit.

'Je had het mis. Wil je niet weten wat je mis had?'

Terry's kaak zwol op.

Maggie citeerde zijn favoriete uitspraak. '"Mensen nemen de macht niet. Die krijgen ze van anderen."' Ze wachtte niet op antwoord, maar liet haar woorden even bezinken. 'Je had het mis, Terry. Ik heb de macht genomen. Kate Murphy heeft de macht genomen.'

Hij keek haar niet aan. Hij keek niet in de spiegel.

'Ik heb de hele nacht bij je kamer gezeten en hierover nagedacht. Weet je wat ik heb ontdekt?' Deze keer wachtte Maggie niet op antwoord. 'Volgens mij ben je niet echt een racist. Of een seksist. Of een jodenhater. Of een homohater. Of al die bullshit. Volgens mij ben je bang.'

Terry keek haar nog steeds niet aan.

'Je bent doodsbang.' Ze herinnerde zich wat Chip gezegd had, daar op het dak. 'Je hele wereld staat op z'n kop. Je hoort er niet meer bij.'

Terry reageerde niet, maar Maggie zag dat haar woorden doel hadden getroffen.

'Chip heeft die agenten niet gedood omdat hij de pest aan ze had,' zei ze. 'Hij heeft ze gedood omdat hij het niet kon uitstaan dat ze verandering teweegbrachten. En dat heb jij hem doen inzien toen je met het bewijs tegen Spivey rommelde. Dat gaf bij hem de doorslag. Dat weet jij. Dat weet ik. Spivey ging vrijuit en twee maanden later vermoordde Chip het soort mensen dat jij er de schuld van gaf.'

Terry's kaak stond zo strak dat Maggie onder zijn huid de contouren van het bot kon zien.

'En het trieste is dat Spivey door jou vrijuit is gegaan,' zei ze. 'De zaak was rond, maar jij kon het niet laten rusten. Je kon het niet aan een rechter en jury overlaten om over de feiten te beslissen.' Maggie liet haar woorden weer bezinken. 'Chip was paranoïde. Hij was alleen. Zijn hele wereld viel uiteen. En hij kon het niet aan. Evenmin als jij.'

Terry trilde van woede. Zijn gezicht was helemaal vlekkerig. Zweet droop op het stuk vloer onder hem.

'Dat wilde ik je vertellen, dat het jouw schuld was. Dat de wereld niet alleen verandert, maar dat hij aan jou voorbijgaat.' Maggie glimlachte. 'De politie maakt nog steeds de dienst uit in Atlanta, Terry. Alleen ben jij niet langer het soort politieman dat het voor het zeggen heeft.'

Eindelijk verbrak hij zijn zwijgen. 'Smerig kutwijf!'

Maggie bleef lachen. Wat vond ze dit heerlijk. Ze kon hier de hele dag wel zitten en dan zou ze elk woord eruit gooien dat Terry haar ooit door de strot had geduwd, zonder dat hij er ook maar iets tegen kon doen.

'Denk je echt dat er iets verandert?' vroeg hij.

'Ik denk dat de hele wereld gaat veranderen. Voor mij. Voor Kate. Voor de zwarten. Voor de bruinen, de gelen, de groenen. En voor jou. Vooral voor jou.'

Nu keek Terry haar aan. 'Je bent niks. Weet je dat? Ik schijt op je.'

Maggie zag hem zijn vuist ballen. Ze was haar fysieke reacties niet de baas. Telkens als zijn woede dreigde over te koken, vulde haar borst zich met kwik en klopte haar hart in haar keel.

'Opgesodemieterd,' zei Terry.

'Jij maakt niet uit wanneer ik wegga.' Maggie ging op haar knieën zitten en bracht haar gezicht tot vlak bij het zijne. 'Je hebt het niet langer voor het zeggen. Hoor je me?'

'Als ik dit bed uit kom...'

'Voel je dit?' Ze legde haar hand op zijn nek.

Terry blies een stoot lucht uit. 'Wat doe je?'

Maggie trippelde met haar vingers over zijn nek. Zijn huid was koud en droog. 'Ik weet dat je me kunt voelen. Alleen onder de gordel is alles verdwenen, hè?'

'Ma...' Het lukte hem niet haar naam uit te spreken. Zweet spatte op de vloer en liep in een straaltje over de beschilderde tegel.

'Hebben ze je verteld dat de kogel nog in je ruggengraat zit?' Haar vingers rustten met lichte druk op zijn nek. 'Het scheelt maar een centimetertje of je piest en schijt de rest van je leven in een zakje.'

'Niet...'

Ze schoof haar hand een stukje naar beneden. Met haar vinger zocht ze de plek tussen de wervels onder in zijn nek. Ze verminderde de druk, maar ze wist dat het voor Terry als een drilboor aanvoelde. 'Zeg dat het je spijt.'

'W-wat?' stamelde hij.

'Zeg dat het je spijt.' Ze hield haar mond bij zijn oor. Ze hoopte dat hij haar speeksel kon voelen. Ze hoopte dat zijn hart beefde, dat zijn zenuwen trilden en dat hij gekweld werd door het soort angst dat je voelt als je machteloos in bed ligt terwijl er iemand achter je staat die alles met je kan doen.

Maggie drukte haar vingers tussen zijn schouderbladen. Ze voelde zijn ruggengraat. De snee zat vijftien centimeter lager. Wat zou het gemakkelijk zijn om haar vingers in de wond te drukken, om de kogel een centimeter te verschuiven.

'Stop!' smeekte Terry. 'Alsjeblieft.'

'Je zegt nu dat het je spijt of ik ram mijn vuist zo hard tegen die kogel aan dat hij je neus uit spuit.'

'Het spijt me!' krijste hij. 'Het spijt me!'

'Zeker weten?'

'Ja.' Hij huilde. 'Stop alsjeblieft. Het spijt me. Stop!'

Maggie haalde haar hand weg. Op haar dooie gemak kwam ze van de vloer overeind. Ze veegde de achterkant van haar broek af. Ze liep naar de deur. Ze draaide de deurknop om.

De verpleegster stond op de gang. Uiteraard had ze het lawaai gehoord. 'Alles in orde daar?'

'Ja hoor.'

'Ik ga zijn pijnstillers halen.'

Maggie hield haar tegen. 'Die hoeft hij niet, zei hij net.'

'Weet u dat zeker? Ik dacht dat ik hem hoorde schreeuwen.'

'Zo is hij nou eenmaal,' zei Maggie. 'Hij zet zijn kiezen op elkaar. Je moet hem eens meemaken als hij bij de tandarts is. Niet om aan te horen. Hij maakt de assistente altijd aan het huilen.'

De verpleegster had inmiddels lang genoeg in Terry's gezelschap verkeerd om het verhaal te geloven. 'Tja, als hij dat wil.'

'Geloof me nou maar. Ik heb al heel lang geleden geleerd dat er met mijn oom niet te discussiëren valt.' Maggie keek de vrouw glimlachend aan. 'Het is nou eenmaal een stoere kerel.'

DAG ACHT

Maandag

EPILOOG

Kate reed haar auto het parkeerterrein van het politiebureau op. Ze deed haar sjaal af. Haar zonnebril verdween in haar tas. Ze overwoog het dak van de cabrio omhoog te doen, maar niemand stal een auto van een politieparkeerterrein.

Zelfs geen rode Ford Mustang.

Ze pakte haar riem van de passagiersstoel. De metalen clips zaten in haar voorste broekzak. Ze stak ze aan haar onderriem en haakte toen de dienstriem vast. Aan de achterkant bevestigde ze de portofoon. Ze controleerde haar zakken: kauwgom, lippenstift, notitieboekje, bonnenboekje, pennen. Ze controleerde haar riem: zaklantaarn aan de haak. Handboeien in de gordeltas. Snoertje schoudermicrofoon door epaulet. Plug in de portofoon. Sleutelbos aan ring. Wapenstok door de metalen lus. Holster vast aan de riem. Borgriempje over haar wapen.

Haar wapen.

Kate had een man neergeschoten met een wapen dat vrijwel identiek was aan deze revolver. Ze had op zijn borst gericht en had zijn schouder geraakt, maar niet elk schot is een eendvogel, zoals ze bij haar thuis zeiden.

Niet dat ze bij haar thuis ooit de waarheid zouden vernemen over wat er op dat dak was gebeurd. Ook al zou ze het willen, het ontbrak Kate aan de woorden om uit te leggen hoe ze zich echt gevoeld had. Ze had Chip Bixby willen doden. Niet de eerste keer dat ze op hem schoot; toen wilde ze hem alleen maar uitschakelen. Niet alleen wilde ze voorkomen dat hij Maggie doodde, ze wilde ervoor zorgen dat hij die vreselijke dingen niet meer kon zeggen.

Kates witte nachthemd? Haar paarse deken? Haar Oma?

Kate wilde hem pas echt doden toen ze Patricks dogtags zag. Ze werd verteerd door razernij. Ze had hem niet alleen willen vermoorden. Ze had haar wapen in zijn borst willen leegschieten. En daarna had ze kokende olie in de kogelgaten willen gieten en dansen in zijn nog warme bloed.

Ze had zich vanbinnen dood gevoeld. Ze had zichzelf tot alles in staat geacht.

De vijfde Kate had haar lelijke kop opgestoken. Deze Kate wilde duisternis. Haar vinger lag aan de trekker. Ze kon hem elk moment overhalen. Maar toen hadden de andere Kates de regie overgenomen. Ze wist niet goed welke. De dochter? De weduwe? De agent? De hoer?

De echte Kate, als het aan haar lag. De enige Kate die ertoe deed, was de Kate die de leiding had genomen daar op dat dak. Haar vinger had de trekker losgelaten. Haar hand had Maggie de handboeien toegeworpen. De echte Kate was een goed mens en deed geen slechte dingen.

Hoe was dat zo gekomen?

Omdat Kate een keus had gemaakt.

Ze had zich teruggetrokken van de afgrond. Ze had het recht niet in eigen hand genomen. Ze was geen Chip Bixby. Het was haar taak om de wet te handhaven, en dat had Kate gedaan. En niet alleen dat. Ze had Maggie beschermd. Ze had Jimmy gered. Ze had zichzelf gered.

Weliswaar had Kate het in haar broek gedaan, maar dankzij Philip had ze nog een extra slip in haar zak.

Ze deed het autoportier op slot, wat dwaas was nu ze het dak openliet, maar het was een gewoonte die ze zich probeerde eigen te maken. Met een grimas zette Kate haar pet op. Hoeveel geurzakjes uit haar ondergoedla ze er 's avonds ook in stopte, de rand bleef naar het zweterige hoofd van Jimmy Lawson ruiken. Maar de stank in zijn schoenen was in elk geval door het bakpoeder geabsorbeerd.

Kleine overwinningen.

Kate liep het trottoir over. Het was fris buiten. De zon scheen. Haar wapenstok sloeg tegen haar been. Haar holster sneed in haar huid. Ze vroeg zich af of ze daar een eeltplek zou krijgen. Dat waren van die dingen die een arts vast wel wist.

'Murphy.' Jimmy Lawson liep achter haar.

Kate minderde vaart zodat hij haar kon inhalen. 'Goed weekend gehad?' vroeg ze.

'Zoals altijd.'

Kate keek hem even schuin aan. Jimmy had haar nooit het grappige type geleken.

Misschien probeerde hij daar verandering in te brengen. Vergeleken met een week geleden was Jimmy veranderd, en niet alleen vanwege de zwellingen rond zijn polsen. De woede die hem verteerd had, begon af te nemen. Kate vroeg zich af wanneer dat begonnen was. Niemand wist wat er met Jimmy gebeurd was tijdens de achttien uur dat Chip hem gegijzeld had. Jimmy beweerde zich alleen te kunnen herinneren dat hij beneden in de keuken een geluid had gehoord. Het volgende moment sloeg Chip hem wakker op het dak van een kantoorgebouw bij het rangeerterrein.

Over de brief had hij niets gezegd.

Kate vond het prima. Hoe alles zich verder ook ontwikkelde, ze kon alleen maar hopen dat Jimmy niet weer één brok woede werd. Maggie had hem nodig. Het korps had hem nodig. Hoewel ze geen idee had hoe lang Jimmy het als agent zou volhouden. Ondanks een naar Kates idee geweldig toneelstukje gingen er nog steeds allerlei geruchten op het bureau. Ze had altijd gedacht dat de meiden op haar middelbare school erg waren. Zoals Kate de vorige avond aan haar Oma had verteld, was er geen groep die zich zo door hatelijke roddels liet leiden als het plaatselijke politiekorps.

Dat was het enige wat ze met haar Oma had gedeeld. Kates foto had in de krant gestaan. Ze liet het aan de journalist over om haar familie te vertellen wat er gebeurd was, want dankzij de commissaris wist de pers niet veel. De waarheid omtrent Chip Bixby en zijn weerzinwekkende logboek verdween voor minstens honderd jaar in het politiearchief. Tenzij Kate er op de een of andere manier in slaagde promotie te maken. Ze wist zeker dat rechercheurs toegang hadden tot de archieven.

'Mag ik je iets vragen?' zei Jimmy.

'Zeker, ga je gang.'

'Die kogels in het trappenhuis. Waarom telde je ze?'

Kate slaakte een diepe zucht. 'Tafels gereserveerd voor minstens vier personen. Niet meer dan zes kledingstukken in de kleedhokjes. Minimaal twee drankjes.' Ze haalde haar schouders op. 'Ik tel mijn hele leven al.'

'Jezus,' mompelde hij. 'Is het helemaal niet bij je opgekomen dat een van die schoten uit Maggies revolver had kunnen komen?'

'Absoluut.' Ze keek hem lachend aan. 'Die gedachte kwam bij me op zodra ik thuis was. Ik kreeg bijna een hartaanval.'

'Dat is een grap, hè?'

'Was het maar zo.' Kate was zo van streek geweest dat ze onder de warme douche was gaan staan tot het water koud werd. 'Het is geen moment bij me opgekomen dat Maggie haar wapen kon hebben afgeschoten.'

'God sta me bij, ik ben gered door Lucy en Ethel,' zei Jimmy plagerig. Alle vijandigheid was uit zijn stem verdwenen. Hij wees naar de trap die naar het hoofdbureau voerde. 'Dames gaan voor.'

'Jeetje, dank je.' Kate liep voor hem uit de trap op. Zoals gewoonlijk stond er een hele groep agenten samengedromd voor de ingang. Zoals gewoonlijk gingen ze niet voor haar opzij.

Kate draaide zich om. Ze botste bijna tegen Jimmy op.

'Tot vanavond dan,' zei ze.

Jimmy's mond viel open van verbazing, maar Kate sloot hem weer met een kus.

Het was niet zomaar een kus. Kate gaf een hele show weg. Ze streelde zijn nek. Met haar nagels krabbelde ze over zijn hoofdhuid. Ze sloeg hem letterlijk zijn pet van zijn hoofd.

Terwijl Kate door de verweerde voordeuren naar binnen liep, zag ze Jimmy zijn pet van de traptreden oprapen.

Het spitsroeden lopen door de briefingruimte was minder erg dan op de eerste dag. Kate had sindsdien veel geleerd. Bijvoorbeeld dat het een briefingruimte werd genoemd.

Ze negeerde de nieuwe penis die op de deur naar de vrouwenkleedkamer was getekend. Ze deed de deur op een kier open en wrong zich naar binnen.

Alleen Maggie was er. Ze stond bij haar kluisje. 'Wat ben je vroeg.'

'Wen er maar niet aan.'

'Doe ik ook niet.'

Glimlachend draaide Kate aan haar combinatieslot. Automatisch controleerde ze haar zakken. Ze was vergeten geld mee te nemen. Alweer.

Patricks foto zat op zijn gebruikelijke plek in haar portefeuille. Kate raakte zijn mooie gezicht aan. Cal Vick had aangeboden Patricks dogtags aan haar terug te geven, maar Kate had beleefd geweigerd. Ze moest een nieuw appartement zoeken. Ze kon niet terug naar het Barbizon, en hoewel haar vader had gezegd dat ze meer dan welkom was, voelde ze zich te oud om weer in het souterrain van haar ouders te trekken.

Trouwens, na één blik op de voetafdrukken bij haar slaapkamerraam wist ze dat ze een veiliger plek moest zoeken. Alleen al bij de gedachte dat Chip Bixby haar had geobserveerd werd Kate misselijk.

En daarom dacht ze er niet aan.

Kate klapte haar portefeuille dicht. 'Ik heb gehoord dat Jake Coffees begrafenis voor morgen staat gepland.'

'Gail wil met me meerijden. Wil je ook een lift?'

Kate dacht aan de laatste begrafenis die ze had bijgewoond. Patricks stoffelijk overschot was vanaf de andere kant van de wereld naar Atlanta gevlogen. Er waren allerlei bureaucratische obstakels geweest. Bovendien werd Atlanta getroffen door zwaar noodweer. Er verstreken tien dagen voor de stoffelijke resten van haar man eindelijk thuiskwamen. Tegen de tijd dat de begrafenis werd gehouden, was Kate zo gedrogeerd geweest dat ze zich nauwelijks kon herinneren dat de kist in de aarde werd neergelaten.

'Gaat het wel?' vroeg Maggie.

'Het gaat prima,' jokte Kate. 'Ik wacht wel op je bij Gail, dan hoef je niet helemaal naar Buckhead te rijden.'

'Buckhead,' bromde Maggie. 'Het is maar dat je het weet: Gail overweegt een vergunning aan te vragen om als privédetective aan de slag te gaan.'

Kate sloeg haar hand voor haar mond.

Maggie wist wat er kwam. 'Niet alles is een grap, Kate.'

'Detectivebureau Cycloop?'

'Kappen.' Maggies hoofd verdween in haar kluis. Haar stem klonk gedempt. 'Zo kan ze Trouble in de gaten houden.'

'O, goed idee.'

'Goedemorgen, dames.' Wanda Clack wrong zich door de deuropening. Haar glimlach loste op toen ze de tekening zag. 'Wéér een pik? Echt?'

'Door dat gebruik van licht en schaduw vind ik het er behoorlijk realistisch uitzien,' zei Kate.

'Ik leg me bij uw expertise neer, Mrs Lawson.'

'Wat?' zei Maggie.

'Wist je niet dat je collega iets met je broer heeft?' Wanda ging op de bank zitten. 'Ze stonden pal voor het bureau te vrijen. Het halve korps heeft het gezien.'

Maggie keek Kate aan.

Kate haalde haar schouders op.

'Niet te geloven dat het weer maandag is. Godsamme, elke week hetzelfde verhaal.' Wanda leunde achterover en maakte haar kluis open. Ze hing haar wapenstok, handboeien en portofoon aan haar riem. 'Ik heb me zaterdag toch een kanjer ontmoet. Sprekend Al Pacino, alleen kleiner. Hij heeft me mee uit eten en dansen genomen, maar toen hij hoorde dat ik bij de politie werkte is hij 'm via het raam van het toilet gesmeerd. En ik bleef met de rekening zitten!' Ze lachte snuivend. 'Mag ik nog blij zijn dat hij geen wapen achter de wc-pot had geplakt.'

Maggie lachte zoals ze alleen deed als ze echt gelukkig was. 'Je kunt altijd nog iets met een politieman beginnen.'

'Daarvoor moet je jong en dom zijn. Niet, Murphy?'

'Absoluut.'

De deur ging wagenwijd open. Een doodsbange jonge vrouw strompelde de kleedkamer binnen. Ze had haar handen voor haar borsten geslagen. Haar pet hing voor haar ogen. Haar uniform was drie maten te groot.

'Jezus christus.' Charlaine Compton kwam achter haar aan. Ze duwde de deur met twee handen dicht. 'Wat denk jij dat je aan het doen bent? Stel dat hier naakte vrouwen hadden gestaan?'

De mond van het nieuwe meisje bewoog. Zo te zien kon ze elk moment weer naar buiten rennen. Dat had ze waarschijnlijk ook gedaan als Charlaine haar de doorgang niet had versperd.

'Moet je dat zien,' zei Wanda. 'Ze is doodsbang.'

'Als een hert in de koplampen.' Charlaine trok een treurig gezicht. 'Dat arme ding houdt het nog geen week vol.'

Kate stond het nieuwe meisje openlijk te bestuderen. Ze had donker haar en zag er fris uit. Als ze niet zo panisch was geweest, zou je haar aantrekkelijk kunnen noemen.

'Hoe heet je, schat?' vroeg Wanda.

'B-B-Beth Dawson.'

Wanda zei: 'Ze doet me aan die meid uit die comedyserie denken, *Laugh-In*. Hoe heet die ook alweer?'

'Lily Tomlin?' opperde Charlaine. 'Judy Carne?'

'Ruth Buzzi.' Wanda klapte in haar handen. 'Ik ga je Buzzi noemen.'

Charlaine keek op haar horloge. 'Ik moet mijn zus even bellen, kijken of ze mijn kind niet in de kofferbak heeft gestopt in plaats van hem naar school te brengen.'

'Laten we maar weg wezen voor de zwarte meiden komen.' Wanda gaf Kate een tik tegen haar been. Kate hees haar overeind. In plaats van te vertrekken greep Wanda Dawson bij haar schouders. 'Hoor eens, Buzzi. Als ik je een goede raad mag geven: blijf bij Jimmy Lawson uit de buurt. Die is van Murphy daar.' Ze schudde de jonge vrouw als een zak wasgoed heen en weer. 'Echt, je moet niet met Murphy kloten. Die heeft een man neergeschoten alleen om hem te zien janken.'

Wanda deed de deur op een kier open en glipte de briefingruimte in.

'Vick zei dat we samenwerken,' zei Maggie tegen Kate. 'Is dat oké?'

'Jeetje, wat fantastisch,' liet Kate zich ontglippen. Maar ze vond het echt fantastisch.

Niettemin schudde Maggie haar hoofd toen ze zich krabsgewijs door de deuropening wurmde.

Kate ritste haar tas dicht. Ze klopte nog één keer op haar zakken. Met een klap sloot ze het deurtje van haar kluis.

Dawson schrok op. Ze stond in de hoek, nog steeds met haar handen tegen haar borsten. Haar pet zat zo laag dat Kate niet eens kon zien wat voor kleur ogen ze had.

'Haal je handen eens van je borsten,' zei ze.

Dawson trok haar handen weg. Haar tas viel op de grond. Ze boog zich voorover om hem te pakken en stootte haar hoofd toen aan de deurkruk.

Kate bedwong met moeite een lach. 'Heb je een slot?' De vrouw was te verstijfd om iets te zeggen. 'Een combinatieslot?'

Dawson schudde haar hoofd. Ze zette haar pet weer op. De rand zakte voor haar ogen. Ze duwde hem weer omhoog.

Kate maakte haar kluis open. 'Gebruik vandaag de mijne maar. Zorg dat je er morgen zelf een hebt. Er zit een sportwinkel aan Central Avenue, vlak bij de universiteit. Als je je uniform aanhebt krijg je het slot gratis.'

Dawson verroerde zich niet.

Kate pakte haar tas en wierp die in haar kluis. 'Je moet de deur nooit helemaal opendoen, want dan kunnen de mannen naar binnen kijken. De uniformsokken die je gekregen hebt, moet je niet aantrekken. Bij Franklin Simon hebben ze wollen, twee voor een dollar, maar ik heb liever die van kasjmier die je bij Davison's kunt kopen. Hoe dan ook, zorg dat je dikke sokken aantrekt zodat je voeten in je schoenen blijven zitten. En zoek een nietjestang voor je broek. Die haarspeldjes houden de boel niet bij elkaar. Echt niet. Dan lijk je straks net de vogelverschrikker uit *De tovenaar van Oz*. En dan nog iets: kijk altijd goed om je heen, neem je omgeving in je op. Omhoog, omlaag, links, rechts, naar voren en naar achteren, opzij. Doe je pet maar af.'

Dawson deed haar pet af.

'Zie je dat gordijn?'

Dawson keek naar het gordijn.

'Daarachter verkleden de zwarte meiden zich. Ze krijgen de kleedkamer tien minuten voor het appèl. Zo is de regel. Ze vinden het niet prettig als wij hier zijn en wij vinden het niet prettig als je ze kwaad maakt. Begrepen?'

Dawsons hoofd bewoog als het bolletje van een schrijfmachine. Ergens in haar hersens probeerde ze al deze informatie op te slaan.

In plaats van gas terug te nemen, ging Kate steeds sneller praten. 'Je wordt heus niet gearresteerd als je je uniformen vermaakt. Aan Fourteenth Street zit een kleermaker die je kan helpen. Hij is joods, maar geen verkeerde vent. Wat is er verder nog? O ja, de wc's zijn boven. Het is er nogal krap, twee hokjes maar. Geen haarlak spuiten als je voor de spiegel staat, want dan vermoorden ze je. Ik meen het. We dragen allemaal een wapen. Ik heet trouwens Kate.'

Kate reikte haar de hand.

Dawson aarzelde en stak toen voorzichtig haar hand naar Kate uit.

'Welkom op het Atlanta Police Department.'

DANKWOORD

Bedenk dat Atlanta niet simpelweg één stad is, want elke ervaring is uniek. Hoewel dit boek doorspekt is met waargebeurde feiten, is en blijft het fictie (wat betekent dat ik van alles heb verzonnen).

Voor achtergrondinformatie over het Atlanta van de jaren zeventig wil ik graag Janice Blumberg, Dona Robertson, Vickye Prattes en de aardige, knappe dokter Chip Pendleton bedanken. Ook bedank ik Ineke Lenting, mijn Nederlandse vertaler, voor haar hulp met mijn Nederlands (dat niks voorstelt, op de scheldwoorden na die ik van Marjolein Schurink heb geleerd). Iannis Goerlandt en Leen van den Broucke hebben me bijzonder goed geholpen met al mijn vragen over Vlaanderen (en mijn Vlaamse lezers, op wie ik dol ben, bied ik mijn welgemeende verontschuldigingen aan. Jullie zijn het vriendelijkste, blijmoedigste volk dat ik ooit heb ontmoet, en ik koester de tijd die ik bij jullie heb doorgebracht). Melissa van der Wagt heeft me geholpen met de uitspraak van sommige Nederlandse woorden (nee, Melissa, die klonken niet net als het Engels). Nanda Brouwer heeft me meegenomen naar het Joods Historisch Museum in Amsterdam, waar Mirjam Knotter met buitengewoon veel geduld mijn vragen heeft beantwoord. Ik ben vooral Linda Andriesse van de Hollandsche Schouwburg dankbaar voor haar grootmoedigheid en haar bereidheid me over haar persoonlijke ervaringen te vertellen. Barbara Reuten, bedankt omdat je deze twee ontmoetingen mogelijk hebt gemaakt. Ik zou iedereen die geïnteresseerd is in de geschiedenis van Nederland tijdens de Tweede Wereldoorlog willen aanraden deze twee zo belangrijke instellingen te bezoeken en te steunen. Trouwens, ik kan iedereen aanraden Nederland (en vooral ook Vlaanderen!) te bezoeken, en wel zo vaak mogelijk.

Mijn verontschuldigingen aan spoorfanaten voor de vrijheden die ik me heb veroorloofd in verband met de Howell Yard Wye. Ook moet ik hier vermelden dat de song van Warren Zevon in 1975 is opgenomen, maar werd uitgebracht in mei 1976.

David en Ellen Conford zijn mijn steun en toeverlaat geweest voor alles wat met Jiddisch te maken heeft. Als een lezer me op een fout denkt te betrappen: *a glik hot dich getrofen!* Laurent Bouzereau: bedankt voor je Rolodex. Susan Rebecca White: bedankt voor de informatie over het Colonnade Restaurant. Kitty: bedankt dat je aangetoond hebt dat volwassen vrouwen in Buckhead nog steeds 'jeetje' zeggen. Kat, bedankt, je weet zelf wel waarvoor, schat. Gillian: hier was ik mee bezig toen jij die geweldige grap over zoete aardappels aan het uitwerken was. Charlaine en Lee: ja, ik heb het over jullie, jongens. Mo Hayder: sorry dat er in dit boek zo weinig mensen een gruwelijke dood sterven. Volgende keer.

Voor mijn redactionele team: Jennifer Hershey en Kate Elton (BBF): heel erg bedankt voor jullie ijver en geduld. Een boek schrijven is net zoiets als koorddansen, en ik ben heel blij dat ik jullie als vangnet heb. Verder wil ik de mensen van Random House US en UK bedanken: Gina Centrello, Libby McGuire, Susan Sandon, Georgina Hawtrey-Woore, Jenny Geras en Markus Dohle. Victoria Sanders, bedankt dat je mijn onzin altijd weer slikt. Diane Dickenshied: bedankt dat je naar Victoria luistert als ze mijn onzin weer eens slikt. Angela Cheng Caplan, je bent geweldig. Er volgt nog meer onzin.

Voor iedereen bij De Bezige Bij: een auteur mag zich zeer gelukkig prijzen als ze kan samenwerken met mensen van wie ze oprecht houdt.

Zoals altijd zijn mijn laatste woorden van dank voor de twee belangrijkste mensen in mijn leven: bedankt, pap, omdat je me altijd soep en maisbrood brengt als ik worstel met mijn geschrijf, en omdat je me eraan herinnert dat ik mijn haar moet kammen. Voor DA, mijn liefste: ik heb geen idee waaraan ik jou heb verdiend, en ik weet zeker dat jij het ook vergeten bent.